Slough Library Services

Please return this book on or before the
date shown on your receipt.

To renew go to:
Website: **www.slough.gov.uk/libraries**
Phone: **03031 230035**

LIB/6198

Kilka godzin do szczęścia

D1635600

30130503696546

Polecamy

ROMA J. FISZER

Kilka godzin do szczęścia

EDIPRESSE
KSIĄŻKI

Copyright for the Polish Edition
© 2016 Edipresse Polska SA
Copyright for text © 2016 Jacek Wojtkowiak

Edipresse Polska SA
ul. Wiejska 19
00-480 Warszawa

Dyrektor ds. książek: Iga Rembiszewska
Redaktor inicjujący: Natalia Gowin
Produkcja: Klaudia Lis
Marketing i promocja: Renata Bogiel-Mikołajczyk
Digital i projekty specjalne: Katarzyna Domańska

Redakcja: Ita Turowicz
Korekta: Jaga Miłkowska

Projekt okładki i stron tytułowych: Wojciech Stukonis
Zdjęcie na okładce: Roman Samborskyi/Shutterstock.com

Projekt graficzny, skład i łamanie: Perpetuum

Redaktor prowadzący: Jaga Miłkowska

Biuro Obsługi Klienta
www.hitsalonik.pl
e-mail: bok@edipresse.pl
tel.: 22 584 22 22
(pon.-pt. w godz. 8:00-17:00)
www.facebook.com/edipresseksiazki

EDIPRESSE
KSIĄŻKI

Druk i oprawa: LEGA, Opole

ISBN: 978-83-7945-229-3

Wszelkie prawa zastrzeżone. Reprodukowanie,
kodowanie w urządzeniach przetwarzania danych,
odtwarzanie w jakiejkolwiek formie oraz
wykorzystywanie w wystąpieniach publicznych
w całości lub w części tylko za wyłącznym
zezwoleniem właściciela praw autorskich.

„Dawno, dawno temu..."

Parchowskie gniazda (1937 rok)

W pierwszą niedzielę kwietnia dwa bociany krążyły wysoko nad Parchowem, jakby nie mogły się zdecydować, czy wylądować, czy polecieć dalej. Spoglądały w dół na lśniące tafle jezior i oczek wodnych, na wijące się wśród lasów, pól i łąk rzeczki i strumienie oraz na zabudowania wsi i krzątających się pośród nich ludzi. Wreszcie po kilku zatoczonych kręgach jeden z bocianów zaczął się powoli zniżać do dachów parchowskich obejść. Przelatywał wolno nad kolejnymi zagrodami, jakby szukał znajomego miejsca. Przeciął drogę biegnącą wśród zabudowań wioski, kierując się w stronę małego ceglanego kościółka i przycupniętego przy nim cmentarza. Zatoczył wreszcie krąg nad gospodarstwem położonym na północnym obrzeżu wsi i wylądował na resztkach gniazda na dachu wysokiej stodoły. Rozprostował szeroko skrzydła, pomachał nimi i głośno zaklekotał. Po chwili powtórzył to jeszcze raz, czym zwrócił na siebie uwagę mężczyzny krzątającego się po obejściu.

Ten przerwał robotę i zaczął przyglądać się bocianowi, przysłaniając dłonią oczy od słońca. Poprawił czapkę, obejrzał się na ganek domu i powoli ruszył w kierunku stodoły.

– Krysiu, bocian przyleciał! O, i drugi leci! – krzyknął za siebie.

Na ganek wybiegła młoda kobieta, pospiesznie zawiązując chustkę.

– Bronuś, czy to nasi? – zawołała, spoglądając w stronę stodoły, na której właśnie siadał drugi bocian.

– Zaraz sprawdzę – odparł mężczyzna. Zwinął dłonie w trąbkę, przytknął je do ust i krzyknął w kierunku gniazda z bocianami: – Lolek! Lolek! – po czym kilkakrotnie klasnął w dłonie.

Jeden z ptaków podskoczył na gnieździe i zaklekotał, machając skrzydłami.

– Lolek! Lolek! – mężczyzna powtórzył okrzyk i znowu klasnął w dłonie.

Bocian patrzył w dół, przekrzywiając głowę na boki, jakby rozpoznawał mężczyznę i zbliżającą się do niego kobietę. Po chwili rozpostarł skrzydła, odbił się w górę i opadł na gniazdo, jeszcze raz odbił się w górę i zaczął powoli spływać w dół, lądując niedaleko nich. Ruszył powoli w ich kierunku, machając dziobem w górę i w dół, cicho klekocząc. Mężczyzna wyciągnął rękę przed siebie i czekał. Bocian bez strachu podszedł do niego i zaczął go skubać po dłoniach i rękawach kurtki. Mężczyzna delikatnie pogłaskał bociana po głowie i długim dziobie.

– Lolek, wróciłeś do nas – powiedział cicho. Ptak przekrzywiając głowę raz w lewo, raz w prawo, przyglądał mu się jakby z uśmiechem.

– Bronuś, to naprawdę nasi... – wyszeptała stojąca obok kobieta.

Bocian i ją zaczął poszczypywać po dłoni i rękawach...

Tak samo robił zeszłego lata bociek, którego Bronek znalazł pewnego ranka leżącego z uszkodzonym skrzydłem przy ścianie stodoły. Długo go leczył, nawet kilka razy wnosił do gniazda na górę, żeby go młode nie zapomniały. Bocian tak się przyzwyczaił wówczas do gospodarzy, że reagował na imię Lolek. Któregoś dnia wreszcie odważył się pofrunąć. Jeszcze trochę niezdarnie wziął rozbieg, załopotał skrzydłami i... wrócił na stałe do gniazda. Potem często przylatywał do Bronka na pola czy łąki i chodził za nim krok w krok. Bocianica została nazwana Zuzą, ale nie była tak ufna jak jej partner.

Krysia i Bronek spoglądali na przemian to na bociana, to na siebie. Uśmiechali się.

– Tak, to Lolek, a tam u góry Zuza. Jesteśmy znowu wszyscy razem – powiedział Bronek cicho.

– Ciągle tu jeszcze kogoś brakuje – szepnęła ledwie dosłyszalnie Krysia i nagle pojawiły się w jej oczach łzy. – Bronuś, proszę, pojedźmy jeszcze do innych specjalistów. Słyszałam od ludzi w Kartuzach, że w Gdyni są bardzo dobrzy lekarze. To daleko, ale...

Bronek przytulił żonę i pocałował w czoło.

– Dobrze, Krysiu. – Wielkimi palcami delikatnie ocierał łzy z jej policzków. – Nie płacz już. Zrobimy tak jak mówisz. Pojedziemy do Gdyni w przyszłym tygodniu.

*

Obejście Bronisława i Krystyny Zalewskich aż lśniło czystością. Przejęli to gospodarstwo po zmarłym bezpotomnie dalekim krewnym. Przyjechali tu spod Kielc na przedwiośniu dwa lata temu i traktowali to dziedzictwo jak prawdziwe zrządzenie losu. Wcześniej mieszkali z rodzicami Bronka, ale bez perspektyw na przejęcie ojcowizny. Przed nimi w kolejce czekało jeszcze dwóch starszych braci. Krysia nie miała zupełnie nic – była sierotą z ochronki prowadzonej przez zakonnice. Tam właśnie poznał ją Bronek jako kilkunastoletnią panienkę. Krysia pracowała w pralni i ogrodzie, a Bronek w stajniach i na polach. Młodzi spotykali się często na terenie ochronki i chociaż na pierwszy rzut oka niezbyt pasowali do siebie, lubili ze sobą przebywać. Ona była ładną niewysoką szatynką o orzechowych oczach, z lekko zadartym noskiem, on zaś – wysokim, żylastym, trochę niezgrabnym młodzieńcem o jasnych oczach i czarnej czuprynie. Od pierwszego spotkania połączyła ich jednak jakaś niewidzialna nić sympatii. Przełożona ochronki lubiła Bronka i obserwowała z uwagą przyjaźń młodych, która – jak zauważyła – z biegiem czasu przerodziła się w głębokie uczucie. Była pewna, że młodzi są sobie przeznaczeni. Gdy Krysia skończyła dwadzieścia lat i Bronek poprosił przełożoną o jej rękę, ta bez wahania zgodziła się na ich ślub. Rodzina Bronka była jednak mocno przeciwna.

– Ty nie masz gospodarstwa, a ona nie ma żadnego posagu. No i do tego jest z ochronki – ciągle słyszał tylko takie uwagi.

On jednak uparł się i tak zostali małżeństwem. Mieli więc tylko siebie i swoją miłość, taką, jaką kiedyś zobaczyli na filmie, w objazdowym kinie, które odwiedziło ich wieś. Cieszyli się każdym dniem spędzonym ze sobą. Przeszkadzały im tylko ciągłe uwagi rodziny i sąsiadów, że nie mają dziecka. Kiedy opuszczali podkielecką wieś, a byli już wtedy osiem lat po ślubie, mocno trapiło ich to, że nie doczekali się jeszcze potomka.

Po przeprowadzce do Parchowa w krótkim czasie postawili na nogi zapuszczone gospodarstwo. Sąsiedzi szybko ich polubili za pracowitość, chęć pomocy innym i zawsze pogodne twarze. Ale oni byli tacy tylko za dnia – przy ludziach. Gdy wieczorami zostawali sami, opadały ich ponure myśli i długo rozmawiali o wymarzonym dziecku, które jakoś nie chciało się pojawić na świecie. Kiedy wiosną następnego roku po przyjeździe na ich stodole pierwszy raz założyła sobie gniazdo para bocianów, potraktowali to jako dobry omen. Nie czując już presji rodziny, zaczęli szukać pomocy u lekarzy w najbliższym szpitalu, w Kartuzach. Tamtejsi medycy robili różne badania, ale ciągle zwlekali z postawieniem diagnozy...

Zalewscy nie chcieli znowu doświadczać, tak jak kiedyś, szeptów i spojrzeń sąsiadów; czekali z nadzieją na wizytę w gdyńskim szpitalu.

Basia, córka Zalewskich

W ciepłe kwietniowe przedpołudnie, podchodząc do szpitala przy Placu Kaszubskim w Gdyni, Krystyna poczuła nagle cudowny różany zapach. Tak samo pachniało kiedyś w jej domu, gdy mama była jeszcze zdrowa i smażyła pączki. To była ta jedna z niewielu rzeczy, jakie zapamiętała z rodzinnego domu. Właśnie minęli mały uliczny straganik, przy którym schludnie ubrana kobieta sprzedawała pączki.

– Bronuś, może zjemy po pączku? – spytała cicho Krysia i pociągnęła go za rękaw.

Bronek wiedział, jak bardzo jest przejęta wizytą u lekarza, więc szybko i chętnie się zgodził.

– Po jednym pączku dla żony i dla mnie proszę.

– A jedzcie z apetytem. Pączki z różą zawsze poprawiają nastrój – odpowiedziała kobieta, podając im pączki w bibułkach.

Krysia jakby tylko czekała na takie słowa.

– Bo wie pani, one mi tak ślicznie zapachniały... tak jak kiedyś u mamy, ale już dawno jestem sierotą... Przyjechaliśmy z Parchowa, bo tam gospodarzymy, i idziemy do lekarzy do szpitala, bo ja chcę mieć dziecko, a coś nie idzie... Ale smaczne te pączki... już czuję, jak poprawia mi się nastrój, a u pani tak tu czysto i schludnie… – Usta Krysi nie chciały się zamknąć.

Sprzedawczyni pączków, która w kontaktach z obcymi była na ogół rzeczowa i oszczędna w słowach, tym razem zareagowała inaczej. Uśmiechnęła się szeroko i spytała:

– A jak pani na imię?

– Krysia.

– A ja jestem Józefa… Wszystko będzie dobrze, pani Krysiu, tak jak pragniecie. Życzę, byście usłyszeli dobre słowo od lekarzy. A po wizycie przyjdźcie tutaj, kochani, na jeszcze jednego pączka. Będę tu ze dwie, trzy godziny. Mam ich dzisiaj sporo, no i ładnie jest – dodała, wskazując najpierw na pączki, a potem na błękitne niebo.

Uroczą, paplającą pełną buzią młodą kobietę Józefa, nie wiedzieć czemu, polubiła natychmiast. Bardzo ją wzruszyła jej bezpośredniość i otwartość. Ja jestem zupełnie inna, pomyślała. Nikomu bym takich rzeczy nie opowiedziała. Trochę to wynikało z jej charakteru, a trochę z doświadczeń życiowych.

Bronek zaskoczony nieoczekiwanym wybuchem szczerości żony, pociągnął ją w kierunku wejścia do szpitala.

– Dziękujemy za dobre słowo, ale już musimy iść.

Sprzedawczyni znowu uśmiechnęła się szeroko i wtedy Krysia zobaczyła cudownie białe zęby, jakich jeszcze nigdy u nikogo nie widziała… Po dwóch godzinach Zalewscy, wyszedłszy z bramy szpitala, skierowali się w stronę straganu, zajęci rozmową. Józefę bardzo ciekawiło, z jakimi wieściami przychodzą.

– Mamy przyjechać za dwa tygodnie po wyniki. Dzisiaj się spieszymy, bo już niedługo odchodzi pociąg do Kartuz – wołała Krystyna już z daleka. – A będzie tu pani w piątek za dwa tygodnie? No i poprosimy jeszcze dwa pączki na drogę. Jestem już głodna, a one chyba też przyniosły mi dzisiaj szczęście.

– W piątki jestem zawsze – odparła z uśmiechem Józefa. – Zobaczycie, wszystko będzie dobrze.

Krysia chciała jeszcze coś powiedzieć, ale Bronek lekko lecz zdecydowanie pociągnął ją za sobą.

– Do widzenia! – krzyknęli prawie jednocześnie Zalewscy.

– Do zobaczenia! – odkrzyknęła Józefa, spoglądając za odchodzącymi w kierunku dworca.

Krysia na przemian to szła, to podbiegała, coś do męża pokrzykując, on szedł długim i szybkim krokiem i tylko kiwał głową.

*

Dwa tygodnie później Józefa przyszła pod szpital trochę później niż zwykle – ostatnio nie czuła się najlepiej. Zaciskała zęby – nie chciała nic dzieciakom mówić. Bała się jednak, że gdyby choć raz tam nie poszła, miejsce to zaraz zająłby ktoś inny. Pracowała na stałe w pensjonacie, a smażenie i sprzedaż pączków były jej sposobem pozyskania dodatkowych środków na utrzymanie rodziny. Wiedziała, że niczego nie ma się na stałe i nic nie trwa wiecznie. Życie ją nauczyło, iż każdy grosz jest potrzebny. Już dawno przekonała się, że z żadnej możliwości zarobienia – póki są siły – nie wolno rezygnować. Bo lekarze i lekarstwa kosztują. Myślała jednak, że wiosna i słońce pomogą i znowu poczuje się lepiej.

Żałowała, że nie zobaczyła się z Zalewskimi przed ich wizytą w szpitalu. Czekała więc w napięciu, aż stamtąd wyjdą. Zapadła jej w pamięć ta szczebiocząca, młoda kobieta z Parchowa i szczerze pragnęła dla niej dobrej wiadomości od lekarzy.

Nieco po czternastej zobaczyła Zalewskich wychodzących ze szpitala. Krystyna była zapłakana, obok niej szedł bardzo strapiony mąż. Józefa pomachała im ręką. Gdy ją dojrzeli, powoli i jakby ociągając się, ruszyli w jej stronę.

– Krysiu, a co tam? Czemu płaczesz? – spytała Józefa.

Krysia ze łzami w oczach podeszła do niej i przytuliła się.

– Bo ja... bo lekarze... – szlochała. – Jeszcze raz będę musiała tu przyjechać!

– Krysiu, posłuchaj, nigdy nie jest tak, żeby nie mogło być lepiej. – Józefa nie wiedzieć czemu zaczęła jej mówić na ty. – Mówcie mi też po imieniu, tak będzie prościej.

Nic lepszego Józefie nie przyszło do głowy, aż sama była zdziwiona własnymi słowami.

– Ale na początek proszę cię, zjedz pączka – zwróciła się do Krysi. – I ty, Bronek, też. No, a teraz, Krysiu, opowiadaj.

Krysia gryzła pączka z oczami pełnymi łez, spoglądając ufnie na Józefę. Zaczęła opowiadać, czego dowiedzieli się w szpitalu. Tym razem mówiła cicho i powoli. Bronek odszedł nieco na bok i zmartwiony rozmyślał o tym, co powiedzieli lekarze. Od czasu do czasu patrzył na kobiety rozmawiające lekko przyciszonym głosem. Dochodziły do niego tylko strzępy zdań, więc przyglądał się rozmawiającym i czekał. Po jakimś czasie zauważył, że Krystyna zaczęła się lekko uśmiechać. Jak dobrze, że była tutaj dzisiaj ta Józefa, pomyślał.

– Józiu! A długo tu już stoisz? – odezwała się nagle Józefa Kuszer do młodzieńca, który stał tuż obok niej. – Ukłoń się pani Krysi! Krysiu, to jest mój starszy syn Józek. Zawsze któryś z synów pomaga mi przynieść pączki, no i ten straganik. Albo Józek, albo młodszy

Tadzio. Pomagają mi rozstawić kram, a potem przychodzą po mnie. Krysiu, czyli tak jak się umówiłyśmy – jak przyjedziecie tutaj znowu za dwa tygodnie, to się spotkamy. I głowa do góry! – Józefa trzymała w dłoniach ręce Krystyny i krzepiąco patrzyła jej w oczy.

Bronek był szczęśliwy, że Krysia wreszcie się uśmiecha. Józefa ucałowała i uściskała serdecznie młodą kobietę i pomachała Bronkowi.

– A jedźcie i przyjeżdżajcie tu znowu szczęśliwie! – krzyknęła za odchodzącymi w kierunku dworca kolejowego.

*

Kiedy Krystyna po raz kolejny, u progu lata, przyjechała do szpitala w Gdyni, usłyszała od lekarzy, że ma tam pozostać aż do urodzenia dziecka. Taką wieść przywiózł do Parchowa Bronek. Opowiadał sąsiadom zza miedzy, Skierkom, że Krysia jest w czwartym miesiącu ciąży i że poprzednio lekarze, nie będąc do końca pewni wyników, nie chcieli zbyt wcześnie o nich mówić. Nie chcieli stwarzać Krystynie złudnych nadziei. Mówił o powikłaniach ciążowych Krysi i konieczności jej częstych badań w szpitalu.

„Maleństwo jest wyjątkowo małe i słabe!" – taką przekazał opinię lekarzy. Widać było, że jest przejęty, ale też bardzo szczęśliwy. Skierkowie i inni parchowscy gospodarze, którym Bronek o Krysi opowiadał, żałowali, że ze względu na stan zdrowia młodej matki trzeba było wybrać szpital w Gdyni, chociaż bliżej było do Kartuz. Tak daleko nikt ze wsi nie będzie mógł pojechać jej odwiedzić. Bronek opowiadał, że poznali w Gdyni uczynną kobietę – Józefę Kuszer, która za niewielką opłatą będzie gościć Krysię, a kiedy trzeba, to również towarzyszyć i doglądać w szpitalu.

*

Termin urodzin dziecka przypadł na listopad. Parchowianie trochę się dziwili, że Bronek po porodzie wrócił bez Krysi i bez dziecka. Zarówno matka, jak i córeczka Basia – bo takie dali jej imię – były wciąż bardzo słabe i musiały zostać jeszcze trochę w Gdyni, blisko dobrych lekarzy.

– Dobrze, że Józefa Kuszer, ta, co opiekowała się Krysią przed porodem, mogła załatwić tani pokój w pensjonacie, w którym pracuje. Krysia z Basią będą musiały zostać w Gdyni jeszcze dwa-trzy miesiące. Tu zima za pasem, a tam będą miały dobre warunki. Będę je odwiedzał od czasu do czasu – opowiadał Bronek.

Pod koniec marca 1938 roku, tuż przed powrotem z córeczką do Parchowa, Krystyna zaproponowała Józefie, by każdego roku latem przyjeżdżała z dziećmi do niej na wakacje.

– Posłuchaj, Józia, o spanie i jedzenie nie musisz się martwić, a nudno we wsi na pewno wam nie będzie. Tam zawsze jest co robić – zachęcała z uśmiechem. – A poza tym będziecie mogli sobie jeszcze trochę dorobić, bo latem każdy gospodarz potrzebuje dodatkowych rąk do pracy. Pieniądze wam się przecież przydadzą.

– Krysiu… – Józefa zamyśliła się. – To nie jest całkiem dobry pomysł, bo… – zawiesiła głos. – Spójrz, jaką ja mam pracę… – przerwała, widząc, że Krysi zrobiło się przykro. – No dobrze. Może chociaż w te wakacje przyjadę na trochę z Olą i Tadziem. A co będzie dalej, zobaczymy…

Felcia znad księżycowego stawu

Niedaleko gospodarstwa Zalewskich położone było obejście zasiedziałej tu od wielu pokoleń rodziny Skierków. Gospodarzył czterdziestoczteroletni Ludwik z młodszą o pięć lat Anielą. Byli małżeństwem od dwudziestu lat i mieli dwójkę dzieci – pełnoletniego syna i ośmioletnią córkę Felicję. Felcia była oczkiem w głowie Ludwika, który zawsze mówił, że znajdzie dla niej na męża księcia.

Ludwik był silnym, postawnym, ogorzałym mężczyzną, lecz jego dusza i serce nie całkiem pasowały do tej postury. Po matce odziedziczył naturę romantyczną. Kiedy tylko nie musiał iść w pole albo pracować w obejściu, wyruszał w myślach – jak sam mówił – daleko w świat. Opowiadał o tych swoich podróżach Felci i lubił patrzeć, jak jego mała śliczna blondyneczka przymyka oczy, żeby wyobrazić sobie, co tata opowiada. Rozumieli się bez słów, widać, że Felcia odziedziczyła po ojcu tę dziwną romantyczność i melancholię. Ona też już wyruszała w myślach we własne podróże, a ulubionym miejscem, gdzie oddawała się temu zajęciu, był staw leżący za pobliską górką, nieopodal ich zabudowań. Ojciec kiedy tylko mógł, wiosną, latem i jesienią, zabierał małą Felcię nad staw i tam opowiadał jej swoje dziwne historie. Każda okoliczność i pora, żeby pójść nad staw, były dla niej dobre.

Drugą jej pasją było przyglądanie się księżycowi. Najbardziej lubiła pełnię, bo wtedy widziała dwa wielkie księżyce: jeden na niebie, drugi kąpiący się w stawie. Mogła o stawie i księżycu, a właściwie o dwóch księżycach, mówić bez końca. Któregoś wieczoru ostatniej zimy, kiedy dorośli przygotowywali się już do snu, wyrwała się na chwilkę na podwórze, w samej koszulinie, by popatrzeć na księżyc. Dobrze, że chociaż zdążyła wciągnąć buty i narzucić na siebie maminą chustę. Tak ją ten księżyc na niebie ciągnął, że doszła aż do górki, z której mogła wreszcie zobaczyć także ów drugi, odbijający się w lodowej tafli stawu. Zapatrzyła się na te cuda, aż zapomniała o bożym świecie. Zachwycona dwoma księżycami i ich blaskiem, nie czuła mrozu. Ocknęła się dopiero, kiedy usłyszała przeraźliwe wołania rodziców: „Felcia! Felcia!".

A potem były dwa tygodnie ciężkiej choroby, wielkie zatroskanie rodziców i zmarnowane święta Bożego Narodzenia. Ale kiedy tylko wydobrzała, znowu chciała zobaczyć księżyc w lodowym stawie. Taka była Felcia.

Gdy Krysia Zalewska przyjechała z Basią do Parchowa, Felcia zaraz pojawiła się u nich i odtąd przybiegała tam, kiedy tylko mogła. Chodziła do pierwszej klasy, ale póki co nauki nie było zbyt dużo, a w domu też nie miała jeszcze specjalnych obowiązków. W dniu imienin, które obchodziła w kwietniu, parę dni po chrzcinach Basi, Zalewscy i jej rodzice, widząc, jak Felcia szaleje za małą, powiedzieli jej, że Basia to taki jej prezent imieninowy.

Kiedy tylko mama pozwoliła, Felcia biegła do Zalewskich tak szybko, że pięty śmigały w powietrzu.

Pomagała Krysi przy kąpielach Basi, asystowała przy karmieniu i towarzyszyła na spacerach. Uwielbiała Basię i aż trzęsła się, żeby przy niej ciągle być. Kiedy Krysia kładła golutką małą na brzuszku, aby ta się trochę pogimnastykowała, lubiła wtedy leciutko ją masować, łaskotać i drapać po pleckach. Basia wydawała z siebie pocieszne dźwięki, kwiliła, gulgotała, unosiła się na zgiętych łokietkach i przekrzywiając główkę, słodko uśmiechała się do matki i Felci.

Dziewczynce szczególnie podobała się u Basi śmieszna brunatna plamka, którą miała na łopatce, zmieniająca ciągle swój kształt. Gdy mała leżała chwilę spokojnie, a to zdarzało się nader rzadko, plamka przybierała kształt niewielkiego serduszka.

Józefa z pensjonatu „Villa Rosa"

Felcia nieustannie prosiła Krysię, aby ta opowiadała jej swoje „życie". Po wielokroć płynęły więc opowiadania o zapamiętanym przez nią z rodzinnego domu zapachu różanych pączków, o pobycie w ochronkach, o tym, jak w jednej z nich poznała Bronka, co powiedziała siostra przełożona, kiedy zobaczyła, że mają się z Bronkiem ku sobie, gdzie i jak mieszkała Krysia z Basią w Gdyni, zanim przyjechała z nią do Parchowa, co opowiadała o sobie Józefa Kuszerowa z Gdyni, jaki miała uśmiech, jakie były jej dzieci. Czekając na bliski już przyjazd letników z tej Gdyni, do której często wybierała się z tatą w wymyślonych podróżach, prosiła, aby kolejny raz Krysia opowiedziała o nich i ich mieście. Ta śmiejąc się, ustępowała, zaczynając opowieść od początku.

Józefa Kuszer była czterdziestodwuletnią kobietą, która od kilkunastu lat samotnie wychowywała trójkę dzieci. Kiedyś było jej bardzo ciężko, szczególnie zaraz po przyjeździe do Gdyni w 1928 roku. Mieszkała wówczas na Grabówku, w budzie z gliny, ocieplonej deskami i blachą. Tak żyło wielu ludzi przyjeżdżających z biedy, z głębi kraju, nad polskie morze. Imała się wtedy każdej pracy. Szyła łapcie z filcu i skóry, najmowała się do prania, gotowania i pieczenia ciast. Gdy nie było innego zajęcia, roznosiła syrop z ciemnego cukru pieszo aż do Oksywia. Od kilku lat miała stałą pracę w niewielkim pensjonacie „Villa Rosa" przy ulicy Matejki, blisko morza. Do jej obowiązków należało sprzątanie pokoi i prowadzenie kuchni. Tam też mieszkała z dziećmi; latem w suterenie, a na zimę właściciel – pan Nicholas Neubauer – udostępniał jej dwa pokoje na pierwszym piętrze. Teraz miał on amerykański paszport i nowe imię, ale pochodził spod Suwałk. Kiedy wyjeżdżał za pracą do Ameryki, nosił jeszcze imię Mikołaj. Bardzo szanował i podziwiał tę pracowitą i zawsze czystą kobietę, o oryginalnej południowej urodzie. Gdy zatrudniał ją, opowiedziała mu o swojej trudnej życiowej historii.

Uciekła w 1918 roku z domu, bo nie chciała wyjść za mąż za kogoś znacznie od niej starszego i nieznanego. Najpierw wyruszyła z koleżanką do Warszawy, a stamtąd pojechały za pracą do Berlina. Pracowała jako pomoc kuchenna, kelnerka, ale szybko dała się poznać jako znakomita kucharka. Niedługo została szefową kuchni w jadłodajni. Wyszła za mąż za robotnika, Jana Kuszera, który tak jak ona znalazł w Berlinie pracę. W ciągu pięciu lat dorobili się trójki dzieci: dziewczynki i dwóch chłopców – konieczny był zatem powrót do kraju. Mąż szybko okazał się hulaką i utracjuszem. Pod pretekstem szukania lepszej pracy wyjechał do Paryża i ślad po nim zaginął. Józefa po trzech latach klepania biedy w Wieluniu postanowiła ruszyć nad morze, do budującej się Gdyni. Właściciel pensjonatu „Villa Rosa", gdzie znalazła zatrudnienie, podziwiał jej pracowitość i charakter, z czasem zaczął w niej dostrzegać także inne kobiece walory...

Mimo całej różnicy statusu czuł do niej wyjątkową słabość. Próbował to czasami okazywać, ale Józefa utrzymywała należyty dystans. Była dumna i nie chciała *przyjmować od niego żadnych prezentów, nawet w postaci zawyżonej płacy. Kiedy poprosiła go o możliwość nieodpłatnego korzystania z kuchni pensjonatu na smażenie pączków, skwapliwie się zgodził. To była zresztą jedyna rzecz, o którą Józefa go poprosiła, i to tylko raz – takie miała zasady. Gdyby poczuła, że obwarowuje zgodę jakimikolwiek warunkami, natychmiast wycofałaby się z tego. Smażyła więc te swoje pączki z córką Olą i choć teraz było jej już znacznie lżej niż kiedyś, przychodziła ciągle sprzedawać je pod szpital na Placu Kaszubskim...*

Felcia mogła tę i inne Krysi historie opowiadać sama – znała je wszystkie na wyrywki, ale lubiła słuchać i często opowiadającą poprawiała. Ta zanosząc się od śmiechu, zawsze przyznawała Felci rację...

*

Wakacje 1938 roku były pierwszymi, które Józefa Kuszer z dziećmi miała spędzić w Parchowie. Był to ich w ogóle pierwszy w życiu rodzinny wyjazd poza Gdynię. Przyjechali w połowie lipca, tak jak wcześniej Józefa zapowiedziała – z Olą i Tadziem. Starszy syn Józio nie mógł przyjechać, bo od niedawna pracował w porcie.

Bronek i Krysia zdążyli naopowiadać we wsi dużo dobrego o Józefie. Mówili, że to biedna, ale dobra kobieta, która sama wychowuje trójkę dzieci. Że na czas wyjazdu musiała znaleźć na swoje miejsce w pensjonacie zastępstwo i straci też dodatkowe zarobki, bo nie będzie sprzedawać pączków. Kiedy sąsiedzi zobaczyli jeszcze, jaki Józefa przywiozła prezent dla Basi i jej mamy – elegancki, miejski wózek spacerowy – przywitali ją jak najlepszą znajomą.

W pierwszym tygodniu Józefa i jej dzieci poznawali wieś i sąsiadów. Wszyscy chcieli ich ugościć. Choć nikomu się tutaj nie przelewało, większość z gospodyń zwracała się do Józefy o taką lub inną przysługę, pozwalając jej przy okazji zarobić parę groszy. Wprawdzie ta usiłowała protestować, że ludzie dają jej pieniądze za niewielką nawet pracę, ale na próżno. Zawsze słyszała odpowiedź: „Chętnie skorzystamy z twojej pomocy, ale nie będziesz dla nas pracować darmo".

Lipcowa burza

– Tadziu, pomożesz Felci na spacerze z Basią – powiedziała któregoś popołudnia Józefa Kuszer do syna. – Felcia chce ci koniecznie dzisiaj pokazać swój ulubiony staw. Wózek ciężki, więc pomożesz jej pchać! Ona sama nie uradzi. My z Olą idziemy z gospodarzami grabić siano na łąkach rodziców Felci.

– Mamo, ale ja przez ten tydzień byłem nad stawem już chyba z pięć razy – mruknął niezadowolony Tadeusz. – Przecież to zwykła sadzawka.

– Tak? Ale dzisiaj jeszcze nie byłeś, a Felcia mówi, że w dzisiejszym słońcu on będzie zupełnie inny.

– Mamo, ale...

– Pójdziesz! I nie ma o czym gadać! Żadnego ale! – przerwała mu zdecydowanie Kuszerowa, która nie tolerowała żadnego sprzeciwu u swoich dzieci.

– Józia, Krysia, Ola, bierzcie grabie i ruszajmy wreszcie na łąkę! – ponaglająco krzyknął w kierunku ganku Bronek. – Skierkowie już tam przecież czekają!

Kręcił się nerwowo przy stodole i ocierał co chwilę pot z czoła. Chwycił jedne z drewnianych grabi, które wcześniej naszykował, oparł je na ramieniu i skierował się w stronę łąk. Kobiety bez entuzjazmu opuściły zacieniony ganek, każda wzięła swoje grabie i ruszyły z wolna za nim.

– Bronek mówił, że ta pogoda coś dziwnie pachnie, więc nie oddalajcie się zanadto z wózkiem od domu! – krzyknęła Krystyna w kierunku dzieci.

*

Tadeusz stał obok wózka, w którym leżała córeczka Zalewskich, i patrzył, jak ośmioletnia Felcia, gotowa do spaceru, uśmiecha się do niego i podskakuje z radości. Przez te kilka dni zdążył ją polubić, ale dzisiaj wolałby pójść na łąkę grabić siano, niż pchać ciężki wózek po wiejskich wertepach i słuchać jej paplaniny. Po co myśmy tu w ogóle przyjechali? – myślał. Przecież wakacje to najlepszy okres, żeby pobyć w Gdyni.

Kąpiel w morzu i podawanie piłek na kortach tenisowych to były do tej pory jego ulubione i w zasadzie jedyne letnie zajęcia. Nie licząc tego, że co drugi dzień trzeba było zanieść kramik i pączki pod szpital. Za podawanie piłek dostawał napiwki, z których większość oddawał mamie, a i tak zawsze zostawało jeszcze parę groszy na kino. Pięknie jest latem w Gdyni... rozmarzył się. A tutaj co? Spacerki z dzidzią! Omiótł niechętnym wzrokiem wózek i podskakującą Felcię.

Jego zdaniem i zdaniem Józia, ten wózek w ogóle nie nadawał się do wiejskich dróg. Za duży i za ciężki. Ale mama się uparła.

– Wózek musi być porządny – galante! Musi też mieć wygląd. Jak prezent, to prezent, tym bardziej, że i pan Nicholas dołożył do niego trochę. I nie ma dyskusji.

Wszystkie rozmowy Józefy z dziećmi były krótkie. Jedno wszakże trzeba mamie przyznać; wózek był w dobrym stanie i zbyt drogo nie kosztował, myślał. Mama kupiła go okazyjnie od letników, którzy musieli nagle wracać do Warszawy. A potem był problem, właściwie tylko mój problem, z przytachaniem go do Parchowa, myślał dalej Tadzio. Najpierw pociąg, do którego wózek nie za bardzo chciał się zmieścić, a potem to auto mleczarza – szkoda gadać. A teraz trzeba toto pchać po tych piaszczystych polnych dróżkach.

– Felcia, ruszamy – powiedział cicho Tadzio, widząc że w kołysanym przez dziewczynkę wózku Basia słodko zasnęła. – A jak już musisz coś mówić, to cichutko, żebyśmy dzidzi nie pobudzili – dorzucił szeptem.

– Pojedźmy tą drugą dróżką, pomiędzy pszenicą a owsem, a zajedziemy nad staw od strony strumienia – poprosiła cichutko Felcia, patrząc słodko na Tadzia. – Tam co prawda jest trochę z górki, ale popatrzysz dzisiaj na staw z innej strony. Słońce będzie świeciło nam prosto w oczy i zobaczysz, jak woda mieni się wtedy różnymi kolorami – dodała. – Tak bym chciała ci pokazać staw zimą, w czasie pełni księżyca. Wtedy dopiero jest pięknie!

Tadzio i Felcia szli w milczeniu pomiędzy łanami zbóż. On pchał wózek, a Felcia raz po jednej, raz po drugiej stronie dróżki kucała i zbierała polne kwiaty. Dróżka na przemian to się wznosiła, to trochę opadała. Zabudowania Zalewskich zostawili już daleko za sobą. Teraz szli wolno w dół, kierując się w stronę stawu i strumienia. Tadeusz przytrzymywał podskakujący na kamieniach wózek. Było cicho, gorąco i parno. Pachniało dojrzałym zbożem i przydrożnymi trawami. Wśród łanów po obu stronach dróżki czerwieniły się maki, świeciły błękitem chabry i złociły kaczeńce. Ptaki śpiewały leniwie, owady brzęczały cicho i kleiły się do ciał. Od stawu dochodziło przytłumione rechotanie żab.

Tadeusz spojrzał ponad drzewa rosnące wzdłuż strumienia i dojrzał ciemną chmurę, której jeszcze przed chwilą tam nie było.

– Felcia, za daleko mnie nie prowadź, bo co będzie, jak deszcz nas złapie? – powiedział cicho.

– Z takiej chmurki to deszcz nie pada. Nie ma co się bać.

W oddali wśród łanów dojrzeć już można było pobłyskującą raz srebrzyście, innym razem zielonkawo, lekko pomarszczoną taflę stawu.

– Tadziu, już niedaleko – wyszeptała Felcia – patrz, czy to nie piękne?

Tadeusz spoglądał na przemian na staw i na Felcię. Już sam nie wiedział, co jest bardziej interesujące. Czy ten dziwnie rozmarzony wzrok dziewczynki, czy zmieniająca barwy woda w stawie.

Nagle niebo przecięła oślepiająca błyskawica i rozległ się przeraźliwy grzmot. Dzieci ze strachu przypadły aż do ziemi.

– Boże, a to co?! – wrzasnęła przestraszona Felcia.

– Burza! – odkrzyknął nie mniej przestraszony Tadzio.

Z chmury, wiszącej teraz dokładnie nad parchowskimi polami i zmieniającej kolor z szarego na ciemnobury, zaczął nagle padać ulewny deszcz z drobinkami gradu. W parę chwil zrobiło się ciemno i chłodno. Nie wiadomo skąd zaczął wiać silny wiatr, pod naporem którego zboża kładły się po sobie. Nawałnica nasilała się z każdą chwilą. Felcia ledwo utrzymywała się na nogach. Deszcz przyciskał ją do ziemi, a wiatr szarpał jej mokrą sukienką na wszystkie strony.

– Tadziu, co się dzieje?! – krzyknęła przerażona i rozpłakała się głośno.

– Nie wiem, ale natychmiast wracamy! – odkrzyknął

Tadzio i zawróciwszy wózek, zaczął pchać go z powrotem w stronę wsi, pod górę. Basia rozpłakała się. Chłopak ściągnął z siebie koszulę i narzucił na gondolę wózka.

– Felcia, chodź tu, pomożesz mi pchać!

Koła wózka tonęły w błocie spływającym z góry. Tadeusz mocował się z wózkiem, próbując go pchać, ale ślizgał się w swoich sandałach. Felcia dołożyła swoje chude rączki do ramy wózka, co tylko pogorszyło sytuację.

W tym momencie druga błyskawica rozświetliła niebo tuż nad głowami dzieci i jednocześnie rozległ się jeszcze głośniejszy niż poprzednio grzmot. Piorun uderzył zupełnie blisko, gdzieś za górką, na którą usiłowali się wspiąć z wózkiem.

– Staraj się mi pomóc! – krzyknął Tadzio.

Widział, jak Felcia słabnie z każdą chwilą i zamiast pchać, wspiera się na wózku. Nagle dzieci poczuły dym, potem zobaczyły całe jego kłęby i na koniec ujrzały, jak fala płomieni sunie przez łany zbóż w ich kierunku. Po chwili dotarła do nich, przeskoczyła przez dróżkę i popędziła dalej. Dzieci znalazły się w potrzasku. Z obu stron polnej dróżki płonęły zboża.

– Felcia, uciekaj do góry! – krzyknął Tadzio.

Polna dróżka była jedynym miejscem wolnym od ognia. Szalał za to po obu jej stronach. Powietrze mimo ulewnego deszczu i silnego wiatru zrobiło się gorące. Płomienie strzelające z palącego się po lewej stronie zboża momentami sięgały do połowy dróżki. Felcia ruszyła z płaczem pod górę, ale po kilkunastu krokach poślizgnęła się i upadła na obłocone i mokre kamienie.

– Tadziu! Noga...! Nie mogę nią ruszać! – Dziewczynka leżała na ziemi i zanosiła się od płaczu.

Tadeusz przysunął wózek bliżej prawej strony dróżki, podłożył kamień pod jedno z kół i ruszył w kierunku Felci. Przeniosę ją trochę dalej i zaraz wrócę po Basię, pomyślał.

Niósł płaczącą i zakrwawioną Felcię, zmagając się z padającym deszczem, płynącą z góry błotnistą mazią oraz ogniem i dymem z lewej strony dróżki. Siły coraz bardziej go opuszczały, a pokonał dopiero kilkadziesiąt metrów. Ogień wyżej był nieco mniejszy, bo zboża już się dopalały, ale do szczytu wzniesienia brakowało jeszcze kilkudziesięciu kroków.

– Muszę wytrzymać! Dam radę! Tam jest przecież Basia! Muszę po nią wrócić! – krzyczał sam do siebie, jakby dodając sobie sił.

Był już prawie na szczycie wzniesienia, gdy zobaczył w oddali, że palą się zabudowania Zalewskich. Dojrzał też, że szybko zbliża się do nich kolejna, ogromna chmura dymu. Położył delikatnie Felcię na trawiastym poboczu dróżki.

– Zasłoń oczy i buzię rękoma! Połóż się na brzuchu i nie podnoś głowy! Wytrzymaj! Ja biegnę po Basię! – krzyknął i ruszył w kierunku pozostawionego na dróżce wózka z Basią.

Ciemna chmura dymu dopadła go po kilkunastu krokach. Biegł, potykał się, ale nie rezygnował. Zaczął się krztusić... Przebiegł jeszcze kilkadziesiąt kroków, potknął się kolejny raz i upadł bez tchu na polną drogę.

*

Zalewscy, Skierkowie i Józefa Kuszer z córką Olą grabili suche siano na łące w dolinie. Uderzenie pierwszego pioruna i nagła ulewa spowodowały, że wszyscy jak na komendę puścili się biegiem w kierunku zabudowań Skierków. Biegnąc, widzieli, jak drugi piorun uderzył w zabudowania Zalewskich. Na ich oczach stodoła w jednej chwili stanęła w płomieniach. Jak na komendę wszyscy skręcili i pobiegli pod górę, ciężko dysząc. Silna wichura zaczęła przenosić ogień ze stodoły na resztę zabudowań. Gdy dobiegli na miejsce, wszystkie budynki już płonęły, a przerażone zwierzęta ryczały głośno w stajni i chlewie. Dobrze, że chociaż krowy były na łące. Wiatr gnał płomienie z płonących zabudowań, po wysokiej trawie, w kierunku łanów zbóż, które zaczynały się niedaleko za stodołą.

– Ludwik, my do zwierząt! A kobiety zobaczcie, czy uda się coś wyciągnąć z chałupy! – krzyknął Bronek.

Popędził do stajni, a Ludwik do chlewu. Konie rżały przerażone, stając co chwila na tylnych nogach i wierzgając przednimi w powietrzu. We wnętrzu stajni pełgały już pierwsze płomienie. Z dachu spadały kawałki strzechy i palących się desek. Po kilku chwilach szarpania się ze sznurami, Bronkowi udało się wreszcie wyprowadzić pierwszego konia. W tym samym czasie z chlewu z kwikiem uciekały świnie wypłoszone przez Ludwika. Kobiety stały przerażone przed palącą się chatą i nie bardzo wiedziały, co robić.

– Krysia, nie rób tego! – wrzasnęła Aniela Skierkowa za Zalewską, która nagle ruszyła pędem do chaty.

– Tam jest kuferek, w którym są nasze i Basi skarby! – odkrzyknęła Krystyna i zniknęła za drzwiami.

Aniela i Józefa stały wciąż niedaleko ganku. Przed chwilą jeszcze niezdecydowane, teraz widać było w nich gotowość, żeby ruszyć za Krystyną. Wszystko płonęło, a gwałtowna ulewa i grad uczyniły z podwórza wielkie bajoro.

Bronek ponownie wbiegł do stajni i zaczął mocować się z linami, którymi przywiązany był drugi koń. Nagle ze stropu spadła na niego wielka paląca się krokiew, a po chwili następna. Ludwik, który skończył już wyganiać świnie, nie widząc Bronka na podwórzu, postanowił ruszyć za nim do stajni. Mimo płomieni, które ogarnęły całe wnętrze, udało mu się tam wbiec. Krzyczał: „Bronek! Bronek!" – ale nikt nie odpowiadał. Uwiązany drugi koń szalał. Ludwik, zasłaniając się derką przed płomieniami i dymem, podbiegł do niego i po kilku chwilach udało mu się go uwolnić. Klepnął konia w zad, a ten z przeraźliwym rżeniem kilkoma susami znalazł się przy wyjściu – był uratowany.

Muszę uciekać, pomyślał Ludwik. Ale gdzie jest Bronek? Spojrzał jeszcze raz w głąb stajni i wtedy zobaczył go przygniecionego ciężkimi balami. Leżał twarzą do ziemi. Nie ruszał się. Z głowy cienką strużką płynęła krew. Ogień w stajni szalał coraz mocniej, z sufitu ciągle spadały płonące deski i kawałki strzechy. Ludwik gołymi rękoma starał się odrzucić bale. Nadludzkim wysiłkiem uwolnił ciało Bronka najpierw spod jednego, a potem spod drugiego bala. Wołał do niego, ale ten nie reagował. Złapał go więc pod ramiona i zaczął ciągnąć w kierunku wyjścia. Słabł z każdą chwilą od gorąca i dymu. Nie czuł poparzeń. Jakimś cudem udało mu się wyciągnąć Bronka przed próg stajni i padł obok niego bez przytomności na zalaną wodą ziemię. Dach stajni po chwili zasyczał i zwalił się z łomotem na ziemię, wzbijając wysoko snopy iskier.

Burza już cichła. Deszcz przestawał padać. Zabudowania gospodarstwa Zalewskich płonęły, w oddali widać było dym unoszący się nad spalonymi polami.

Aniela i Józefa cuciły w pobliżu ganku Krystynę, którą

udało im się wyciągnąć dosłownie w ostatniej chwili z płonącej chaty. Znalazły ją zemdloną w izbie sypialnej. Leżała na boku, przyciskając do siebie oburącz maleńki kuferek z drzewa wiśniowego, który koniecznie chciała uratować.

– Aniela, a dzieci?! – Józefa nagle oprzytomniała i zerwała się na równe nogi. – Tadziu, Felcia! – Biegała po kałużach, chlapiąc na boki. – Aniela! Tutaj ich nigdzie nie widzę!

Do płonących zabudowań Zalewskich docierali już pierwsi sąsiedzi ze wsi, którzy zaczęli je gasić. Na podwórze wjechał galopem konny beczkowóz ochotniczej straży pożarnej.

– Aniela! Ja z ludźmi lecę szukać dzieci na polach, a ty pilnuj Krysi i zobacz, co tam u chłopów! Czy ktoś widział dzieci? Ludzie! Pomóżcie mi je szukać! Tadziu, Fela!

Józefa jak szalona pobiegła w kierunku dymiących jeszcze pól, wołając strasznym głosem:

– Tadziu, Fela! Tadziu, Fela! – Za Józefą ruszyła biegiem córka Ola, sąsiedzi i strażacy.

Aniela i podtrzymywana przez nią poparzona Krysia podeszły powoli pod stajnię. Bronek leżał bez ruchu z zamkniętymi oczami na zalanej wodą ziemi. Obok stał Ludwik, zaciskając bezradnie pięści. Patrzył na zbliżające się kobiety wielkimi, przerażonymi oczami, a ogromne łzy płynęły mu po osmolonych policzkach.

– Krysiu, on nie żyje! – zawołał zduszonym, zachrypniętym głosem.

Zalewska wypuściła z rąk wiśniowy kuferek, upadła obok Bronka i zaczęła go gładzić po zakrwawionym policzku. Po chwili przylgnęła do niego całym swym drobnym ciałem, krzycząc spazmatycznie:

– Bronuś! Dlaczego? Bronuś! O Boże!

Ludwik i Aniela stali nad nimi bez ruchu. Obojgiem wstrząsało głębokie łkanie.

Zza stodoły wyszli ludzie niosący Felcię i Tadzia...

Na błękitnym niebie znowu pojawiło się palące słońce. Ciemna chmura, która przyniosła niszczycielską burzę, była już daleko – nad Sulęczynem.

Jutka

– Janek, czy tam coś błysnęło? – odezwała się kobieta z nutą niepokoju w głosie.

Siedzący za kierownicą bordowego daimlera-benza 170V mężczyzna, kręcący gałkami radia, spojrzał we wskazanym przez nią kierunku.

– Chyba ci się przywidziało, Juteczko. Widzę tam dużą ciemną chmurę, ale to raczej nic takiego.

Jutka Nagengast i Jan Bartkowiak, którzy niedawno zaręczyli się, odbywali teraz podróż z Poznania przez Gdynię do Berlina. Jan wybierał się tam na dwumiesięczną praktykę pediatryczną do szpitala akademickiego. Jutka jechała z nim niejako przy okazji, planując zatrzymać się u siostry w Charlottenburgu. Jutka, złotowłosa piękność z małym, śmiesznym noskiem, była urzędniczką w poznańskim banku, a Jan, wysoki szczupły szatyn – obiecującym lekarzem dziecięcym, wychowankiem profesora Karola Gustawa Jonschera, doświadczonego pediatry.

Chmura przed nimi rosła; niebawem znaleźli się w jej zasięgu. Zrobiło się szaro. Z oddali dał się słyszeć wyraźny, chociaż przytłumiony grzmot.

– Miałaś rację! To niestety jednak burza – stwierdził ponuro Janek. – Ale może przejdzie bokiem. Postaram się dojechać do jakiejś wsi, bo tutaj w lesie strach byłoby się zatrzymać.

Z obu stron szosy widniała ściana lasu. Niedawno minęli Węsiory i zbliżali się powoli do Sulęczyna. Mieli jeszcze niewiele ponad dwadzieścia kilometrów do granicy z Niemcami, zaraz za wsią Jamno. Od Kartuz jechali wolno, zachwycając się urokliwymi widokami Kaszub. Było parno, ale pogodnie. Błękitne niebo, lekko tylko przytłumione, nie wskazywało na jakąkolwiek zmianę pogody. Podziwiali cały czas jeziora, wzgórza i doliny raz z jednej, raz z drugiej strony drogi. Tymczasem niebo zaczęło się szybko zaciągać chmurami. Na zachodzie, dokąd zmierzali, z minuty na minutę robiło się ciemno.

Ostatnie zakręty przed Sulęczynem przywitały ich pierwszymi kroplami deszczu.

– Jutka, nie będziemy stawać w Sulęczynie. Spróbuję dojechać do następnej wsi. Wiem, że przed granicą jest ich jeszcze kilka.

Krople deszczu szybko zamieniły się w ulewę, która nasilała się z każdą chwilą. Widoczność spadła do kilkudziesięciu metrów. Jan zwiększył szybkość pracy wycieraczek do maksymalnej, ale i tak ledwo nadążały odgarniać z szyby strugi wody.

– O Boże, a teraz jeszcze grad! – krzyknęła na dobre przestraszona Jutka.

Drobne lodowe kuleczki zaczęły uderzać w karoserię samochodu, czyniąc nieprzyjemny jazgot. Jan i Jutka spoglądali na siebie.

Nagle błyskawica rozświetliła niebo przed nimi i po chwili rozległ się głośny grzmot i trwające kilka sekund głuche dudnienie.

– To gdzieś zupełnie niedaleko – mruknął Janek. –

Mam nadzieję, że zaraz będzie kolejna wieś. Muszę zwolnić, bo zrobiło się ślisko, a tu jeszcze zakręty.

Jutka wbiła palce w siedzenie i patrzyła rozszerzonymi z przerażenia oczami na drogę. Szukała wzrokiem jakiegoś prześwitu między drzewami, śladu, że tam gdzieś są domostwa, ale las zdawał się nie mieć końca. Samochód toczył się wolno. Grad przestał już bębnić, ale deszcz gnany wichurą zacinał bezustannie od przodu. Ciemna ołowiana chmura wisząca nad nimi gwałtownie pozbywała się wody. Minęli Sulęczyno, las i wiele zakrętów. Po lewej stronie zobaczyli jakieś małe jeziorko, które w deszczu nie wyglądało zbyt przyjemnie. Koła samochodu wspinającego się teraz szosą wiodącą pod górę, wyrzucały na boki fontanny wody, która potokami płynęła z naprzeciwka. Deszcz nieco zelżał. Wycieraczki przestały stękać z wysiłku.

– Już bałem się, że nie wytrzymają! – Jan spojrzał na Jutkę i uśmiechnął się.

Potrzebowała takiego gestu, bo jeszcze kilka chwil wcześniej była śmiertelnie przerażona. Po lewej stronie pojawiło się tym razem jakieś znaczniejsze jezioro. Jego ciemnosrebrzysta tafla rozbłyskiwała od czasu do czasu pomiędzy gęsto rosnącymi, przybrzeżnymi drzewami. Jutce nie było w głowie sięgać teraz do notatek, żeby znaleźć jego nazwę. Deszcz przestał padać. Jan jeszcze bardziej zwolnił, bo pokonywał kolejną serię ostrych zakrętów.

– Spójrz, tam w dole jest chyba młyn wodny. – Jan wskazał głową na prawo. – Ciekawy budynek. Szkoda, że taka pogoda, można by się tutaj zatrzymać na chwilę.

– Pilnuj drogi, bo ciągle jeszcze się boję.

– Popatrz, tam na wprost już się przejaśnia. Burza

poszła w kierunku Kartuz. Przystanę na moment, bo chcę zobaczyć, czy grad nie zrobił jakiejś krzywdy lakierowi.

Jan był dumny ze swojego samochodu. Otrzymał go jako prezent od bogatego ojca chrzestnego, radego, że chrześniak tak dobrze rozwija się jako lekarz. Pokrążył wokół samochodu, pedantycznie przecierając szmatką podejrzane miejsca. Jutka uchyliła drzwi i z ulgą oddychała świeżym, wilgotnym powietrzem. Wyciągnęła z torebki lusterko i poprawiła pomadkę na ustach. Po kilku minutach ruszyli dalej. Parująca po deszczu droga znowu prowadziła przez las, ale przez rzedniejące przydrożne drzewa coraz częściej prześwitywały zielone pola, łąki i wiejskie zabudowania. Zbliżali się do jakiejś wsi. Na mijanym znaku drogowym przeczytali nazwę: Parchowo. Jan zwolnił.

– Juteczko! Nie zatrzymujemy się aż do samej granicy. Zdążyłaś przeczytać na tabliczce, że mamy do niej już tylko dziewięć kilometrów? Tam sobie znowu na chwilkę rozprostujemy kości.

– Ale było gorąco. Dobrze, że tak szybko burza się skończyła – Jutka uśmiechnęła się i zaczęła spokojniej oddychać.

Cieszyła się, że granica jest niedaleko, a potem wieczór i nocleg już w Niemczech, w Bütow. Niespodziewana burzowa przygoda, trwająca kilkanaście minut, napędziła obojgu sporo strachu.

Minęli wiejskie zabudowania z niewielkim czerwonym kościółkiem. Jechali wolno szosą wśród pól. Po lewej oczy cieszyła urokliwa dolina, po prawej wspinały się wzgórza porośnięte zbożami.

– Janek, spójrz na prawo, na górkę. Pola tam takie czarne jakby po pożarze. O, tam wyżej zza górki jeszcze się dymi!

– Aha. Tam rzeczywiście się paliło! Może gdzieś tutaj niedaleko piorun uderzył? Jutka, teraz muszę się pilnować, bo znowu sporo ostrych zakrętów.

Samochód ponownie wspinał się krętą drogą, o czym informował nieco głośniejszą pracą jego silnik.

– Janek! Zatrzymaj się! – krzyknęła nagle Jutka. – Spójrz, tam przy stawie wśród spalonego zboża leży chyba wózek!

Jan zwolnił i patrzył w kierunku stawu, do którego się zbliżali. Spojrzał na Jutkę, ale ta wpatrywała się w niego błagalnie. Znał ten wzrok – uparła się. Żadnej dyskusji. W myślach machnął ręką. Zjechał na pobocze, zatrzymał samochód i już bez słowa wyskoczył. Jutka zrobiła to samo i po chwili obydwoje biegli w kierunku stawu. Jutka została trochę z tyłu, bo przeszkadzały jej pantofle na obcasach. Jan pierwszy dopadł do wózka leżącego na boku, na czarnym od ognia polu, tuż przy trawach okalających niewielki staw.

– Jutka! Tutaj jest dziecko! Żyje!

Gdy Jan wyciągał ostrożnie becik z dzieckiem z przewróconego i osmalonego od ognia wózka, Jutka stała już obok niego.

– Widzisz! Widzisz! Miałam dziwne przeczucie!

– Tak! Ale spójrz, ono ma kłopoty z oddychaniem! – Jan z niepokojem spoglądał na otwierające się co chwila małe usteczka, łapiące z trudem powietrze. Oddech dziecka raz zwalniał, a po chwili przyspieszał.

– Powinniśmy cofnąć się do tej wsi, którą minęliśmy, i popytać ludzi, czyje to dziecko. – Jutka spoglądała to na niemowlę, to na Janka.

– Przez te górki nie widać już żadnych chałup! Musimy jak najszybciej pojechać z dzieckiem do szpitala. Najbliżej mamy do Bütow. To tylko kilkanaście kilometrów.

– No tak, ale przecież nie wiemy, czyje to dziecko! Tak nie możemy.

Ruszyli ostrożnie w kierunku samochodu.

– Juteczko, to ja jestem lekarzem. Tutaj każda chwila może się liczyć. Popatrz, ono ma też lekko poparzoną buzię i paluszki u rąk.

– Jego rodzice będą przerażeni, jak go nie odnajdą. Tak nie możemy zrobić!

– Jedziemy do szpitala do Bütow, bo do Kartuz jest prawie trzy razy dalej, a jeszcze chciałabyś szukać rodziców! W szpitalu dziecko zbadają i opatrzą, a potem natychmiast wrócimy tutaj. Dzisiaj już nigdzie nam się nie spieszy. I tak mamy się zatrzymać w Bütow na noc.

Jutka czuła, że już nic nie wskóra. Jan był lekarzem i do tego pediatrą. Doskonale wiedział, co mówi i co należy w takim przypadku zrobić.

– Dobrze, ale poczekaj jeszcze chwilę. Dziecko jest przemoczone i zabrudzone. W bagażach, w upominkach dla siostry, mam pieluszki i ubranka dla jej córeczki.

– W takim razie przebierz dziecko szybko i ruszamy!

Jutka nie miała wprawy w przewijaniu i ubieraniu niemowlaków, ale mimo to poszło jej nadzwyczaj sprawnie. Gdy odsłoniła pieluszkę, krzyknęła:

– Janku, to jest dziewczynka! Spójrz na nią. Jaka śliczna. Ma ciemne włoski i chyba będzie miała ciemne oczy!

– Na oko ma około dziesięciu miesięcy. Wygląda na dobrze odżywioną i silną. – Janek jednym fachowym spojrzeniem szybko ocenił małą. – Jutka, natychmiast ruszamy, bo ona ciągle oddycha z trudnością. Resztę przy małej zrobisz po drodze. Siadaj teraz z tyłu. W torbie za moim siedzeniem są butelki z czystą wodą, przetrzyj jej pupę, buzię i rączki. Na granicy tylko ja będę mówił, a ty udawaj smutną i tul dziecko. To na pewno nie sprawi ci kłopotu, bo dzieciak naprawdę jest w poważnym stanie. Trudno, będę kłamał, ale może się uda. Powiem, że mała zakrztusiła się przy karmieniu podczas jazdy i bardzo spieszymy się do szpitala.

Janek zatrzasnął drzwi i uruchomił silnik...

*

Na izbie przyjęć w szpitalu w Bytowie Jutka podała, że to jej córeczka. Kiedy lekarz spytał ją o imię dziewczynki, zaskoczona, przez chwilę nie wiedziała, co powiedzieć. Milczała i wpatrywała się w małą – w głowie miała pustkę, ale i świadomoć, że nie może się zdradzić. Nagle dojrzała na czapeczce wyszytą literę „A". Odpowiedziała lekarzowi cicho, lecz pewnie: „Anna! Anna Nagengast". Było to imię dziewczynki, dla której wiozła w upominku ubranka i czapeczkę. Tylko to jedno imię przyszło jej na myśl.

Po badaniach i rozmowach z lekarzami Jutka i Jan nie mieli innego wyjścia, jak zostawić małą w szpitalu na obserwacji. Wynajęli zamówioną wcześniej w Bytowie stancję na dłużej. Kłopoty z oddychaniem minęły już następnego dnia. Ale pojawił się nowy problem. Ania dostała zapalenia oskrzeli, spowodowanego przemoknięciem i wychłodzeniem. Musiała zostać w szpitalu na kolejne dni. O powrocie do Parchowa nie było mowy, a przyznać się do tego, że to nie ich dziecko, już teraz nie mogli.

Jan, który miał ściśle określony termin rozpoczęcia stażu lekarskiego w Berlinie, musiał po trzech dniach wyjechać. Jutka została więc z Anią w Bytowie sama.

Codziennie odwiedzała małą w szpitalu i spędzała przy niej wiele godzin. Ania była coraz silniejsza i szybko dochodziła do zdrowia. Jutka szczerze przywiązała się do dziecka, które bardzo ją polubiło. Mała wpatrywała się w nią, uśmiechała i z dnia na dzień coraz więcej gaworzyła. Po dziesięciu dniach Jutka mogła wreszcie zabrać dziewczynkę ze szpitala. Była teraz z nią bezustannie. Robiła jej posiłki i dużo z nią spacerowała. Lubiła bywać na rynku, zapędzała się nawet na Zamek. Każda chwila spędzona z Anią dawała jej dużo radości. Zorientowała się też szybko, że mała zaczyna traktować ją jak matkę. Sama na jej punkcie także zupełnie oszalała. Była w Ani rozkochana i nie wyobrażała sobie rozstania z nią.

Dwa miesiące oczekiwania na Janka minęły szybko. Po jego powrocie narzeczeni postanowili, że teraz odwiozą dziecko do rodzinnej wsi. Jutka bardzo cierpiała na myśl o rozstaniu się z Anią, ale wiedziała, że inaczej zrobić nie mogą.

Umówili się, że w Parchowie najpierw dowiedzą się czegoś o rodzinie małej, a dopiero potem przyznają, że to oni zabrali dziecko do szpitala. Bali się trochę reakcji rodziców.

Zatrzymali się we wsi przy jakiejś chacie i mówiąc o spalonych polach przed wsią, dopytywali mieszkańców, co tam się stało. Z ich opowiadań dowiedzieli się, że w czasie pożaru spowodowanego burzą zginęli ojciec i jego malutka córeczka. Matka doznała oparzeń nóg i rąk przy ratowaniu dobytku. Spędziła potem prawie dwa miesiące w szpitalu, ale tydzień temu przyjechała pożegnać się na zawsze z sąsiadami. Nie mogła i nie chciała zostać tutaj bez męża i malutkiej córki – sama też była sierotą. Zakomunikowała, że wyjeżdża do Ameryki, z bratem męża i jego żoną, budować nowe życie. Trzy dni temu wypłynęli „Batorym" z Gdyni.

Jutka siedziała w samochodzie i trzymała małą na kolanach. Słuchała tych opowiadań, czując, że lada chwila zemdleje. Jej oczy otwierały się coraz szerzej, a krew odpłynęła z twarzy. Patrzyła na przemian na Anię i Jana. On także spoglądał bezradnie na Jutkę i dziecko. Takiego rozwoju wypadków nie przewidzieli.

– Janku, na nas już czas. Ruszamy! – w pewnej chwili odezwała się Jutka, cicho ale zdecydowanie, przez zaschnięte usta. Wpatrywała się w Anię. W jej oczach pojawiły się łzy.

Jan nachylił się do samochodu, ale czuł, że z Jutką już nic nie wskóra. Znał ją doskonale. Ukłonił się ludziom, z którymi rozmawiał, i wsiadł do samochodu; obejrzał się jeszcze raz na siedzącą z tyłu Jutkę i dziecko, i ruszył powoli w kierunku Kartuz...

Narodziny decyzji

Czerwiec 2001 roku

Willowy Sołacz prażył się w słońcu. Na dzisiejszy dzień znowu zapowiedziano upał. Wysokie drzewa Parku Sołackiego oraz stojące wzdłuż pobliskich ulic tylko trochę tłumiły palące promienie. Drgające powietrze, nagrzane prawie dwutygodniowymi upałami, wciskało się wszędzie. Choć do południa brakowało jeszcze godziny, termometry wskazywały w cieniu już 30°C. W większości okolicznych domów okna od wschodniej i południowej strony pozasłaniane były żaluzjami. Stojące na parapetach wentylatory mieliły gorące powietrze, przynosząc mieszkańcom tylko pozorną ulgę.

Anna Nagengast-Prawosz krzątała się po kuchni na zwolnionych obrotach. Przygotowywała kawę. Spoglądała przez okno na skąpany w słońcu gazon – jej dumę – i pozostałą część ogrodu, gdzie już tylko największe drzewa dawały odrobinę cienia . Niedługo i tam go nie będzie; słońce zawiśnie na dwie godziny prawie pionowo, pomyślała. Ale po piętnastej, kiedy ognista kula słońca zacznie odpływać w kierunku Golęcina, aż do momentu gdy zachodząc, utopi się w Rusałce, za iglakami i śliwami znowu będzie cienia pod dostatkiem.

Była z siebie dumna, że kiedyś przekonała męża do iglaków w ogrodzie.

– One dają taki pachnący cień – mówiła mu.

W letnie wieczory lubiła tam siadać, oddychać aromatem świerków i jodeł i podziwiać najpierw zawiązki owoców, a potem mieniące się różnymi kolorami dojrzewające, pachnące śliwki. Jutro festyn nad Rusałką z okazji Nocy Świętojańskiej, pomyślała i westchnęła głęboko. Nasz ulubiony rodzinny wieczór... Poczuła w brzuchu trzepotanie motyli.

Kiedyś ten wieczór spędzali całą rodziną na Szelągu nad Wartą, a potem nad Rusałką... Tym razem plany na jutrzejsze popołudnie i wieczór mam inne. Wszystkie mamy inne... – poprawiła się w myślach. Chociaż Kaśka i Eliza jeszcze nic o tym nie wiedzą!

Uśmiechnęła się na samą myśl, jak bardzo będą zaskoczone jej kochane dziewczynki – córka i wnuczka. W centrum Poznania teraz nie da się oddychać, myślała dalej. My tutaj mamy szczęście. Gdyby nie przypadkowe spotkanie z Mikołajem w czerwcu 1956 roku, pewnie mieszkałybyśmy teraz na jakimś nowym osiedlu-blokowisku albo na Szamarzewskiego, w dawnym mieszkaniu mamy.

O nim akurat zawsze myślała z rozrzewnieniem – tam się wychowała i mieszkała aż do 1960 roku.

Oparła się o parapet, przymknęła oczy i zanurzyła we wspomnieniach o tamtym czerwcu...

*

Właśnie 28 czerwca 1956 roku miała pójść do rektoratu Uniwersytetu, mieszczącego się wówczas w Collegium Maius na Fredry, by dowiedzieć się, czy została przyjęta na studia. Nie wiedzieć czemu tramwaje nie kursowały, więc ruszyła pieszo. Postanowiła pójść od

Rynku Jeżyckiego ulicą Słowackiego, a potem skręcić w kierunku Zwierzynieckiej, aby rzucić okiem na zoo. Bardzo lubiła tę trasę, bo pokonywała ją wielokroć z mamą. Zbliżając się do ronda Kaponiery, usłyszała dziwny, narastający z każdym krokiem gwar. Kiedy wreszcie dotarła tam, zobaczyła, że po drugiej stronie ronda, przy Zamku, kłębią się i falują tłumy ludzi. Zdziwiła się bardzo, bo przecież nie było żadnego święta. Odsunęła jednak na bok ciekawość, decydując, że najpierw obejrzy listy przyjętych na studia, a dopiero później sprawdzi, co tam się dzieje. Ruszyła więc Roosevelta w kierunku Mostu Teatralnego i dalej ulicą Fredry obok Opery.

Przez całą drogę do Collegium Maius zadawała sobie jedno pytanie: „Czy będę na liście przyjętych?".

Wchodząc do budynku, drżała z emocji. Przeciskała się z trudem przez tłumek kłębiący się w holu. Gdy wreszcie dotarła do tablicy informacyjnej, nerwowo zaczęła szukać swojego nazwiska na listach przyjętych. Z wypiekami na twarzy przeszukiwała wzrokiem kolejne arkusze z nazwiskami. Wreszcie zobaczyła – Anna Nagengast. Do tej pory nie spotkała nikogo spoza swojej rodziny o takim nazwisku. Wpatrywała się w pozostałe dane. Data urodzenia się zgadzała, więc nie miała już żadnych wątpliwości, że chodzi o nią. Była szczęśliwa i dumna z siebie. Och, jak mama się ucieszy, myślała z radością. Chciała krzyknąć ze szczęścia: „Będę studiowała to, co pragnę!". Z trudem się opanowała. Kochana ta moja mama, że jednak zgodziła się na te studia, dziękowała jej w myślach.

Kiedy wyszła z Collegium Maius, gorące powietrze uderzyło w nią jak obuchem. Włożyła okulary słoneczne i znowu usłyszała ten dziwny głośny gwar dochodzący od strony Zamku. Zobaczyła, że ludzie przemieszczają się od Okrąglaka i Mostu Teatralnego w tamtym kierunku. Przez kilkanaście minut w Collegium Maius zapomniała już o tym, że coś na mieście się dzieje. Ruszyła w tę samą stronę co inni. Po drodze usłyszała, że jest strajk i że wszystko zaczęło się od pochodu robotników ZISPO przez Wildę pod Prezydium Miejskiej Rady Narodowej. Szli domagać się zwolnienia uwięzionej ponoć przez władze delegacji robotników. Przez całą drogę do pochodu przyłączali się pracownicy innych zakładów, urzędnicy z biur i zwykli mieszkańcy. Dużo było także młodzieży i dzieci. Dopiero zaczęły się wakacje, ale ponieważ czasy były biedne, większość dorosłych i dzieci spędzała lato w mieście. Gdyby coś o tym strajku wiedziała wcześniej, może nie ruszyłaby się z domu. Gdy zobaczyła przy Zamku transparenty: „Chleba, wolności, pracy, prawdy" i usłyszała, jak tłum śpiewa „My chcemy Boga", ciarki przeszły jej po plecach.

Dzięki mamie była osłuchana z radiem BBC i wiedziała, że są w kraju problemy, którymi władza nie chwaliła się, nie pisano o nich w gazetach. Mama pozwalała jej słuchać BBC, ale starała się nie komentować usłyszanych tam wiadomości. Czasami tylko złorzeczyła władzy, ale rozmów z córką na ten temat nie podejmowała. Trzymała ją od tych spraw z daleka i prosiła, aby absolutnie z nikim nie rozmawiać o tym, że słuchają takich audycji. Miała swoje doświadczenia i chroniła córkę przed problemami. Ostatnich kilkanaście dni Anna tak była zajęta przygotowywaniem się do egzaminów i samymi egzaminami, a potem spotykaniem się z koleżankami i kolegami z liceum, że jakoś nie było czasu na słuchanie BBC. O żadnym strajku czy protestach zwyczajnie nie słyszała. Mama pewnie też nie pomyślała, że ten marsz przybierze takie rozmiary.

Spojrzała na wieżę Zamku – dochodziła dziesiąta. Mam dużo czasu, pomyślała, mogę tu trochę pobyć. Podekscytowana i gnana ciekawością, przemieszczała się w tłumie wzdłuż Armii Czerwonej od Zamku w kierunku kościoła św. Marcina i z powrotem. Nie czuła, podobnie jak pozostali ludzie, upału, zmęczenia, głodu, ani mijających godzin. Chłonęła historię, która działa się na jej oczach – co do tego nie miała wątpliwości. Tłumy cały czas gęstniały, bo dołączały do nich pochody z innych dzielnic miasta. Trochę się zdenerwowała, kiedy przed południem usłyszała – najpierw jakby gdzieś zza Okrąglaka – pojedyncze karabinowe strzały. Ludzie nie okazywali strachu, więc i ona czuła się bezpiecznie. Potem od strony Mostu Teatralnego zaczęły dochodzić już nie tylko pojedyncze strzały, ale całe serie. Padały różne komentarze – mówiono coś o zdobyciu więzienia na Młyńskiej, a później o ataku strajkujących na komendę UB na Kochanowskiego. Teraz zaczęła się już bać, tym bardziej, że mama pracowała niedaleko stamtąd – w ZUS-ie na rogu Dąbrowskiego i Mickiewicza.

Kiedy gruchnęła plotka, że wojsko z czołgami zmierza do centrum, aby rozganiać ludzi – przestraszyła się nie na żarty. Boże! Którędy ja teraz wrócę do domu? – myślała przerażona.

Dopiero w tym momencie zorientowała się, że już dochodzi czternasta, i mama niedługo będzie w domu. A ona przecież miała tylko pójść na Uniwersytet sprawdzić wyniki egzaminów, potem w drodze powrotnej na Rynek Jeżycki po zakupy i rozpocząć przygotowywanie obiadu. Mama pewnie już wie, co się dzieje w mieście, i denerwuje się.

Gdy ludzie zaczęli biec w kierunku Opery, krzycząc, że Kaponiera i Most Teatralny są już zablokowane przez wojsko, postanowiła zrobić to samo. Biegła Stalingradzką, potem przez park za Operą do Solnej, aż znalazła się po drugiej stronie torów na Pułaskiego. Stanęła jak wryta, ciężko dysząc, gdy zobaczyła czołgi i wojsko na ciężarówkach. Ogarnęło ją przerażenie. Słabo znała te rejony Poznania. Zatrzymała przebiegającego obok mężczyznę, pytając, którędy najłatwiej dostać się na Szamarzewskiego.

– Dziecko! Poznańska, Dąbrowskiego, Słowackiego i wszystkie ulice aż do Rynku Jeżyckiego są zablokowane! Na Kochanowskiego przy UB jest strzelanina i są ofiary. Idź cały czas prosto Wielkopolską, aż miniesz czołgi. Okrążysz Park Sołacki, dojdziesz do Niestachowskiej i zajdziesz na Jeżyce od tyłu! – odkrzyknął zasapany mężczyzna i ruszył Pułaskiego w kierunku Winograd.

Pobiegła we wskazanym przez niego kierunku. Bała się stojących na ulicy czołgów z dymiącymi silnikami i przypatrujących się jej z ciężarówek żołnierzy. Do tej pory widziała takie zgrupowania czołgów i wojska wyłącznie w kinie. Wreszcie kolumna wojskowych pojazdów skończyła się. Anna ledwo dyszała i nie czuła już nóg ze zmęczenia. Biegła dalej tylko siłą woli. Nagle potknęła się o coś i runęła jak długa. Zapłakała z bólu i strachu. Gdy zaczęła się niezdarnie podnosić, usłyszała tuż zza płotu pytanie zadane ciepłym, głębokim barytonem:

– Czy mogę być w czymś pomocny?

Spojrzała przez łzy w kierunku właściciela miłego głosu. Był nim szczupły, młody mężczyzna w okularach.

Otworzył furtkę w płocie i zbliżył się do niej szybkim krokiem.

– Muszę szybko dostać się do domu, na Szamarzewskiego – szlochała, przyglądając się swoim zakrwawionym kolanom. – Mama na pewno strasznie się denerwuje, a centrum miasta jest zablokowane przez wojsko.

– Dzisiaj nie należało tam chodzić – powiedział grzecznie młody mężczyzna i dodał: – Przecież już wczoraj było wiadomo, że ludzie z ZISPO przyjdą pochodem pod budynek Prezydium.

– Ale ja o tym nic nie wiedziałam, a dzisiaj poszłam tylko sprawdzić wyniki egzaminów na studia! – trochę zła odkrzyknęła Anna. Co on się tak mądrzy? – pomyślała.

– No dobrze, dobrze, przepraszam... Teraz pozostaje tylko droga przez Park Sołacki do Niestachowskiej i dojście do Jeżyc od drugiej strony – odparł.

– Tyle to i ja wiem, ale nie znam drogi. Jechałam tylko parę razy tędy tramwajem do Golęcina.

– A czy ma pani w domu telefon? – spytał grzecznie młody mężczyzna.

Wtedy nagle oprzytomniała. No tak, przecież mogła skądś spróbować zadzwonić do sąsiadki, a ta by przekazała wiadomość mamie.

– Wie pan, jakoś tak wyszło, że najpierw nie pomyślałam – tyle się działo – a potem już nie było jak. A czy pan ma w domu telefon?

– Oczywiście! Moja mama opatrzy pani kolana, a ja panią potem odprowadzę do domu – znowu bardzo spokojnie i pięknym barytonem odparł młodzieniec w okularach. – Znam doskonale tę drogę i będzie pani bezpieczna – dodał. – A tak w ogóle, to jestem Mikołaj Prawosz, tegoroczny absolwent prawa – przedstawił się. –

Mieszkam tu razem z rodzicami – wskazał na willę za płotem.

Anna spojrzała na niego. Prawosz i prawo. Niezłe... pomyślała.

No i tak zaczęła się jej znajomość z późniejszym – jak się okazało – mężem. Po czterech latach, gdy była już na ostatnim roku studiów, wzięli ślub i wtedy przeprowadziła się tutaj, na Małopolską...

*

Nagle ciszę leniwego czerwcowego południa zakłócił charakterystyczny, hałaśliwy zgrzyt kół tramwaju, tnących szyny na zakręcie. Wyrwał ją brutalnie z miłego odrętwienia. Po chwili usłyszała jego dzwonki, gdy hamując, zbliżał się do przystanku. Aha, dziewiątka jedzie w kierunku Golęcina!

Anna zawsze potrafiła bezbłędnie określić kierunek jazdy tramwaju po wydawanych przez niego dźwiękach. Wiedziała, że tramwaj przed chwilą skręcił z Wielkopolskiej w kierunku Golęcina. Jego dzwonki pojawiły się szybko, bo w tę stronę przystanek jest bliżej. Kiedy jedzie w drugą stronę, wydawane dźwięki mają inne interwały czasowe i doskonale potrafiła je odróżnić. Spojrzała przytomniejszym już wzrokiem na kuchnię.

Kawa..., przypomniała sobie.

Z szufladki ręcznego młynka wsypała zmieloną kilka minut wcześniej kawę do filiżanek Rosenthala po mamie, używanych tylko w nadzwyczajnych okolicznościach, i włączyła czajnik. Gdy tylko miała okazję, rezygnowała z mielenia kawy w młynku elektrycznym. Tak robiła mama, a teraz stało się to również jej nawykiem.

Położyła na stole serwetki, deserowe talerzyki i łyżeczki. Kroiła szarlotkę w równe kwadraty i układała na paterze. Ciasto to było specjalnością Anny, ale nie robiła go zbyt często, gdyż uważała, że jest tylko na specjalne okazje. W czerwcu nie ma jeszcze jabłek prosto z ogrodu, ale Anna miała słoiki z antonówkami, które wekowała każdej jesieni. Dzisiaj uznała, że właśnie pojawiła się nadzwyczajna okoliczność, więc od rana zajęła się pieczeniem szarlotki.

W głębi domu, w pokoju zwanym stołowym, od dłuższego czasu zawzięcie dyskutowały ze sobą Kaśka i Eliza – jej córka i wnuczka. Do kuchni docierały strzępy soczystej wymiany zdań. Co jakiś czas Anna podchodziła do drzwi prowadzących do holu, aby dokładniej wsłuchać się w podekscytowane głosy. Każdorazowo kręciła głową, lekko się uśmiechała lub machała ręką. Mogłoby się wydawać, że steruje tą dyskusją i czeka na właściwy moment, kiedy trzeba będzie ją przerwać. Gdy woda zaczęła się gotować, uznała, że właśnie ten moment nadszedł. Wlała wrzątek do filiżanek, usiadła na krześle, jeszcze przez chwilkę posłuchała ognistej wymiany zdań i odwracając się w kierunku drzwi, krzyknęła:

– Dziewczyny, spokój! – Sprawdzała chwilę, czy zrobiło się cicho, i dorzuciła: – Dosyć już tego hałasu! Przyjdźcie natychmiast do kuchni, bo chcę wam oznajmić coś bardzo ważnego!

Oczami wyobraźni widziała Kaśkę siedzącą jak zwykle w fotelu, z nogami podwiniętymi pod siebie, a Elizę na kanapie, z kolanami pod brodą. Z oczu strzelały im iskry, od czasu do czasu jedna lub druga coś głośniej krzyknęła... Nie mogły w żaden sposób dojść do porozumienia. Tak jakby obie były nastawione tylko na nadawanie i zapomniały włączyć swoje odbiorniki.

Kiedy żył jeszcze Mikołaj, Kaśka nie miała z Elizą żadnych problemów. To on organizował dziewczynie wolny czas i dyskretnie sterował jej zainteresowaniami. Wychowywała się bez ojca, więc dziadek, jak tylko mógł, starał się go zastępować i wyręczać obie kobiety. Jednak jego śmierć i nowe otoczenie w liceum spowodowały, że Eliza w połowie drugiej klasy zaczęła chadzać własnymi ścieżkami. Od początku klasy maturalnej jej relacje z matką stanęły już zupełnie na głowie. Wtedy przestała z czymkolwiek jej się opowiadać lub prosić o zgodę na cokolwiek. Po prostu informowała, że zrobi to czy tamto. Kończyło się to nieuchronnie kłótnią.

Uczyła się wspaniale, więc okres przedmaturalny i matura minęły spokojnie – miała czym się zajmować. Zdawało się, że nastąpiła zmiana. Jednak zupełnie niedawno gorące dyskusje znowu powróciły.

Tym razem chodziło o wyjazd Elizy na egzaminy na Uniwersytecie Gdańskim, a potem do Stacji Morskiej w Helu w charakterze wolontariuszki. Kaśka uważała, że wystarczy, jeśli Eliza zda na Akademię Ekonomiczną w Poznaniu, gdzie również złożyła papiery. Po co ma jechać dla kaprysu na koniec Polski, kiedy i tak studiować będzie w Poznaniu?! Sądziła, że takie były ich uzgodnienia, no i przecież Eliza ma do tego odpowiednie przygotowanie. A teraz jakaś biologia morza w Gdyni i jakieś babranie się przez cały miesiąc przy fokach. I dlaczego to wszystko zaplanowała w konspiracji? Na pewno coś się za tym kryje. A może tu w ogóle nie chodzi o żadne egzaminy i wolontariat? Gdzie są dokumenty potwierdzające potrzebę tego wyjazdu? Kaśka zaciekle walczyła o zmianę planów Elizy.

Córka nie miała zamiaru ustąpić i argumentowała, że przecież i tak może robić, co chce, bo jest już pełnoletnia, po maturze, a tak w ogóle to jest jej życie. Tutaj nie chodziło już tylko o jakieś tam wyjście na dyskotekę, wypad na parę dni pod namiot czy zgodę na późniejszy powrót do domu. Teraz gra szła o zasadę, że decyzje dotyczące własnych planów życiowych chce podejmować sama – tak tę kłótnię rozumiała Anna. Eliza mówiła, że owszem, będzie dalej o wszystkim matkę informować, ale tylko informować. Kaśka natomiast uważała, że dopóki Eliza mieszka w domu, powinna wszystko konsultować i uzgadniać z nią. Obie okopały się na własnych pozycjach i nie było widać szansy na żadne zbliżenie stanowisk. Anna przyzwyczaiła się już do ognistych dyskusji córki i wnuczki, ale tym razem miała tego dosyć. Zresztą tym razem chodziło naprawdę o coś bardzo poważnego.

Kaśka i Eliza zdumione głośnym wezwaniem Anny zamilkły. Kiedy po kilku chwilach karnie jak pensjonarki wmaszerowały do kuchni, w filiżankach parowała świeżo zaparzona po turecku kawa, a na paterze żółciła się pokrojona w kwadraty, pyszna, pachnąca cynamonem szarlotka. Usiadły na krzesłach i z policzkami zarumienionymi jeszcze od gorącej wymiany poglądów, pytająco spoglądały na Annę. Obie zauważyły zastawę Rosenthala, wyciąganą przez mamę tylko okazjonalnie. Czuły, że coś ważnego wisi w powietrzu.

Anna, nie śpiesząc się, wolno mieszała kawę, do której wlała odrobinę śmietanki. Spoglądała z uśmiechem raz na Kaśkę, raz na Elizę i widać było, że czeka, aż jeszcze trochę ochłoną. Kaśka uwielbiała kawę parzoną przez mamę, więc ostrożnie uniosła filiżankę i napawała się aromatem, zaś Eliza już wgryzła się w szarlotkę. Anna zadowolona, że wreszcie zrobiło się cicho w domu, wzięła głęboki oddech i zaczęła mówić. Starała się zachować spokojny ton, chociaż przychodziło jej to z trudnością.

– Mam na Kaszubach sprawę. Bardzo ważną – podkreśliła – więc, Kasiu, nie kłóć się już z Elizą, czy ona ma jechać, czy nie, tylko uzgodnijmy, kiedy i jak wspólnie się wybrać! Ja jadę z wami. To nie jest prośba ani pytanie. To jest moja decyzja! A ty, mała, nie podnoś więcej głosu na matkę, nawet jeśli ona nie ma racji! – dodała, spoglądając poważnie na wnuczkę.

W kuchni zapadła głęboka cisza. Słychać było tylko szum wentylatora na parapecie.

– Ależ mamo… Ależ babciu… przecież… – po chwili prawie jednocześnie krzyknęły Kaśka i Eliza.

– Cicho, nie przeszkadzajcie mi, ja dopiero zaczęłam mówić! – przerwała im stanowczo Anna. – Wczoraj, i to dzięki wam, to znaczy waszej kłótni, ostatecznie zdecydowałam w pewnej sprawie, o której myślałam od stycznia. Muszę jechać na Kaszuby szukać swoich korzeni! – dodała, lekko podnosząc głos i akcentując ostatnie słowa.

Kaśka i Eliza znieruchomiały ze zdumienia. Siedziały jak zahipnotyzowane i szeroko otwartymi oczami wpatrywały się w Annę. Dłoń Kaśki z filiżanką zawisła na wysokości ust, a Eliza zatrzymała zęby w połowie wbite w kostkę szarlotki.

– Ta wrzaskliwa niby rozmowa, którą prowadzicie – kontynuowała Anna – tylko przyspieszyła moją decyzję. A tobie dziękuję – spojrzała na Elizę – że wybierasz się w tym kierunku, w którym i ja zamierzam jechać. Załatwimy obie sprawy przy jednej okazji. Finanse też są ważne. Kasiu, weźmiesz trochę urlopu i pojedziemy wszystkie razem Żabą – dokończyła.

Żaba, dziesięcioletni citroën XM Break, kupiony jeszcze przez Mikołaja, stał sobie na co dzień spokojnie w garażu. Kaśka raz na jakiś czas uruchamiała auto, żeby z mamą i córką gdzieś niedaleko pojechać. Wszyscy samochodziarze nazywali Żabą model Citroëna-DS, który Mikołaj kupił w 1959 roku. Nazwa ta, ale tylko w ich domu, przylgnęła również do modelu CX, który był kolejnym citroënem Prawoszów. Mikołaj kochał citroëny i mówił, że – tak jak w przypadku kobiet – jest stabilny w uczuciach. W 1990 roku zobaczył na Targach właśnie ten model, który teraz stał w garażu, i zupełnie oszalał na jego punkcie. Postanowił, że musi go mieć. Po roku różnych zabiegów postawił na swoim. Kiedy pojechali go odbierać, wszystkim zaparło dech. Wersja kombi prezentowała się naprawdę rewelacyjnie i dostojnie. Miała wygląd samochodu dla co najmniej ambasadora. Mikołaj chciał, żeby to cacko nazywać cesarzową, ale wszystkie kobiety w domu bojkotowały tę nazwę. Próbował jakiś czas z tym walczyć, ale wreszcie się poddał. Kolejny citroën, tak jak dwa poprzednie, był więc niezmiennie nazywany przez domowników Żabą.

Kaśka i Eliza przenosiły spojrzenia z siebie nawzajem na Annę, zupełnie nie rozumiejąc, o co tutaj chodzi. Anna spodziewała się takiej ich reakcji i na moment zamilkła, jakby zastanawiając się, co ma mówić dalej. Ale przecież dokładnie wiedziała. Układała to sobie od pół roku, od chwili gdy poznała zawartość kopert znalezionych w biurku należącym niegdyś do Mikołaja.

– Dziewczynki, pamiętacie, jak w styczniu pojechałam do Warszawy odebrać od pana Szymona Epsteina z Izraela coś, co zostało znalezione w biurku Mikołaja? Wtedy powiedziałam wam, że to tylko jakieś stare przedwojenne papiery i obligacje po rodzicach Mikołaja. To nie była cała prawda. Wtedy w Warszawie otrzymałam od niego także dużą kopertę z napisem Anna Nagengast-Prawosz – na moment zawiesiła głos i spojrzała na Kasię i Elizę, które wpatrywały się w nią z napięciem. – Od razu rozpoznałam charakter pisma mamy. Wewnątrz była jedna zapisana kartka i trzy mniejsze koperty ponumerowane cyframi: 1, 2, 3. W środku każdej z kopert był list. Taka spowiedź mamy w odcinkach. To są właśnie te listy.

Anna jedną dłonią uniosła leżącą na stole dużą szarą kopertę, na której ślicznym pismem z zawijasami widniał napis: Anna Nagengast-Prawosz, a wskazujący palec drugiej dłoni położyła na ustach, chcąc zapobiec jakimkolwiek pytaniom.

– Okazało się, że biurko trafiło z Poznania, poprzez Warszawę i Paryż, do Izraela. Ten, kto najpierw kupił je w Warszawie, był zwykłym handlarzem. Szybko zgłosił biurko na aukcję do Paryża. Tam kupił je człowiek Szymona Epsteina, z którym spotkałam się w Warszawie. On jest prawdziwym kolekcjonerem dzieł sztuki, a biurko Mikołaja za takie uznał – podkreśliła z emfazą. – I właśnie jego konserwatorzy znaleźli w biurku skrytkę, a w niej to wszystko, co dostałam. Ja o skrytce nic wcześniej nie wiedziałam. Opowiadał mi o niej Epstein, ale to zbyt skomplikowane, żebym zapamiętała; nie opowiem więc wam o tym. Zresztą ważna jest tutaj ta koperta i to, co się w niej znajduje.

Kaśka i Eliza, nieruchome niczym dwie żony Lota, wodziły wzrokiem za szarą kopertą, którą Anna na chwilę podniosła, a potem położyła z powrotem na stole. Już, już zbierały się, żeby o coś zapytać, ale ta nie dała sobie przerwać i ciągnęła dalej:

– Skoro ta koperta była w biurku Mikołaja, mogło to oznaczać tylko jedno – dostał ją od mojej mamy z prośbą, żeby w swoim czasie mi ją przekazać. Czy wiedział, co tam jest napisane? Coś pewnie powiedziała mu mama, ale jestem pewna, że Mikołaj tych listów nie otwierał. On był prawnikiem z dobrej szkoły i nigdy by nie przeczytał czegoś, co nie było przeznaczone dla jego oczu. Tym bardziej, że dotyczyło akurat mnie. Dlaczego nie dał mi ich zaraz po śmierci mamy na wiosnę osiemdziesiątego drugiego roku? Myślę, że widział, jak ciężko przeżywałyśmy, Kasiu, najpierw wprowadzenie stanu wojennego, potem śmierć twojego Piotra i mojej mamy. Schował je pewnie z myślą, że kiedyś mi je da. Może zapomniał, a może czekał na tę stosowną chwilę? Na przykład kiedy pójdę na emeryturę?... Tego już się nie dowiem.

Kaśka i Eliza słuchały z otwartymi ustami i z wypiekami na twarzach. Kaśka próbowała zawzięcie wydrapać paznokciem niewidoczną plamkę z serwetki, a Eliza z emocji na przemian zagryzała i wydymała usta i co jakiś czas poprawiała za uchem nieistniejący, acz niesforny kosmyk włosów.

– Z tych listów wynika, że Jutka nie była moją biologiczną matką, więc oczywiście ja nie byłam jej biologiczną córką... – powiedziała drżącym głosem, cedząc słowa.

– Mamo! Babciu! – krzyknęły równocześnie Kaśka i Eliza, wpatrując się w nią z przestrachem pomieszanym ze zdumieniem.

Anna pogłaskała dłonie Kaśki i Elizy.

– Mamo, ale co teraz z nami będzie? – spytała nerwowo Kaśka, a Eliza jej przytaknęła.

– Ani z wami, ani ze mną już nic gorszego stać się nie może. – Przenosiła wzrok raz na jedną, raz na drugą. –

Dziewczynki... wszystko będzie już dobrze... a teraz słuchajcie... – Anna zawiesiła głos na kilka chwil i utkwiła wzrok za oknem. – Po miesiącach przemyśleń i wartościowania wszystkiego, co wspólnie z nią przeżyłam – matką zastępczą czy przybraną, jak tam chcecie, mogę powiedzieć jedno: ona była moją prawdziwą matką, a ja byłam jej prawdziwą córką. I nie może tego zmienić żadna tajemna historia mojego pochodzenia, którą być może niedługo odkryję! Chcę się jednak dowiedzieć czegoś o matce biologicznej, bo z listów wynika, że z pochodzenia jestem Kaszubką – przynajmniej tam mnie znaleźli Jutka i Jan. Intryguje mnie to i dlatego chcę odnaleźć miejsce swojego urodzenia i dowiedzieć się czegoś o biologicznych rodzicach! Teraz już wiecie, po co zamierzam jechać na Kaszuby...

Anna ponownie zawiesiła głos i spojrzała najpierw poważnie na Kaśkę, a potem z filuternym przymrużeniem oczu na Elizę. W oczach Kaśki widziała iskry, a na twarzy Elizy pojawił się lekki uśmiech, przy którym podobnie jak babcia przymrużyła oczy. Kaśka poruszyła ustami jak karp, ale Anna przyłożyła delikatnie do ust palec wskazujący i ciągnęła dalej.

– Muszę teraz przyznać, kiedy już znam tę moją prawdziwą historię, że mama genialnie maskowała wszystko, co mogło zakwestionować jej biologiczną matczyność. Raz tylko w życiu zdziwiły mnie słowa, które mama do mnie wykrzyczała, kiedy uparłam się, że nie będę studiować muzyki, a języki obce: „Jesteś uparta jak... jak... jak prawdziwa kaszubska chłopka!". Zdębiałam, ale potraktowałam to jako żart. Zaczęłam się śmiać, a mama po chwili śmiała się już razem ze mną. Kiedy naśmiałyśmy się, mama powiedziała poważnie: „W porządku, to jest twoje życie i ty wybierasz drogi, po których będziesz w nim chadzać!". I dodała: „Idziesz na takie studia, na jakie chcesz! I kropka!". Ale jedzcie tę szarlotkę i pijcie kawę, po co tu siedzimy? – Anna nagle zmieniła temat i spoglądała z lekkim uśmiechem zza przymrużonych oczu na Kaśkę i Elizę, które znieruchomiały zszokowane, zapominając o tym, co na stole.

– Mamo kochana... – zaczęła Kaśka, ale nie bardzo wiedziała, co dalej powiedzieć.

– Babciu! – krzyknęła Eliza. – Dziękuję ci, że zacytowałaś opinię mojej prababci o twoich studiach. A ty, mamo, słyszałaś ją? – zwróciła się z triumfującą miną do Kaśki.

– Tak, tak, słyszałam, ale ja nie jestem taka wyrozumiała jak babcia Jutka! – odpowiedziała Kaśka, cedząc ze złością każde słowo. – Od dzisiaj wiem, że jestem pół krwi chłopką, a ponieważ zawsze nazywasz mnie wyjątkowo upartą, czyli jestem także upartą chłopką. Babcia Jutka zaś, jak pamiętam, była mieszczką poznańską od wielu pokoleń, dobrze ułożoną i nigdy przy niczym się nie upierała...

– No dobrze, dziewczynki, nie wypominajmy sobie pochodzenia i wypijmy teraz spokojnie kawę. – Anna z rozbawieniem pociągnęła łyk kawy i gestem zachęciła do częstowania się szarlotką. – Na moją historię będziemy miały jeszcze dużo czasu, a teraz zastanówmy się, kiedy ruszamy.

– Mamo, poczekaj, ale co jest w tych kopertach? – Kaśka przełknęła łyk kawy i zawiesiła rękę z filiżanką w powietrzu.

– O tym opowiem dzisiaj wieczorem albo jutro, na teraz musi wam to wystarczyć! Kasiu, trzeba przecież umówić Żabę na przegląd u pana Staszka; musimy być pewne tego naszego cuda przed wyjazdem, prawda? Zrobisz to zaraz! Ja z Elizką w tym czasie zaplanujemy zakupy! – Anna stanowczym tonem wydawała komendy.

Po śmierci Mikołaja wyjeżdżały tylko sporadycznie, kiedyś jednak organizacja podróży to był jej prawdziwy żywioł. Lubiła mieć wszystko porządnie zaplanowane i pod kontrolą.

– Ale ja jestem na jutro umówiona w pracy! Mamy ważną kampanię reklamową i musimy trochę popracować... – jęknęła Kaśka. – A kiedy, mamo, chcesz wyjechać?

– Dzisiaj jest piątek, a jakoś zrobiłaś sobie wolne! Po co? A tak nawiasem mówiąc, kto teraz pracuje w soboty? – zdziwiła się Anna, chociaż z drugiej strony wiedziała, że Kaśka w tym swoim biurze podróży pełniła funkcję nie tylko przewodnika i organizatora wycieczek, ale też prawej ręki szefa.

Kaśka zdumiona wpatrywała się w mamę. Czuła, że musi jakoś to wytłumaczyć.

– Jeśli Eliza musi być w Gdyni w środę, to musimy ruszyć w poniedziałek, tak czy nie? – Anna jednak ubiegła Kaśkę. – Tyle zrozumiałam z tej waszej rozmowy, którą odbywałyście *presto vivacissimo e fortissimo*! – Kaśka i Eliza zwiesiły głowy.

Anna, już rozluźniona, z uśmiechem zbierała okruchy szarlotki z talerzyka, popijając je resztkami kawy. Po chwili spojrzała zza przymrużonych oczu na Kaśkę i dodała ugodowo:

– No dobrze, więc jutro spotkajcie się w tym biurze trochę wcześniej, pokombinujcie coś z tą akcją, a po dwóch godzinach zwiń się i jedź do mechanika. Tylko zaraz do niego zadzwoń, a nie odkładaj tego jak zwykle na później. No i uzgodnij telefonicznie ten jutrzejszy dzień w biurze.

Kaśka z kolei, czując, że decyzja matki jest nieodwołalna, podniosła tylko oczy do góry, wzięła duży, ostatni już haust kawy, zasysając fusy z dna i gryząc je, ruszyła bez sprzeciwu do swojego pokoju.

Anna była z siebie bardzo rada, bo nakręciła dziewczynki tak jak zaplanowała, jednocześnie przerywając niepotrzebną, jej zdaniem, kłótnię o studia Elizy. Lubiła komenderować, była więc znowu w swoim żywiole. W ogóle lubiła ruch i pracę w każdej postaci. Kiedy trzy lata temu przeszła na emeryturę, przez pierwsze pół roku nie mogła się odnaleźć. Po śmierci Mikołaja była dziadkiem i babcią, matką i ojcem, gospodarzem i ogrodnikiem, zaopatrzeniowcem, kucharzem i sprzątaczką naraz. Kiedyś mieli dochodzącą pomoc, ale Anna po przejściu na emeryturę zrezygnowała z niej, bo szukała sobie różnych zajęć domowych, żeby nie mieć wolnego czasu na głupie myśli. Od niedawna jednak znowu zaczęła marzyć o jakimś stabilnym zajęciu, gdzie mogłaby przekazywać swoją wiedzę i doświadczenie młodym.

Przedtem cały czas przebywała wśród wielu ludzi. Pracowała w Operze Poznańskiej jako tłumaczka, a tam zawsze działo się coś ciekawego. W czasach PRL-u było więcej wyjazdów zespołu, dzięki czemu zjeździła prawie całą Europę. Ostatnio mniej wyjeżdżali, ale za to do Opery przyjeżdżali z całego świata różni goście: śpiewacy, tancerze, dyrygenci, scenografowie i choreografowie. Dla niej zawsze była więc praca. Tłumaczyła z angielskiego, niemieckiego i rosyjskiego – bo na to miała oficjalne papiery. Ale poznała też w stopniu wystarczającym na potrzeby prostej konwersacji najpierw język włoski, a potem francuski i często wspomagała lub zastępowała tłumaczy tych języków. Dostawała za to jakieś dodatkowe grosze i była niezastąpiona podczas wyjazdów. Zdarzały jej się też od czasu do czasu inne aktywności w operze, wychodzące poza jej zasadnicze obowiązki. Takie bardziej artystyczne, związane z ukończoną średnią szkołą muzyczną w klasie fortepianu.

W operze jako pianistka dała się odkryć przypadkiem. Kiedyś zachorowała akompaniatorka baletu i gdy choreograf nie mógł znaleźć nikogo na zastępstwo, ona, będąc przypadkiem na trasie jego rozpaczliwych poszukiwań, zadeklarowała, że może spróbować. Pierwsze chwile były trudne, ale z minuty na minutę szło jej coraz lepiej. Choreograf i balet byli w szoku. Potrafiła spełnić ich najbardziej nieoczekiwane pomysły. Później, gdy z jakichkolwiek powodów brakowało akompaniatorki, wyręczała ją i robiła to zawsze doskonale. Tancerki bardzo to lubiły, bo grała tak jak one i choreograf potrzebowali na próbach. Grę na fortepianie traktowała jak hobby i ciągle uczyła się dla siebie, ale to języki obce były jej pasją i prawdziwym powołaniem.

Teraz, myślała, wyjedziemy na tydzień, dwa, i coś się będzie działo. Na Kaszubach, tych prawdziwych, nigdy nie byłam. Raz tylko byłam z baletem w Gdańsku, kiedy jako choreograf współpracował z nami gościnnie Roland Petit.

Kaśka, idąc do swego pokoju, myślała: mama chyba nigdy nie odzwyczai się za mnie decydować, ale z drugiej strony, może ten wyjazd dobrze mi zrobi? Ostatnio ciągle były jakieś kwasy w pracy i tę akcję, za którą mieli dostać jakieś dodatkowe pieniądze, Piotr robi tylko po to, żeby trochę poprawić wszystkim humory i skonsolidować zespół. Tylko czemu on chce to robić w sobotę?

Pracy w soboty nigdy nie lubiła. No, chyba że przypadała podczas wycieczki... Takich zajętych wycieczkami sobót i niedziel miała sporo, ale to było zawsze wcześniej zaplanowane i specjalnie opłacane. Później odbierała sobie jeszcze wolne dni i wszystko było w porządku. Teraz miała już zaplanowane trzy wycieczki od połowy lipca i czekała na nie jak na zbawienie. Z drugiej strony, zaczynała jednak marzyć o pracy na miejscu, bez wyjazdów, w której mogłaby decydować o strategii i profilu działania firmy. Miała dużo pomysłów i jej szef o tym wiedział i to doceniał. Widziała się też jako szefową jakiegoś bliżej nieokreślonego pensjonatu, ale na razie nie podejmowała żadnych działań, aby cokolwiek w swoim życiu zmienić.

Wybrała w telefonie numer Piotra; ten zgłosił się natychmiast po pierwszym dzwonku. Wiedział, że jak Kaśka dzwoni, to musi być naprawdę coś ważnego.

– Piotr, przepraszam, że zawracam ci głowę, pewnie odpoczywasz... – rzuciła w słuchawkę, próbując zebrać myśli, co dalej powiedzieć.

– Kasiu, przecież jest dopiero koło drugiej, więc ciągle jeszcze jestem w pracy – odpowiedział ze zdziwieniem w głosie.

– Sorry, taka jestem dzisiaj zakręcona... Dużo miałam od rana wrażeń. A wiesz, może to i dobrze, że jesteś w pracy, bo wszystkich jeszcze masz pod ręką. Jutro potrzebuję wcześniej zacząć i jeszcze wcześniej skończyć. Na pewno to załatwisz. Może być o ósmej? – sama zdziwiona była tym, co powiedziała. Jakoś samo to się ułożyło i wypłynęło z ust.

– Dobrze, załatwię to, chociaż młodzież będzie

znowu marudzić, że muszą wstawać w środku nocy – ze śmiechem odpowiedział Piotr, ciesząc się, że tylko o to chodzi.

– Aha, jeszcze jedno – Kaśka poszła za ciosem. – Od poniedziałku muszę, rozumiesz muszę – podkreśliła – wziąć urlop! Myślę, że tydzień powinien starczyć. Zresztą potem mam wycieczki. Jutro ci wszystko wyjaśnię, a na razie pa! – I szybko się rozłączyła.

Uf, jakoś poszło, pomyślała zadowolona z siebie. A teraz mechanik!

Eliza jadła powoli szarlotkę. Nie mogła wyjść z podziwu dla babci, która jednym zdaniem załatwiła mamę. Teraz mama będzie miała problem, bo nie może mi odmówić. A ja mamę próbowałam przekonywać dwa dni! – uśmiechnęła się do własnych myśli.

Patrzyła na babcię, która myślami poszybowała chyba gdzieś w przestworza – miała uśmiechniętą twarz i błądziła wzrokiem po ogrodzie. Eliza nie chciała psuć tej miłej ciszy, więc zabrała się spokojnie do napychania ust kolejnym kawałkiem szarlotki. Na razie częściej myślała o wolontariacie na Helu niż o rozmowie kwalifikacyjnej na uniwerku w Gdyni. Wchodziła często na stronę fokarium – wiedziała o nim wszystko. Świadectwo z liceum zawierało same piątki, więc nie wyobrażała sobie, by mogła nie dostać się na uniwerek. Nie miała pojęcia, jak będzie przebiegać rozmowa, ale wierzyła, że jest w stanie zainteresować komisję swoją pasją i wiedzą. Ryby, biologia wód – to było jej prawdziwe hobby. Często chodziła do antykwariatów i wydawała tam zaskórniaki na stare książki o rybach. Czuła, że wyjazd do Gdyni i na Hel to dla niej najlepszy sposób, aby ułożyć życie po swojemu. Trochę się tego bała, ale postanowiła zaryzykować. Wiedziała, że matematykę ma w małym palcu, a mama nie bez podstaw planowała dla niej karierę ekonomistki. Słyszała od niej czasami: „Zostaniesz potem na uczelni i zrobisz karierę naukową".

Może by i tak się stało. Złożyła więc dla świętego spokoju, tak jak mama chciała, papiery na Akademię Ekonomiczną, a 4 lipca zaczynały się tam egzaminy. Tyle tylko, że nie miała zupełnie ochoty na nie pójść. Boże, przez całe życie słupki! Winien... ma... winien... ma... Brrr! Jakie to bezduszne! Muszę się z tego jakoś wykręcić, bo inaczej zamęczę się tutaj w Poznaniu, myślała. Dlatego prawdziwą alternatywą było dla niej odcięcie pępowiny od mamy i Poznania.

„Najlepiej, jak człowiek robi to, co lubi" – kiedyś usłyszała taką myśl i ona pasowała zupełnie do jej sytuacji. Dwa ostatnie lata nieustannie myślała o tym, jak ją zrealizować, bo tak naprawdę tylko biologia organizmów wodnych była tą dziedziną, w której widziała siebie zawodowo. To było także jej prawdziwe hobby. Wiele o tym naczytała się też w internecie, a dzięki forom internetowym poznała nawet parę osób studiujących oceanografię i biologię morza. Niesamowite, co oni wyprawiali na tych studiach... Więc dlaczego ona ma robić coś, czego nie lubi, nawet jeśli robi to dobrze? Na początku roku wysłała do Stacji Morskiej w Helu akces jako wolontariuszka na jeden z miesięcy letnich, a trzy dni temu dostała maila z pozytywną odpowiedzią. Czternastego lipca ma się tam zgłosić z kaloszami, a mama robi jej pod górkę! Dobrze, że babcia podała mi dłoń, bo już to źle wyglądało... Na początku czerwca wysłała dokumenty na Uniwersytet Gdański, a rozmowa kwalifikacyjna już za pięć dni.

Szczególne zainteresowanie biologią odkryła w sobie jeszcze wtedy, gdy żył dziadek Mikołaj. Często bywali w kompleksie starego zoo przy Zwierzynieckiej – tutaj mieli bliżej, ale jeździli też nad Maltę do nowego zoo. Najbardziej interesowały ją zawsze zwierzęta wodne, a ryby wręcz uwielbiała. Kiedyś, jeszcze w podstawówce, była na trzydniowej wycieczce w Trójmieście. Pierwszego dnia zwiedzali Gdańsk. Drugiego dnia wycieczka po porcie w Gdyni, a potem Akwarium – Muzeum Oceanograficzne. Była oczarowana. Trzy kondygnacje i prawie wszędzie akwaria. Nie mogła się od nich oderwać. Tyle tego tam było, a oni mieli na zwiedzanie półtorej godziny. Na trzeci dzień zaplanowana była wycieczka statkiem na Hel, ale ona tak długo prosiła wychowawczynię, aż ta pozwoliła jej zostać na ten ostatni dzień wycieczki w Akwarium. Pani załatwiła co trzeba z przewodniczką z muzeum i następnego dnia Eliza mogła być tam od rana aż do późnego popołudnia. To był jej najcudowniejszy dzień w podstawówce. Dziadek nauczył ją tego szczególnego lubienia zwierząt. Wiedziała, że jego marzeniem było pojechać kiedyś do Afryki na safari. Obiecywał Elizie, że kiedy ona skończy osiemnastkę, wówczas wybiorą się tam razem. Ale, niestety, dostał nagłego wylewu po jakiejś przykrej sprawie sądowej i umarł.

Jadła już trzeci kawałek szarlotki, obserwując, jak babcia ciągle błądzi gdzieś myślami. Kochana babcia! A jaka przy tym nowoczesna! Choć z drugiej strony, kochała ją też za te bardzo staroświeckie zachowania – granie na pianinie utworów Chopina, Liszta, Beethovena i innych wielkich klasyków. Gdy żył dziadek, grywała im często w sobotnie lub niedzielne jesienno-zimowe popołudnia. Te koncerty domowe zawsze kończyły się jakąś szaloną improwizacją we współczesnych rytmach. Właśnie za to ją tak lubili tancerze z opery. Kiedyś często bywała z babcią na próbach i niejeden raz była tego świadkiem. Kiedy babcia widziała, że coś tancerkom i tancerzom nie wychodzi lub są zmęczeni, nagle zmieniała rytm i zaczynała improwizować. Oni budzili się z uśpienia i po kilku minutach szaleństwa znowu z uwagą słuchali choreografa. Szczególnie wyróżniała się w tych improwizacjach blondynka Mirka, chociaż babcia mówiła do niej Luba. Obie lubiły się bardzo i chyba dlatego Luba czasami bywała w ich domu. Zastanawiało ją, jak babcia to robi, że jest zawsze taka pogodna, wyrozumiała i nie zmęczona.

Ona sama, podobnie jak mama, nie miała ani pociągu, ani specjalnego talentu do uprawiania muzyki – chociaż pianino stało w domu. Kiedyś nauczyła się paru chwytów na gitarze i to jej w zupełności wystarczało. Nie potrzebowała tego na co dzień i dlatego nie kupiła sobie gitary. Pasjami lubiła natomiast słuchać muzyki, pod warunkiem, że była to dobra muzyka. Babcia nauczyła ją najprostszej definicji: muzyka to harmonia. I ona się tego trzymała. Lubiła wszystkie gatunki i style muzyki od poważnej, poprzez lżejszą aż do popu i rocka włącznie, pod warunkiem, że tam panowała harmonia...

– Elizko, bo pękniesz... – usłyszała nagle słowa babci, która bez uprzedzenia wróciła ze swoich przestworzy.

Zaskoczona Eliza machinalnie odłożyła łyżeczkę. Spojrzała na babcię, ale po minie poznała, że ta tylko żartuje. Szybko więc znowu ją podniosła i dalej zajadała szarlotkę.

– Babciu, jak znam nasze możliwości, to na zakupach na pewno mocno się schodzimy, więc zgubię te fałdeczki, które teraz tak beztrosko się tworzą – odpowiedziała na babciną zaczepkę pełną buzią. – A czy masz już jakąś koncepcję tych zakupów? – spytała nieco poważniej.

– Mam wszystko spisane, ale żadnego dużego marketu nie zaplanowałam. Poczytaj. – Anna podała Elizie kartkę ze starannie wypisaną listą towarów i sklepów. – Dopytamy jeszcze mamę, czy nie potrzebuje czegoś z kosmetyków i co z kostiumem kąpielowym. Wiem, że planowała kupić coś nowego.

Eliza, czytając listę, bezwiednie sięgnęła ręką po kolejny kawałek ciasta, co babcia natychmiast wesoło skomentowała:

– Spokojnie, jak wrócimy do domu, będziesz mogła znowu zasiąść do szarlotki. Na blasze jeszcze dużo jej zostało.

– Oj, babciu, nie żałuj mi. Taki fajny dzień. No dobrze, skończyłam! Idę umyć ząbki i przypudrować nosek. – Eliza wpakowała w usta ostatni kęs szarlotki, wysączyła z dna filiżanki resztki kawy, obróciła się na pięcie i ruszyła w kierunku łazienki.

– Dziesięć minut i ruszamy! – krzyknęła za nią Anna.

– Mamo, wszystko załatwiłam i z pracą, i z mechanikiem. – W progu kuchni stanęła uśmiechnięta Kaśka. – Słyszałam, że mam dziesięć minut, czy tak? – dorzuciła. – Zerknę więc jeszcze do internetu na trasę z Poznania do Gdyni.

– Dobrze, Kasiu. W tym czasie i ja zdążę się przygotować – odpowiedziała Anna, odstawiając na suszarkę ostatnią filiżankę. Otarła dłonie i uśmiechając się do córki zza przymrużonych oczu, ruszyła do siebie.

Była dumna, że udało jej się wszystko tak, jak zaplanowała. Cieszyła się, że dziewczynki zapomniały o kłótni i wreszcie zmobilizowała je do wspólnego działania. Z drugiej strony, bała się trochę tego wyjazdu, bo nie wiedziała, czego się dowie, co zobaczy i kogo pozna, ale w tej chwili nikt i nic nie byłoby w stanie zakłócić jej misternie obmyślonego planu.

Zakupy, na które wybrały się całą trójką w piątkowe popołudnie, poprawiły wszystkim humor. Kaśka i Eliza kupiły sobie nawet nowe kostiumy kąpielowe, argumentując, że gdzieś na Kaszubach albo w morzu nie będą się kąpały w tych samych co w Rusałce. Po prostu nie wypada!

*

W sobotę Kaśka szybko załatwiła sprawy w biurze, a potem popędziła na przegląd Żaby do pana Staszka na Winogrady. Gderał co prawda, że przydałoby się jeszcze wymienić jakiś filtr, podkładkę pod głowicą i sprężyny w przednim zawieszeniu, no i pasek rozrządu.

– Pani Kasiu, z paskiem rozrządu nie ma żartów, a do Żaby nie znajdzie się tak od ręki – trzeba szukać!

Ale na koniec dodał też – co ją ucieszyło i uspokoiło zarazem – że w czasie tego wyjazdu nie powinno się tak naprawdę nic dziać. Kaśka już ponad trzy lata nie ruszała się Żabą poza Poznań, jednak miała przeczucie, że pan Staszek mówi jej o wymianach tego i owego tylko po to, by podkreślić, jaki to z niego dobry i skrupulatny mechanik. Teraz zresztą i tak było zbyt mało czasu na naprawy, więc pomyślała, że po powrocie odstawi mu Żabę na trochę dłużej, a wtedy niech robi, co tylko uważa. Pan Staszek był ulubionym mechanikiem jej taty Mikołaja i nigdy ich nie zawiódł.

Po zachodzie słońca, gdy świerszcze już grały w ogrodach, a ptaki na sołackich drzewach wyśpiewywały wieczorne trele, Anna zawołała Kaśkę i Elizę do kuchni. Na stole stał zroszony dzbanek z wodą z sokiem malinowym i trzy szklanki napełnione nią do połowy. Anna trzymała dłonie na dużej szarej kopercie z listami od mamy.

– Chcę wam teraz przeczytać list wstępny i list z pierwszej koperty, a potem możemy trochę o tym porozmawiać.

W kuchni było już wreszcie czym oddychać; otwarte na ogród drzwi i okna wpuszczały pachnące kwiatami i iglakami powietrze. Gdy Kaśka i Eliza umościły się na krzesłach, Anna wyciągnęła kartkę z szarej koperty i półgłosem zaczęła wolno czytać.

Kochana Aniu!
Władze kolejny raz nas oszukały. Tym razem wypowiedziano nam wojnę!... Płaczę, bo nie pojmuję tego! Od rana znowu słucham radia, gdzie więcej szumów i trzasków...

Ja nie chcę postępować jak generałowie i sądzę, że dzisiejszy poranek to stosowna chwila, żeby wreszcie przyznać Ci się do wielkiego kłamstwa! Tak, kłamstwa, gdyż od 1938 roku żyję w kłamstwie i tym kłamstwem Ciebie oplotłam...
Nie jest mi łatwo pisać te słowa, ale muszę, bo inaczej nie wiem, co będzie się działo z moją duszą po śmierci, a nie chciałabym, aby błąkała się po ciemnych zakamarkach wszechświata. Może Ty i Najwyższy wybaczycie mi całą moją podłość, o której chcę Ci opowiedzieć, bo nadużyłam Waszej dobroci, żyjąc prawie 44 lata w kłamstwie. Potraktuj więc ten list jako swojego rodzaju spowiedź.

Wiem, czuję, że moje dni dobiegają końca, a Ty masz
prawo poznać wreszcie prawdę o mnie, o sobie, i zrobisz
z niej na pewno dobry użytek. Nie chcę, nie mogę
zabierać swojej, ale też TWOJEJ TAJEMNICY, do grobu!
Oto ona:

**Nie jestem Twoją biologiczną matką, a Jan Bartkowiak
nie był Twoim biologicznym ojcem!**
Z tego powodu będę dalej mówić o sobie **mama Jutka**,
co i tak – ze względu na to, co Ci uczyniłam – jest chyba
zbyt wielką śmiałością i tupetem.

Na swoje usprawiedliwienie mam wyłącznie to, że całą
duszą starałam się być Twoją prawdziwą mamą, a kiedy
tak się do mnie zwracałaś, serce zawsze biło mi mocniej.
Tak było zawsze, od usłyszenia tego słowa po raz
pierwszy – kiedy byłaś jeszcze niemowlakiem,
do dzisiejszego przedpołudnia, gdy rzuciłaś
na odchodne: „Pa, mamo!".

Historię tego, co się stało, i jak los nas połączył, opisuję
w trzech listach – dlatego ten zestaw kopert
ponumerowałam od 1 do 3.

Pakiet ze wszystkimi listami przekażę Mikołajowi,
a on da go Tobie w stosownej chwili!

Aniu! Nigdy nie lubiłaś działać metodycznie, tak jak
funkcjonują np. księgowi, a zawsze postępowałaś
emocjonalnie – jak artyści. Zrób, proszę, choć jeden raz
w życiu coś wbrew swojej artystycznej duszy i zastosuj
się do moich życzeń, zgodnych z zasadami
przedwojennego księgowego.

Przeczytaj najpierw list z koperty numer 1 i daj sobie
trochę czasu na uspokojenie i ułożenie wszystkiego
w głowie. Kiedy będziesz gotowa, przeczytaj list
z koperty numer 2. Znowu daj sobie trochę czasu
i dopiero wówczas przeczytaj list z koperty numer 3.

Starałam się przez całe życie, abyś mogła rozwijać swoje
talenty zgodnie z tym, co Ci w duszy gra. Tylko raz
w życiu, na kilka chwil, pomiędzy nami zazgrzytało,
bo chciałam Cię zmusić do czegoś wbrew Twojej
naturze. Dobrze, że udało mi się wtedy na czas wycofać
z mojego egoistycznego pomysłu! Krzyknęłam do Ciebie,
że jesteś uparta jak kaszubska chłopka – pamiętasz to?
Płakałyśmy długo ze śmiechu!

Aniu! Wszystkie dni przeżyte razem z Tobą były
dla mnie nieustającym pasmem radości i szczęścia.

Twoja mama Jutka
Poznań, 13 grudnia 1981 roku

– Od wczoraj wiecie już, kiedy z mamą płakałyśmy
ze śmiechu, prawda? – Anna uśmiechnęła się melancholijnie. – W uzupełnieniu do wczorajszej opowieści do-
dam jeszcze dwa słowa o rozmowie z panem Epsteinem.
Przepraszał mnie długo, że przeczytał tę kartkę z szarej
koperty. Jak mówił, nie mógł się oprzeć zwykłej cieka-
wości. Przysięgał, że trzech pozostałych listów nie czy-
tał, zresztą wyglądały na oryginalnie zaklejone, chociaż
tak naprawdę ani wtedy, ani dziś wcale mnie to nie obchodziło. Tak prowadził ze mną rozmowę – a była to
bardzo długa i pouczająca rozmowa – aby mnie przekonać, żebym czytała listy tak, jak mama prosiła. Długo

rozmawialiśmy o drzewie genealogicznym: najpierw jego, potem trochę o moim; on mnie w tej rozmowie na coś naprowadzał, przygotowywał, przed czymś przestrzegał. Byłam mocno podekscytowana i nie wszystko w tamtym momencie brałam do siebie, a poza tym widok tych kopert dekoncentrował mnie. Opowiadał historie dzieci żydowskich uratowanych w czasie II wojny przez Polaków i o ich późniejszych problemach z nową tożsamością. Spytał mnie raptem, co byłoby na przykład, gdybym to ja dowiedziała się, że jestem kimś innym niż w rzeczywistości. Niby się z jego wywodem zgodziłam, przyrzekłam, że przeczytam listy tak jak mama prosiła, ale w hotelu, gdy zostałam z tymi kopertami sam na sam, i tak zrobiłam inaczej – wszystko przeczytałam na raz! Byłam samotna, bardzo skołowana i dlatego przeżyłam taki szok! Gdyby jednak nie rozmowa z panem Epsteinem, byłoby ze mną jeszcze gorzej. Okazało się, że prawie wszystko, co mówił, zapisało mi się jednak w pamięci i to mi trochę pomogło. Kiedy wróciłam z Warszawy, czułam się źle, bardzo źle… pamiętacie? – kontynuowała Anna. – Przecież wszystko to, co było do tej pory dla mnie pewnikiem: mama, ojciec, rodzina, w jednej chwili okazało się fałszem! Nieprawdą! To, czego dowiedziałam się z listów o mojej nowej, nieznanej mi tożsamości, nie chciało do mnie trafić. Bolało mnie to i najchętniej bym to odrzuciła. Nie chciałam się pogodzić z faktem, że Jutka nie jest moją prawdziwą mamą! Byłam zła i obrażona na nią! Potem długo to analizowałam z wielu stron, aż wreszcie uznałam jednak, że mama dobrze zrobiła, przekazując mi tę historię w formie listów. Nie musiała oglądać mojej złości, której nie potrafiłabym niczym zamaskować, gdyby powiedziała mi to wszystko prosto w oczy…

Anna na moment zamilkła i zwilżyła usta.

– Ta stosowna chwila, w której Mikołaj miał mi przekazać listy, jak rozumiecie, nie mogła nastąpić, bo umarł nagle. Musiałam się więc z tą sprawą zmierzyć sama, nie chciałam was w to wtajemniczać. Jemu bym się wypłakała, mogła do niego przytulić i poradzić. Co prawda, muszę przyznać, że on mnie chyba w ostatnim okresie przed śmiercią przygotowywał na to coś... na te koperty... Tak czuję i myślę, kiedy widzę obrazek z kaszubską parą, który wisi w stołowym pokoju, gdzie kobieta jest podobna do mnie. Dostałam go od Mikołaja po waszym, Elizko, powrocie w dziewięćdziesiątym trzecim roku z Bytowa! Może to nie był przypadek?!

– Babciu, ale to ja wybrałam tę kartkę pocztową spośród wielu, które dziadziuś oglądał – on oczywiście zapłacił za nią!...

– To Mikołaj chciał kupić tę kaszubską parę, potem oprawił i dał mi jako obrazek. To, że był w tym twój udział, też mi powiedział – odparła, mrużąc oczy Anna. – Ładnie wybrałaś, ale to on najpierw tę kartkę zobaczył, a potem cię poprosił, żebyś wybrała. Naprowadzał cię... Cieszył się, że trafiłaś tak jak on! Taki był z niego strateg! Postanowiłam sobie, że wam historię z listów przekażę w odcinkach – powiedziała Anna, starannie składając kartkę.

Widać było, że Kaśka i Eliza miały ochotę coś powiedzieć, o coś spytać, ale Anna jednym ruchem ręki powstrzymała je:

– A teraz posłuchajcie listu z koperty numer jeden:

Kochana Aniu!
Znaleźliśmy Cię z Janem (wówczas moim
narzeczonym) na poboczu spalonego pola w okolicach
Parchowa; wtedy była to bardzo mała wieś przy trasie
Kartuzy – Bytów. Byliśmy w trakcie podróży do Berlina
po niedawnych zaręczynach.

Z trudem oddychałaś. Sądziliśmy, że możesz mieć
poparzone drogi oddechowe – na policzkach i rączkach
miałaś ślady poparzeń. Liczyła się każda minuta –
Jan się na tym doskonale znał, bo był pediatrą;
bardzo obiecującym, co wiesz, bo Ci o tym wielokrotnie
opowiadałam!

Próbowałam protestować, że powinniśmy poszukać
w pobliskiej wsi Twojej rodziny, ale on był nieubłagany!
Po wizycie w szpitalu mieliśmy odwieźć Cię
natychmiast do rodziców do Parchowa. Do Kartuz było
ponad 40 kilometrów, a bliższy szpital był w Bytowie
(wówczas Bütow w Rzeszy). To Jan tak wybrał, a ja nie
byłam w stanie mu się przeciwstawić. Ryzykowaliśmy
wiele, ale stawką było Twoje życie!

Na granicy skłamaliśmy, że jesteś naszą córką...
Uwierzyli i mogliśmy ruszyć pędem dalej. W szpitalu
dostałaś nową tożsamość – Anna Nagengast... to stało
się jakoś tak spontanicznie... Na pytanie lekarza, jak
ma na imię córka, zamilkłam przerażona. Jan spojrzał
na mnie i... powiedziałam: Anna – na czapeczce
zauważyłam literkę „A", i tak już zostało.

Twój stan był bardzo poważny i o powrocie do Parchowa
tego dnia nie było mowy. Okazało się, że byłaś bardziej

chora, niż sądziliśmy – miałaś także
zapalenie oskrzeli, będące wynikiem wychłodzenia
w trakcie burzy z gradem. Musiałaś więc
zostać w szpitalu na kolejne dni, a ja coraz
bardziej się do Ciebie przywiązywałam.
Jan musiał pilnie wyjechać do Berlina,
podczas gdy ja miałam na niego czekać w Bytowie.
Miało to trwać tylko kilka dni, a przeciągnęło się
na prawie dwa miesiące...

Zauroczyłaś mnie w tym czasie – wręcz zakochałam się
w TOBIE! Coraz śliczniej gaworzyłaś – usłyszałam wtedy
od Ciebie pierwszy raz słowo MAMA!!!

Gdy Jan wrócił z Berlina, pojechaliśmy Cię odwieźć
do Parchowa, ale najpierw postanowiliśmy dowiedzieć
się, co tam się stało dwa miesiące wcześniej. Chcieliśmy
tę sprawę załatwić jak najbardziej delikatnie, gdyż
mnie przychodziły różne myśli do głowy, jak na
przykład ta, że znalazłaś się tam przypadkiem jako
podrzutek. Wybacz mi, że tak myślałam! Jan delikatnie
zwracał mi uwagę, że coś mnie chyba opętało – on był
prawdziwym dżentelmenem! Ale miał rację! Ty mnie
opętałaś, a ja poza Tobą świata nie widziałam. I nie
chciałam widzieć! Dlatego Jan skłamał mieszkańcom
Parchowa, że jadąc do Niemiec, ujrzeliśmy spalone pole,
dlatego jesteśmy ciekawi, co się tutaj wtedy stało!?
Opowiedziano nam, że w czasie burzy spłonęło
gospodarstwo i pola. Zginął gospodarz i jego malutka
córka, a matka z rozpaczy i tęsknoty za nimi wyjechała
do Ameryki. Oni byli przekonani, że TY zginęłaś
w pożarze!!! Mówili, że znaleziono tylko przewrócony
wózeczek przy stawie...

*Sąsiedzi mówili także, że rodzina Twojego ojca mieszka
daleko, a Twoja matka była sierotą z ochronki!!!
Żadnych nazwisk nie przytaczali, więc nam nawet
nie wypadało się o nie pytać – bo niby z jakiego powodu?!*

*Po tym wszystkim przyznanie się do tego, że Ty
jesteś ich ocalałą córką, nic by już nie dało – tak
wówczas myślałam!!! Zresztą oni w naszym
zachowaniu też niczego podejrzanego nie zauważyli,
bo reakcje byłyby inne. Potraktowałam więc to
wszystko, co się zdarzyło, jako zrządzenie losu,
za którym stoi Bóg, a Jemu, jak wiesz, nie przeciwstawia
się. Podjęłam więc decyzję o wyjeździe stamtąd
natychmiast! Jan nie był w stanie odwieść mnie
od tego – chociaż próbował! Byłam w amoku
i działałam jak szalona!*

*Kim są Twoi biologiczni rodzice, nigdy już się nie
dowiedziałam – nawet nie próbowałam ich szukać!
Dlaczego? O tym w następnym liście.*

*Twoja mama Jutka
Poznań, 13 grudnia 1981 roku*

Kaśka i Eliza z przejęciem wysłuchały kolejnego listu, a potem długo i cicho rozmawiały z Anną o usłyszanej historii. Wyglądało, jakby obawiały się, że ktoś może je podsłuchać i rozgłosić światu tajemnicę Jutki i Anny. Anna do nowej sytuacji już się zdążyła przyzwyczaić – dla nich to była nowość. Mówiła im, że do mamy Jutki nie ma pretensji czy żalu i o nic ją nie obwinia, bo w takiej sytuacji nikt by pewnie inaczej nie postąpił.

– Zresztą po przyjeździe do Poznania mama tyle lat przyzwyczajała rodzinę, znajomych i samą siebie do faktu, że jest moją prawdziwą matką, iż trudno sobie wyobrazić, by zrezygnowała z tego. Byłam z nią bardzo szczęśliwa przez wszystkie dni wspólnego życia. Będziemy o tym wszystkim jeszcze dużo rozmawiać, może nawet pomyślimy o szukaniu śladów mojej biologicznej mamy w Ameryce. Zobaczymy. To jest też sprawa istotna dla was, bo jedna gałąź waszego drzewa genealogicznego okazała się fałszywa! Ale na początek, jak rozumiecie, muszę pojechać do Parchowa i tam rozejrzeć się i poszukać, czy jeszcze czegoś się nie dowiem. Jak słyszałyście, mama Jutka nigdy więcej po 1938 roku w Parchowie nie była i nigdy niczego nie próbowała też wyjaśniać – dodała na zakończenie Anna.

Wyspa szczęśliwości

$\mathcal{P}$oznań budził się ze snu po nocnej burzy. Już dawno nie było tak rześkiego powietrza o poranku. Anna, Kaśka i Eliza wstały bardzo wcześnie, by wyruszyć zgodnie z planem. Wczoraj jeszcze do późnych godzin wieczornych pakowały bagaże, żeby na rano została tylko toaleta i zjedzenie kanapek. Anna zawsze wpajała córce i wnuczce, że śniadanie jest bardzo ważne, bo nigdy nie wiadomo, co się może w ciągu dnia wydarzyć. „A tak macie już trochę siły, no i żołądek ma co robić" – zawsze mówiła.

Tuż przed siódmą wszystkie były gotowe.

– Idę wyprowadzać Żabę! – krzyknęła, przebiegając przez hol, Kaśka. – Wychodźcie powoli przed dom!

Nie lubiła wyjazdu z garażu, z którego trzeba było tyłem wspiąć się nieco pod górkę, ale dzisiaj wszystko poszło jak z płatka. Zaparkowała Żabę przed furtką i poszła zamknąć bramę. Gdy wróciła do samochodu, ze zdziwieniem skonstatowała, że mama i Eliza siedzą już w środku. Silnik Żaby grał równiutko i cichutko.

– Jaką muzyczkę wybieramy? – spytała.

Tak naprawdę zrobiła to tylko pro forma, bo i tak miała w planie włączyć coś Mike'a Oldfielda.

– Kasiu, nie włączaj niczego, póki nie wyjedziemy z Poznania. Chcę w ciszy popatrzeć na miasto – poprosiła Anna.

Kaśka wiedziała, że mama bardzo przeżywa ten wyjazd, stąd nawet nie próbowała oponować. Dziwne było dla niej tylko to, że również Eliza powstrzymała się od komentarza. Zerknęła we wsteczne lusterko, ale z twarzy córki nie potrafiła niczego wyczytać.

– Dobrze, w takim razie ruszamy! – skwitowała więc krótko, moszcząc się na siedzeniu i zapinając pasy.

– W imię Ojca i Syna, i Ducha Świętego – wyrecytowała podniosłym tonem Anna, a wszystkie razem zakończyły chórem: – Amen!

Samochód ruszył. Przed nimi była wyjątkowo długa, jak dla nich, trasa.

Kaśka zaplanowała, że pojedzie tak, jak lubi mama. Skręciła z Wielkopolskiej w Pułaskiego, później przemknęła pod wzgórzem Cytadeli i dalej Szelągowską w kierunku Nowego Mostu przez Wartę. Tak naprawdę nazywał się Most Lecha, ale w ich domu zawsze mówiło się o nim Nowy Most.

Park Szelągowski, który właśnie mijały, był ich szczególnie ulubionym miejscem. Przez wiele lat Anna przychodziła tam z mężem Mikołajem i małą Kasią w wieczór poprzedzający Noc Świętojańską, na zapierające dech i pełne magii pokazy fajerwerków. Taka ich rodzinna tradycja. Kasia bardzo lubiła te wieczory. Tato i mama byli wtedy tacy wyjątkowi i kochani.

Na co dzień Mikołaj późno wracał albo pracował długo w swoim gabinecie w domu. Często przyjmował tam klientów lub radził z kolegami prawnikami. Taka była jego praca. Ale wieczór poprzedzający Noc Świętojańską przeznaczał tylko dla rodziny. Był cudownym gawędziarzem i zawsze miał przygotowaną na tę okazję jakąś ciekawą opowieść z happy endem. Gdy Kasia miała kilka lat, najczęściej były to rozmaite bajki lub stare legendy. Kiedy podrosła, opowiadał bardziej współczesne i dorosłe historie. Warunek był zawsze tylko jeden – musiały się kończyć dobrze...

Kaśka prowadziła Żabę sprawnie, ale czuła, że dla nabrania większej pewności powinna nią jeździć częściej. W zasadzie samochodem jeździł tylko Mikołaj, zaś Anna i Kaśka sporadycznie. Po śmierci Mikołaja ani Anna, ani Kaśka nie miały zarówno ambicji, jak i potrzeby, mieć własnego auta. Żaba została więc jedynym domowym samochodem o statusie szacownej rodzinnej pamiątki, ale od czasu do czasu pełniła też funkcje użytkowe. Anna zawsze chodziła do pracy w operze piechotą, a poza tym nie czuła się w Żabie zbyt pewnie z uwagi na miejski ruch. Dla Kaśki wóz był zbyt duży, by nim jeździć na co dzień do pracy, zresztą dziewiątka zawoziła ją prosto pod biuro.

Jechały teraz przez Nowy Most i wszystkie spoglądały w dół na skrzący się srebrzyście nurt Warty.

– Za wałem przeciwpowodziowym, tam gdzie teraz ulica Prymasa Hlonda prowadzi do Zawad, było kiedyś wysypisko śmieci. – Anna wskazała ręką wał na prawym brzegu Warty. – A z tej strony, przed wałem, płynął czysty strumień od Cybiny, który tutaj przy samym moście wpadał do Warty. Nie pamiętam jego nazwy, musiałabym poszperać w pamięci. Mikołaj mi opowiadał, że przychodził tu wiele razy ze swoim tatą w Dzień Matki po niezapominajki dla mamy. W strumieniu było wiele ryb, na pięknych łąkach brzęczały owady, fruwały motyle i ptaki. Latem gromadnie bywali tutaj rodzice z dziećmi z Zawad i Głównej. Potem elektrociepłownia zaczęła do strumienia spuszczać gorącą technologiczną wodę i życie w nim umarło. Byłam i ja tutaj z Mikołajem kilka razy na przełomie lat pięćdziesiątych i sześćdziesiątych, ale wtedy wszystko tu jeszcze żyło...

– Dobrze, że my mamy taki skrót przez Nowy Most, ale znajomi narzekają, że Zawadami i Główną chwilami nie da się już jeździć, a muszą! – przerwała Kaśka. – Poznań w ogóle jest już tak zatkany, że każda próba wyprowadzenia ruchu poza stare zatłoczone ulice, jak tutaj poprzez Hlonda, jest pożądana. No, muszę uważać, bo możemy mieć problemy...

Wczoraj poćwiczyła na mapie Poznania przejazd przez ten jego fragment i teraz wolała tylko na tym się skupić. Jeszcze jedne, drugie światła, rondo i dwa skrzyżowania, i po kilku minutach były już poza miastem. Nie poszło więc tak źle! Emocje jazdy ulicami miasta powoli zaczynały blednąć. Uśmiechnęła się szeroko i powiedziała sztucznie oficjalnym tonem:

– Mamo! Elizo! Myślę, że na kawkę zatrzymamy się w okolicach Kcyni. Nie słyszę protestów. A teraz *Ommadawn*. On jest taki spokojnie samochodowy. Można przy nim uspokoić się i podumać – dodała.

Anna skinęła z aprobatą głową, a Eliza głęboko westchnęła. Po chwili z głośników popłynęła muzyka Mike'a Oldfielda, którą Anna dzięki córce też polubiła już jakiś czas temu. Zresztą nie narzekała na gusty muzyczne córki i wnuczki. Z kolei Kaśce czasami wydawało się, że jeszcze większą fanką Oldfielda niż ona jest teraz jej córka.

Eliza z tyłu miała całe siedzenie dla siebie. Wyprawa już się jej podobała, a przecież jechały dopiero niecałe pół godziny. Rejestrowała z uwagą wszystko, co się dzieje na przednich siedzeniach. Mama prowadziła spokojnie, a Żaba poddawała się jej poleceniom posłusznie. Eliza nie słyszała żadnych zgrzytów skrzyni biegów, nie czuła też zbędnych przyspieszeń i hamowań. Lubiła taką jazdę. Mama się krygowała, ale kierowcą była dobrym. Wsłuchiwała się więc w solówki gitarowe Mike'a i towarzyszące im w tle chórki i wokalizy. Uwielbiała tę muzykę, czym nieco różniła się od swoich rówieśników. Nigdy nie lubiła muzyki różnych „różowych czubów" – jak ich nazywała – ani żadnych „pogo-pogo". W istocie lubiła to, co lubiła jej mama: Skaldów, Czerwone Gitary, Beatlesów... Lubiła każdą muzykę, która odpowiadała określeniu funkcjonującemu w jej domu: muzyka to harmonia.

Spoglądała z ciekawością raz na jedną, raz na drugą stronę szosy. Lasy, pola, wsie i małe miasteczka przesuwały się szybko za oknami samochodu jak na filmie. Od czasu do czasu Eliza zatrzymywała wzrok na mamie i babci. Jakie one są do siebie podobne, a ja prawie taka sama! – myślała, uśmiechając się do siebie. Mają wysokie czoła i szczupłe proste nosy, piwne oczy i prawie kruczoczarne włosy. Ładne oprawy oczu i pełne usta dopełniają urody. A do tego ta ciemna karnacja. No, a ja teraz jestem prawie ruda i prawie łysa! – zmarszczyła czoło i ze złości wydęła wargi.

Babcia zawsze nosiła włosy związane w kucyk lub upięte w mały zgrabny koczek. Mówiła, że praca w operze oduczyła ją ekstrawagancji w tym zakresie. Dzisiaj i babcia, i mama miały włosy związane w identyczne kucyki, więc podobieństwo było wręcz uderzające. Obie nosiły też okulary słoneczne i tylko momentami, kiedy droga skręcała na zachód lub północny-zachód, podnosiły je prawie jednocześnie na czubek głowy. Tak naprawdę wszyscy im tego podobieństwa zazdrościli.

Przypomniała sobie, że niedawno któryś z babcinych znajomych powiedział im, że w zasadzie wyglądają jak trzy siostry. Szczególnie babcia ucieszyła się z tego komplementu, bo na zakończenie ten znajomy dodał jeszcze: „…i czasami nie wiadomo, która to babcia, która córka, a która wnuczka…". Mamie ten komplement nie bardzo się spodobał…

Babcia i mama były bardzo uparte w swoich poglądach i pomysłach na życie. Babcia jako lepsza dyplomatka, potrafiła łatwiej i szybciej postawić na swoim. Mama miała z tym większe kłopoty, bo była uparta i bardziej się zaperzała. Z zewnątrz tak to wyglądało, że babcia robi wszystko spokojniej, a mama bardziej przeżywa. Obie były szczere i prawdomówne, ale z drugiej strony, potrafiły różne tajemnice długo ukrywać przed otoczeniem. Eliza sama o sobie myślała, że jest skrzyżowaniem obu tych charakterów. Czasami rodziła się w niej potrzeba jakiegoś, przynajmniej zewnętrznego, odróżnienia się od mamy i babci. Dlatego rok temu w czasie któregoś buntu zagroziła mamie, że zrobi z siebie blondynkę. Chodziło wtedy o zgodę na tygodniowy wypad z koleżeństwem na biwak. Mama była zszokowana i bliska płaczu. Ten szantaż bardziej nią wstrząsnął niż inne, wcześniejsze dzikie pomysły córki. Uległa wtedy szybko i zgodziła się na biwak, ale postawiła jeden warunek: „Eliza! Nigdy nie wolno ci zrobić z siebie blondynki!".

Tydzień temu, gdy zaczęła się między nimi walka o wyjazd do Gdyni i na Hel, Eliza znowu użyła argumentu z kolorem włosów. Była pewna, że ponownie postawi szybko na swoim. Mama jednak nie ustępowała. W drugim dniu ciężkich bojów Eliza postanowiła więc przejść od słów do czynów. Poszła do fryzjera ściąć włosy na krótko i kazała je ufarbować na rudokaszta-nowy kolor. Ale mama i tym razem nie uległa. Nawet ją pochwaliła, mówiąc: „Dziecko, nawet ci ładnie, a la-tem – gdzie byś nie była na wakacjach – będziesz miała dużą wygodę. Do października włosy ci urosną, a kolor się zgubi" – dodała.

Dobrze chociaż, że tym razem babcia mi pomogła, myślała Eliza. Straciłam wprawdzie włosy, ale jadę na Wybrzeże.

– No, to zaraz mamy Wągrowiec – zakomunikowa-ła urzędowym tonem Kaśka. – Czy któraś z dziewczy-nek potrzebuje na siusiu? – dodała z filuternym uśmie-chem.

– Kasiu, dobrze mi, ale mam już ochotę na smaczną kawę – odparła Anna. – Czy według zaplanowanej mar-szruty znajdzie się w najbliższej pół godzinie jakieś miejsce, żeby nas godnie przyjąć? – spytała, naśladując ton córki.

– Tak, mamuś – powiedziała Kaśka. – Teraz włączę *Islands*, a kiedy będzie kończyć się pierwsza część, po-winniśmy dotrzeć w okolice Kcyni. Tam jest fajne miej-sce na krótką kawową przerwę.

– Kasiu, ale wiesz co? Potrzeba mi trochę energii! Odłóż więc tego Oldfielda na potem, a teraz włącz moją Rominę – odparła Anna i zaczęła cicho nucić: – *Felici-ta, la, la, la, la, la, Felicita, la, la, la, la, la*...

– No tak. A mnie to już nikt o nic nie spyta... – ode-zwała się z tylnego siedzenia nadąsana Eliza.

– A ty w ogóle tutaj jesteś? – zażartowała Kaśka i po-machała córce do lusterka.

– Ho, ho, ho! – wycedziła Eliza, udając obrażoną. – Mamo, przeglądam twoje notatki i widzę, że wpisałaś tu-taj zamki krzyżackie w Człuchowie i Bytowie oraz zajazd

Bella Musica. I jeszcze zajazd Zielony Dwór Dziedziców, ale postawiłaś przy nim znak zapytania. Czy my w tych wszystkich miejscach będziemy się zatrzymywać? Bo z naszych rozmów w domu wynikało coś innego.

Kaśka była zadowolona, że Eliza interesuje się trasą, bo to oznaczało, że minęła jej złość po ich trzydniowej kłótni.

– Tak. Przecież to jest też podróż sentymentalna, więc przewidziałam, że na krótko zatrzymamy się w tych miejscach – odparła po chwili Kaśka. – Do Człuchowa trzeba będzie tylko trochę zboczyć z drogi, ale mamy duży zapas czasu.

– Ja się ze wszystkim zgadzam – odezwała się Anna. – Szczególnie Człuchów i Bytów to miejsca, gdzie zatrzymam się z przyjemnością.

Kaśka i Eliza bez słów rozumiały, co ma na myśli. To tam właśnie bywał jej Mikołaj na swoich rycerskich eskapadach. Anna nigdy nie jeździła z nim, bo uważała, że ma prawo do takiego prawdziwie swojego, męskiego hobby. Tym bardziej, że w pewnym momencie zaczął zabierać ze sobą Elizę. Gdy córka omawiała w Poznaniu wstępny plan podróży, widać było, że Anna cieszy się z możliwości zobaczenia tych miejsc.

– Mamo, jeśli tak się ze wszystkim zgadzasz, to proponuję jednak niewielką zmianę planu. Zatrzymamy się w miejscu, przy którym Eliza znalazła znak zapytania – to faktycznie dopisałam po naszej rozmowie. Będzie to kwadrans później, może odrobinę więcej niż według planu. Wysłuchasz dzięki temu spokojnie całej płyty, a potem będziesz już tylko w coraz lepszym nastroju. Zobaczysz, nie pożałujesz!

Anna milczała, więc Kaśka zerknęła w jej stronę i zarejestrowała akceptujące mrugnięcie oczami. Z głośników płynął śpiew Rominy i Albana; mama pląsała palcami po kolanach, uśmiechała się i cichutko im wtórowała. Widać było, że te piosenki naprawdę wprawiają ją w dobry nastrój. Udzielił się on też córce i wnuczce, więc cała trójka zaczęła sobie wesoło podśpiewywać, od czasu do czasu gawędząc i chichocząc. Nawet się nie obejrzały, kiedy Żaba pod wprawną ręką Kaśki zjechała z szosy, przejechała przez dużą bramę, pokonała kilkadziesiąt metrów pomiędzy drzewami i zatrzymała się.

– To jest właśnie Zielony Dwór, miejsce, o którym mówiłam – powiedziała Kaśka. – Możemy się tutaj napić naprawdę dobrej kawy, a nawet coś smacznie przekąsić. To miejsce już wiele razy testowałam, a gospodarzy i ich dzieci znam doskonale.

– Ślicznie jest tutaj! – Anna jak oczarowana patrzyła na dworek z zielonymi okiennicami, na winorośle pnące się po jego ścianach, półokrągłe schody prowadzące poprzez ocienioną werandę do zielonych, uchylonych drzwi wejściowych. Ozdobne ptactwo spacerujące bez strachu po trawnikach, siedziska z bali zapraszające do odpoczynku w cieniu drzew, gazon z fontanną pośrodku, eksplodujący feerią barw przed frontonem dworku, wszystko to cieszyło jej zmysły i budziło podziw.

Eliza z babcią ruszyły w kierunku gazonu, trajkocząc o kwiatach. Kaśka patrzyła z zadowoleniem na córkę, ślicznie prezentującą się w kwiecistej spódniczce i turkusowej koszulce, które podkreślały jej zgrabną figurę. Rano była zaskoczona, że Eliza tak się ubrała – dotąd na wszystkie samochodowe eskapady wybierała dżinsy i jakieś luźne koszulki lub podkoszulki . Zarejestrowała, że córka z satysfakcją zmrużyła oczy, kiedy tuż przed wyjściem z domu otaksowała ją wzrokiem. No tak, a sama włożyłam dżinsy, bo z kolei ja chciałam się jej przypodobać, pomyślała wtedy z lekką irytacją.

Po kilku chwilach wszystkie siedziały już przy stoliku. Były jedynymi klientkami w sali zaaranżowanej na myśliwską, nad drzwiami której widniał napis „Sarmata". Jej okna wychodziły na zachodnią stronę dworku – tam, gdzie był park.

Anna przeglądała kartę, gdyż zawsze była ciekawa, co interesującego proponuje kuchnia. Eliza kręciła się na krześle, podziwiając kominek i pozostałe elementy wyposażenia sali. Po chwili podeszła do nich, a właściwie podpłynęła, kelnerka – ładna milutka blondyneczka w stroju stylizowanym na myśliwski. Szczególnie wesoło wyglądał na jej głowie malutki zielony kapelusik z piórkiem.

– Dzień dobry, pani Kasiu! Dzień dobry paniom!

– Dzień dobry! – odpowiedziały chórem.

– Witam serdecznie w Zielonym Dworze. Czy panie już coś wybrały? – spytała miłym głosem, dygając przy tym, co rzadko się już gdziekolwiek zdarzało. Pokazała przy tym w uśmiechu urocze dołki na policzkach, tak jakby uruchomiła je jakimś ukrytym przyciskiem.

– Nie myślałam, że w środku będzie tak samo miło i ładnie jak przed wejściem! – powiedziała, uśmiechając się, Anna. – I do tego pani jako Diana, bogini łowów! Zupełnie jak w *Orfeuszu w piekle* Jakuba Offenbacha.

– Ale ja mam właśnie Diana na imię – zupełnie niespeszona, dygając, odpowiedziała blondyneczka, a dołki na policzkach znowu włączyły się automatycznie razem z uśmiechem.

– Czyli przez przypadek trafiłam! – Anna, śmiejąc się, klasnęła w dłonie. – A kto tutaj zajmuje się gazonem przed wejściem?

– On jest specjalnością mamy, park to dzieło i sprawa taty, a ja z siostrą i bratem zajmujemy się gastronomią. Wszyscy sobie pomagamy, ale każdy za coś odpowiada. To jest rodzinny interes i wszyscy bardzo lubimy tu pracować. Zresztą tutaj też mieszkamy – wyrecytowała, uśmiechając się, Diana.

Kaśka dokładnie pamiętała tę opowieść, bo poznała ją trzy lata temu, kiedy robiła objazd przed serią wycieczek. Wtedy usłyszała ją od starszej siostry Diany i wtedy właśnie zaprzyjaźniła się z całą rodziną gospodarzy.

– Nie jestem jeszcze głodna, ale znalazłam w menu jajecznicę po staropolsku dla białogłów. Ciekawe, czym ona różni się od zwykłej jajecznicy? – spytała Anna.

– To jest właśnie jeden z pomysłów brata, który wyszukuje stare przepisy kulinarne. Będzie pani zadowolona. – W kolejnym uśmiechu Dianie włączyły się znowu na policzkach dołki. Spoglądała na Annę, czekając jej reakcji. – Sądząc po pani wzroku, ma pani chyba wątpliwości, więc dopowiem jeszcze – to nie będzie tłuste.

– Jeśli tak, to skuszę się – powiedziała Anna.

– To ja też poproszę – szybko dorzuciła Eliza.

– I ja też – dodała Kaśka.

– A oprócz tego?

– Kawę po turecku, ale dopiero kiedy będziemy kończyły jajecznicę – z uśmiechem uzupełniła zamówienie Anna i dodała: – Ze śmietanką.

– A do kawy proponuję paniom po małym kawałku domowego serniczka. Wczoraj wieczorem upieczony – przymilała się jeszcze Diana.

– Myślę, że nie odmówimy, co, dziewczyny? Aha, ale na początek poprosimy jeszcze po małej szklaneczce lekko schłodzonego soku z pomarańczy.

Kiedy blond Diana odpłynęła w kierunku zaplecza, Anna dodała, zniżając konspiracyjnie głos:

– A po kawie przeczytam wam drugi liścik mamy Jutki... – Spoglądała na przemian na córkę i wnuczkę, sprawdzając ich reakcję. Po minach poznała, że nie mogą się tego doczekać.

Gdy Diana podchodziła do stolika, przynosząc kolejne potrawy, Anna za każdym razem ją komplementowała, a tej każdorazowo włączały się w uśmiechu doleczki na policzkach. Potem zajęły się jedzeniem. Jajecznica była wyborna, kawa doskonale zaparzona i aromatyczna, a sernik wręcz rozpływał się w ustach. Anna i Eliza w trakcie posiłku zachwycały się wnętrzem sali myśliwskiej, a Kaśka cierpliwie odpowiadała na ich pytania.

Po posiłku wszystkie trzy wyszły w dobrym humorze na tyły dworku i przez podobną jak z frontu werandę skierowały się w stronę parku. Trzy schodki w dół, potem krótka alejka, drewniany mostek nad wolno płynącą strugą, krótkie spojrzenie na nurkujące przy tataraku cyraneczki, i już były w parku, w cieniu szerokiej lipowej alei.

– Spójrzcie na lewo, to francuska część parku, po prawej – część angielska, na końcu zaś tej alei zobaczycie staropolską pasiekę. – Wskazywała ręką Kaśka.

– Ileż pracy trzeba było w to wszystko włożyć. A ile osób musi to utrzymywać? – dziwiła się Anna, rozglądając wokół. Widziała dotąd różne parkowe cuda i w Anglii, i we Francji, ale to, co tutaj zobaczyła – na razie tylko z lipowej alei – już ją wprawiło w osłupienie.

– Mamuś, zdziwisz się, ale ten park pielęgnuje latem tylko jeden człowiek. Tak jak mówiła Diana, zajmuje się nim jej ojciec, pan Henryk. Spędza w nim prawie całe dnie. Tylko na wiosnę i jesienią pomagają mu syn i ludzie ze wsi. Potem całą zimę studiuje albumy, rysuje, projektuje, zbiera materiały, a na wiosnę wdraża nowe pomysły.

– Żeby to wszystko utrzymać w takim porządku, trzeba mieć tytaniczną siłę i twardy charakter! – dodała z podziwem Anna. – On musi być naprawdę zakręcony!

– Mamuś, posłuchaj. Pan Henryk pochodzi z Warmii, z włościańskiej rodziny, jak to on ładnie mówi. Studiował w Olsztynie, gdzie ukończył architekturę krajobrazu. Został na uczelni w gospodarstwie parkowym – tak to nazwał – bo zdaniem profesorów, był dobrym dydaktykiem, a do tego pasjonatem. Ożenił się, urodziły mu się dzieci. Zaproponowano mu także studia doktoranckie. Mówił mi, że wtedy zaczął się dusić. Teoria, definicje, opracowania – to nie było dla niego. Ciągnęło go do parków, ogrodów – w pole. Chciał sprawdzać się praktycznie, a nie dywagować i teoretyzować. W stanie wojennym zaangażował się w działalność podziemną i usunięto go z uczelni! Żona nie pracowała, w domu trzy drobiazgi, a on bez zatrudnienia i do tego z wilczym biletem. Założył więc z kolegą firmę projektowo-wykonawczą, ale szło im ciężko. I wtedy zdarzył się cud. Henryk w osiemdziesiątym ósmym roku przez przypadek zagrał w totolotka i trafił szóstkę. Znalazł tutaj ten dworek – ruinę, kupił go i włożył w remont prawie całą wygraną. Zostawił tylko trochę na procencie, dla dzieci na wesela i posagi. Ściągnął tutaj rodzinę dopiero na Gwiazdkę w dziewięćdziesiątym pierwszym roku, a uruchomili z żoną ten zajazd wiosną kolejnego roku. Mawia o sobie, że tutaj stał się Sarmatą, stąd taka nazwa sali w dworku... A jak on się barwnie wysławia!

Coś jakby ten detektyw Banaczek z amerykańskiego serialu... Ale ja was chyba zanudzam, co?

– Kasiu, to cudowna opowieść o bardzo szczęśliwych ludziach. Są u siebie i robią to, co kochają. Czyż można czegoś więcej od życia chcieć?

– Mamo, babciu! Czegoś takiego jak ten park to jeszcze w życiu nie widziałam! – Eliza nachylała się właśnie nad niskim żywopłotem, wewnątrz którego nasadzone były kwiaty o różnych wysokościach i kolorach, ułożone w różne figury geometryczne.

Kaśka z czułością spoglądała na córkę, która wśród tej zieleni i kwiatów wyglądała niczym zwiewna, zgrabna nimfa. Nie spodziewała się po niej takich reakcji. Boże, ja nie znam własnej córki, pomyślała – ją to naprawdę zachwyca! Kochana...!

– O! Tam są te ule. Widzicie? – Kaśka wskazała ręką przed siebie, ale zupełnie niepotrzebnie, bo zarówno Anna, jak i Eliza, od kilku chwil kolejny już dzisiaj raz stały jak wryte, przyglądając się bajkowemu miasteczku kolorowych drewnianych figur, ustawionych pośród kwitnących różnobarwnie krzewów. Było ich około trzydziestu: krasnal, góral z fajką, chłop z olbrzymim nosem, chochoł z wiechciem słomy, chata wiejska, dziwna wieża, mały zameczek, chatka na kurzej łapce...

– To... to są ule? – wyjąkała Eliza.

– Kasiu, ten pan Henryk to jest naprawdę artysta przez duże A! – stwierdziła Anna. – Czy on to sam... rzeźbi?

– On wymyśla projekt ula, a potem robi rysunki jego części, które zimą sam produkuje w warsztaciku, zlecając to i owo znajomemu stolarzowi. Łączy je potem wszystkie drewnianymi czopami w całość, szpachluje, robi jakieś drzwiczki i wejścia dla pszczół. Jak trzeba, to powierzchnię artystycznie kaleczy, żeby ul wyglądał jak dłubanka z jednego kawałka pnia, albo maluje naturalnymi barwnikami. Oczywiście, we wszystkich ulach są w środku kratki dla pszczół, czy jak to się tam nazywa – dopowiedziała Kaśka.

– To są ramki... – poprawiła Anna.

Eliza jak dzikuska biegała wokół uli i robiła im zdjęcia. Anna spacerowała ostrożnie między nimi, od czasu do czasu zatrzymując się i podziwiając jakiś szczegół. Pszczoły zajęte swoją pracą zupełnie nie zwracały na nie uwagi, wylatując z otworów w poszukiwaniu pyłków i nektarów lub wlatując do nich po powrocie. Kaśka zza przymrużonych oczu patrzyła z uśmiechem, jak matka i córka zwiedzają to miasteczko pszczół.

– A teraz spójrzcie w prawo. Tam, gdzie nad potokiem biegnie łukowato wygięty kamienny mostek, z daszkiem i ławkami, zaczyna się lub kończy, jak chcecie, część angielska parku.

– Ten mostek to istne cudo... – Anna skierowała się w jego stronę.

Po chwili zrównała się z córką, stawiając ostrożnie kroki na brukowanej nawierzchni mostka. Przegoniła je zdyszana Eliza, która kilkoma susami zameldowała się jako pierwsza na jego szczycie.

– Możemy tutaj na chwilę odetchnąć! – krzyknęła, siadając na ławce.

– Dobrze, dziewczynki. Tutaj jest cicho i brak żywego ducha, więc zanim ruszymy w dalszą drogę, przeczytam wam kolejny list mamy Jutki.

Anna wyciągnęła z kolorowej torby jedną z białych kopert. Spojrzała na Kaśkę i Elizę, sprawdzając, czy już są gotowe, i zaczęła czytać.

Kochana Aniu!

Przerwałam wczoraj pisanie, bo zbyt mocno się wzruszyłam. Do tego te niedobre wiadomości z Radia Londyn o strajkach...

Po tym, czego dowiedzieliśmy się z Janem w Parchowie, nie mogłaś tam zostać! Tak wówczas sądziłam.

No bo u kogo? Poza tym byłam Tobą oczarowana, w Twoim gaworzeniu ciągle słyszałam słowo „mama". To był drugi powód, przesądzający o tym, że zdecydowałam się na **wywiezienie** Ciebie stamtąd do Poznania!

Gdy podejmowałam tę decyzję, tolerowałaś w tym czasie wyłącznie mnie. Po dwumiesięcznym wspólnym pobycie w Bytowie nawet nie pozwalałaś nikomu zbliżyć się do Ciebie, nie mówiąc już o wzięciu Cię na ręce – podnosiłaś nieprawdopodobny wrzask! Miałaś temperament!

Jan wkrótce zostawił mnie samą – nie chciał brać odpowiedzialności za to, do czego go namówiłam, a właściwie zmusiłam! Zgodził się być tatą „figurantem" – a przecież to nie było jego dziecko. Moje też nie, ale ja Ciebie kochałam, więc byłaś **moja**!

Taka była cena mojej miłości do Ciebie. Straciłam narzeczonego – dobrą partię, jak to się wówczas mówiło! Ale tak naprawdę nigdy tego nie żałowałam, chociaż razem byłoby nam łatwiej! On wyjechał do Berlina, a za jakiś czas mieliśmy oficjalnie ogłosić zerwanie zaręczyn. W międzyczasie załatwił dokument o urodzeniu Ciebie w szpitalu w Berlinie! Było to oczywiście niezgodne z prawem...

Kiedy zostałyśmy w Poznaniu same, nie miałam już woli ani siły, ani też żadnych możliwości na odszukanie Twojej matki w Ameryce. Poza tym formalnie byłaś przecież moją córką!

Dni szybko płynęły, a w następnym, 1939 roku, wybuchła wojna i wówczas już w ogóle nie było szans na żadne poszukiwania – cały mój wysiłek był skierowany na to, żeby przeżyć i Ciebie uchronić. Nie zdążyłyśmy z Janem zerwać zaręczyn. On w ostatniej chwili przed 1 września przyjechał z Berlina, aby bronić Warszawy. Służył w armijnym szpitalu polowym w jej okolicach. Niemcy nie szanowali znaków Czerwonego Krzyża. Szpital został zbombardowany, i tak zginął! Dzięki temu miałyśmy też piękną rodzinną legendę!

Nigdy nie byłam więcej w Parchowie ani przed, ani po wojnie, aby próbować szukać gdzieś w Polsce rodziny Twojego biologicznego ojca!

Po wojnie, we wrześniu 1945 roku, musiałaś iść do szkoły i to był ostateczny moment, który zaważył na mojej decyzji, że nigdzie, nigdy i nikogo już nie będę szukać, a Tobie nie wyznam prawdy!
Twoja szkoła podstawowa, średnia, studia – to były najszczęśliwsze lata w moim życiu! Ale z drugiej strony, musiałam cały czas ciężko pracować, żeby zapewnić nam egzystencję. Nie użalam się na to, bo tę swoją pracę lubiłam – sama widziałaś!

Bardzo ciężko przeżywałam potem swoją samotność na Szamarzewskiego, gdy Ty już zamieszkałaś z Mikołajem na Sołaczu! Zawsze uważałam, że trafił Ci się książę z bajki – bardzo Twojego męża poważam i kocham! Prawy człowiek.

Chciałam, żebyś porzuciła nazwisko Nagengast – uważałam, że i tak kiedyś o nim zapomnisz, ale Ty uparłaś się jak kaszubska chłopka! Do dzisiaj zawsze ta scenka wzbudza mój uśmiech! A Ty z nazwiskiem masz to, co chciałaś...

Twoja mama Jutka
Poznań, 14 grudnia 1981 roku

Kiedy skończyła, zapadła cisza. Kaśka i Eliza z większym już spokojem niż w Poznaniu wysłuchały kolejnej części historii. Obie siedziały zadumane. Kaśka patrzyła w kierunku altanki, stojącej niedaleko na kopcu z ziemi i kamieni usypanym zapewne przez Henryka Dziedzica, Eliza przechylona przez balustradę strącała do wody jakieś niewidoczne pyłki.

– Mamuś – odezwała się po chwili cicho Kaśka – ciężko miałyście z babcią Jutką! Byłyście ciągle same! A przecież najpierw w czasie wojny i potem po niej nie było łatwo! Teraz dopiero widzę, że stan wojenny i te braki w sklepach, które dla nas wszystkich były dramatem, to nic w porównaniu z tamtym okresem. Ja też zostałam sama z Elizką, kiedy odszedł Piotr, ale ty i tato byliście zawsze przy mnie. Mogłam sobie przeżywać jego śmierć, szlochać, kiedy tylko chciałam, zaciskać pięści i kląć na WRON, ale nigdy się nie martwiłam, czy coś kupię, czy posprzątam, czy ugotuję, czy pobawię się z Elizką, bo miałam rodziców, którzy we wszystkim mnie wyręczali. Jak anioły czuwaliście nad nami!

Na moment zapadła cisza. Anna spoglądała w nieokreślone miejsce, widać było, że zastanawia się, jak to skomentować.

– Kasiu, uwierz mi! Myśmy z mamą Jutką nigdy nie były same! Myśmy ciągle były razem! Rozumiesz?! R a – z e m ! Nie było, rzecz jasna, przy mnie ojca, lecz mogłam żyć legendą domową, że Jan Bartkowiak był nim, tylko rodzice nie zdążyli się pobrać, bo przeszkodziła im wojna! Był bohaterskim żołnierzem i lekarzem Rzeczypospolitej. Mama mi kiedyś opowiedziała, że w zbombardowanym i ostrzelanym szpitalu polowym, oprócz Jana, zginęło jeszcze kilku innych żołnierzy w białych mundurach z Poznania. Jeden z pozostałych przy życiu młodych żołnierzy-lekarzy, za zgodą dowódcy, podjął desperacką próbę przewiezienia ciał poległych do Poznania ocalałą z bombardowania karetką. Niebawem pokonanie tej trasy stało się niemożliwe – wszystkie drogi kontrolowali już Niemcy. Na cmentarzu jeżyckim miałyśmy więc jego grób. Był blisko nas! Ja byłam o tym fakcie święcie przekonana i to mi jakoś wystarczało, chociaż często brakowało mi go – potrzebowałam fizycznego ojca. Inni go mieli, a ja nie! Prawdą jest to, że Jan zginął dla Polski. A ja całe życie przeżyłam ze świadomością, że to był mój prawdziwy ojciec! W czasie wojny siostry mojej mamy pomagały jej jak mogły, czasami mama pracowała nad jakimiś rachunkami w domu. Pamiętam z tego okresu tylko dobre chwile. Nawet jak Niemcy zażarcie bronili Poznania przed Rosjanami w lutym 1945 roku, to aż tak się nie bałam. Pamiętam wszystko, bo miałam wtedy blisko siedem lat. Mieszkałyśmy dwa tygodnie w piwnicy, nasz dom po wyzwoleniu prawie nie był uszkodzony, chociaż wszędzie wokół widziałam pełno ruin. Miałyśmy szczęście. Wiele znajomych dzieci i ich rodziny tego szczęścia nie miały. Samoloty, bomby, czołgi, artyleria – tylko drobne odgłosy tego wszystkiego dochodziły do mnie w piwnicy. Najgorzej było wieczorami przed zaśnięciem...

Eliza chłonęła słowa mamy i babci, bo takich opowieści dawno już nie słyszała. Ostatni raz podobne rozmowy odbywały się w domu, gdy miały być przeprowadzane obrady Okrągłego Stołu. Najpierw na ich rozpoczęcie było uroczyście i podniośle. Potem w miarę ich trwania nastroje się zmieniały. W domu dziadkowie i mama śledzili i dyskutowali o wszystkim, co pokazywała telewizja. Gdy obrady zakończyły się sukcesem „Solidarności", w domu był wybuch radości. Dziadek Mikołaj puścił płytę z patriotycznymi pieśniami. Gdy popłynęła pieśń *Legiony to żołnierska nuta*, przykrył oczy rękoma, usiadł na fotelu i rozpłakał się jak dziecko. Babcia i mama uspokajały go dobrych parę minut. Dziadkowie, mama i różni ich znajomi spotykali się wtedy często i dużo rozmawiali o drugiej wojnie, o latach życia w PRL–u, o stanie wojennym, ale nie doświadczyła wtedy takiego ładunku emocji jak dzisiaj. Wówczas była dzieckiem i nie wszystko do niej trafiało, dzisiaj inaczej to odbierała i odczuwała. Dotąd wydawało jej się, że tak jest tylko w książkach i na filmach. Rozpłakała się jak niegdyś dziadek, a teraz mama i babcia tuliły ją, żeby się uspokoiła.

– No, dosyć już tego smarkania w rękaw, teraz idziemy zwiedzać park angielski.

Pierwsza pozbierała się babcia, a zaraz po niej mama. Obie skierowały się w stronę altany z zielonkawym dachem, stojącej na wzgórku. Eliza, smarcząc głośno w chusteczkę i ocierając łzy, pomaszerowała wolno za nimi. Obchodziły altanę wokół, aż wreszcie stanęły niedaleko niej przy oczku wodnym z kaskadą, utworzoną na przepływającym przez park strumieniu. Wszędzie dookoła rosły duże i stare drzewa, a wśród nich, na niewielkich polanach, stały romantyczne, niewielkie ławeczki z zadaszeniami. Gdzieniegdzie tryskały z figurek małe fontanny, wykorzystujące wodę ze strumienia. W tej części parku wszystkie alejki były wymiecione do gołej ziemi, aż było widać ślady miotły brzozowej. Rozłożyste drzewa dawały tutaj więcej cienia. Było cicho, powietrze pachniało wilgocią i świeżością.

Kiedy przez drzewa prześwitywał już zarys dworku, nagle rozległ się z tyłu przytłumiony głos klaksonu. W ślad za nimi sunął cicho melex, wyładowany narzędziami do pielęgnacji parku, koszami i kawałkami gałęzi. Pojazdem kierował opalony pięćdziesięciokilkuletni mężczyzna w koszuli koloru khaki i słomkowym kapeluszu na głowie. Zwolnił, żeby nie przestraszyć kobiet podczas mijania, po chwili zatrzymał pojazd, odwrócił się w ich kierunku i uniósł lekko kapelusz.

– Dzień dobry paniom! I jak wrażenia z parku? Zapraszam do dworku na poczęstunek!

Kobiety zatrzymały się tuż za pojazdem, przyglądając się mężczyźnie.

– Dzień dobry, panie Henryku! – uśmiechając się i mocno akcentując każde słowo, wolno odpowiedziała Kaśka. Podniosła sztywno dłoń do góry i wykonała nią kilka krótkich ruchów na boki.

Mężczyzna, nazwany Henrykiem, spojrzał uważnie na Kaśkę i stojące obok niej kobiety, przetarł oczy, jeszcze raz spojrzał na nie i powtórnie przetarł oczy.

– Jeśli to pani, pani Kasiu, to widzę panią w trzech postaciach. Coś mi się chyba soczewki rozstroiły... Dotąd słyszałem o podwójnym widzeniu, które zdarza się po wypiciu alkoholu – ja tego nie praktykuję, ale widzieć potrójnie przy głębokiej abstynencji?! No, to ciekawe! I do tego jakoś tak dziwnie widzę, bo to jest jakby historyczne widzenie: po lewej mam obraz pani jako nastolatki – tylko ze rdzą we włosach, pośrodku jest pani taka... zupełnie dzisiejsza, a po prawej... – pan Henryk na chwilę zawiesił głos. – Aha, już wiem. To obraz pani za kilka lat!

Kaśka zaniosła się głośnym śmiechem. Anna po zakończeniu tyrady jegomościa w kapeluszu przesunęła okulary słoneczne na czoło i przyglądała mu się rozbawiona, mrużąc oczy. Tylko Eliza stała nadąsana i wydymała usta.

Ja mam rdzę na głowie? Ja?... Też mi coś, myślała.

– Panie Henryku, te dwie kobiety z pana potrójnego widzenia, z którymi tutaj spaceruję, to moja mama i moja córka!

– O Boże, to ja jednak widzę normalnie! Jestem zdrowy! – Pan Henryk złożył ręce i wzniósł oczy do nieba. – Czy można się w takim razie przywitać z szanownymi paniami? – spytał jowialnie i ukłonił, zwieszając głowę aż do piersi. – Jestem Henryk Staroświecki!

– A ja Anna Nagengast-Prawosz, mama Kasi. – Anna wyciągnęła dłoń, którą pan Henryk delikatnie ujął i pocałował z wyszukaną galanterią. Potem wyprostował się, zaczesał wąsy i przeniósł wzrok na Elizę.

– A panienkę przepraszam i proszę się nie dąsać, ale tak cudownie położonej rdzy na włosach, podkreślającej wyjątkową urodę, jeszcze nigdy, a już w szczególności dzisiaj, nie widziałem! – Eliza, ociągając się, wyciągnęła rękę do powitania i nawet się nie zorientowała, kiedy i na jej dłoni wylądował delikatny cmok pana Henryka.

– Panie Henryku, serdeczne dzień dobry! – Teraz Kaśka objęła pana Henryka, który odwzajemnił się jej tym samym, po czym wycałowali się serdecznie z dubeltówki.

Widać było, że oboje się lubią.

– Muszę panie przeprosić za małe oszustwo! Tak naprawdę nazywam się Henryk Dziedzic – to jest moje prawdziwe nazwisko! Jestem dziedzicem tutejszych włości – dworku i parku. Mam nadzieję, że zatrzymają się panie u nas chociażby na jednodniowy popas.

– Niestety, nie tym razem. Dzisiaj musimy dotrzeć do Gdyni, a po drodze mamy w planie zatrzymać się jeszcze co najmniej w trzech miejscach – odparła Kaśka.

– Jedziemy zawieźć moją wnuczkę na egzaminy do Gdyni, a oprócz tego jest to moja odkładana podróż sentymentalna. – Anna uznała, że skoro Kaśka zna się z Henrykiem tak dobrze, to i kawałek swojego sekretu też może mu zdradzić.

– W takim razie zapraszam na mały poczęstunek, żebyśmy o tych pani sentymentaliach mogli chwilkę porozmawiać. Pani Kasiu, pędzę przodem, żeby uprzedzić żonę... – Wycofał się w kierunku pojazdu, wskoczył za kierownicę i ruszył gwałtownie, aż zakurzyło się spod kół.

– Co za niespotykana galanteria. Coraz mniej takich ludzi. – Anna była pod wrażeniem szarmanckiego zachowania Henryka Dziedzica, dziedzica tutejszych włości.

– Jaka galanteria, babciu!? Najpierw mnie obraził, potem sobie dowcipkował, a na koniec obsypał nas piaskiem jak jakiś żużlowiec – wycedziła Eliza.

– Elizko, bądź sprawiedliwa. Najpierw pan Henryk, owszem, podowcipkował, ale zaraz, jeśli mnie pamięć nie myli, przepraszał cię i komplementował.

A potem była lemoniada podana w zaszronionych szklaneczkach na ocienionej zachodniej werandzie dworku i rozmowa z Henrykiem oraz jego żoną Adelą. Anna w wielkim skrócie opowiedziała gospodarzom o celu swojej podróży na Kaszuby. Pani Adeli oczy się szkliły przez cały czas jej opowieści, a na zakończenie serdecznie objęła dłonie Anny swoimi pulchnymi dłońmi.

– Dotąd myślałam, że takie historie dzieją się wyłącznie na filmach albo są tematami powieści. Podziwiam, że nie załamała się pani po poznaniu treści listów. Boże, jaka pani jest dzielna.

– Było ciężko, ale mam szczęście, że mieszkamy razem we trzy. Chociaż córka i wnuczka dowiedziały się o tym dopiero dwa dni temu, to jednak fakt, że mogę je codziennie oglądać, żyć ich problemami, pozwolił mi przetrwać ten trudny okres.

Pan Henryk sapał, wzdychał i widać było, że także jego bardzo poruszyła ta opowieść. Otworzył usta, jakby chciał coś powiedzieć, ale zamiast słów wydobył się z nich tylko jakiś nieokreślony dźwięk. Odchrząknął więc dwukrotnie i zmienionym głosem wydusił wreszcie z siebie na raty:

– Pani Anno... jesteśmy z panią...! – I znowu zaczął wzdychać.

Przed rozstaniem złożyli sobie nawzajem życzenia miłej podróży z jednej strony i dobrej prosperity Zielonego Dworu z drugiej, a wszystkiemu towarzyszyły dygnięcia i uśmiechy Diany z włączonymi dołeczkami na policzkach.

Kaśka natychmiast po wejściu do samochodu bez pytania zainstalowała w odtwarzaczu kolejnego Oldfielda. Podniosła introdukcja *Islands* z cudownymi riffami gitarowymi wibrowała im w uszach. Kaśka prowadziła uważnie, wpatrując się w szosę, Anna spoglądała spoza okularów na pola, a na jej ustach błąkał się delikatny uśmiech. Eliza siedziała zasłuchana, z przymrużonymi oczami, i tylko od czasu do czasu lekko potrząsała płonącą fryzurą, gdy coś jej szczególnie się spodobało w słuchanym utworze. Ciszę przerwała wreszcie Anna:

– Kasiu, nie wiem, czy zrobiłaś to celowo, puszczając akurat ten utwór, ale jego tytuł pasuje do miejsca, gdzie byłyśmy. Kiedyś zakodowałam ten tytuł jako archipelag ślicznych wysp na ciepłych morzach i tak już zostało. Skąd ci ludzie się wzięli? Ile w nich dobroci i niewymuszonej życzliwości. Chciałabym się kiedyś z nimi na dłużej spotkać. Miałam wrażenie, jakbyśmy się znali od dawna. Nie chciało mi się stamtąd ruszać. Mieć taką rodzinę to prawdziwy skarb.

– Mamuś, kiedy ich poznałam, a byłam tam przecież służbowo, też odniosłam takie wrażenie. Oni nie są tacy otwarci dla wszystkich... Ale kiedy kogoś polubią, jak ktoś czymś do nich trafi – są przecudowni, otwierają się, pokazując całą swoją wrażliwość. Myślę, że do nas mają jakąś słabość, chyba coś w nas zauważyli, polubili. W każdym razie ze mną i z wami poszło im błyskawicznie – roześmiała się.

– Bo stosując nomenklaturę muzyczną, Kasiu, gramy w tej samej tonacji, bez dysharmonii. A co ty sądzisz, Elizko?

– Babciu, ja już w parku powiedziałam, co sądzę o panu Henryku. Rozmowa z panią Adelą była sympatyczniejsza, chociaż taka... naftalinowo-lawendowa i do tego przelukrowana. Było miło, ale za słodko, nie uważasz?

– A skąd to określenie rozmowa naftalinowo-lawendowa?

– No... sama je wymyśliłam. Taka jak na jakimś starym filmie, taka jakich dzisiaj już nie ma.

– Mamuś, wiesz, zauważyłam, że pana Henryka coś gnębi, dzisiaj był taki... – Kasia szukała słowa, żeby jakoś określić to, co zauważyła – no, taki... wyjątkowo roztkliwiający się. On normalnie jest jednak inny.

Anna i Kaśka dzieliły się dalej mądrymi uwagami na temat Dziedziców. Zostawiły za sobą Sępólno Krajeńskie i Kamień Krajeński. Płyta się skończyła, a żadna z nich nie zwróciła na to uwagi. Eliza przyglądała się babci i mamie i nie mogła sobie przypomnieć, aby kiedykolwiek takiego typu rozmowę pomiędzy nimi słyszała. Kilka minut temu minęły Zamarte i droga wyszła z lasu na otwartą przestrzeń...

Iluminacja

– Wjeżdżamy na teren Kaszub! – krzyknęła Kaśka i wskazała na mijaną kolorową tablicę z napisem: ZIEMIA CZŁUCHOWSKA WITA!

– A ja myślałam, że Kaszuby są trochę dalej, od Kościerzyny na północ i zachód... – Anna, nie kryjąc zdziwienia, uniosła okulary słoneczne. – Boże, mogłam trochę o tym poczytać, teraz aż mi wstyd.

Eliza miała ochotę coś dopowiedzieć, ale Kaśka delikatnie pokręciła głową. Obie zerkały teraz na Annę, która z nietypowym dla niej zainteresowaniem wpatrywała się w mijane pola, łąki i zabudowania. Zawsze ją interesowała konkretna architektura, zabytki, muzyka, ale takie zwykłe widoki? Milczała z melancholijnym uśmiechem. Widać było, że przeżywa usłyszaną nazwę Kaszuby, coś sobie analizuje i układa w głowie.

– Wiecie co, dziewczynki, tutaj jest jakoś ładniej niż u nas – odezwała się po dłuższej chwili. – Ta zieleń bardziej soczysta, a kwiaty na łąkach bardziej kolorowe. Patrzcie, tamto jeziorko ma niebieskawy, a nie szary jak u nas kolor. A co to takiego, te żółte łany?

– To rzepak, babciu! Późniejsza odmiana, bo normalnie kwitnie wcześniej. Tu wszędzie jest rzepak, tylko już zielony, przekwitnięty, niedługo rzepakowe żniwa.

– O! Widzę, że znasz się na tym doskonale! To po co chcesz zdawać na biologię morza!? – Anna odchyliła głowę do tyłu, wodząc wzrokiem za mijanymi żółtymi łanami. – No i widzicie, rzepak jest tutaj bardziej żółty niż u nas!

– Babciu, jego w Wielkopolsce uprawia się mniej, to i rzadziej go widać. Rzepak potrzebuje bardziej wilgotnego powietrza niż u nas. Tutaj jest więcej jezior i dlatego on jest tu częściej uprawiany. – Eliza starała się babci wyjaśnić, co zapamiętała ze szkoły, ale Kaśka znowu dała jej znak, żeby była cicho.

– No, może, może, ale ta żółć rzepaku jest naprawdę cudowna... – Anna podekscytowana patrzyła na mijane pola.

Cisza trwała aż do czasu, gdy na horyzoncie pojawiła się wysoka wieża zamku w Człuchowie. Były już wówczas na terenie miasta, a po obu stronach drogi, którą właśnie jechały, srebrzyły się lekko pomarszczone wody dwóch jezior. Jeszcze kilka minut jazdy i Kaśka zatrzymała Żabę na parkingu w pobliżu zabudowań zamkowych. Eliza, nie czekając na babcię i mamę, od razu popędziła z aparatem w kierunku wieży.

– O, spodziewałam się czegoś więcej, a tutaj niewiele ocalało z wojny – odezwała się Anna po wyjściu z samochodu, wskazując na budowlę.

– Mamuś, zamek nie jest ofiarą ostatniej wojny, przynajmniej nie w takim stopniu, jak zapewne myślisz. On już po wojnach szwedzkich był stopniowo rozbierany, a po drugim ogromnym pożarze miasta Wilhelm Drugi pozwolił mieszkańcom miasta na dalsze rozbieranie zamku oraz użycie cegieł na odbudowę ich domostw i innych budynków miejskich. Tutejsze władze wydały rozporządzenie o ochronie ruin zamku dopiero w tysiąc osiemset jedenastym roku – Kaśka popisywała się swoją wiedzą przewodnika.

– Ale to, co widać, stoi jeszcze od tamtych czasów? – dopytywała Anna.

– Nie do końca. Po rozbiórkach z początku dziewiętnastego wieku została już tylko ta ośmioboczna wieża, a wokół same ruiny. Do niej dobudowano ewangelicką świątynię na fundamentach kaplicy zamkowej. Wieża stała się wówczas dzwonnicą. Dzisiaj mieszczą się tu różne instytucje kulturalne, między innymi muzeum.

Anna i Kaśka stały kilkanaście metrów od wieży i spoglądały na jej szczyt. Eliza przemieszczała się z aparatem to w lewo, to w prawo, i robiła fotki.

– Stamtąd musi być chyba cudowny widok na miasto i okolice. – Anna, przysłaniając oczy, wpatrywała się w szczyt baszty.

– Ale trafiłyśmy! – przerwała im Eliza, krzycząc gniewnie od strony wejścia do wieży. – Dzisiaj muzeum nieczynne, bo coś tam...

– No, to mamy pecha... – Anna nieco zmarkotniała.

– Przyjedziemy tu jeszcze raz w drodze powrotnej – pocieszyła ją Kaśka.

– Kasiu, a po co do Człuchowa przyjeżdżał Mikołaj? – zaciekawiła się Anna.

– Każdego roku, po turnieju w Golubiu-Dobrzyniu, tacy jak on zakręceni fanatycy rycerstwa objeżdżali przez kilka dni zamki w północnej części kraju, a tutaj są głównie zamki krzyżackie. Wizytowali je, jak to on mówił, żeby dywagować o organizacji kolejnych turniejów rycerskich. W Człuchowie spotkali się chyba ze trzy razy, ale wtedy nie udało im się zorganizować tutaj turnieju. A co roku w sierpniu, pamiętasz mamuś, w takim samym celu wyruszał na tydzień na południe kraju.

– Kiedy byłam z dziadkiem na turnieju w Bytowie w dziewięćdziesiątym trzecim roku – przypomniała sobie Eliza – zatrzymaliśmy się w drodze powrotnej w Człuchowie na noc. Dziadek poszedł z kilkoma panami gdzieś porozmawiać, mówił, że to potrwa tylko godzinę, dwie. Później mieliśmy iść na spacer do miasta i coś zjeść. Ja musiałam się w tym czasie nudzić sama w hotelu, no i poszłam wtedy głodna spać, bo dziadek wrócił dobrze po północy.

– To ci niespodziankę zrobił dziadziuś! – Anna poczochrała Elizę po czuprynie. – Kasiu, już się naoglądałam zamku. Może pójdziemy trochę się przejść po parku?

– To Lasek Luizy, dziewiętnastowieczny zabytkowy park miejski, i jest to, oprócz zamku, jedna z największych atrakcji Człuchowa. – Kaśka ruszyła w kierunku drzew, a za nią matka i córka.

Anna spoglądała na wysokie drzewa, oddychała głęboko, jakby chciała zapamiętać zapach parku, głaskała konary mijanych drzew. Po jej twarzy błąkał się cały czas delikatny uśmiech.

– Zobaczyłam mury, które tak kochał Mikołaj, teraz stąpam po alejkach, którymi zapewne i on chadzał. Zamki! Piękne miał hobby, ale nie żałuję, że nie zabiegałam, aby z nim gdzieś pojechać. Czułam, że musi mieć coś swojego... I miał! – mówiła Anna głosem pełnym melancholii i potakiwała sobie głową.

Za godzinę jadły już lody na chojnickiej starówce, podziwiając odrestaurowane kamieniczki o kolorowych fasadach. Anna była podekscytowana ich wyglądem i kazała Kaśce opowiadać o innych ciekawych miejscach w tym mieście. Potem była więc krótka wizyta w XVII- -wiecznym pojezuickim kościele, rzut oka z Żaby na najstarszy budynek w mieście – plebanię i powolny przejazd przez pięknie odrestaurowane śródmieście. Anna wzdychała i kręciła głową.

– Jak tu wszędzie pięknie! Śliczne te Kaszuby!

Droga do Bytowa minęła szybko. Kaśka już dawno nie widziała tak radosnej i zrelaksowanej mamy. Puściła jej powtórnie piosenki Rominy, żeby tytułowa *felicita* – szczęście mogło ją jeszcze pełniej ogarnąć. Ognista kula słońca wisiała teraz pionowo nad nimi i próbowała się do nich dobrać przez szyby. Klimatyzacja w Żabie broniła je skutecznie przed palącymi promieniami, z cichym szumem tłocząc do wnętrza schłodzone powietrze.

Po obu stronach szosy pojawiły się gęstsze zabudowania – wjechały w granice Bytowa.

– Mamuś, przejedziemy najpierw w pobliżu dawnego dworca, bo teraz pociągi tu już nie kursują, potem objedziemy śródmieście i zatrzymamy się pod zamkiem. Stamtąd będziemy mogły sobie zrobić wycieczkę na miasto, a potem...

– Oglądam przewodnik po Kaszubach i właśnie doczytałam – wykrzyknęła nagle Eliza – że budynek szpitala został zbudowany w tysiąc dziewięćset trzydziestym trzecim roku.

– Ten, do którego mama Jutka przywiozła mnie ratować? – Anna odchyliła się w stronę wnuczki.

– Tego nie wiem, ale nie sądzę, żeby w Bytowie były przed wojną dwa szpitale. – Eliza wpatrywała się w mapkę miasta. – Mamo, zwolnij troszkę, bo chcę się zorientować, gdzie jest ten szpital. Oj, to po drugiej stronie miasta, ale w sumie niedaleko! Kieruj się... o, zaraz w prawo Wojska Polskiego, a potem za jakiś czas znowu w prawo. Aha, to ciągle ta sama ulica.

Po obu stronach ulicy stały czyste i schludne, niewysokie budynki. Na parterach większości z nich urządzono niewielkie sklepiki. Minęły kawiarenkę, przed którą stały stoliki z parasolami. W ich cieniu, na krzesełkach i ławeczkach, siedzieli klienci i schładzali się lodami albo napojami. Niektórzy, jak one, to pewnie turyści, ale część z nich to zapewne mieszkańcy Bytowa. Dochodziła godzina czternasta i wszyscy poruszali się na zwolnionych obrotach. Ostry skręt w prawo i ich oczom ukazał się niewielki ryneczek.

– O! Jaki on ładny i ukwiecony... – Anna przyglądała się skwerkom z kolorowymi klombami, niewielkiej fontannie pośrodku rynku, drzewom iglastym i liściastym, pośród których stały ławeczki. Ludzie odpoczywali na nich, wachlując się gazetami lub chusteczkami, inni odchyleni do tyłu prażyli się w słońcu.

– To chyba jakiś stary kościółek... A tam z tyłu, czy to zamek?

– Aha! To właśnie on. Tutaj jest wszędzie blisko, więc jak już zatrzymamy się przed nim, przyjdziemy sobie stamtąd spacerkiem.

Po kilku minutach zatrzymały się przed okazałym budynkiem szpitala. Anna skupiona przyglądała się budynkowi. Milczała. Kaśka nie bardzo wiedziała, co dalej robić, bo wcześniej nie było w programie odwiedzin szpitala.

– Mamo, czy chcesz wysiąść?... – Kaśka przerwała w pół zdania, gdyż Anna w tej samej chwili spojrzała na nią i pokręciła przecząco głową.

– Pojedźmy jednak na zamek, a tutaj może kiedy indziej się wybiorę. Nie jestem jeszcze gotowa, żeby go zobaczyć od środka. Wystarczy, że teraz popatrzę na niego z zewnątrz. Nigdy tego budynku nie widziałam, ani na żywo, ani na zdjęciach, ale na moje oko chyba niewiele się zmienił od czasu, kiedy mnie tutaj przywieziono w trzydziestym ósmym roku – powiedziała ciszej, już jakby do siebie, i ponownie zwróciła oczy na szpital.

Kaśka i Eliza nachyliły się nad planem miasta i szeptały.

– Objedziemy jeszcze raz śródmieście, ale w przeciwnym kierunku, bo wydaje się, że bryłę zamku lepiej podziwiać z drugiej strony – Kaśka podsumowała naradę z Elizą.

Anna skinęła głową i po chwili Żaba znów toczyła się dostojnie krętymi uliczkami. Jeszcze tylko podjazd w kierunku starego budynku dworca, ostry zakręt w lewo i po chwili ich oczom ukazał się bytowski zamek w całej krasie.

– Zatrzymaj się, Kasiu, daj popatrzeć... – Twarz Anny nagle stała się radosna. – Nie znam się na zamkach krzyżackich, widziałam wiele zamków francuskich, niemieckich, angielskich, włoskich, ale surowość tego zamku jest jakaś ciepła i urzekająca. Już go chyba nawet lubię! – ostatnie słowa wykrzyknęła ciepło, z radością w głosie.

Kaśka i Eliza po takiej sugestywnej opinii zaczęły wpatrywać się uważniej w mury budowli, próbując dojrzeć to, co odkryła Anna. Widziały wysoką kamienno-ceglaną konstrukcję zamku z pokrytymi czerwoną dachówką, strzelistymi dachami baszt. Nie dane im było jednak zbyt długo go kontemplować, gdyż z ust Anny padła następna komenda:

– Chcę szybko do środka! No już, Kasiu, jedź! – Anna zaczęła się wiercić na siedzeniu, poprawiając włosy, trzymając w ręku pomadkę wyciągniętą nie wiadomo kiedy z torebki. – Tylko nie tak ostro, bo się rozmażę!

Po kilku chwilach Żaba zatrzymała się na zamkowym parkingu. Anna, nie czekając na dziewczyny, natychmiast ruszyła w kierunku bramy prowadzącej na dziedziniec zamkowy.

– Elizka, tylko weź aparat! – zdążyła jeszcze krzyknąć w kierunku samochodu i zniknęła w czeluściach bramy.

– Mamo, co się dzieje z babcią? – spytała Eliza, nie kryjąc zdziwienia.

– Jeszcze nie wiem, nie nadążam, ale pilnujmy jej, bo jest w jakimś transie – rzuciła w odpowiedzi Kaśka, zatrzaskując drzwi. Spojrzała z dziwnym błyskiem w oczach na Elizę i ruszyła w kierunku, gdzie kilka chwil temu zniknęła Anna. Eliza, chcąc nie chcąc, podążyła w ślad za nimi.

Gdy weszły na zamkowy dziedziniec, ujrzały Annę siedzącą na jednej z ławek ustawionych w rzędach przed sceną. Przysłaniając oczy dłonią, przyglądała się zabudowaniom zamkowym.

– Gdzie tak długo byłyście?! Elizka, zrób zdjęcie tego narożnika, a potem dybom, żeby było widać tamten drewniany pomost. – Anna kręciła się na ławce, pokazując wymieniane miejsca. – Boże, jak tu ślicznie! Kasiu, tutaj zaplanowałaś obiad? Będzie mi smakował, ale chcę go zjeść na zewnątrz, a nie w środku. O, tam jest stragan! Może mają jakieś albumy albo foldery o zamku i Bytowie! – Anna wstała i zdecydowanym krokiem ruszyła w kierunku wielkiego drzewa w narożniku dziedzińca, za którym stał niewielki stragan.

Dziewczyny stały jak oniemiałe, każda w międzyczasie chciała kilka razy coś powiedzieć, spytać, ale Anna wcale nie oczekiwała jakichkolwiek odpowiedzi ani komentarzy. Nie miały wyjścia, więc ruszyły za nią.

Kiedy zbliżyły się do straganu, Anna szybkim krokiem zdążyła już pokonać kolejnych kilkanaście kroków w kierunku drzwi do zamku. Znikając w ich wnętrzu, zdążyła jeszcze tylko rzucić:

– Albumy i monografie są w środku w sklepiku, chodźcie tutaj!

Szczupła wysoka pani, stojąca za ladą, kładła przed Anną już trzecią książkę. Ta, nie zważając na dziewczyny, szybko ją kartkowała, jakby gdzieś się spieszyła.

– Biorę wszystkie trzy. Będę je oglądać i czytać później. A czy ma pani jeszcze coś ciekawego?

Pani zza lady z rosnącym zdziwieniem spoglądała na klientkę. Tacy hojni jak ta rzadko się tutaj zdarzali . Kupowali na ogół pocztówki, cieniutkie foldery, jakiegoś rycerzyka albo drewniany mieczyk dla dziecka. Ale tyle książek?

– Mam jeszcze album ze zdjęciami z muzeum oraz widokami zamku o różnych porach roku, ale on jest drogi. Kosztuje ponad sto złotych... – Wysoka pani bez przekonania schyliła się, aby wyciągnąć go spod lady. Gdy wynurzyła się zza niej po dłuższej chwili, Anna prawie wyrwała go z jej rąk i zaczęła przeglądać, głaszcząc zdjęcia.

– A czy jeszcze coś ciekawego ma pani tam pod ladą? I dlaczego pani tak to chowa?

– Bo wie pani... ludzie często mają brudne ręce... a kiedyś dziecko upuściło loda na podobny album i musiałam sama za niego zapłacić! – tłumaczyła się nieskładnie wysoka pani zza lady.

– Ale ja to wszystko chcę kupić, no i nie jem loda! – Anna uśmiechnęła się i nie dając za wygraną, dodała: – No, to znajdzie się tam coś jeszcze?

– Mamuś, może już na dzisiaj wystarczy? – Kaśka usiłowała przerwać wielkie zakupy.

Pani znowu zniknęła za zwalistą ladą, a po dłuższej chwili, prostując się, podała Annie opasły, zafoliowany jeszcze tom.

– A cóż to takiego? – Anna nie czekając na odpowiedź, przeczytała sama głośno: – *Historia Bytowa*, pod redakcją Zygmunta Szultki. Biorę i to!

– Ale to też ponad sto złotych! – wykrzyknęła dramatycznie pani zza lady, z miną, jakby to ona sama miała zapłacić za wszystkie książki.

– Dobrze! Na dzisiaj to już koniec, ale może jeszcze kiedyś tu wpadnę! To razem ile wyjdzie? Kasiu, zapłać, później się policzymy! – Anna nagle przerzuciła swoje zainteresowanie z książek na leżący na ladzie informator o muzeum zamkowym. Otworzyła go i z uwagą przeglądała.

Kaśka lekko oszołomiona, chcąc nie chcąc, zapłaciła rachunek – 390 złotych. Spoglądała na mamę z wyrzutem, zastanawiając się, czy czegoś nie powiedzieć jej dla otrzeźwienia. Jednak nie było jej to dane, bo nagle Anna znowu zwróciła się do wysokiej pani zza lady, tym razem z pretensją w głosie:

– Jak to! Dzisiaj muzeum zamknięte? Przecież ja specjalnie przyjechałam tutaj z Poznania, aby je obejrzeć!

Pani zza lady przeżywała jeszcze kwotę, którą przed chwilą skasowała, i nie bardzo mogła wrócić do rzeczywistości. Zupełnie nie rozumiała, czego chce od niej stojąca przed nią hojna klientka. Zatkało ją i ze zdziwienia tylko mrugała oczami. Po dłuższej chwili wydusiła wreszcie z siebie:

– Muzeum w ciągu roku zawsze jest nieczynne w poniedziałki. Tylko w czasie wakacji można je zwiedzać codziennie.

– Właśnie teraz mam wakacje i dlatego tutaj jestem!

– Wakacje to lipiec i sierpień, a dzisiaj mamy jeszcze czerwiec! – pisnęła wysoka pani zza lady, nie kryjąc irytacji.

– No i co my teraz zrobimy? – Anna odwróciła się w kierunku córki i wnuczki i spoglądała na nie markotnie.

– Babciu, jest już trzecia, najwyższa pora, aby coś zjeść – rezolutnie odezwała się Eliza.

– Ale ja i tak jestem niepocieszona... – Anna na chwilę zawiesiła głos. – Wiecie co? Poczułam właśnie głód! – I jakby nigdy nic, żwawo skierowała się do wyjścia, a dziewczyny znowu ruszyły za nią w pogoń.

Przy stolikach ustawionych na dziedzińcu restauracji zamkowej było sporo wolnego miejsca. Kelner przyniósł karty i cała trójka pogrążyła się w lekturze.

– Ja już zdecydowałam, co zjem, chociaż nie wiem, co to jest. Kiszka kaszubska! – Anna roześmiana od ucha do ucha zamknęła kartę i rozglądała się po dziedzińcu.

Kaśka i Eliza postanowiły zdać się na jej intuicję i ewentualne podpowiedzi kelnera. Ten pojawił się niebawem i wyjaśnił im pokrótce, jakie są składniki tego przysmaku i jak się go przygotowuje. Opowiedział, że to potrawa regionalna z Gochów, a to dzisiejsza gmina Lipnice niedaleko stąd. Gochy – kontynuował niespeszony – to też nazwa ludności zamieszkującej te tereny; gospodarowali na ubogich, piaszczystych glebach...

– A skąd pan wie takie rzeczy? – wyrwało się Annie.

– Studiuję, piszę o tym pracę magisterską, no i jestem z Bytowa! – uśmiechnął się, zakręcił i zniknął w drzwiach.

Kilkanaście minut potem zajadały kiszkę kaszubską ze skwarkami i... ze smakiem.

– Bardzo mi się tutaj podobało, kiedy byłam pierwszy raz z dziadkiem. Na dziedzińcu pokazy walk rycerskich na miecze i topory, potem na łąkach za murami turniej zręcznościowy. Pod wieczór była bitwa pomiędzy wieloma oddziałami rycerzy ze strzelaniem z muszkietów i armat, a potem grały zespoły muzyki dawnej i biesiadowaliśmy przy pochodniach do późnej nocy... Oni wszyscy tak fajnie się bawili. Miałam wrażenie, jakby się dobrze i od dawna znali. Szkoda, że dziadziuś tak szybko wybrał inną drogę... – Elizie zaszkliły się oczy. – Przecież mieliśmy... mogliśmy tutaj jeszcze ciągle przyjeżdżać!

– Elizuś, dziecko! Masz cudowne wspomnienia i to się liczy! – Anna z czułością pogłaskała wnuczkę po policzku.

– Przy bramie wejściowej jest taki wielki głaz – Eliza wskazała dłonią – i pamiętam, że ludzie dotykali go, niektórzy nawet opierali się o niego. Dziadek mówił, że według podań ludowych, takie głazy mają dużą moc...

– Wiecie co, dziewczynki? Elizka przygotowała dobrą atmosferę, żebym teraz przeczytała wam trzeci i ostatni list od mamy Jutki. Musicie go poznać, zanim będziemy przejeżdżać przez Parchowo, a to już niedaleko.

Anna wyciągnęła z szarej koperty list z numerem 3, wypiła ze szklaneczki odrobinę soku z czarnej porzeczki i zaczęła czytać przytłumionym głosem.

Kochana Aniu!
W tym liściku już tylko podsumowanie wcześniejszych
informacji.

Muszę jeszcze raz powtórzyć, dlaczego wreszcie
zrozumiałam, że muszę jednak opowiedzieć Ci prawdę
o sobie i Tobie! Związek z tym ma wszystko to, co dzieje się
i działo w ostatnich dwóch latach w kraju – ludzie
chcieli prawdy, uwierzyli władzy, a zostali kolejny raz
oszukani... Zrozumiałam, że ja tak nie chcę i nie mogę...

Jestem coraz słabsza i bardziej chora, czuję, że koniec
moich dni blisko... Przecież nie mogę rozmawiać
z Tobą o takich sprawach... Jak pytasz mnie czasem
o zdrowie, to mówię, że nie jest najgorzej. To nie jest
kłamstwo, ale też nie jest to cała prawda.
Nie chcę brać naszej tajemnicy ze sobą. Musisz ją
poznać! Musisz z nią żyć!
Na początek wybierzesz się pewnie do Parchowa...
Jesteś silna, boś „kaszubska chłopka", a ponieważ znasz
języki i nie boisz się jeździć za granicę, to może
odważysz się szukać, jeśli będzie trzeba, i tam swojej
biologicznej matki lub jej rodziny! Wiem, że marzysz
o wyjeździe do Ameryki, więc może przy okazji...
Tajemnicę (swoją/Twoją) powierzam Mikołajowi.
On wie tylko tyle, że ma Ci przekazać listy dotyczące
rodziny (dostanie zaklejone koperty), w których są ważne
informacje, mogące Ci się kiedyś przydać. Ma je Tobie
przekazać dopiero po mojej śmierci, ale w takim
momencie, gdy będziesz miała naprawdę dużo sił
i czasu... Obiecał, że pomoże Ci rozwikłać opisaną tam
historię. W to wierzę! Dam mu listy za kilka dni,
w okolicach świąt – Nowego Roku!

Żegnaj, Córuś! Zawsze Cię kochałam i ciągle Cię kocham, tak mocno, jak tylko potrafię! Zachowaj mnie dobrze w pamięci! Rozgrzesz mnie za wszystko!

Twoja mama Jutka
Poznań, 20 grudnia 1981 roku

Anna zdjęła okulary i włożyła je do etui. Dziewczyny w zasłuchaniu jeszcze błądziły wzrokiem po zabudowaniach wokół dziedzińca. Zapadła cisza. Z drzew okalających mury dochodziły tylko głosy ptaków. Na niebie pojawiły się małe, ciemniejsze obłoczki. Słońce jakby mniej paliło.

– Przepraszam bardzo, że przeszkadzam! – nagle spoza ażurowego płotka okalającego restauracyjne stoliki doszedł głos kobiety o filigranowej posturze. Obok niej stała poznana już wcześniej wysoka pani ze sklepiku z pamiątkami. Wyglądały trochę jak Don Kichot i Sancho Pansa w wydaniu żeńskim i odwrotnymi – niż w oryginale – posturami.

– Jestem Elżbieta Lew-Szczodrowicz, kieruję tutejszą biblioteką, ale chwilowo, w zastępstwie, zawiaduję także muzeum – mówiła dalej. – Właśnie przed chwilą pani Zosia powiedziała mi, że panie są zawiedzione niemożnością zwiedzenia dzisiaj muzeum. Jeśli panie nadal mają na to ochotę, z największą przyjemnością oprowadzę po nim. Domyślam się, że pani – tu wskazała gestem na Annę – jest tutaj z pobudek naukowych i wiem, że nie może poczekać do jutra. Rozumiem naukowców: krótkie terminy, mało pieniędzy, wam się na ogół śpieszy...

Pani Elżbieta zawiesiła głos, jakby oczekiwała jakichś wyjaśnień od Anny. Tak naprawdę była ciekawa, kim jest kobieta kupująca taką masę książek. Wysoka pani zza lady – teraz już posiadająca imię Zosia – trzymała ręce splecione na brzuchu, z przejęcia mrugała oczami i nieustannie potakiwała głową w rytm wypowiedzi swojej szefowej. Anna poczuła się zakłopotana całą sytuacją, bowiem została wzięta za kogoś zupełnie innego. Zastanawiała się, jak to odkręcić, kiedy zupełnie nieoczekiwanie odezwała się Kaśka.

– Mamę w ostatnim okresie szczególnie interesuje kultura i życie społeczne Kaszubów w okresie przedwojennym, zarówno w Bytowie, jak i w okolicznych wsiach. – Anna i Eliza jak na komendę spojrzały w zdumieniu na Kaśkę, która niezrażona kontynuowała z uśmiechem: – Ja natomiast jestem organizatorem turystyki oraz przewodnikiem. Mama zawsze wykorzystuje wakacyjny czas na pogłębianie swojej wiedzy, a przy okazji, żeby coś ciekawego pokazać mnie i wnuczce.

Anna już otwierała usta, żeby coś powiedzieć, wytłumaczyć, ale w tym momencie pani Elżbieta podniosła dłoń w geście pełnym zrozumienia.

– Oczekujemy w takim razie w muzeum, a panie niech spokojnie kontynuują obiad. – I nie czekając na kolejne wyjaśnienia, odwróciła się, po czym drobiąc nóżkami obutymi w szpileczki po kocich łbach, którymi wyłożony był dziedziniec, oddaliła się w kierunku wejścia do muzeum. Pani Zosia poszła jak cień za nią.

– Kasiu, coś ty zrobiła?! Przecież ja nie jestem żadnym naukowcem! – wycedziła konspiracyjnym szeptem Anna.

– Mamo, one chciały, żebyś ty była naukowcem, a tutaj ludzie wokół już zaczęli nam się przyglądać z ciekawością. Wolałam nie dopuścić, żebyś nagle zaczęła opowiadać nieznajomym o swojej tajemnicy!

A tak w ogóle to przecież powiedziałam prawdę, co, Elizka?

Eliza była pod wrażeniem błyskotliwego występu mamy i zamiast komentarza, wyciągnęła w jej kierunku podniesioną dłoń, a mama ochoczo przybiła piątkę.

– Płacimy i idziemy. – Anna spojrzała na Kaśkę znacząco, a ta już wiedziała, co to oznacza. Bez słów podniosła się i skierowała do wnętrza restauracji w poszukiwaniu kelnera.

Po kilku minutach wkraczały na sale bytowskiego zamku. U wejścia czekała na nie rozemocjonowana pani Elżbieta.

– Jestem z Gochów, więc tutejsza. To, co panie tutaj zobaczycie w kilku salach, w większości znam z mojego rodzinnego domu i domu dziadków.

Pokazywała i omawiała ze znawstwem eksponowane sprzęty i narzędzia regionalne. Obejrzały sale mówiące o historii zamku, jego mieszkańcach oraz o historii Bytowa. Kobiety polubiły się szybko, a dwie godziny z okładem, jakie spędziły w salach muzeum, minęły jak z bicza strzelił. W tym czasie niebo zasnuło się ciemnymi chmurami i zrobiło się szaro. Mżyło. Anna spojrzała najpierw na panią Elę, a potem na Kaśkę.

– Za kilka dni będziemy tędy wracać i na pewno powtórnie się spotkamy. Wtedy coś o sobie opowiem, a teraz pędzimy już, bo musimy dojechać na noc do Gdyni, a chciałyśmy jeszcze na chwilę zatrzymać się po drodze. Zabrałyśmy pani tyle wolnego czasu. O, to już blisko dziewiętnasta! – Anna spojrzała na zegarek. – Dziękujemy pani serdecznie i do zobaczenia!

– Na dwudziestą pierwszą będziemy w Gdyni. Nie bój się. Żaba nas ochroni przed deszczem. – Kaśka była rada, że zaraz ruszą w ostatni już dzisiaj etap podróży.

– Elizko, czy to ten głaz, o którym mówiłaś? – Anna wskazała na olbrzymi kamień tuż przy wyjściu z bramy zamku i nie czekając na odpowiedź, zaczęła go dotykać najpierw jedną ręką, potem drugą, aż wreszcie oparła się o niego plecami, wodząc ramionami w górę i dół. Spoglądała z przejęciem na Kaśkę i Elizę. Te przyglądały się z zaciekawieniem odprawianym przez nią rytuałom. Anna przymknęła oczy i uspokoiła wreszcie ręce. Opuściła je i ułożyła wzdłuż ciała, a dłonie wewnętrzną stroną przycisnęła do głazu. Po kilku chwilach szybko się odwróciła i przywarła do niego z kolei przodem. Raptem jej ciałem zaczęło wstrząsać szlochanie. Nie mogła powstrzymać ani szlochów, ani płynących obficie łez. Kaśka i Eliza przerażone spoglądały to na Annę, to po sobie.

– Mamuś....!

– Boże, jaka ja jestem szczęśliwa, że tutaj przyjechałam... – Anna nieoczekiwanie stanęła twarzą do nich, wycierając palcami łzy. – Trochę się wzruszyłam, bo tak dobrze jak dzisiaj, dawno mi nie było. Mam wrażenie, jakbym wyczuwała całym ciałem rodzinne tereny, mój rodzinny dom! Tyle wrażeń na raz! A ten kamień chyba w sobie coś ma...

Anna jak gdyby nigdy nic poprawiła sobie gumkę na kucyku i krzyknęła:

– W drogę, bo inaczej noc nas tu zastanie!

Po czym ruszyła truchtem w kierunku parkingu, a córka i wnuczka za nią.

Znaki

*R*uch na szosie nie był duży. Niebo stawało się coraz ciemniejsze, a mżawka zamieniła się w obfity deszcz, który z każdą chwilą narastał. Kaśka przełączyła wycieraczki na szybszy bieg. Wszystkie wpatrywały się w szosę umykającą przed Żabą.

– Ale leje... – smutno odezwała się Eliza. – Mogłyśmy przeczekać w Bytowie. O, tam po prawej się błysnęło.

– Ja też to widziałam – potwierdziła Anna.

– Przestańcie mnie straszyć! Jeszcze tego brakowało – fuknęła Kaśka.

– Dla mnie to i tak cudowny dzień między burzami. – Anna lubiła burze i deszcze, jej córka i wnuczka wręcz odwrotnie. – Kasiu, jeśli masz obawy co do dalszej jazdy, to zatrzymajmy się gdzieś. Parchowo już chyba blisko i możemy nawet tam przeczekać!

Deszcz i wiatr nie chciały zelżeć. Minęły kolejną tablicę z nazwą miejscowości.

– Jesteśmy w Jamnie! Elizka, sprawdź, jak daleko jeszcze do Parchowa – rzuciła Kaśka.

– To już następna miejscowość!

Wycieraczki pracowały pełną mocą, starając się zebrać deszczówkę z szyb. Anna nachyliła się do przodu, przyglądając się drodze pełnej ostrych zakrętów, przez którą raz z lewa, raz z prawa spływały potoki wody.

– Kasiu, czy ty przez ten deszcz coś jeszcze widzisz?

– Aha! Przed chwilą minęłyśmy znak z napisem Parchowo!

Żaba wzbijała fontanny wody na obie strony drogi. Deszcz bębnił o karoserię, wycieraczki jak szalone łomotały po szybach. Choć nie było jeszcze późno, w niektórych mijanych domach paliły się światła.

– Ale tu zakrętów! – Kaśka co chwila kręciła kierownicą. – Jakiś duży budynek po lewej… Cała droga w wodzie. I jak tu teraz jechać?

Nagle samochód zaszorował podwoziem o coś, mocno zazgrzytało i jakaś ukryta siła podrzuciła go nieco w górę. Silnik Żaby zaczął prychać i przerywać, ale samochód ciągle się toczył.

– Co to było? – Anna spoglądała przestraszona raz na drogę, raz na Kaśkę.

– Cholera, nie wiem! – Kaśka próbowała wciskać i puszczać pedał gazu, ale Żaba już jej nie słuchała. Silnik zgasł.

– Mamo, zatrzymaj się, póki jesteśmy we wsi! – krzyknęła Eliza. – O, tam po prawej jest duży budynek i miejsce do zaparkowania! To chyba straż pożarna!

Samochód toczył się wolno, wolniutko.

– Jasny gwint! – Kaśka zatrzymała samochód przed wielkimi metalowymi wrotami i uderzyła ze złości dłońmi o kierownicę.

– Czy my naprawdę jesteśmy w tym… Parchowie? – spytała spokojnie Anna, jakby zupełnie nie dostrzegając grozy sytuacji.

– Tak, babciu, właśnie coś nas zatrzymało i nie chce puścić! I to właśnie w TYM Parchowie!

– To chyba jakiś znak! Tak pewnie miało być! – Anna przeżegnała się.

W tej samej chwili niebo przeciął zygzak błyskawicy i po kilku sekundach rozległo się głębokie dudnienie. Kaśka zadrżała, a Eliza jęknęła głośno.

– Mamuś, o którym ty znaku mówisz? O tej błyskawicy? Czy ty naprawdę teraz dobrze się bawisz? Dochodzi dwudziesta, jest burza i straszna ulewa, nie wiemy, gdzie jesteśmy, nie znam się na samochodzie, do Gdyni osiemdziesiąt kilometrów i nie wiem, czy w ogóle ruszymy! My z Elizą umieramy ze strachu, a ty mówisz o jakichś znakach...

– Kasiu, nie dramatyzuj! Spróbuj jeszcze raz zapalić silnik, może go tylko na moment zalało. A poza tym nie jesteśmy w dżungli ani na pustyni, tylko w Par-chowie! – podkreśliła ostatnie słowo.

– Rozrusznik ledwo kręci, a mnie już krew zalewa! Idę do tej straży spytać, czy jest tu we wsi jakiś mechanik!

– O, i to mi się podoba! Zaczynasz działać jak szef wycieczki! Zobaczysz, będzie dobrze! – Anna z lekkim rozbawieniem spoglądała na Kaśkę i Elizę.

Eliza zbierała się, żeby pójść razem z matką, ale ta burknęła.

– Wystarczy, jak jedna z nas zmoknie, to tylko dziesięć metrów. Siedź w środku!

Wyskoczyła i biegiem pokonała drogę do budynku. Po kilku minutach pojawiła się w towarzystwie mężczyzny, który gestykulując, wskazywał na budynek po drugiej stronie ulicy.

– O mechaniku możemy dzisiaj zapomnieć, kwatery agroturystyczne we wsi są, ale daleko stąd. Po drugiej stronie drogi jest szkoła i tam znajdziemy miejsce na noc. Dyżurny ze straży pożarnej już nas tam zaanonsował – zdawała relację zmoknięta i lekko zdyszana Kaśka.

– No, to załatwiłaś super, Kasiu! Lepiej już nie mogło się trafić! – pochwaliła ucieszona Anna.

Kaśka i Eliza jak na komendę wzruszyły ramionami.

– Idziemy na kwaterę. W bagażniku jest taka niewielka czerwona torba. Weźcie mi ją, dobrze?! – Anna uchyliła drzwi, otworzyła parasol, wysiadła i omijając kałuże, ruszyła żwawo w kierunku szkoły.

Kaśka przyłożyła dłonie do rozpalonej z emocji twarzy, Eliza siedziała, jakby ją zamurowało.

– Chyba nie mamy wyjścia. Zbierajmy się, mamo – odezwała się zrezygnowanym głosem. – Dobrze, że chociaż nie jest zupełnie ciemno!

– Ty też przeciwko mnie?! A w ogóle… to… zamknij się! – Spotkały się wzrokiem i obie jak na komendę parsknęły śmiechem. Zupełnie niechcący posłużyły się fragmentem dialogu z lubianego przez nie francuskiego filmu *RRRrrr*.

Gdy zmoknięte dotarły wreszcie z bagażami do drzwi szkoły, te niespodziewanie same otworzyły się przed nimi. Stała w nich uśmiechnięta niewysoka szatynka w średnim wieku, z włosami upiętymi w koczek, w szarej koszulce i bordowych spodniach dresowych, wypchanych na kolanach.

– Marysia Sołyga, wicedyrektorka szkoły. Proszę za mną. Przenocuję dzisiaj panie, a jutro się zobaczy.

Ruszyły za nią korytarzem. Strzelała głośno klapkami, a wspinając się po schodach, śmiesznie kręciła pupą. W pokoju gościnnym na piętrze, do którego je zaprowadziła, zastały już Annę.

– A nie mówiłam, że nam się dobrze trafiło? I miałam rację, prawda?! Dzisiaj mamy się gdzie podziać, a jutro pani Marysia powie, jak trafić na kwaterę agroturystyczną i pomoże skontaktować się z mechanikiem. Ja śpię tutaj, a wy w pokoiku obok.

– Proszę, niech się panie rozlokują, a potem zapraszam na parter do pokoju nauczycielskiego. Zjemy kolację i porozmawiamy. Bardzo lubię mieć gości... – Pani Marysia puściła oko i zamknęła za sobą drzwi.

Burza rozszalała się w Parchowie już na dobre.

Gdy po kilkunastu minutach zeszły na parter, drzwi do jednego z pomieszczeń były otwarte, a ze środka dochodził donośny, czysty śpiew Marysi Sołygi, wtórującej Czerwonym Gitarom. Zdążyła zastąpić wypchane na kolanach dresy dopasowanymi dżinsami, a szarą koszulkę – żółtą bluzeczką z dużym dekoltem. Pomalowała także usta wiśniowym błyszczykiem. Przemieszczała się z wdziękiem, kręcąc biodrami, pomiędzy stołem, małym bufecikiem a szafką, na której stał bezprzewodowy czajnik.

– Nie myślałam, że to ma być uroczysty raut, bo bym się stosowniej ubrała. – Anna na widok Marysi aż klasnęła w dłonie.

Ta podbiegła do radia, aby je trochę przyciszyć.

– Dla mnie takie spotkanie jak dzisiaj to prawdziwa gratka. Panie przecież są z Poznania! Szkoda tylko, że jest burza. Mój mąż ciągle w Niemczech, a córka i syn na wakacjach u przyjaciół w Bukowinie Tatrzańskiej. Pomieszkuję więc w szkole, a dla zabicia czasu układam plan zajęć na nowy rok i takie tam. W lipcu i sierpniu chcę mieć czas dla siebie na to, co najbardziej lubię, to znaczy na organizację imprez kulturalnych dla gminy. Jest ich tu dużo latem i wczesną jesienią, no i nie ma za bardzo z kim tego przygotowywać.

Marysia Sołyga mówiła jak nakręcona, akcentując

ważniejsze kwestie gestami rąk i ruchami głowy. Było widać, że jest nauczycielką.

– Proszę, niech panie siadają. – Wskazała na przygotowany stolik z talerzykami, szklankami, pokrojonym pieczywem, pomidorami, żółtym serem i wędliną. – Czym szkoła bogata, tym rada! – uśmiechnęła się. – Na początek proponuję po małym koniaczku na odstresowanie po awarii samochodu i dla odwagi przed burzą. – Podbiegła do szafki w rogu, kręcąc pupą, i wyciągnęła ciemną, prawie pełną butelkę.

– To mam dla specjalnych gości, ale widać, że rzadko bywają, prawda? A co panie sprowadziło w nasze strony?

– Sprowadziło to za dużo i za mocno powiedziane! Na pewno coś nas tutaj raptownie i brutalnie zatrzymało! – Kaśka odniosła się do słów Marysi dosłownie. – Tak w ogóle jedziemy do Gdyni...

– To już wiem. I?...

– ...I jechałam środkiem szosy koło takiego dużego budynku. Na jezdni pełno wody, a bryzgi spod kół szły na kilka metrów. Prawie nic nie widziałam – taka ulewa. Czegoś musiałam nie zauważyć, i trach! Podwozie zazgrzytało, no i koniec jazdy!

– Tam naprzeciw policji jest przystanek autobusowy z wysepką, może pani zahaczyła o jej krawężnik?

Anna ruchem ręki uciszyła Kaśkę, która chciała coś jeszcze dopowiedzieć.

– Pani Marysiu! Nie mówmy już więcej o tym zdarzeniu, bo córka będzie znowu dramatyzować. Muszę natomiast powiedzieć, że dobrze pani trafiła, pytając, co nas tu sprowadziło. Bo do Parchowa sprowadza nas, a właściwie mnie, ważna sprawa, a to, że nawalił nam tutaj samochód, uważam za prawdziwy znak! –

Kaśka i Eliza jak na komendę podniosły oczy do nieba.

Anna postanowiła jakoś nakreślić powód ich wizyty tutaj, ale podświadomie czuła, że Marysia nie jest osobą, której powinna powierzyć swoją tajemnicę. Przynajmniej nie dzisiaj i nie w wersji z listów mamy. Na początek poinformowała więc pobieżnie, skąd i kim są. Potem opowiedziała historię, w której dwukrotnie latem 1938 roku przejeżdżała przez Parchowo razem ze swoimi rodzicami, Jutką i Janem. Zataiła znalezienie przez nich dziecka przy stawie i nie wyjawiła, że to ona – Anna – jest właśnie tym dzieckiem. Na zakończenie powiedziała, że mama w listach poprosiła ją, aby kiedyś wyjaśniła, co tu się wtedy stało i czy to zdarzenie miało jakiś ciąg dalszy. Kaśka i Eliza przez całe opowiadanie nie dały poznać po sobie, że słyszą zupełnie inną niż wcześniej poznaną historię, ale przy ostatnich słowach jak na komendę zdziwione spojrzały na Annę.

Marysia słuchała historii w skupieniu, potakując głową, gdy się z czymś zgadzała, albo kręcąc w prawo i lewo, gdy ją coś szczególnie zdziwiło lub wydawało się nieprawdopodobne. Gest zdziwienia Kaśki i Elizy nie uszedł jej uwadze.

– Ja jestem tutaj dopiero osiemnaście lat, więc o tym zdarzeniu nie słyszałam. Jutro we wsi na pewno pani się czegoś dowie – Marysia Sołyga zwróciła się w kierunku Anny, ale kątem oka obserwowała Kaśkę i Elizę. Czuła, że coś w usłyszanej opowieści jest dziwne. Nie widziała sensu roztrząsania swoich wątpliwości, uważając, że znajdzie się na to odpowiedni czas. Z uśmiechem uzupełniła więc kieliszki, gdyż wcześniej zauważyła, że koniak szczególnie Kaśce przypadł do gustu.

– Reasumując: ja jestem tutaj, żeby wypełnić życzenie mamy, Eliza jedzie zdawać na studia, Kaśka zaś przyjechała z nami jako kierowca Żaby, żeby ją spektakularnie uszkodzić właśnie tutaj w Parchowie! I nie wykluczam, że zrobiła to celowo! – Anna puściła oko do Marysi.

Kaśka lekko już wyluzowana i zadowolona, że mamie wrócił dobry nastrój po przeżyciach całego dnia, zaczęła się głośno śmiać. A ponieważ jest to zaraźliwa przypadłość, po chwili wszystkie kobiety zanosiły się śmiechem. Przerwał go brutalnie przeraźliwy grzmot, po którym zatrzęsła się szkoła, a szyby w oknach zadzwoniły. Kaśka przerażona zakryła oczy rękoma, a Eliza wrzasnęła:

– O mamuniu!

– To gdzieś blisko. Chyba w las uderzyło. – Na Marysi grzmot nie zrobił specjalnego wrażenia. – Wcześniej wyglądało na to, że burza pójdzie drugą stroną jeziora, a my będziemy mieć tym razem spokój. Bo na ogół kiedy burza idzie tamtędy, to jezioro ją zatrzymuje. Ale widocznie dzisiaj jest za silna, więc jeszcze trochę potrzyma nas w strachu! No, to na odwagę! – Marysia uniosła lampkę z koniakiem.

Kaśka i Marysia szybko przypadły sobie do gustu i po kolejnej lampce koniaku przestały być dla siebie paniami. Kanapki znikały raźno z talerzyków, a koniak z butelki. Kobiety rozmawiały ze sobą, jakby się znały od wielu lat. Kiedy Marysia wyciągnęła z szafki kolejną butelkę koniaku, który – co znowu podkreśliła – trzyma tylko dla specjalnych gości, Anna pozwoliła jednak już tylko na strzemiennego.

– Jutro też jest dzień, no i może trzeba będzie jeździć Żabą!

– Wątpię, mamo, wątpię! – wyrwało się Kaśce, jako że nie była zachwycona jej ostatnimi słowami.

– Dziewczynki, idziemy już spać! A kysz! – Ruchem dłoni zakazała Marysi wlania kolejnego strzemiennego. – Dobranoc, pani Marysiu! No, sio dziewczynki! – Machając rękoma, wygoniła je z pokoju nauczycielskiego na korytarz.

Przygotowania do snu w pokoikach gościnnych poszły im sprawnie i na wesoło. Kaśka nie zdążyła spytać mamy, dlaczego zmieniła opowieść, bo gdy tylko poczuła na sobie ciepły koc, a pod głową miękką poduszkę, zasnęła prawie natychmiast. Zupełnie zapomniała też, że boi się burzy. Eliza trochę się jeszcze potrzęsła, ale i ją dosyć szybko zmógł sen. Tylko Anna nie mogła zasnąć, zresztą wcale się o to nie starała. Długo jeszcze słuchała szumu wiatru, uderzeń deszczu o szyby, podziwiała błyskawice, które rozświetlały mały pokój, i liczyła sekundy do następujących po nich przeciągłych grzmotów.

Szukajcie, a znajdziecie

Marysia wyprowadziła je poza furtkę ogrodzenia szkoły. Ubrana była znowu w szarą koszulkę i bordowe, wypchane na kolanach, spodnie dresowe. Tokowała, podrygując i zawzięcie gestykulując:

– Idźcie cały czas tak jak prowadzi szosa. Na końcu wsi, za zakrętami, na górce ponad stawem, jest gospodarstwo agroturystyczne Felicji Skierki pod nazwą „Iskierka". Babcia Felicja na pewno was ugości, bo już do niej dzwoniłam. Są tu jeszcze inne takie gospodarstwa, ale moim zdaniem, tamto miejsce jest akurat dla was. Zobaczycie! A jeśli idzie o mechanika samochodowego, zanim zaczniecie szukać kogoś w Kartuzach, albo Bytowie, odszukajcie Stacha Janika i poradźcie się go, co robić. Każdy go tutaj zna, więc znaleźć nie będzie trudno. On pracuje na co dzień w gminie! To jest fachowiec od wszystkiego! Jakbyście kiedyś chciały się u nas przypadkiem pobudować, to wszystko zrobi! – Przy ostatnim zdaniu puściła oko do Kaśki.

– A skąd u ciebie ten pomysł z budowaniem?... – spytała zdumiona Kaśka, ale Marysia nie dała jej dokończyć.

– A bo to wiadomo, co się kiedyś może zdarzyć? – zaśmiała się fluternie.

Szły wolno, przyglądając się zabudowaniom wsi. Minęły pocztę i pałacyk stojący w głębi zadbanego parku, wypełnionego krasnalami i kolorowymi domkami. Tuż za nim, na elewacji piętrowego budynku z długą loggią, widniał napis: Gminny Ośrodek Kultury w Parchowie. Przy kolejnym budynku, siedzibie policji, Eliza pokonała kilkoma susami szosę i pochylona wpatrywała się zawzięcie w jezdnię. Kaśka i Anna nieco zwolniły.

– A! To jest ten krawężnik, w który wczoraj dowaliłaś, mamo! – Eliza krzyknęła, wskazując ukruszony narożnik wysepki przystanku autobusowego.

– Boże, to tutaj musiało być kilkanaście centymetrów wody... – jęknęła Kaśka.

– Oj, dajcie już temu spokój. Stało się, a ciebie, Kasiu, nikt przecież nie wini. Wczoraj tylko żartowałam, że celowo tutaj uszkodziłaś. Idźmy dalej.

Tuż za dużym budynkiem, mieszczącym sklepy i restaurację, dostrzegły w głębi kościółek z czerwonej cegły. Mijającą je kobietę Kaśka spytała o Stacha Janika.

– Widziałam go przy ZOZ–ie, tam robią wodę, bo awaria. To kawałek drogi za zakrętami – kobieta wskazała ręką.

Przeszły jeden zakręt, potem drugi, no i wreszcie dojrzały fachowców. Na kupie piachu obok parkingu gminnego ZOZ–u siedział krępy rumiany mężczyzna, gestykulujący i pokrzykujący do kogoś w wykopanym dole.

– Złap mocno i kręć! Kuźwa, co z ciebie za fachowiec? Nakrętki nie umiesz odkręcić?... Krucafuks! Klucz wyślizguje się? No kurcze, przecież ja tam do ciebie nie zlezę, bo kto nas wtedy wyciągnie?! No nareszcie! Jak chcesz, kuźwa, to umiesz! Teraz jeszcze tylko odkręć tak samo te pięć pozostałych nakrętek! – Wiercił się nerwowo tyłkiem na piachu, co chwila poprawiał czapkę i wycierał pot z czoła. Widać było, że kierowanie pracą mocno go męczy.

– Dzień dobry! Przepraszam, czy któryś z panów to Stanisław Janik? – odezwała się słodziutko Kaśka.

– A jeśli to ja, to o co chodzi? – szorstko odezwał się z kupy piachu dowodzący akcją „robienia wody", odrywając tylko na chwilę wzrok od tego drugiego w dole.

– Pani Marysia Sołyga poleciła mi pana, bo wczoraj uszkodził się nam tutaj samochód...

– Ale to chyba nie nasza wina, co? – przerwał Kaśce już trochę milszym głosem i znowu tylko na moment łypnął oczami w jej stronę. – Teraz nie mam czasu na gadanie, bo mamy awarię, więc dawajta kobiety kluczyki, a ja wam później przywiozę bagaże. Do babci Felci jeszcze tak ze trzysta metrów. Jak zobaczycie po lewej stronie szosy w dole staw, idźcie wtedy w prawo pod górkę. Ona tam na was czeka.

– No, a kiedy pan naprawi samochód?

– Przecież go jeszcze nie obejrzałem, chociaż tak po prawdzie widziałem, bo stoi koło straży. Ładna maszynka! A gdzie wam się, kobiety, śpieszy? Jest lato, odpoczniecie sobie u Felci, a ja, jak będę coś wiedział, to na pewno zadzwonię, albo przyjadę!

– Jak to się dzieje, że u was tak szybko wszyscy wszystko wiedzą! – Kaśka nie mogła sobie przypomnieć, by Marysia mówiła jej, że rozmawiała już ze Stachem Janikiem.

– Bo my ze sobą rozmawiamy, a jak ktoś poprosi, żeby nawet komuś obcemu pomóc, to pomagamy! Znaczy się, że ten obcy to już jakby swój!

Kaśka była zdumiona tak prostą definicją obowiązujących w Parchowie zasad. Czuła więc, że nie ma już dalej sensu przeciwstawiać się panu Stachowi, który i tak był teraz zajęty „robieniem wody". Szybko więc podała mu kluczyki.

– Z góry dziękuję i do usłyszenia! – rzuciła słodko w jego kierunku i pociągnęła za sobą mamę i Elizę.

– Nie gadôj, jaż ùzdrzisz* – mruknął cicho Stach Janik i tylko łypnął za nimi oczami, a po chwili jął znowu pokrzykiwać do tego w dole.

Eliza po kilku krokach wyszeptała:

– Mamo, a gdzie jakieś pokwitowanie? Przecież w Żabie została część naszych rzeczy!

– Uważają nas tutaj za swoich! – Anna nieco głośniejszym szeptem ubiegła Kaśkę. – A swoim krzywdy się przecież nie robi, prawda!?

– Mamuś, dlaczego wczoraj opowiedziałaś Marysi zupełnie inną historię niż ta, o której pisała babcia Jutka?

– Intuicja mi podpowiedziała, że Marysia i tak nie ma nic do powiedzenia na ten temat. Jak znajdę odpowiednią osobę, to opowiem wszystko, całą prawdę! Rozlokujemy się u pani Felicji i pójdziemy szukać kogoś we wsi.

Po kilku minutach spaceru szosą dostrzegły najpierw staw, a powyżej niego biegnącą w górę polną drogę. Trochę się zziajały, wspinając się na wzgórze, ale wynagrodził im to widok, który tam ujrzały.

Pośrodku rozległej, pofałdowanej łąki, niczym oaza na pustyni stały wśród wysokich drzew okazałe zabudowania gospodarcze. Otaczał je płot ze sporą drewnianą bramą. Duży dom mieszkalny o szachulcowych ścianach stał frontem do nich. Zadaszony balkon na szczycie kipiącej zielenią przybudówki wyłaniał się z dachu

---

* Nie mów, zanim nie zobaczysz – powiedzenie w języku kaszubskim.

krytego czerwoną dachówką. Niezwykłą urodę domu podkreślały dwuspadowe lukarny po obu jego bokach oraz dwa kominy. Wszystkie okna, również te w lukarnach, miały otwarte na boki okiennice. Wydawało się, jakby dom zapraszał do siebie w geście powitania, podobnie jak człowiek otwierający ramiona. Po obu stronach domu, prostopadle do niego, stały dwa inne, mniejsze budynki. Dalej widać było dach jeszcze jednego dużego budynku gospodarczego – zapewne stodoły. Za obejściem majaczyła w oddali ciemna ściana lasu.

Kiedy odwróciły się za siebie, ujrzały dolinę z wieloma oczkami wodnymi, soczyście zielonymi łąkami, kępami drzew i krzewów, otoczoną przez wzgórza pokryte polami uprawnymi. Na pierwszym planie srebrzył się w słońcu staw, za którym rosły wysokie drzewa. Strumień wijący się wzdłuż doliny wpływał z jednej strony do stawu, a wypływał z jego drugiej strony i ginął dalej za szosą. Anna przesunęła okulary słoneczne na czubek głowy i spoglądała raz przed siebie, raz za siebie.

– Czegoś tak urzekającego dawno nie widziałam! Jak tu cudownie!

Kaśka i Eliza też zaniemówiły z wrażenia, upuściły torby na pobocze polnej drogi i wodziły wokół wzrokiem. Kontemplowanie widoków przerwała im kobieta, która wyszła przed bramę domu i dając znaki ręką, zaczęła je przywoływać donośnym głosem.

– Halo, halo! To tutaj! Zapraszam!

Gdy zbliżyły się do obejścia, ujrzały serdecznie uśmiechniętą, żwawą starszą gospodynię, o opalonej i pokrytej zmarszczkami twarzy. Kolorowa sukienka i takaż chustka na głowie harmonijnie współgrały z pięknem zabudowań, przed którymi stała.

– Dzień dobry! Jestem Felicja Skierka. Co panie tam tak długo robiły? Odpoczywały po wejściu na taką małą górkę?

– Podziwiałyśmy pani dom i dolinę – odpowiedziała jej Anna z uśmiechem.

– To, co tutaj dookoła panie widzicie, oraz część doliny tam, gdzie staw, to moje włości. Moje gospodarstwo nosi nazwę „Iskierka". – Wskazała ręką najpierw na napis nad bramą, a potem, wykonując nią szeroki łuk, na zabudowania. – Myślę, że nie muszę tłumaczyć, skąd taka nazwa, prawda? – Uśmiech rozświetlił jej opaloną twarz. – Marysia mi mówiła, że jechałyście z Poznania do Gdyni, przydarzyła wam się awaria samochodu i musicie poczekać w Parchowie na jego naprawę.

– Wszystko się zgadza, tylko nie mamy pojęcia, ile czasu to zajmie.

– Zajął się tym Stach Janik, więc murowane, że będzie zrobione najlepiej, jak tylko można. Ale ile to potrwa, to pewnie nawet on jeszcze nie wie. Teraz zapraszam na werandę, tam chwilę pogadamy. Potem będą panie musiały trochę jeszcze pospacerować po wsi albo zwiedzą moje gospodarstwo, a ja w tym czasie z Ewelinką przygotuję pokoje na piętrze, bo nie były panie przecież zapowiedziane. – Pokazała ręką na nastolatkę znikającą akurat za domem. – Wszystkie kwatery agroturystyczne mam już zarezerwowane. One są tam z tyłu za domem, w pomieszczeniach przerobionych z obory, chlewu i wozowni.

– Jest pani nadzwyczaj miła, że zdecydowała się nas ugościć...

– Eee tam, miła! Ja z tego żyję! – puściła szelmowskie oko do Elizy. – Prośba Marysi jest dla mnie... Traktuję ją od wielu lat jak przyszywaną córkę. Ona nigdy się nie myli, jeśli idzie o ocenę ludzi! Nigdy! Proszę o tym pamiętać i nie wygadać się, że to powiedziałam!

Felicja z Anną, a za nimi Kaśka z Elizą ruszyły w kierunku domu. Dopiero teraz mogły obejrzeć niewidoczne z dala szczegóły obejścia. Brama i płot wykonane były z niekształtnych łat drewnianych, zabarwionych na brązowo. W architekturze budynku mieszkalnego widać było pomieszanie stylów, lecz wszystko razem dawało oryginalną i harmonijną kompozycję. Dom posadowiono na kamiennych fundamentach. Jego szachulcowy szkielet był zabarwiony na brązowo. Ściany na parterze wypełniała cegła, ściany nadbudówki i lukarn pokrywał tynk w kolorze bladokakaowym. Wszystkie okna w domu pomalowano na biało, a okiennice na brązowo, całość zaś wieńczyła czerwień dachówki. Wejście do domu prowadziło przez werandę pokrytą winoroślami. To na niej spoczywał balkon, a raczej duży zadaszony taras, z którego obrzeży zwisały kaskadowe pelargonie.

Przed oknami na parterze rosły malwy, dużo malw, od białych, poprzez kremowe, różowe do krwistoczerwonych. Po obu stronach alejki wiodącej od furtki w bramie do werandy rosły kwiaty różnej wielkości, mieniące się feerią barw i zapachów. Były tam aksamitki, niecierpki, werbeny, petunie, lewkonie, lwie paszcze, fiołki, goździki i stokrotki. Wschodziły już także nasturcje – „panny przez płot", rosnące przy niskich płotkach okalających rabatki z krzewami piwonii i dalii. W głębi widać było kilka krzewów różnokolorowych róż.

Trzy niewysokie stopnie i już były na werandzie. Po jednej stronie stał duży stół z grubych sosnowych bali, otoczony krzesłami z równie grubych sosnowych desek, zaś z drugiej strony cztery wiklinowe foteliki i takiż stolik pomiędzy nimi. Nad każdym z tych miejsc wisiała oryginalna lampa.

– Siądźmy i wypijmy na zapoznanie się po szklaneczce malinowej lemoniady, własnej roboty. – Felicja wskazała stół, na którym stała pokryta mgłą litrowa butla z jasnego szkła, z porcelanowym korkiem otulonym gumową uszczelką.

Eliza, spoglądając na butlę z malutkimi kuleczkami gazu osiadłymi na jej ściankach, przełknęła ślinę.

– Ona nie jest przegazowana, ale i tak będzie lekkie beknięcie, bo musi, a to jest bardzo pożyteczna rzecz! – Ostatnie słowa gospodyni wypowiedziała z naciskiem poważnym tonem i zaczęła wlewać napój do szklaneczek.

Anna, siadając za stołem, potakująco kiwnęła głową. Kaśka i Eliza, ledwie usiadły, natychmiast podniosły szklaneczki do ust i piły dużymi haustami. Po minach widać było, że bardzo im smakuje. Anna delektowała się, pijąc napój malutkimi łyczkami.

– Moja babcia też robi wodę z malinami i pijemy ją, kiedy jest gorąco – pochwaliła się Eliza.

– To stara dobra szkoła. Gdy napój z malinami jest chłodny, dobrze chłodzi, gdy gorący, rozgrzewa – rzekła Felicja, moszcząc się na krześle stojącym u szczytu stołu.

– Cudownie jest na tej werandzie... Taki miły chłód, mimo że słońce dzisiaj mocno przygrzewa – powiedziała z uznaniem Anna.

– Ludzie zapominają o starych i najprostszych sposobach robienia cienia – rzekła Felicja, składając ręce na brzuchu. – Kiedyś ganki lub werandy najczęściej ocieniano winoroślami. One lubią i potrzebują słońca, ale przy okazji dają zdrowy, aromatyczny i lekko wilgotny cień. Ja jeszcze wsadzam w ziemię tuż przy werandzie albo w doniczki, lawendę i maciejkę, bo lubię, gdy wieczorem mieszają się zapachy.

– Muszę pomyśleć, czy też nie mogłabym zastosować gdzieś u siebie winorośli... – Anna zmarszczyła w zamyśleniu czoło.

– Moja zasada jest prosta. Dom jest dla mnie i robię wszystko tak, żeby mi się podobało i żebym czuła się w nim dobrze i wygodnie. Zresztą, jak widać, sąsiadów mam daleko, więc żadne spojrzenia zawistników ani wazeliniarzy mi nie grożą – Felicja uśmiechnęła się łobuzersko i wskazała ręką w kierunku wsi. – Co roku coś zmieniam, przestawiam, dobudowuję. Lubię zmiany. Kiedyś chciałam dużo podróżować, ale... – wyraz jej twarzy stał się nagle dziwnie poważny – ...najdalej byłam na pielgrzymce autobusowej w Częstochowie, no i po kilka razy w Bytowie, Kartuzach i Kościerzynie. Skoro więc sama nie podróżuję, to chcę, żeby ludzie przyjeżdżali do mnie. – Na jej twarzy ponownie pojawił się uśmiech. Felicja przywołała ręką szczupłą blond nastolatkę, która już dwukrotnie zaglądała do werandy.

– To jest Ewelinka... Przychodzi do mnie codziennie i pomaga mi sprzątać w domu, oporządzać kwatery dla gości i przy posiłkach w kuchni.

Ta dygnęła, powiedziała szybko: „Dzień dobry!” – zarumieniła się i błyskawicznie zniknęła wewnątrz domu.

– Proponuję teraz paniom spacer po wsi... – rzuciła Felicja i wstała, jakby dając znak, że spotkanie zapoznawcze skończone. Anna gestem głowy zgodziła się z jej sugestią.

– Marysia mi mówiła, że szuka pani u nas rozwiązania jakiejś zagadki sprzed wojny – rzekła Felicja jakby od niechcenia, spoglądając jednak przenikliwie na Annę.

– Tak, ale to jest dłuższa historia, więc jeśli pani będzie miała ochotę jej wysłuchać, to może po spacerze...

– Dobrze – przerwała jej Felicja. – My tu z Ewelinką szybko się zakręcimy przy pokojach dla pań, a potem przygotujemy południową kawkę. Czekam na panie za około półtorej godziny. – Zrobiła błyskawiczny obrót na pięcie, aż jej sukienka zafurkotała, i zniknęła w drzwiach domu.

– Śliczny dom, ciekawa gospodyni – powiedziała Anna po wyjściu za bramę. – A co wyście tak milczały?

– Patrzyłam, słuchałam... Tak ciekawie rozprawiałyście, że szkoda było się wtrącać – westchnęła Kaśka.

– No i była fajna lemoniada, chociaż z malin i bez cytryny – dorzuciła Eliza. – Mam nadzieję, że to nie ostatnia butelka.

– O Boże! I to wszystko?... – Anna spojrzała na córkę i wnuczkę z wyrzutem.

– Naprawdę nie wiem, co powiedzieć. Dziwnie się tutaj czuję, to znaczy dobrze. Aż za dobrze! Takie jakieś zobojętnienie – mówiła rozmarzonym głosem Kaśka. – Czas nie płynie, nic się nie dzieje, w ogóle nie myślę o samochodzie, o pracy. Wiesz, mamo, często jeżdżę po Polsce, ale to jest dopiero drugie miejsce – pierwsze to dworek Dziedziców – w którym mam poczucie, że to mógłby być mój dom. W takim sensie, że tam i tutaj mogłabym mieszkać. Chodzi o miejsce i ludzi. A przecież myśmy były u pani Felicji niespełna pół godziny!

– Mnie z kolei przypomniał się pewien obrazek z lat dziecinnych, a takie rzeczy przydarzają się tylko wówczas, kiedy jest mi dobrze, tak... domowo – Anna wolno cedziła słowa. – To była jakaś zima w połowie lat pięćdziesiątych i powroty do domu z pływalni na Wronieckiej. Przed wojną była tam bożnica żydowska, a Niemcy w czasie wojny zamienili ją na pływalnię i tak już potem zostało. Naprzeciwko niej był malutki prywatny sklepik, do którego wchodziliśmy całą paczką, zmęczeni po pływaniu. Każdy kupował sobie lemoniadę czy oranżadę i zagryzaliśmy ją suchą bułką. I tak było o każdej porze roku. Potem szliśmy powoli do tramwaju na Plac Wielkopolski. Chociaż dookoła w ciemności straszyły pozostałości ruin, ten okres wspominam miło. Mama czekała w domu z gorącą herbatą z plasterkiem cytryny... Było nam tak dobrze razem...

Eliza wyprzedziła Annę i Kaśkę i zatrzymała się przodem do nich.

– Czy wam Felicja coś wlała do szklaneczek? Może nie zauważyłam, ale musiała coś wlać, bo obie gadacie jak nakręcone. I obie na jedną nutę.

Ponownie stały na skraju wzgórza z widokiem na dolinę. Anna odsunęła lekko Elizę, postąpiła jeszcze trzy kroki i zatrzymała się. Zdjęła okulary, rozpuściła włosy, kilkakrotnie potrząsnęła głową na boki i pozwoliła ciepłemu wiatrowi swobodnie je przeczesywać. Patrzyła w dal.

– Chodźmy popytać mieszkańców wsi o pogorzelisko sprzed wojny – wróciła do rzeczywistości po kilku chwilach ciszy. – Przecież po to tu przyjechałyśmy, prawda?

Okazja trafiła się niebawem. Tuż przy wejściu pomiędzy zabudowania Parchowa Anna ujrzała przy jednym z domów kobietę. Podeszła do niej.

– Czy długo tu pani mieszka?

– Od początku lat sześćdziesiątych – odparła.

– A czy nie ma pani w rodzinie kogoś, kto pamięta okres przedwojenny?

– Teściowie byli przedwojenni, ale już nie żyją. A o co się rozchodzi?

– Szukam kogoś, kto widział lub słyszał coś o pożarze jakiegoś domostwa we wsi latem trzydziestego ósmego roku.

– A do czego to pani?

– No bo w trzydziestym ósmym roku moi rodzice jechali przez Parchowo... – I opowiedziała w skrócie historię w wersji przedstawionej wczorajszego wieczora Marysi.

– O, pani! Tutaj aż do przystanku nikt taki się nie znajdzie. Przed przystankiem w prawo idzie droga na Naklę i tam w domu po prawej mieszka taki jeszcze przedwojenny dziadek. Może on coś będzie pamiętał.

Ruszyły dalej, przyglądając się kolejnym obejściom. Obok parkingu przed ZOZ–em bałagan prezentował się jeszcze okazalej niż poprzednio. Teraz na kupie piachu, dużo wyższej niż przed godziną, leżały jakieś metalowe kawałki rury i porozrzucane śruby. Strzegły ich wbite w piach dwie łopaty. Nie było jednak nikogo. Tylko gdzieś z góry dochodziły głośne męskie krzyki.

– O, słyszę tam pana Stacha – Eliza nadstawiła ucha. – Krzyczy na kogoś, że gówno przywiózł, nie nakrętki.

– Eliza, czy ty musisz?...

– Mamo, ja tylko cytowałam! O, teraz krzyknął, że ma w dupie...

– Eliza!

– ...taką pomoc!

Dochodziło południe. Słońce wisiało nad Parchowem, topiąc asfalt, zwijając liście na drzewach w rurki i powodując błyskawiczne znikanie resztek kałuż po wczorajszej burzy. Anna z Kaśką szły lewą stroną drogi, Eliza musiała jak zwykle się wyróżniać i szła po prawej. Nagle zniknęła, a po chwili jej dźwięczny krzyk oznajmił donośnie:

– To jest Urząd Gminy! – Stała przed tablicą ogłoszeniową, lewą ręką wskazując budynek znajdujący się od niej o kilkanaście metrów.

Zza zakrętu wytoczył się, ciężko dysząc, autobus. Na tabliczce widniał napis: Bytów – Gdynia. Wszystkie trzy odprowadziły go wzrokiem. Zatrzymał się na przystanku przy ich wczorajszej pechowej wysepce.

– Właśnie! – Kaśka krzyknęła i uderzyła się lekko dłonią w czoło. – Córcia! Musimy zobaczyć, o której odchodzą autobusy do Gdyni! – Eliza odpowiedziała skinięciem głowy. Ktoś z autobusu wysiadł, ktoś do niego wsiadł i po chwili głośniejsza praca silnika oznajmiła, że ruszył on w dalszą podróż do Gdyni.

Eliza szła dalej prawą stroną szosy i przyglądała się mijanym domostwom.

– O, a tutaj urzęduje sołtys! – Anna i Kaśka znowu usłyszały jej dźwięczny okrzyk i spojrzały na nią z rozbawieniem.

– Elizka, nie krzycz tak, bo nas tutaj wezmą za dzikusów z Poznania!

– To gdzieś niedaleko ma mieszkać ten przedwojenny dziadek, jak powiedziała nam tamta kobieta. – Anna wskazała ręką na zielony drogowskaz z napisem Nakla.

Eliza tymczasem już stała na przystanku i wczytywała się w rozkład jazdy.

– Mamuś! Dzisiaj jedzie jeszcze tylko jeden autobus do Gdyni! O szesnastej! A potem juz tylko do Gdańska i Kartuz! – Eliza rozłożyła ręce ze zdziwienia.

Kaśka po chwili stała obok niej. Sprawdzała.

– Rzeczywiście. Dopytamy jeszcze babci Felicji. A jeśli to jest prawda, trudno, pojedziesz nim – powiedziała sztucznie smutnym głosem i przytuliła córkę, która na moment przeobraziła się w małą zagubioną dziewczynkę.

– Damy radę! Głowa do góry! – Eliza cmoknęła mamę w policzek i obie roześmiały się głośno.

Anna, nie czekając na nie, skręciła już na drogę w kierunku Nakli. Stała teraz w odległości około trzydziestu metrów od nich i rozmawiała przez płot z jakimś mężczyzną. Gdy znalazły się przy niej, podekscytowana wskazała im następne obejście.

– To tamten dom – zakomunikowała ściszonym głosem, jakby chciała przekazać jakąś ważną tajemnicę, o której nikt nie powinien się dowiedzieć.

– No, to idziemy! – rzuciła Eliza i ruszyła we wskazanym przez Annę kierunku.

– Poczekaj… – Anna poprawiała fryzurę i okulary na włosach. Eliza zatrzymała się karnie.

– Babciu, tylko nie łap się czasem za szminkę.

– Tak nie uchodzi, muszę! – Anna jednak wyciągnęła szminkę i lusterko z małej torebki, po czym starannie poprawiła kolor na ustach.

– Teraz jestem gotowa. Idziemy!

Gdy nacisnęła klamkę furtki, z domu wyszła niemłoda już kobieta.

– A pani do kogo?

Anna pokrótce wyjaśniła jej powód swojej wizyty.

– Tak, to mój ojciec. Jest w domu. Nie czuje się najlepiej, ale spytam go, czy wyjdzie na chwilę. Proszę poczekać na ławeczce.

Po kilku minutach w drzwiach pokazał się wąsaty mężczyzna w podeszłym wieku, w szarym znoszonym ubraniu i czapce z daszkiem. Szedł wolno, podpierając się laską. Ostrożnie stąpał po schodach, podtrzymywany przez córkę. Usiadł na wygodnym drewnianym krześle z oparciami, przysuniętym do ściany domu, laskę postawił między nogami i wsparł się na niej dłońmi. Odetchnął kilka razy głęboko, aż zaświszczało w płucach, i zaczesał wąsy palcami na boki.

– Jestem Feliks Kiedrowski. A która to z was chce się dowiedzieć o pożarze przed wojną? I dlaczego? – Wyciągnął z wewnętrznej kieszeni marynarki malutkie kolorowe pudełeczko.

– Gdzie tata to znowu znalazł? – syknęła w jego kierunku córka. – Lekarz przecież mówił, że tacie teraz to mocno szkodzi!

– Chłop, który nie tabaczy, nic nie znaczy* – mruknął drżącym głosem Kiedrowski.

Otworzył wieczko, ujął palcami prawej ręki szczyptę tabaki, wysypał ją na wierzch lewej dłoni obok kciuka, podniósł do nosa, wciągnął trochę proszku jedną dziurką, a pozostałość drugą. Przy tym spoglądał na siedzące przed nim na ławce kobiety.

Anna, Kaśka i Eliza śledziły z zaciekawieniem spektakl zażywania tabaki, jaki zaprezentował im dziadek Feliks. Czegoś takiego nigdy jeszcze nie widziały.

– To pani pewnie jest ta ciekawska? – Feliks Kiedrowski wbił wzrok w Annę.

Niespeszony obecnością trzech przyjezdnych kobiet, wyciągnął chusteczkę i zaczął głośno wycierać nos. Gdy się uspokoił, Anna zabrała się do opowiadania historii w wersji przekazanej wczoraj Marysi. Słuchał, pochylony lekko do przodu, oparty dłońmi o laskę, wpatrując

---

* Powiedzenie kaszubskie.

się w Annę z uwagą i przymykając od czasu do czasu oczy.

– Aha, i to pani jest tym niemowlakiem z samochodu?! Felcia nam o tym opowiadała. Ja miałem w trzydziestym ósmym roku czternaście lat, a ona osiem. Z takimi małymi dziewuchami się nie zadawałem, ale wtedy po tej tragedii u jej sąsiadów ja i inni chłopcy gadaliśmy z nią. Ona przy tym wszystkim była najbliżej. To było dwudziestego drugiego lipca. Bronek Zalewski – gospodarz, po tym jak piorun w czasie burzy uderzył w ich stodołę, aż zapaliła się i od tego spłonęło całe gospodarstwo, zginął w stajni, a na polu spaliła się jego malutka, prawie roczna córeczka. Księżycowa Felcia opowiadała, że była wtedy z nią na spacerze. Strasznie płakała wiele dni po pożarze i ciągle mówiła, że to z jej winy oni poszli na pola. Sama też była poparzona od płonących zbóż, ale lekko. Matka tej malutkiej, co to się spaliła w tym zbożu, wyjechała ze zgryzoty do Ameryki.

Anna czuła, że brakuje jej tchu. Ścisnęła silnie dłonie Kaśki i Elizy, siedzących po jej bokach.

– O jakiej księżycowej Felci pan mówi?

– O Felci Skierce! A czemu ona księżycowa, to pani może sama jej spytać. Ona teraz ma gospodarstwo agroturystyczne, o tam, na końcu wsi, jak szosa idzie na Bytów – pokazał laską. – A na ziemi Zalewskich, co to wtedy byli ich sąsiadami, nikt teraz nie gospodarzy. Ona nie dała wykupić ich ziemi.

– Myśmy się właśnie u niej zatrzymały...

– No, to po co pani przyszła do mnie? Nie trza było jej się wypytać o wszystko? – żachnął się dziadek Feliks, wziął nerwowo kilka głębokich oddechów, po których tak jak wcześniej zaświszczało mu w płucach.

– Widziałyśmy się tylko kilkanaście minut. Poradziła nam, żebyśmy się przeszły po wsi, bo musi nam przygotować pokoje.

– No, ale ja już więcej nic nie powiem, bo jakby się dowiedziała, że coś pani mówiłem, to by mi szyby w oknach powybijała. Taka ona jest. „To jest moja tragedia i nikomu nic do tego!" Tak zawsze mówiła. Dziwna baba. Jak się ludzie po wojnie chcieli złożyć na pomnik Bronka Zalewskiego, nie zgodziła się, sama za niego zapłaciła.

Dziadek Feliks powtórnie wyciągnął pudełeczko z tabaką. Zażył jej. Pocierał nos chusteczką i podmuchiwał w nią. Na przemian mrużył oczy i otwierał je. Po dłuższej chwili milczenia wrócił do opowiadania.

– Ja wtedy poznałem takiego chłopaka z Gdyni, co to z matką i siostrą do Zalewskich na wakacje przyjechali. Tadziu Kuszer mu było. On to wtedy z Felcią i z tą malutką poszedł na ten spacer. Próbował je ratować, ale... – Machnął ręką, umilkł i dmuchnął w chusteczkę. – Fajny był z niego *kamrôt*. Wieczorami graliśmy w piłkę albo chodziliśmy do Mausza się kąpać. Wspaniale pływał, najlepiej z nas. Nie zadzierał nosa, chociaż był z miasta. Fajne rzeczy nam opowiadał. Do dziś wszystko pamiętam. O morzu, o porcie w Gdyni, o statkach, o plaży, o tenisie i mistrzach, którym podawał piłki na kortach, o wyścigach motocyklowych, o kinach i filmach, o mistrzu zapasów Cyganiewiczu i o Czarnej Masce. Oni mieszkali w takim pensjonacie „Villa Rosa" na ulicy Matejki. Opowiadał, że niedaleko nich jest dużo podobnych pensjonatów. O, tutaj stała ta ich „Villa Rosa", tutaj „Gozdawianka", trochę dalej „Prus", na górce „Sorrento", dalej „Różany Gaj", „Nasz brzeg" i inne. Przed nimi był stadion miejski i te jego korty tenisowe, no i jeszcze Polanka

Redłowska... – Dziadek Feliks rysował laską ulice, zaznaczał wskazane miejsca. – Obiecał, że kiedyś zaprosi mnie do Gdyni, żebym to wszystko zobaczył na własne oczy. Jego mama się zgodziła, dowiedziałem się o tym dopiero po pożarze. Mieli mi o tym powiedzieć na moje imieniny dwudziestego dziewiątego lipca – taki miałem dostać prezent. Ale to nigdy się nie spełniło, bo oni zaraz po pożarze i pogrzebie Bronka Zalewskiego wrócili do siebie i już nigdy tu nie przyjechali. Szkoda. Nigdy w Gdyni nie byłem, a wtedy mogłem! – Ostatnie słowa dziadek Feliks wypowiedział łamiącym się głosem, wyciągnął chusteczkę, którą przetarł wilgotne oczy, a potem mocno w nią smarknął.

– Smutna historia... – Anna też się wzruszyła.

Kaśka i Eliza siedziały obok niej zasłuchane i nieruchome jak dwa małe pisklaki pod skrzydłami kwoki. Zamiast one ją pocieszać, Anna sama, od czasu do czasu, to jedną, to drugą głaskała po ręce.

– Ale nie rozumiem, jak to możliwe, że takie szczegóły pan zapamiętał, choć nigdy nie był w Gdyni – dodała po chwili.

– My wiejscy umiemy pamiętać. – Spojrzał na Annę przenikliwie, lekko się uśmiechając. – Kazałem mu wiele razy rysować, o tu, na naszym podwórzu, to wszystko, co zobaczę w Gdyni, no i stąd pamiętam. Jeszcze inne rzeczy bym sobie przypomniał, ale nie będę zawracał tym pani głowy...

Po chwili milczenia smarknął w chusteczkę, uśmiechnął się do Anny i rzekł:

– Z naszej paczki z trzydziestego ósmego roku żyje oprócz mnie jeszcze tylko dwóch chłopaków. Ja się najlepiej z nich trzymam – wyprostował się. – Żaden z nich nie mieszka tu teraz. A Tadzio... – głos znowu uwiązł mu w gardle – ... szkoda, że więcej go nie widziałem. Wtedy mi powiedział, że jestem jego przyjacielem. Może dlatego, że mu pokazałem, jak się macha kosą, jak podaje na furę snopki siana i jak się koniem powozi z fury. Nigdy w życiu już nie miałem innego przyjaciela, tylko wtedy, te kilka dni! Szczescé biwô rzôdczé*... – Znowu chusteczka dziadka Feliksa poszła w ruch.

Zapadła cisza. Po chwili dziadek Feliks zamrugał oczami, ziewnął, kiwnął się do przodu, a potem do tyłu, znowu do przodu, i znowu do tyłu, aż oparł się plecami o oparcie krzesła. Mrugał jeszcze chwilę oczami, ale nie miał już siły ich otworzyć. Czapka zsunęła mu się na kolana. Jedna ręka spadła z laski, druga walczyła jeszcze o jej równowagę, ale też nie dała rady. Laska upadła cicho na trawę, a dłonie starego Feliksa na kolana. Mlasnął jeszcze głośno raz i drugi i zasnął z przekrzywioną na bok głową, cicho poświstując.

– Tatuś zaraz powinien wziąć lekarstwa – odezwała się szeptem córka. – Przepraszam, ale muszą już panie pójść, bo on co najmniej kilkanaście minut będzie drzemał. Aż ścierpnie. Wtedy zaprowadzę go do domu.

– Do widzenia! Proszę tatę pozdrowić i podziękować mu za tę opowieść – odpowiedziała szeptem Anna.

Szły wolno w milczeniu w kierunku centrum wsi.

– Co za historia. To Felicja Skierka wie wszystko!? Co i jak, babciu, teraz jej opowiesz? – pierwsza nie wytrzymała Eliza.

– Jeszcze nie wiem, myślę! No i teraz dopiero mam problem! Zanim wrócimy do Felicji, pójdźmy na

---

* Szczęście rzadko się trafia – powiedzenie w języku kaszubskim.

chwilę na cmentarz za kościołem. Może uda nam się tam znaleźć grób z pochówkiem z trzydziestego ósmego roku z nazwiskiem Zalewski?! – Na twarzy Anny rysowało się skupienie.

Przeszły przez skrzyżowanie obok przystanku autobusowego, a potem wzdłuż sklepu. Szły wolno w kierunku kościoła, na którego tyłach znajdował się cmentarz.

– Rozdzielmy się i niech każda sprawdzi część cmentarza. Może znajdziemy ten grób. Ja będę szukała od prawej strony do tej alejki – poprosiła cicho Anna i wolnym krokiem ruszyła pomiędzy groby.

Kaśka wybrała część środkową, Eliza – zachodnią. Po kilku chwilach trzy kobiety przemieszczały się już wolno między grobami, od czasu do czasu spoglądając jedna na drugą. Ponadstuletnie dęby szumiały nad ich głowami. Cisza przerywana była tylko sporadycznie głośniejszym odgłosem samochodu albo szczekaniem psa. Nagle rozległo się kilkukrotne klaśnięcie w dłonie. Anna i Kaśka spojrzały w kierunku, skąd dochodziło. Eliza podskakiwała i machała rękoma.

– Tutaj! – zawołała zduszonym głosem. – Tutaj! – powtórzyła.

Po kilku chwilach wszystkie trzy przyglądały się niewielkiemu grobowi. Był skromny, ale zadbany. Płyta nagrobna wykonana z szarego granitu, u wezgłowia takaż tablica z niewielkim krzyżem. Na niej znajdowała się prosta inskrypcja w trzech rzędach, wypisana czarnymi literami:

BRONISŁAW ZALEWSKI
ur. 15 I 1904 r. ÷ zm. 22 VII 1938 r.
Proszę o „Zdrowaś Maryjo"

Pod krzyżem stał wazonik ze świeżymi polnymi kwiatami, obok którego palił się czerwony znicz w kształcie serca. Anna szeroko otwartymi oczami wpatrywała się w napis, przyciskając prawą rękę do serca.

– Boże, jeśli to wszystko prawda, to tutaj spoczywa mój ojciec! – Przygarnęła do siebie córkę i wnuczkę. Łzy spływały jej po policzkach.

Trwały w tym uścisku dłuższą chwilę. Kaśka z niepokojem patrzyła na matkę, bo to był już drugi dzień wielkich emocji, których ta doznawała.

– Dobrze, że tu przyszłyśmy. Wiem już prawie wszystko. Wracajmy do Felicji, bo muszę pilnie z nią porozmawiać.

Po kilkunastu minutach wchodziły na werandę Felicji Skierki.

– A już myślałam, że panie poszły do Parchowskiego Młyna! Zeszło wam ze dwie godziny. Dobrze, że czekałam z zaparzeniem kawy. Po turecku czy rozpuszczalna? – Felicja szerokim gestem zapraszała do stołu.

Stół przystrojony był serwetkami z kaszubskim haftem. Pośrodku stały dwa kopiaste talerze z pokrojonym ciastem, talerzyki i śmietanka.

– Bardzo proszę. Wszystko własnej roboty – zachęcała Felicja.

Kobiety zabieliły sobie kawę i smakowały ciasto. Felicja z zadowoleniem spoglądała na Elizę, co rusz oblizującą palce.

– Pani Felicjo, muszę coś pani opowiedzieć. Będzie to historia z trzydziestego ósmego roku – Annie załamał się głos. Felicja spojrzała na nią badawczo, zatrzymując w powietrzu rękę z filiżanką. – Właściwie opowie to moja córka Kasia, bo czuję, że gardło odmawia mi posłuszeństwa. Kasiu, opowiedz dokładnie, tak jak opowiadałam wczoraj pani Marysi.

Kaśka, chcąc nie chcąc, zaczęła przedstawiać opis zdarzeń sprzed wojny w wersji obowiązującej od wczorajszego wieczoru. Pilnowała, żeby czegoś nie pokręcić, lecz czuła, że gdyby coś takiego się zdarzyło, mama zaraz by jej przerwała.

Felicja w miarę upływu opowiadania coraz bardziej wbijała się w swoje krzesło. Zagryzała wargi, a złożone na kolanach dłonie zaciskała z całej siły. Kostki palców od ucisku były zupełnie białe – bez krwi, za to koniuszki palców aż purpurowe od niej. Słuchała Kaśki, wpatrzona w Annę.

– Jutka! Tak! – odezwała się dziwnym głosem, gdy Kaśka skończyła. – Do dziś pamiętam to imię. Jej mąż tak się do niej zwracał. Takiego imienia już nigdy więcej nie słyszałam! Ona była taka śliczna i blada. Jak usłyszała, co tu się stało, omal nie zemdlała. To na pewno była bardzo dobra i wrażliwa kobieta. Tylko niektórzy potrafią tak się przejąć czyjąś tragedią. To pani jest jej córką, tą dziewczynką z samochodu?!

– Tak. Mój ojciec zginął zaraz na początku drugiej wojny. Potem żyłyśmy same z mamą... Mama zmarła wiosną osiemdziesiątego drugiego roku.

W ciszy, która zapadła, słychać było tylko brzęczenie owadów i szum samolotów przecinających parchowskie niebo. Felicja wyprostowała się i wyzwoliła ręce z ucisku. Znowu przyglądała się długo i uważnie Annie, potem wzrok przeniosła na jej córkę i wnuczkę. Wstała i podeszła do schodków werandy.

– Nikt nigdy nie pytał o to miejsce – Felicja wskazała w kierunku lasu. – Ale ja zawsze łudziłam się, że kiedyś to się musi stać. I doczekałam się. To tam pod lasem były zabudowania Zalewskich. W trawach, pomiędzy brzózkami, można dojrzeć jeszcze resztki budynków... – Wróciła powoli do swojego krzesła i ciężko na nie opadła.

Ponownie zapadła cisza. Anna siedziała bez ruchu. Czuła, że serce wali jej jak opętane. Felicja spoglądała gdzieś daleko przed siebie. Po kilku chwilach zaczęła cicho mówić:

– Tak naprawdę Basia zginęła z mojej winy. Mieliśmy z nią chodzić koło domu, to znaczy Tadzio i ja. Tadzio był synem letniczki z Gdyni. Oni spędzali wtedy wakacje u Zalewskich. Ale ja uparłam się, żeby iść nad staw z Basią w wózku, a mnie wszyscy zawsze ulegali. I Tadzio też. I wtedy przyszła nagła, okropna burza. Najpierw jeden piorun, potem drugi i ogromna ulewa z wiatrem. I grad! Prawdziwa nawałnica. A potem pożar. Wszystko wokół się paliło. Tadzio próbował nas obie ratować, ale nie dał rady. Najpierw podciągnął wózek w bezpieczne miejsce – tak mu się wydawało, a potem mnie ze skręconą nogą wyniósł z płonących zbóż. W tym czasie wózek przy jakimś mocnym podmuchu wiatru musiał stoczyć się ze wzgórza w dół, prosto w ogień. Tadzio próbował tam jeszcze biec, ratować, ale zaczadzony i poparzony padł na tej dróżce, co idzie do stawu. Ja zemdlałam z bólu, wysiłku i poparzeń, i więcej nic nie pamiętałam. Szukano Basieńki, ale znaleziono tylko pusty osmalony wózek przy stawie! Ona musiała wylecieć z tego wózka gdzieś w pole... Nie znaleziono po niej nawet śladu, ale to była taka kruszyna, to i nie dziwota! – Twarz Felicji wykrzywił grymas bólu. – Ile ja się przez to napłakałam. Ciągle obraz tego piekła stoi mi przed oczami. Mam pokutę na całe życie! – wykrzyknęła w końcu łamiącym się głosem.

Ostatnia część opowieści Felicji zgadzała się Annie z opisem mamy Jutki. Poczuła się bardzo słabo. A do tego jeszcze przed chwilą opowiedziała Felicji zmyśloną historię o ojcu. Serce oszalało i nie chciało zwolnić.

– Pani Felicjo! Chyba wypiłam za mocną kawę, a dzisiaj jeszcze taki upał. Pójdę na chwilę się położyć – powiedziała Anna przepraszającym tonem.

– Ewelinka! –krzyknęła Felicja. – A ile ty tej kawy wsypałaś do filiżanek?

– Tyle co zwykle, po dwie łyżeczki!

– Tyle to się sypie do szklanek, albo dla takiej szkapy jak ja, a nie dla damy jak pani Anna! – Felicja znowu huknęła w kierunku Ewelinki. – Idź, pokaż teraz pani Annie jej pokój, a potem oprowadzisz młode panie po gospodarstwie! Ja idę szykować obiad. Zapraszam panie na piętnastą. Normalnie obiady są o czternastej, ale dzisiaj będzie wyjątkowo później, bo przyjeżdżają moi najulubieńsi i najstarsi letnicy. Usprawiedliwiali się już telefonicznie, a dla nich jestem gotowa zmienić nawet godziny posiłków. Chociaż to nie jest wcale takie zdrowe! – Felicja znowu była sobą.

*

Obiad minął w miłym nastroju. Goście, o których wspomniała Felicja – państwo Gulewscy z Łodzi, okazali się miłym małżeństwem tuż przed emeryturą. Zaraz po przyjeździe przebrali się w takie same krótkie spodenki koloru khaki z nieprawdopodobną ilością kieszeni, błękitne bawełniane koszulki z kołnierzykami i brązowe sandały. Na nim spodenki i koszulka wisiały jak na wieszaku, ona wylewała się ze swojego kompleciku, nic sobie z tego nie robiąc. Gdy Felicja przedstawiła sobie gości, Gulewscy przekrzykując się nawzajem, natychmiast zaproponowali mówienie sobie po imieniu. Pan Artur wygłosił przy kompocie stosowną mowę na okoliczność zapoznania, puentując:

– Przyjaciele naszej kochanej Felci są naszymi przyjaciółmi.

Gdy zbliżała się szesnasta, Kaśka nagle oprzytomniała.

– Elizka! Za niecałe pół godziny masz autobus. Jeszcze musisz się przepakować!

– Już dawno jestem gotowa!

– Ale kiedy to zdążyłaś zrobić?

– W tak zwanym międzyczasie! – Eliza uśmiechnęła się radośnie do mamy, potrząsając kasztanoworudą czupryną.

*

Po kolacji Felicja zaproponowała Annie i Kaśce spacer najpierw na resztki starego pogorzeliska w miejscu zabudowań Zalewskich, a potem nad staw. Promienie wolno zachodzącego słońca ciągle mocno grzały. Świerszcze już zaczęły swoje wieczorne koncerty, a inne owady nie skończyły jeszcze baraszkować na łąkowych kwiatach. Felicja szła wolno przez wysokie trawy w kierunku lasu. Pokazała pozostałości fundamentów poszczególnych budynków. Anna poprosiła, aby dokładnie powiedziała, gdzie stały jakie zabudowania. Po chwili skierowała się sama w stronę miejsca, gdzie była kiedyś stajnia. Spoglądała na ziemię i kiwała głową. Po chwili przemieściła się na miejsce, gdzie stał dom mieszkalny, i znowu wpatrywała się w ziemię. Kaśka spoglądała na matkę z niepokojem, a Felicja nie kryła wzruszenia.

– Po tych resztkach widzicie, że to było duże gospodarstwo – podsumowała, gdy Anna ponownie do nich dołączyła. – Jak jeszcze gospodarzyli moi rodzice, to pozwalali ludziom zabierać stąd kamienie, cegły. Kiedy nastały moje rządy, skończyło się! Nie pozwalam. Dla mnie to jest święte miejsce.

Anna i Kaśka ze zrozumieniem kiwały głowami. Kiedy zeszły ze wzgórza nad staw, Felicja wskazała na stojącą przy brzegu wygodną ławkę z oparciem.

– To miejsce to taka moja świątynia dumania. Tutaj przychodzę rozmawiać sama ze sobą, gdy muszę sobie coś przemyśleć.

Gdy usiadły na ławce, Felicja podjęła przerwaną podczas południowej kawy opowieść.

– Bronek i Krysia tak się kochali… no, tak filmowo. On ją na rękach nosił. Zupełnie jak nie wsiowi. Ona niewysoka, nosek w piegach, po trzydziestce, ale taka dziewczęca. On z kolei silnej postury, ale chodząca łagodność. Trochę w tym był podobny do mojego ojca. Bronek niedługo po tym, jak się tu wprowadzili, wyleczył bociana, co u nich założył gniazdo, a potem go wielu czynności nauczył. Bocian jadł mu z ręki, no i od Krysi też. Przylatywał na zawołanie. Bocianica nie była taka ufna. Bronek je nazwał Lolek i Zuza… – Felicja na chwilę zawiesiła głos. – Wiecie panie, że to są bardzo inteligentne ptaki, które dziedziczą mądrość po rodzicach w genach? Przylatują w to samo miejsce, dokąd kiedyś przylatywali ich rodzice. W genach też przekazują sobie mapy przelotów. Czytałam o tym, bo mnie zaciekawiło. Teraz u nas od kilku lat jest ciągle ta sama para bocianów i bocian też je z ręki. Pewnie potomkowie tego bociana, którego Bronek Zalewski przyuczył.

Felcia wróciła do zasadniczego wątku swojej opowieści.

– Kiedy zobaczyłam Basię po raz pierwszy, zaczęła za mną wodzić oczkami, złapała mnie za wskazujący paluszek i spoglądała mi prosto w oczy. Nie chciałam palca wyszarpywać, a ona wcale nie miała zamiaru go puścić. Coś tam gulgotała do mnie i cały czas się uśmiechała. Zakochałam się w niej, kilku godzin bez niej nie mogłam wytrzymać. Chodziłam z nią na spacery, pomagałam w kąpaniu. Basia miała na pleckach taką śmieszną plamkę w kształcie serduszka – przerwała opowieść i zaczęła płakać.

Annie serce podeszło do gardła. Boże, plamka w kształcie serduszka!

– Pani Felicjo, przepraszam, ale dalej czuję się nieszczególnie. Chciałabym już wrócić i położyć się wcześniej. Dziękuję za wszystkie opowieści i jeszcze raz przepraszam! Jutro, gdy poczuję się lepiej, znowu porozmawiamy. Może tutaj, w pani świątyni dumania? – Wycałowała serdecznie zaskoczoną Felicję.

Gdy wróciły do „Iskierki", a Anna poszła już na górę, Kaśka próbowała jeszcze dla podtrzymania rozmowy pogadać z Felicją o czymkolwiek. Dostrzegła jednak, że Felicja też jest dziwnie zadumana i rozmawia z nią tylko z grzeczności. Po kilkunastu minutach takiej niby rozmowy życzyła Felicji dobrej nocy i poszła do siebie. Oparła się o parapet otwartego na oścież okna, by pooddychać wieczornym powietrzem, i wtedy kątem oka zauważyła mamę na balkonie nad werandą. Siedziała głęboko wciśnięta w fotel, z opuszczoną głową.

Azymut Gdynia

$\mathcal{P}$odróż Elizy do Gdyni minęła spokojnie. No, je-śli nie liczyć prób poderwania jej przez jednego z dwóch chłopaków objuczonych dziwnym sprzętem, którzy wsiedli do autobusu w Węsiorach. Spoczęli na sąsiednim siedzeniu i głośno rozprawiali o jakichś kamiennych kręgach. Ponieważ trudno było nie usłyszeć, o czym rozmawiają, grzecznie spytała ich, co w tych kamieniach jest takiego interesującego.

– Nic nie wiesz o węsiorskich kamiennych kręgach? To skąd ty jesteś? – zdziwił się szatyn o powłóczystym spojrzeniu.

Eliza przyznała się, że jest z Poznania i jedzie na Uniwersytet Gdański na egzamin, a w zasadzie na rozmowę kwalifikacyjną... no i zaczęło się.

– No, to będziemy studiować na jednej uczelni! – krzyknęli obaj prawie jednocześnie.

Jeden przez drugiego zaczęli tokować, że są studentami geografii, już po drugim roku, czyli w zasadzie na trzecim – gdyby nie warunkowe egzaminy, które obaj mają we wrześniu z hydrologii.

– Wiesz, taki egzamin warunkowy to betka i zwykła formalność, i nie ma się czym przejmować! No, na pierwszym roku to poważna sprawa, ale na drugim to już jest najczęściej element specjalnej taktyki – z nutą przechwałki zauważył rumiany blondyn, Kuba z Kościerzyny.

Znowu na przemian zaczęli opowiadać o zasadach studenckiej taktyki polegającej na odpuszczaniu egzaminów czy też zaliczeń z pewnych przedmiotów za cenę przygotowania się do innych. Dotąd Eliza uważała, że do wszystkich egzaminów, ile by ich nie było, trzeba się zawsze przygotowywać z równą starannością. Żeby nie wyjść na zacofaną, nie próbowała o tym dyskutować, zwłaszcza że jej jedyne dotychczasowe życiowe doświadczenie w tej konkurencji to egzaminy maturalne.

– No dobrze, a te kamienne kręgi? – upomniała się, bo ciągle ją to intrygowało, a rozmowa poszła obok.

– Aha, właśnie! Nad jeziorem Długim, obok Węsior, są cztery kamienne kręgi, których budowę przypisuje się Gotom... – rozpoczął swoją opowieść Aleks z Gdyni, od czasu do czasu omiatając Elizę swoim powłóczystym spojrzeniem.

Tuż za Kartuzami Aleks zaproponował, że zaprowadzi ją na Kamienną Górę, chociaż nie do końca jest mu to po drodze, bo mieszka na Karwinach. A potem rozochocił się jeszcze bardziej i zaproponował Elizie spacer zapoznawczy z Gdynią *by night*! Eliza czuła na całym swoim ciele jego długie ciemne rzęsy, którymi omiatał ją wzdłuż i poprzek. Mimo iż ten aksamitny dotyk rzęs sprawiał jej nawet pewną przyjemność, podziękowała mu za dobre chęci, wymawiając się potrzebą skupienia przed jutrzejszymi rozmowami.

Prawdziwym powodem, choć niewyartykułowanym głośno, były nieopatrznie wypowiedziane przez niego słowa: „chociaż nie do końca jest mi to po drodze!". One go właśnie w jej oczach zdyskwalifikowały. No bo albo się podrywa i umawia na poważnie i z ochotą, albo robi coś z łaski! Szkoda, myślała z żalem, bo fajny z niego gość i mógłby być od października, choćby na początek, przewodnikiem po Gdyni. I do tego facet z polotem, a takich nie ma wielu!

Tuż za Borucinem, po kilkunastu minutach wspólnej jazdy, Aleks nagle, ni stąd ni zowąd, podszedł do kierowcy, coś tam z nim poszeptał i potem autobus najpierw stanął na trzy minuty na Złotej Górze, żeby ona, Eliza, mogła poobserwować Wieżycę i fragment Raduńskiego Kółka, a potem przedefilował dla niej wolniutko wokół rynku w Kartuzach, żeby sobie popatrzyła na tę perłę Kaszub.

Kuba konspiracyjnym szeptem spytał wtedy Aleksa, ile to go kosztowało, a ten pokazał mu ukradkiem dwa palce. Domyśliła się, że chodziło o dwadzieścia złotych. Czyli facet szarmancki i z gestem.

Żałowała więc, że tak głupio się odezwał i tym samym przekreślił u niej swoje szanse – przynajmniej na dzisiaj.

Wymieniła się jednak z chłopakami numerami telefonów, bo mimo że Aleks dzisiaj jej podpadł, to nigdy nie wiadomo, co się jeszcze może wydarzyć.

W Gdyni dzięki instrukcjom i małemu szkicowi, jaki Aleks dla niej zrobił, szybko trafiła na kwaterę. Trochę się zasapała, bo było ponad kilometr od dworca autobusowego. Do tego ostatni odcinek wiódł po schodach w górę, a torbę miała ciężką i niewygodną. Plecak na pewno byłby lepszy, tyle że nie zabrała go z Poznania. Ale awarii samochodu też przecież nie było w planie!

Wynajęta kwatera mieściła się na szczycie Kamiennej Góry. Ładna willa i mili gospodarze – starsi państwo.

– Ale trzeba będzie niestety zapłacić za trzy osoby! Sama panienka rozumie, mogliśmy przecież komu innemu wynająć, a nie możemy być stratni – powiedziała starsza pani z lekkim zażenowaniem i przyciszając głos.

Rozumiała, bo to już dzisiaj z samego rana mama z nimi ustaliła, ale widziała też, że starszej pani to dalej sprawiało pewną przykrość. Chociaż z drugiej strony, tak po poznańsku, Elizie żal było pieniędzy płaconych za nic. Ale z „trzeciej strony", jak mawiał Tewje Mleczarz ze *Skrzypka na dachu*, rozumiała też ich podejście.

Miała dzięki temu tylko dla siebie dwa pokoje, trzy miejsca do spania, kuchnię, łazienkę i taras. No i właśnie ten taras, z widokiem na Zatokę Gdańską, zauroczył ją najbardziej. Kiedy jeszcze na parapecie odkryła lornetkę, która jakby na nią czekała, nie mogła się od niej oderwać. Oglądała z zaciekawieniem port handlowy i marinę jachtową, Skwer Kościuszki z budynkiem Akwarium, w którym była przed laty, fragmenty plaży i bulwaru. Daleko na wprost wyłaniały się z wody zabudowania na Półwyspie Helskim, a po prawej, na horyzoncie, portu w Gdańsku.

Podziwianie widoków przerwane zostało nagle głośnym pukaniem do drzwi. Gospodyni zapraszała na kolację. W saloniku na dole czekały na nią trzy nakrycia i tyleż porcji. Kochani gospodarze. Zapłacone za trzy osoby, więc nakryte na tyle samo! Postanowiła zatem nie hamować się i zrobiła sobie obżarstwo na całego.

*

Poranek w Gdyni wstał pogodny. Od morza wiała lekka bryza, na niebie tylko niewielkie cirrusy, wszystko to zapowiadało piękny dzień. Eliza obudziła się wcześniej niż zwykle. Czuła się nadspodziewanie wypoczęta i miała nieodparte wrażenie, że jest na wczasach.

Żeby go szybko nie zatrzeć, wyszła na krótki spacer--jogging w kierunku krzyża na szczycie Kamiennej Góry. Rozkoszowała się świeżym morskim powietrzem. Chwilę powymachiwała szczupłymi ramionkami, pokręciła głową, wykonała kilka skłonów i podskoków. Po powrocie był długi prysznic, kosmetyka i śniadanko. Nie czuła żadnego stresu. Dopiero gdy próbowała dopiąć i tak normalnie obcisłe spodnie, poczuła, że coś jest nie tak. Upss! Żeby mi tylko nie trachnęły podczas rozmowy kwalifikacyjnej! Z kolacyjką i śniadankiem jednak troszkę przesadziłam. No i tego dobra porosło chyba więcej niż potrzeba, pomyślała.

Kilkaset metrów, jakie dzieliły ją od kompleksu wydziału biologii Uniwersytetu Gdańskiego, pokonała nie wiedzieć kiedy. Czuła się doskonale. Spora grupa kandydatów na studia kłębiła się już przed tablicą informacyjną na schodach. Wyczytała z niej, że rozmowy grupy, w której się znalazła, odbywają się w auli, w pawilonie.

Zebrał się tam już całkiem pokaźny tłumek. Imiona takie jak wszędzie: Edyta, Zenek, Robert, Aleksandra... – nie była w stanie ich wszystkich zapamiętać. Zaintrygowała ją jedna z dziewczyn, bo przedstawiła się imieniem i nazwiskiem: Wiktoria Maćkowiak. Po czym dorzuciła:

– Mów mi Wika.

Ubrana była podobnie jak ona w szarostalowy komplet; dopasowane spodnie i takiż króciutki żakiecik.

– Masz takie poznańskie nazwisko!

– Aha, bo tata pochodzi z Poznania.

Eliza chciała spytać o coś więcej, ale zamilkła, bo do Wiki podszedł właśnie jakiś mężczyzna i pocałował ją w policzek, mówiąc:

– To ja już jadę, Niunia. Trzymaj się i daj znać, co i jak. Sukcesów! – I odszedł sprężystym krokiem. Tuż przed bramą odwrócił się jeszcze i pomachał ręką.

– To właśnie mój tato – powiedziała Wika do Elizy.

Wkrótce zaczęły się rozmowy kwalifikacyjne i Eliza nie miała już okazji wrócić do rozmowy z Wiką.

Dziewczyny i chłopcy kolejno wchodzili i wychodzili z auli. Większość po wyjściu była rozemocjonowana i chętnie opowiadała stojącym pod drzwiami o pytaniach, jakie dostali od komisji, i o tym, co na nie odpowiedzieli. Wika Maćkowiak wyszła jednak spokojna, a na pytanie stojących: „Co miałaś?" – odparła:

– Porozmawiałam sobie na początku z doktorem Szarym, bo zadał mi pytanie o rybach. Chyba go zaskoczyłam łacińskim nazewnictwem, to i sobie trochę pogadaliśmy w tym języku. Cała rozmowa z komisją była zresztą na pełnym luzie, więc nawet nie potrafię powiedzieć, jakie były te dwa następne pytania – właściwie nie zauważyłam ich. W pewnym momencie usłyszałam tylko: Już pani dziękujemy... i wszyscy się do mnie uśmiechnęli. I było po wszystkim.

O kurczę, to ona też dobrze zna łacinę?! – zastanawiała się Eliza. Ale skąd? Muszę ją popytać. Ja miałam dodatkowe, płatne zajęcia, ale nie słyszałam, żeby na przykład w poznańskich liceach gdzieś był ten język!

Gdy przyszła na nią kolej, myślała jednak nie o tym, jakie dostanie pytania, tylko o tym, żeby spodnie nie pękły podczas rozmowy. Mogą po rozmowie, ale nie w trakcie! Wciągnęła brzuch głęboko i utrzymywała się podczas całej rozmowy na lekkim bezdechu.

Pani doktor Żabecka zapytała ją na początek, skąd przyjechała, a doktor Szary zaczął dociekać, skąd u niej zainteresowanie biologią morza, bo przecież, o ile on pamięta, w Poznaniu są tylko jeziora. Chyba że ostatnio poznaniacy czegoś tam się dokopali, bo to taki zaradny i gospodarny ludek. Uśmiechnął się przy tym miło, więc Eliza go spytała, czy on też czasem nie jest poznaniakiem, a jeśli tak, to z jakiej dzielnicy. Właśnie pociągnął łyk kawy ze szklanki i kiedy usłyszał pytanie, parsknął śmiechem.

– Dobre! Ale to my chyba pytamy panią!

– No tak, ale to przecież miała być rozmowa... – Eliza nie straciła rezonu.

– Dobrze, to ja pani pierwszy odpowiem, pochodzę z Wildy. A teraz pani na moje pytanie.

– Stamtąd nikogo prawie nie znam, ale to jest taka... nieciekawa dzielnica... – Eliza była jak zwykle szczera. – O, przepraszam pana doktora! – zreflektowała się. – Nieciekawa, no... bo pan stamtąd wyjechał! – dodała, mrużąc oczy.

Doktor Szary prawie płakał ze śmiechu.

– Niech pani wreszcie coś powie o tym swoim zainteresowaniu morzem.

Dopiero wtedy opowiedziała, zgodnie z prawdą, o tym, jak dziadek Mikołaj zainteresował ją florą i fauną wodną, o niegdysiejszej wycieczce do Akwarium w Gdyni, o przeczytanych książkach na temat ryb morskich, o swoich poszukiwaniach internetowych dotyczących tej tematyki, na koniec wreszcie o wolontariacie na Helu w lipcu.

– To pani jest już prawie pracownikiem naukowym uniwersytetu, a my tutaj wypytujemy panią o takie drobiazgi. Czy nie uważacie podobnie? – doktor Szary zwrócił się z uśmiechem do pozostałych członków komisji.

Ponieważ odpowiedziały mu tylko milczące skinienia głowy, połączone z uśmiechami, zwrócił się więc do Elizy:

– Będzie dobrze! Miłych wakacji życzymy pani... – popatrzył na listę zdających i dopowiedział – ...pani Elizo!

Po niej pozostało już tylko kilka osób. Czekała razem z nimi, bo ktoś wcześniej rzucił hasło spaceru Bulwarem Nadmorskim aż do Skweru Kościuszki. Spodobał jej się ten pomysł, bo i tak nie miała nic lepszego do roboty, a powrót do Parchowa zaplanowała na jutrzejszy poranek. Pomyślała, że warto zbratać się z ludźmi, których być może spotka w październiku na uczelni. Liczyła też na to, że może będzie okazja zamienić słowo z Wiką, zarówno o jej poznańskim ojcu, jak i o znajomości łaciny.

Gdy rozmowy się skończyły, wesoła kilkunastoosobowa grupa ruszyła w kierunku bulwaru. Dochodziło południe. Słońce parzyło niemiłosiernie. Eliza zdjęła żakiecik. Większość idących na spacer miała dobre humory po rozmowach, ale niektórzy narzekali na samą ich ideę.

– Czego oni mogą się dowiedzieć o nas przez te kilka minut? – zadał retoryczne pytanie Zenek. – Trudno było się wykazać merytoryką, więc zamiast tego pewnie stawiali ocenę za wrażenia artystyczne, tak jak w łyżwiarstwie figurowym – perorował dalej.

– Podstawą jest świadectwo, bo to jest konkurs świadectw, a rozmowa pełniła tylko funkcję pomocniczą! – ripostowała Eliza, zadowolona z przebiegu swojej rozmowy.

– No właśnie, tak to niestety jest! – zgodziła się z nią Wika. – Ale z drugiej strony, też wolałabym, tak jak Zenek, żeby rozmowa była w całości prowadzona i oceniana w jakimś czytelnym systemie punktacji, by była szansa nadrobić w ten sposób jakąś gorszą ocenę ze świadectwa. Bo ja na przykład miałam na świadectwie czwórkę z matmy. Rozmawiało mi się z komisją wyśmienicie, ponieważ moja rozmowa na szczęście była w pełni merytoryczna, ale nie jest jasne, co z takiej rozmowy dla mnie może wyniknąć. To powinno być jednak jakoś inaczej pomyślane!

O kurczę, rozsądnie mówi, a do tego jest szczera, myślała Eliza. Z jednej strony, podobała jej się ta dziewczyna, ale z drugiej, nie wiedzieć czemu, trochę ją też drażniła.

Gdy przy wejściu na bulwar mijali sezonowy ogródek z napojami, Zenek krzyknął:

– Tutaj jest fajnie, więc proponuję zapoznawcze piwko!

I po chwili wszyscy siedzieli już przy stolikach osłoniętych kolorowymi parasolami. Przed każdym stała szklanica chłodnego piwa, tylko Wika trzymała w ręku butelkę z sokiem grapefruitowym, a Eliza z pomarańczowym.

– A ty czemu nie piwko? – Eliza zagadnęła Wikę.

– A ty? – odpowiedziała pytaniem na pytanie.

– Ja czasem wypijam, ale teraz nie mam ochoty. Za wcześnie!

– Ja nigdy dotąd czegoś takiego nie piłam i na razie nie planuję. Bawię się dobrze i bez tego – rzuciła Wika, pokazując śliczne białe zęby w uśmiechu.

Spojrzały na siebie i roześmiały się. Co za zołza! Szczera aż do bólu, i jeszcze mnie inteligentnie poucza, pomyślała Eliza.

Wika podniosła nagle komórkę i zaczęła rozmawiać, od czasu do czasu głośniej pokrzykując.

– Tak, mami, jestem już po rozmowie... Raczej dobrze mi poszła, ale wyniki dopiero w przyszłym tygodniu!... Oczywiście, że można telefonicznie sprawdzać!... Mówisz, że tati może dzisiaj urwać się z pracy? To super!... Więc jedziemy zaraz?!... Czego jeszcze potrzebujesz?... Dobrze, ja w takim razie rzucę okiem u Rossmanna i szybciutko wracam do domu. To pa!

Eliza patrzyła ze zdziwieniem na Wikę, w tym momencie wcale nie wyglądającą jak osoba, która godzinę temu zdawała egzamin na wyższe studia i czekała na wyniki. Była rozpromieniona i zupełnie inna niż jeszcze kilka minut wcześniej.

– Mama dzwoniła! – półgłosem i radośnie zaszczebiotała do niej Wika. – Rodzice czekali na mój sygnał, czy ruszamy dzisiaj. Zapomniałam o tym zupełnie! Powiedziałam, że wystarczy wyniki sprawdzać telefonicznie. Przecież nie ma sensu tylko z tego powodu siedzieć przez tydzień w Gdyni. Czeka na mnie jeziorko, las i Kacperek! – Rozpromieniona Wika wysączyła z buteleczki ostatni łyk soku, szybko wstała i podała rękę Elizie. – Trzymaj się!

– Miałam nadzieję, że chwilę porozmawiamy o Poznaniu, bo mówiłaś, że ojciec...

– Jasne, że porozmawiamy, ale już chyba na studiach! Trzymaj się! – powtórzyła Wika, pokazując znowu zęby w szerokim uśmiechu. – Czeeeść wszystkim! – krzyknęła, machając pozostałym, i żwawo ruszyła w kierunku centrum Gdyni.

Po kilkunastu minutach schładzania się napojami bractwo ruszyło Bulwarem Nadmorskim w kierunku mariny jachtowej przy Skwerze Kościuszki. Dawno minęło już południe i słońce wiszące nad Gdynią rozpuszczało asfaltowe spoiny między wielkimi płytami betonowymi, z których zbudowana była promenada. Większość idących z Elizą była w miarę elegancko ubrana – jak to na egzamin, więc dziwnie kontrastowali z turystami i tubylcami, siedzącymi na ławeczkach lub spacerującymi wolno po bulwarze. Eliza czuła, że spodnie uciskają ją bezlitośnie na całej długości, a słońce z największą przyjemnością dobrało się teraz do jej tylnego opiętego przylądka, parząc go niemiłosiernie. Mimo to cieszyła się, że po kilku latach znowu obejrzy budynek Akwarium Gdyńskiego.

Potem był długo celebrowany dokładkami obiad w okolicach Dworca Żeglugi, spacer wzdłuż i wszerz Skweru Kościuszki z podziwianiem żaglowców „Dar Pomorza" i „Dar Młodzieży", przeszklonego budynku Akwarium, pomników Conrada i Żagli oraz fontanny. Na zakończenie wizyta w marinie jachtowej wypełnionej do ostatniego miejsca jachtami żaglowymi i motorowymi. Zachwyt Elizy był większy niż zmęczenie i ból wywoływany uciskiem spodni. Z przyjemnością usiadła wreszcie w przewiewnej tawernie, dokąd zawiódł ich Zenek. Z głośników płynęły szanty. Słuchała muzyki i rozmów, ale sama milczała. Skusiła się na piwo, bo wydało jej się, że w tawernie nie wypada pić czegoś innego. No chyba że rum, ale do rumu nie czuła póki co pociągu. Wypite piwo sprawiło, że poczuła się wyjątkowo wyluzowana. Poddając się klimatowi sympatycznego lokalu, zupełnie zapomniała, w jakim celu przyjechała do Gdyni.

Erin

Wdrapując się na schody Kamiennej Góry, Eliza postanowiła, że wieczór spędzi przed telewizorem. Czuła się wystarczająco najedzona i zmęczona, więc zaraz po wejściu podziękowała gospodarzom za kolację. Zdjęcie spodni przyniosło oczekiwaną ulgę. Potem zrobiła sobie długi prysznic, po którym usiadła w głębokim fotelu przed telewizorem z lekko jeszcze wilgotną rudą czupryną, w koszulce w serduszka, rozmiar XXL pełniącej rolę podomko-piżamki, ze schłodzoną coca-colą w jednym, a pilotem w drugim ręku. Czuła, że wreszcie żyje. Potrzebowała tego. Sama była zdziwiona, że dzisiejszego dnia tak jej dobrze w roli domatorki, ale to był fakt. Sączyła drobnymi łyczkami chłodny, brązowy, przyjemnie szczypiący w język napój i powoli przerzucała kanały. Wszędzie były albo wiadomości, albo jakieś dyskusje, albo jakieś seriale, albo reklamy. Spojrzała na zegarek i skonstatowała, że na wieczorne filmy jest jeszcze za wcześnie. Oparła głowę na oparciu i przymknęła oczy. Nagle poderwała się. O Boże! Miałam zadzwonić do mamy! Gdzie ta komórka?! W tej samej chwili wydało jej się, że usłyszała ciche pukanie do drzwi.

– Proszę! – krzyknęła.

Ktoś nacisnął klamkę.

– Mama?... Co tu robisz? – Eliza nie wierzyła własnym oczom.

– A ty, dziecko, co jesteś taka przestraszona? I co tak wymachujesz komórką? Coś ci jest? Źle się czujesz? Nie jesteś sama? Rozmowa kwalifikacyjna ci nie poszła? – Teraz mama nie kryła zdziwienia i zarzuciła Elizę pytaniami.

– Nie, wszystko dobrze i czuję się doskonale! Ale zaraz, ty przyjechałaś mnie skontrolować!? – Eliza podejrzliwie spojrzała na matkę. – Właśnie miałam do ciebie dzwonić, bo wcześniej zupełnie zapomniałam!

– No to dobrze, że wszystko dobrze! – Kaśka odetchnęła z ulgą. – Wiesz, widziałam, że mama i Felicja od rana tak dziwnie na siebie patrzą. Rozmowa w ogóle im się nie kleiła. Czułam, że jak zostaną same, to wreszcie będą mogły sobie szczerze pogadać. No i trafiła mi się okazja do Gdyni, bo wybierali się tutaj Arturek i Ludka. Arturek ma tu kuzyna, no i zgodzili się mnie wziąć. Jeszcze przepraszali, że takie z nich gapy, że mogli się przecież domyślić... Ale skąd mieli się domyślić, że mogę chcieć jechać do Gdyni? Wiesz, dzisiaj byli w śliczniusich żółtych koszulkach. Ona wyglądała jak wypasiony wielkanocny kurczaczek, a on jak kurczaczek... odganiany od miski! – Kaśka zaśmiała się głośno. – Gdy wsiadali do tego swojego żółtego autka, miałam wrażenie, że wciskają się z powrotem do skorupek jaj. Szczególnie pani Ludka!

– Dobrze mi w tej Gdyni, mamo... – Eliza pociągnęła Kaśkę za rękę w kierunku balkonu. – Spójrz na zatokę, na port! Cudownie jest tutaj!

– Mało tu bywałam, bo wycieczki mojego biura to raczej miasta z zabytkami. W Gdańsku byłam wiele razy, ale w Gdyni tylko dwukrotnie i to już dosyć dawno. – Kaśka oparta o balustradę spoglądała przed siebie.

Zapadła chwila milczenia.

– To wczoraj było już spokojnie?... – rzuciła ni stąd, ni zowąd Eliza.

– Ty mnie pytasz czy informujesz? – Kaśka napięła się i spojrzała badawczo na córkę.

– Kobieto, chodzi o babcię... – zirytowana Eliza potrząsnęła głową i dłonią.

– Aaa! – z Kaśki zeszło napięcie; klepnęła Elizę w dłoń i wskazała ruchem głowy na foteliki w głębi balkonu.

Przysiadły obie. Na twarzy Kaśki pojawiło się zatroskanie.

– Wczoraj miała niestety jeszcze sporo emocji – westchnęła. – Pani Felicja po kolacji zrobiła nam spacer na miejsce, gdzie kiedyś były zbudowania jej rodziców. Mama dopytywała Felicję, co i gdzie stało; długo stała i kiwała głową w miejscu, gdzie była stajnia – tam zginął jej tato. To samo powtórzyło się, kiedy Felicja pokazała, gdzie kiedyś był dom mieszkalny z gankiem. Potem zeszłyśmy nad staw. Tam Felicja w swojej świątyni dumania... nie patrz tak na mnie, ona tak nazywa ławkę nad tym stawem... więc tam dokończyła swoją opowieść sprzed wojny. Fajni byli jej rodzice... Kiedy mama usłyszała, że Basia miała na plecach plamkę w kształcie serduszka, poczuła się znowu źle, a Felicja od tej chwili zaczęła jej się dziwnie przyglądać

– Ale babcia też ma taką plamkę... – wykrzyknęła Eliza.

– No właśnie, chociaż Felicja o tym nie wie! Jeszcze nie wie. Wróciłyśmy do „Iskierki" i mama poszła zaraz do siebie. Źle wyglądała... zresztą Felicja również. Pewnie obie źle spały... Rano, jak ci mówiłam, omijały się. Wiesz, one muszą tę całą sprawę same sobie wyjaśnić. Zbędne są postronne osoby, potrzeba im tylko czasu i odwagi – zakończyła cicho Kaśka. – Dlatego tu jestem.

Eliza pokiwała głową ze zrozumieniem. Po chwili uśmiechnęła się i tym razem ona poklepała mamę po dłoni. Wstała i podeszła do balustrady. Wychyliła się za nią, a potem nagle odwróciła w kierunku matki.

– Mamo, a może gdzieś się przejdziemy trochę? Ja co prawda dzisiaj strasznie się schodziłam, ale jesteśmy przecież nad morzem, i jest lato!

Kaśka ze zdziwienia zamrugała oczami. Takiej propozycji od Elizy się nie spodziewała.

– No, a dokąd proponujesz?

– Schodami w dół i zaraz będziemy na Skwerze Kościuszki! A potem się zobaczy!

– Niewyszukana to propozycja, ale dobrze! Pójdę w takim razie szybko rozliczyć się z gospodarzami, a potem przebiorę się i ruszamy.

Chwilę po dwudziestej były gotowe. Kaśka w obcisłych żółtych spodniach za kolana i luźnej jasnobłękitnej bluzeczce wyglądała jak starsza siostra Elizy. Ta z kolei nałożyła groszkową trykotową minispódniczkę i pomarańczową koszulkę. Obie wyglądały olśniewająco. Przyglądały się sobie zza przymrużonych oczu.

– Super! – wykrzyknęły prawie jednocześnie i roześmiały się głośno.

Wyszły przed dom. Wielki krzyż stojący na szczycie Kamiennej Góry był już oświetlony. Kaśka spojrzała na niego i spoważniała.

– Elizka! Stąd jest niedaleko do krzyża upamiętniającego grudzień siedemdziesiątego roku, prawda?

– Tak, to tylko kawałek stąd! On stoi naprzeciw budynku wydziału biologii uniwersytetu – tam dzisiaj byłam.

– Pójdźmy tam najpierw, proszę.

– Ale miałyśmy przecież iść na bulwar, a do tamtego krzyża jest w drugą stronę!

– Zdążymy! Potrzebuję popatrzeć na niego... Tyle wspomnień... Pierwsza „Solidarność" i Piotr... Wiesz, że tato w stanie wojennym umarł. Opowiadałam ci, że jego serce nie wytrzymało tego, co się wydarzyło w nocy z dwunastego na trzynasty grudnia osiemdziesiątego pierwszego roku, ciężko to odchorowywał – Kaśce zadrżał głos.

Eliza spojrzała na mamę. Czuła, że teraz nie ma sensu dalej mówić lub pytać ją o cokolwiek. Powie sama, co zechce i kiedy zechce. Szły w milczeniu. Ulice, którymi schodziły z Kamiennej Góry, były wyludnione. Od czasu do czasu przejeżdżał samochód. Dopiero na Alei Piłsudskiego zrobiło się inaczej. Ludzie ciągle spacerowali w cieniu drzew albo siedzieli na ławeczkach. Mijając kompleks uniwersytetu, gdzie dzisiaj była na rozmowie kwalifikacyjnej, Eliza zauważyła, że mama wpatruje się w ogromny krzyż stojący wśród drzew po drugiej stronie ulicy. Wysoki na co najmniej dwadzieścia metrów, z ramionami zbudowanymi z wielu małych krzyży, stał na dużym cokole. Eliza doliczyła się dwudziestu trzech małych krzyży stanowiących wypełnienie dużego. Po kilku chwilach wolnym krokiem ruszyły w jego kierunku. Kiedy stanęły przy nim, Kaśka kilkakrotnie pokręciła głową na boki, jakby się z czymś nie zgadzała, po czym głęboko westchnęła.

– Posłuchaj, córcia. Siedemnastego grudnia tysiąc dziewięćset osiemdziesiątego roku tutaj odbyła się uroczystość podpisania i wmurowania aktu erekcyjnego pod ten pomnik...

Starsze małżeństwo przechodzące obok przystanęło, gdy padły pierwsze słowa Kaśki. – Nigdy tego nie zapomnę. Oglądałam to w telewizji z rodzicami i babcią Jutką, bo Piotr przyjechał tutaj. Mówił, że nie może inaczej... Wszyscy wierzyliśmy i mieliśmy nadzieję, że wreszcie nastąpiło pojednanie władzy ze społeczeństwem. Załkałam, kiedy rozległo się bicie dzwonów we wszystkich kościołach. Towarzyszył mu łoskot werbli. Później orkiestra zagrała żałobny marsz Chopina. – Eliza po raz pierwszy słyszała taki podniosły ton u mamy. – Biały krzyż, dookoła czarne żałobne flagi, na podium kobiety także w czerni z zapalonymi pochodniami, wszystko to oświetlone reflektorami. Halina Mikołajska, wybitna aktorka, przy wtórze chórów recytowała przejmująco wiersz Czesława Miłosza „Który skrzywdziłeś człowieka prostego...". Dwóch robotników opuściło z masztu czarną flagę i na jej miejsce przy dźwiękach hymnu wciągnęło w górę flagę biało-czerwoną – symbol zwycięstwa. Babcia Jutka, rodzice i ja – wszyscy byliśmy zapłakani. Piotr opowiadał, że tutaj też wszyscy łkali. Potem była msza święta i list od prymasa Stefana Wyszyńskiego... Chyba nikt wówczas nie myślał, że to wszystko może znowu zostać przekreślone. Obchodów w grudniu osiemdziesiątego pierwszego roku, a potem odsłonięcia pomnika już nie było – władze kolejny raz oszukały, potem zdradziły, a na koniec wypowiedziały nam wojnę. Minęło już tak wiele lat, a winni tamtej tragedii ciągle nie zostali osądzeni...

Kaśka mówiła spokojnie, nie przyciszając głosu, nie zważając na ludzi przechodzących obok i dziwnie im się przyglądających. Starsze małżeństwo, stojąc obok, wysłuchało jej opowieści. Mężczyzna przez cały czas kiwał głową.

– Ślicznie to pani opowiedziała – zwrócił się do Kaśki. – Dokładnie tak było! Tak! Warto to ciągle powtarzać, przypominać...! Bardzo przepraszamy, że podsłuchiwaliśmy... – I odszedł powoli z żoną. Kaśka i Eliza spoglądały za nimi.

– Wiesz, Elizko, babcia Jutka mówiła, że jej krzyż jest na Jasnej Górze, mama ma swój krzyż związany z Czerwcem pięćdziesiątego szóstego roku w Poznaniu, moimi krzyżami są wszystkie te związane z siedemdziesiątym i osiemdziesiątym rokiem. Ten jest jednym z nich... Taka nasza specjalność narodowa – krzyże i ciągła droga krzyżowa.

Eliza stała nieco zakłopotana, bo nie przewidywała, że spacer, na który tak się cieszyła, rozpocznie się lekcją historii. Czuła, że mama i tak by jej kiedyś to opowiedziała, a dzisiaj trafiła jej się idealna okazja. Pogładziła mamę po ręku i spojrzała z czułością w oczy.

– Mamuś, dobrze, że od tamtych czasów tyle się pozmieniało. Nam jest teraz łatwiej, chociaż większość z nas nie zdaje sobie z tego sprawy... Zapominamy o tym, nie chcemy nawet rozmawiać o tamtych czasach. Czytam tu na pomniku, że w Gdyni w siedemdziesiątym roku było osiemnaście ofiar, ale w innych miastach Wybrzeża też przecież były ofiary. Pamiętam, opowiadałyście mi o tym z babcią i dziadek też. Potem był stan wojenny i znowu kolejne ofiary... no i mój tatuś. Bardzo mi go brakuje i często za nim tęsknię, mimo że go nie znałam.

Kaśka przytuliła Elizę. Nie spodziewała się usłyszeć takich słów.

– Nie byłam pewna, chociaż czułam, że to rozumiesz.

Ale nie zapomnij o tym nigdy. Pamiętaj, prze–ni–gdy! – podkreśliła z naciskiem i spojrzała w górę na krzyż.

Zakryła usta dłonią, aby ukryć wzruszenie. Pokiwała głową i po chwili spojrzała wreszcie na Elizę. Jej twarz rozjaśniała się z wolna.

– Zostawmy teraz ten pomnik za sobą i idźmy wreszcie na bulwar. Użyjmy trochę! – mrugnęła do córki, uśmiechnęła się szeroko i żwawo ruszyła przed siebie, aż Eliza zdezorientowana została nagle kilka kroków w tyle. Musiała podbiec, żeby zrównać się z mamą. Obeszły krzyż i jak gdyby nic się nie stało, ruszyły z gracją w kierunku bulwaru. Prezentowały się cudownie, przyciągając wzrok spacerujących i siedzących na ławkach.

Bulwar przywitał je delikatnym zefirkiem i lekką szarością. Wysoki klifowy stok Kamiennej Góry, u stóp której przebiegał, nie dopuszczał już ostatnich promieni zachodzącego słońca. Zapalone lampy w kształcie kul wytyczały linię bulwaru, podkreślając jego nadzwyczajną urodę. Na redzie mieniły się kolorowe światełka statków oczekujących na wejście do portu, z lewa świeciły na czerwono i zielono latarnie główek wejściowych do portów handlowego i jachtowego. Co jakiś czas, daleko na wprost, migała latarnia morska na cyplu helskim. Na horyzoncie po prawej majaczyły światła portu w Gdańsku.

Zaskoczone były mnogością przebywających tutaj ludzi, którzy spacerowali, siedzieli na ławkach i murze bulwaru, stanowiącym jednocześnie falochron, jeździli na rowerach i rolkach. W powietrzu krzyżowały się rozmowy, okrzyki, wybuchy śmiechu i śpiewy. Ruszyły w prawo, w kierunku dzikiej plaży leżącej u stóp Polanki Redłowskiej. Po drodze przystanęły obok pomnika przedstawiającego postać kobiety wkraczającej w morskie fale. Kontemplowały w milczeniu pełną ekspresji i dramaturgii rzeźbę. Wyczytały, że poświęcona jest marynarzom i rybakom, którzy zginęli na morzu. Kaśka dotknęła pomnika, spojrzała na córkę i powiedziała krótko:

– Piękne i wzruszające! – Eliza dawno nie widziała, żeby mamie tak szybko zmieniał się nastrój.

Teraz Kaśka złapała Elizę za rękę i pociągnęła za sobą. Po chwili minęły namiot piwny ustawiony na ostrodze, stojącej na betonowych słupach i nieco wychodzącej ukosem w zatokę. Dochodziły stamtąd dźwięki muzyki i gwar rozmów. Dużo osób siedziało na betonowych stopniach nad basenikiem utworzonym pomiędzy ostrogą a falochronem. Woda chlupotała, obijając się o najniższy stopień, na niej kołysały się łabędzie i inne wodne ptactwo.

U końca bulwaru zdumione zobaczyły, że na dzikiej plaży wiele osób jeszcze się kąpie. Zeszły więc tam na chwilę, zdjęły obuwie i ruszyły wolno w kierunku redłowskiego klifu. Lekki przybój raz po raz moczył im stopy, a zefirek schładzał resztę ciała. Woda nacierała na brzeg z szumem, a po chwili cofała się z sykiem, wydawanym przez przesuwające się po piasku kamyczki żwiru i muszelki.

– Och, jaka szkoda, że nie wzięłyśmy ze sobą kostiumów! – Eliza była niepocieszona, patrząc zazdrośnie na ludzi kąpiących się mimo szarówki.

– Jutro przed wyjazdem zrobimy sobie spacer na plażę, żeby się wypluskać – Kaśka starała się ją udobruchać. – Kiedyś jako harcerka lubiłam kąpiele o świcie. Ale wracajmy, Elizka. Damy radę dojść do Skweru Kościuszki? Chciałam na koniec spaceru wejść na Kamienną Górę schodami od tamtej strony – tyle z Gdyni zapamiętałam.

– Spokojnie, mamo. Pokażę ci na skwerze tawernę, gdzie dzisiaj siedziałam po rozmowach kwalifikacyjnych. Podobało mi się w niej! Bardzo!

– O, to ty bywasz w tawernach?! Czyli jesteś już prawie tutejszą portową dziewuchą! – Obie roześmiały się głośno.

– Puszczali szanty z płyt. Ja takiej muzyki i w takiej ilości na raz wcześniej nie słyszałam. Dzisiaj wieczorem gra tam jakiś zespół na żywo!

Tymczasem zrobiło się już bardzo szaro, na niebie świeciły pierwsze gwiazdy. Ludzi na bulwarze wcale nie ubywało. Było nawet odrobinę głośniej, bo przebywający tu odzyskiwali powoli siły po upalnym dniu.

Minęły Muzeum Marynarki Wojennej i hotel Riwiera. Knajpek w namiotach lub baraczkach było coraz więcej. W każdej z nich panował tłok, słychać było muzykę i gwar rozmów. Skwer Kościuszki przywitał je oświetloną fontanną. Z kilkunastu zielonych kamiennych kielichów, zainstalowanych w okrągłym baseniku, tryskały w górę strumienie wody.

– Kiedyś przeczytałam, że zanim zaczęto budować port w Gdyni, tutaj, gdzie jest teraz Skwer Kościuszki z tą śliczną fontanną, był kiedyś brzeg morza. Nie znam się na budownictwie, ale musisz mi uwierzyć na słowo, że tak było!

– Mamo, ale jak to możliwe? To skąd się wzięło to wszystko tutaj, co jest przed nami i pod nami?

– My chyba stoimy tutaj na palach, kesonach albo czymś takim! Budowa portu gdyńskiego i samej Gdyni to była niewiarygodna sprawa. Drugiego takiego miasta w Polsce nie ma!

Ruszyły środkiem alei w kierunku morza. I tutaj było sporo ludzi, gwar rozmów i muzyka. Gdy zobaczyły po lewej duże żaglowce, okręt wojenny i statki białej floty, które cudownie oświetlone lampkami poprowadzonymi przez wszystkie maszty, przycumowały w basenie Prezydenta, skierowały się w ich kierunku. Na końcu skweru przy pomnikach wszystkie ławki były zajęte. W drodze powrotnej na chwilkę zboczyły do mariny, ale tam było już zbyt ciemno, aby coś obejrzeć.

Knajpki, bary i dyskoteki wzdłuż alei tętniły życiem. Gdy doszły do tawerny, o której mówiła Eliza, dochodził z niej głośny chóralny śpiew.

– ERIN... – przeczytała Kaśka. – Wiesz, co to znaczy?

– Nie zastanawiałam się! Mamuś, wchodzimy! Słyszysz, jak fajnie śpiewają?!

– To zangielszczona forma irlandzkiego Eire, czyli Irlandia!

– Skąd ty takie rzeczy wiesz? – Eliza ze zdziwienia pokręciła głową.

– Wiesz, że byłam w Irlandii! Ale tam jest chyba strasznie tłoczno! – Kaśka nie była przekonana, by wizyta o tej porze w tawernie była dobrym pomysłem.

Przed wejściem stało sporo ludzi. Większość stanowili młodzi mężczyźni, ale było też kilka par. Podeszły bliżej drzwi.

– Czy panie są zainteresowane wejściem? – odezwał się nagle w ich kierunku uśmiechnięty mężczyzna ubrany na czarno, z zieloną chustką pod szyją.

Kaśka otworzyła usta, żeby coś powiedzieć, ale Eliza ją ubiegła:

– Oczywiście!

– No, to mam dla was dwa miejsca, wprawdzie przy różnych stolikach, ale sądzę, że porozumiecie się z towarzystwem i dacie radę usiąść wspólnie.

– Mamuś, biorę to na siebie!

– Uups! Myślałem, że jesteście koleżankami albo siostrami! Fiu, fiu! – mrugnął i szeroko się uśmiechnął, taksując Kaśkę wzrokiem. – W takim razie proszę chwileczkę poczekać, dobrze?!

Zadzwonił z komórki do kogoś o imieniu Adam i powiedział mu, że przesyła im do kompletu dwie śliczne dziewczyny, po czym ponownie zwrócił się do Kaśki i Elizy:

– Jestem Konrad! To moja tawerna, a w środku za barem jest moja żona Żaneta. Zaopiekuje się wami mój przyjaciel Adam – on siedzi przy ósemce! Życzę miłej zabawy! Dzisiaj *Portsmouth*! – rzucił za nimi.

Żadna z nich nie zwróciła uwagi na jego ostatnie słowa. Gdy weszły do lokalu, właśnie rozjaśniły się trochę lampy, bo zespół skończył kolejny utwór i ogłosił krótką przerwę. Szybko znalazły swoje miejsca. Przy ośmioosobowym stole wytworzyła się dzięki temu równowaga damsko-męska. Wymieniły powitania i uśmiechy z siedzącymi przy nim gośćmi.

Wnętrze lokalu kształtem przypominało stylizowaną czterolistną koniczynę. W jednym płatku – wnęce – był bar i miejsce dla zespołu muzycznego, pozostałe wnęki zaaranżowano w trzech różnych stylach: starego żaglowca, knajpy pirackiej i irlandzkiego pubu. Stół, przy którym siedziały, znajdował się w samym środku części irlandzkiej i otaczało go pięć czteroosobowych stolików. Prawie wszystkie miejsca w tej części były zajęte, zresztą w pozostałych podobnie. Fragmenty ściany w ich części wybudowane były z cegły, inne pokrywał jasnokakaowy tynk, pozostałe przykrywały zielone deski. Stojące tutaj stoły nie wyglądały na nowe oraz były różnej wielkości i konstrukcji. Krzesła lub siedziska jedno- i dwuosobowe, podobnie jak stoły, stare i przypadkowe, przykryte były poduszkami, derkami, kawałkami futer. Na ścianach dużo obrazków, fotografii, rycin. Wąskie regaliki, szafki, maszynę do szycia zdobiły różne bibeloty, stare naczynia, kubki, kufle, przyrządy kuchenne i domowe. Lampy różnych kształtów zwisały z sufitu lub stały na stolikach. Wszędzie wiele akcentów biało-pomarańczowozielonych. W pewnym sensie był to galimatias stylów i form, ale zrobiony chyba celowo i ze smakiem. Eliza zorientowała się, że po południu siedziała w części żeglarskiej.

Przy ich stole biesiadowało doskonale znające się towarzystwo, które zaaprobowało natychmiast Kaśkę i Elizę. Prym w towarzystwie wiódł opalony, czterdziestoletni na oko, dobrze zbudowany mężczyzna o imieniu Adam. On komenderował, zamawiał, sterował rozmową, a wszyscy go słuchali. Widać było, że to nie jest wymuszone i czymś sobie zasłużył na mir i rolę, jaką pełnił. Z czarującym uśmiechem zaproponował Kaśce i Elizie mówienie po imieniu ze wszystkimi przy stole, co natychmiast potwierdzone zostało toastem. Wyciągnięte ręce ze szklankami powędrowały do środka stołu, gdzie nastąpiło delikatne stuknięcie. Trunkiem, nalanym z wielkiego trzylitrowego dzbana, było ciemne piwo irlandzkie z dodatkiem rumu i syropu klonowego, zaprawione korzeniami. Kaśka była zdumiona jego znakomitym, delikatnym smakiem. Eliza, chociaż w tej materii zupełnie raczkowała, też sączyła go z wielkim apetytem malutkimi łyczkami.

– Pytasz, Kasiu, skąd taka dziwna receptura? – Adam uśmiechnął się jowialnie. – To lata doświadczeń w trunkowaniu w różnych tawernach, pubach, knajpach na świecie... – zawiesił głos. – Po minie widzę, że nie wierzysz, albo przynajmniej wątpisz, ale niesłusznie! Jeżdżę po świecie, aby wydawać natychmiast wszystkie pieniądze, które uda mi się przedtem zarobić, bo ciągle nie mogę się ustatkować.

– Taa! Ten chwalipięta, lekkoduch i obibok jest szefem naszej pracowni architektonicznej – odezwała się filigranowa blondynka Magda. – W przerwach projektuje wnętrza, oczywiście prawie za darmo.

– Madzia, mówiłem już wam przecież o tym wiele razy. Ile można chodzić do wstrętnych i obcych mordowni? Konrad i Wojtek są z tej samej piaskownicy co ja, więc musiałem im pomóc na starcie! A właściwie sobie! To jest prawie mój dom! Aha, słuchajcie! Konrad, Wojtek i ja mamy wspólnych przyjaciół na wyspach i dzisiaj może jednego z nich poznacie. A wracając do pieniędzy, Madziu! Swoim pomagamy, ale innych, obcych, kosimy ostro!

– Tak jest! – prawie chórem odpowiedzieli biesiadnicy. Wszystkie szklanki zbliżyły się znowu do siebie i stuknęły jedna o drugą.

– Adaś, a jak sprawują się prawie bose dziewczęta, które ci podesłałem? – Do stolika podszedł szef tawerny Konrad, wskazując głową na Kaśkę i Elizę.

– Już lubią nasz napój i są coraz bardziej spolegliwe! Czekam tylko na taniec! – Adam wyszczerzył do niego zęby w uśmiechu.

– Uważaj, tylko nie świntusz za bardzo, bo to matka i córka!

– O Boże! Co ty! Tak nie wolno! Dlaczegoś, Konradzie, mi to uczynił? – Adam w aktorskim geście podniósł oczy i ręce w górę, a po chwili uśmiechnął się radośnie w kierunku Kaśki.

Całe towarzystwo zanosiło się śmiechem. Adam wstał i na chwilę odszedł na bok z Konradem. Do Kaśki nachyliła się Magda.

– Adam to święty człowiek, nie daj się nabrać na tę jego pozę. Mówię to, bo on zachowuje się dzisiaj inaczej niż zwykle – to przedstawienie jest dla ciebie. Znam go dobrze. Chyba wpadłaś mu w oko! – szeptała jej aksamitnym głosem do ucha.

– Ja nic takiego nie zauważyłam...

– Bo go nie znasz – przerwała jej Magda. – Wracając do jego podróży, to w tym, co mówił, było trochę prawdy. Dużo jeździ, ale z tymi tawernami to już koloryzował. Szuka zapomnienia w wyzwaniach, a im trudniej, tym lepiej. Ucieka przed życiem osiadłym, bo tutaj niedaleko, pod Rębiechowem, dziesięć lat temu stracił młodziutką żonę, gdy jechała po niego na lotnisko. Ona też miała na imię Kasia! Pijak za kierownicą z naprzeciwka miał dwa i sześć promila alkoholu we krwi i jechał bez świateł. Nie zauważyła go – nie dał jej żadnych szans! Samochód sprasowany, a tamtemu śmieciowi nic się nie stało... Prawie! Adam wracał wówczas z Madrytu i Kasia miała czekać na niego na lotnisku. Gdy jej nie zobaczył, zdenerwował się. Wyszedł przed budynek lotniska i tam od taksówkarzy usłyszał o jakimś wypadku niedaleko. Tknięty przeczuciem, popędził tam. Przez ponad pół godziny wył z rozpaczy koło zmiażdżonego samochodu! Tamtego pijanego w trupa gnoja, chociaż broniło go trzech policjantów i lekarz z sanitariuszem, wyrwał z karetki, podniósł nad głowę i omal nie zabił. Policjanta, który wygadał mu się, że wcześniej gonili tamtego od Miszewka i nie mogli dopaść, i coś tam mu jeszcze

mówił o narkotykach, podniósł do góry za klapy i...
postawił na ziemi... – Machnęła ręką. – Od tamtego
czasu ciągle ucieka przed życiem, a nas wszystkich utrzy-
muje. To jest wspaniały człowiek i doskonały architekt,
dekorator wnętrz.

Z podestu dochodziły pierwsze dźwięki instrumentów. Adam wielkimi i głośnymi krokami wracał do stolika. Magda na jego widok złapała koniuszkami palców
za rękaw bluzeczki Kaśki, komplementując nagle jej
krój i kolor.

– Madzia, czy ty już nie masz kiedy gadać o fatałasz-
kach? Chcesz Kaśce zdjąć to wdzianko? Słuchajcie
wszyscy! Dostaniecie pojutrze premie – miałem to powiedzieć dopiero po *Portsmouth* – więc i ty Madziu ku-
pisz sobie coś nowego i ładnego, a to zostaw na Kasi!

Światło na sali przygasło. Zabrzmiały pierwsze tak-
ty melodii i przyśpiew szantymena. W składzie zespołu
było banjo, gitara, perkusja oraz harmonia. Szantymen
śpiewał głębokim, lekko zachrypniętym barytonem,
pozostali muzycy wtórowali miękko, doskonale strojąc
w chórku.

– Kasiu! Czy mogę cię zaprosić... na pokład? – Adam
skłonił się głęboko. Niewielka wolna przestrzeń pośrodku lokalu, nazwana przez Adama pokładem, służy-
ła tutaj za miejsce do tańca.

Kaśka z jednej strony była zaskoczona tym, co usłyszała od Magdy o Adamie, a z drugiej – urzeczona jego
szarmanckim zachowaniem. Nie miała czasu na przemy-
ślenie zasłyszanej historii, ale nie potrafiła także oprzeć
się jego ujmującemu uśmiechowi. Jak zahipnotyzowana
wstała i podała mu rękę. Na pokładzie pląsało już kilka
par. Piosenka była ckliwa, o łatwo wpadającej w ucho
melodii. Prostymi słowami opowiadała o trudach

żeglowania, wichrach i burzach na morzu oraz o tym, że daleko, za horyzontem czeka dziewczyna przy kei. Trzeba więc marzyć o spotkaniu z nią, aby mieć siłę do pokonania wszystkich przeciwności.

– To śpiewa Wojtek, on tu jest szantymenem. To ten mój trzeci kolega z piaskownicy!

Adam przyciągnął blisko do siebie Kaśkę, która mocno i ufnie przywarła do niego. Poruszali się lekko, z wdziękiem i rytmicznie. On delikatnie starał się poznać swoim ciałem jej wszystkie krągłości, a ona zaznajamiała się z jego silnymi ramionami i torsem. Kaśka tańczyła z uczuciem, jakiego dawno już nie pamiętała. Trochę tylko peszył ją dziwny rumor dochodzący nieustannie od strony stóp Adama. Nagle poczuła bolesne uderzenie w palce nóg. Spojrzała w dół i dopiero teraz uzmysłowiła sobie, że źródłem hałasu, który czynił, były ciężkie, podkute buty.

– Takie buty nałożyłeś, jakbyś wybierał się na szkołę przetrwania.

– Bo dzisiaj jest *Portsmouth*! Zapomniałaś, Kasiu?

– A co to jest ten *Portsmouth*? Ja jestem tutaj pierwszy raz!

– Nie wiesz? Nikt ci nie powiedział?

– Wiem tylko tyle, że to port w Anglii, ale wy tu mówicie jakimś szyfrem! Co się za tym kryje?... – Kaśka bawiła się, udając lekko zirytowaną.

– Lepiej posłuchaj słów tej piosenki! – Adam przerwał jej, bo zaczął się kolejny utwór.

Wojtek tym razem zastąpił harmonię akordeonem, przygrywając momentami na harmonijce ustnej, przymocowanej do specjalnego stelaża umieszczonego na szyi. Na podeście pojawiła się także śliczna rudowłosa dziewczyna ze skrzypcami.

– Słowa tej piosenki są takie niecodzienne i staroświeckie, a opowiadają o prawdzie i uczciwości. Posłuchaj, tak powinni postępować wszyscy żeglarze! Przynajmniej żeglarze, jeśli inni nie potrafią!

– Chcę posłuchać, ale ty albo tupiesz, albo ciągle coś mówisz. – Kaśka odchyliła się do tyłu i spojrzała przenikliwie na Adama, po czym znowu mocno przywarła do jego torsu, słuchała śpiewu i przyglądała się dziewczynie grającej na skrzypcach. Gdy patrzyła na nią, przypomniał jej się jakiś plakat reklamujący wycieczki do Irlandii.

Adam zamilkł i skupił się na kontroli swoich stóp obutych w ciężkie buty. Teraz wyglądał jak żuraw podczas tańca godowego. Podnosił stopy wysoko w górę, a potem delikatnie je opuszczał. Obok nich tańczyła Eliza z Bogdanem, grafikiem o wyglądzie cherubina. Kaśka oceniła ich w myślach: „ładniusio pląsają i śliczniusio wyglądają!".

Po kolejnym utworze szantymen Wojtek ogłosił krótką przerwę, dodając na koniec:

– Aha! A potem już *Portsmouth*!

W tawernie rozległa się owacja. Gdy jako tako się uciszyło, Eliza spytała cherubina:

– O co chodzi z tym *Portsmouth*? Przy wejściu mówił o tym Konrad.

– Skoro nie wiesz, to niech to pozostanie niespodzianką! – Cherubin aż wydął policzki kontent z siebie.

Teraz podobny jest do jednego z aniołków na chórze w poznańskiej farze, pomyślała Eliza i uśmiechnęła się do swojego celnego skojarzenia.

Gdy zespół po przerwie wrócił na podium, rozpoczęło się zrazu ciche, a potem coraz głośniejsze wyliczanie przez siedzących przy stołach i stolikach: dziesięć, dziewięć, osiem, siedem, sześć, pięć, cztery, trzy, dwa, jeden, STAAART!

Kaśka tym razem już sama wstała do tańca, nie czekając na zaproszenie Adama. Ten jednak przytrzymał ją delikatnie za dłoń.

– Usiądź, posłuchaj i popatrz na razie. Zaraz po ciebie przyjdę! – I Kaśka posłusznie usiadła obok nie mniej zdziwionej Elizy.

Adam i cherubin, obaj w ciężkich butach, wraz z dwoma innymi mężczyznami ubranymi tak jak oni na czarno, wyszli na skraj pokładu. Każdy miał zawiązaną pod szyją chustkę w innym kolorze. Przed podestem, frontem do sali, stały cztery dziewczyny w pomarańczowych bluzeczkach i zielonych spódniczkach. Trzymały w rękach długie białe chusteczki.

Melodię rozpoczęła rudowłosa dziewczyna na flecie. Towarzyszyła jej harmonia i lekkie rytmiczne uderzenia w werbel. Przy kolejnym powtórzeniu frazy melodii, włączyło się delikatnie banjo, przy akompaniamencie głośniejszego bicia w werbel.

– Przecież to jest *Portsmouth* Oldfielda – rzuciła Kaśka w stronę Magdy. – Że też na to nie wpadłam…

Magda skinęła głową.

Muzyka stała się nieco głośniejsza. Po chwili jedna ze stojących przed podestem czterech dziewczyn zaczęła lekko podskakiwać i rytmicznie tupać bucikami w podłogę, po chwili dołączyły do niej trzy kolejne. Dwie inne dziewczyny stojące z boku podestu uderzyły w tamburyny, a jeszcze inne, po kilku kolejnych taktach, zaczęły klaskać w dłonie. Przy kolejny raz powtarzanej frazie melodii muzycy zaczęli grać jeszcze głośniej, perkusista bił w duży bęben. Teraz czwórka mężczyzn stojących dotąd na środku pokładu, a wśród nich Adam, Konrad i cherubin Bogdan, zaczęła podskakiwać i do rytmu głośno tupać w podłogę ciężkimi butami. Ostatnie dwa powtórzenia melodii to *fortissimo* wszystkich instrumentów, głośnego i rytmicznego klaskania oraz tupania butami w podłogę. Nagłe zakończenie utworu wywołało oklaski i wołanie biesiadujących: „Jeszcze, jeszcze, jeszcze!".

Szantymen Wojtek podniósł rękę, ale zrobiło się tylko odrobinę ciszej.

– Zrobimy jak zwykle jeszcze dwa cykle *Portsmouth* – przekrzykiwał gwar – no i od tej chwili wszyscy mogą włączać się z fletami, tamburynami, tupaniem i co tam jeszcze kto ma lub umie, ale dopiero od drugiego powtórzenia melodii. Pamiętajcie!

Kaśka krzyknęła wówczas do Magdy:

– Cudowna zabawa! A Mike Oldfield to mój najulubieńszy muzyk!

– Myśleliśmy, że tej muzyki raczej nie znacie! Adam prosił, żeby wam nic nie mówić!

– Nic się nie stało! – odkrzyknęła Kaśka, szykując się do wyjścia na pokład.

Właśnie zaczęło się drugie powtórzenie *Portsmouth*. Adam i cherubin przyzywali gestem Kaśkę i Elizę do siebie. Na podeście pojawił się jeszcze jeden mężczyzna, w okularkach i z harmonią. Utwór powtórzono dwa razy z udziałem wielu fletów i tamburynów, które przynieśli ze sobą goście. Wszyscy pozostali albo klaskali, albo tupali. Gdy skończono trzeci raz, ze wszystkich obecnych lał się pot, ale byli roześmiani i z nadzieją czekali na jeszcze jedną powtórkę.

– Nie będzie więcej *Portsmouth*, bo go sobie obrzydzimy! – krzyknął do mikrofonu szantymen Wojtek, a na sali rozległ się szum. – Cisza! Chcę wam przedstawić przyjaciół naszej trójki z piaskownicy, którzy przyjechali do nas z Wysp. Oto Greg McLachlan! Po nazwisku poznajecie chyba, że to Szkot, pochodzi z Edynburga. – Harmonista lekko skłonił głowę. – A to jego dziewczyna Susan O'Rourke z północy Irlandii! – Wówczas dygnęła dziewczyna grająca na flecie, a wcześniej na skrzypcach.

Greg wyrwał Wojtkowi mikrofon.

– Trochę jeżdżę po naszych Wyspach, ale nigdy i nigdzie nie widziałem tak entuzjastycznego i profesjonalnego jak tutaj wykonania *Portsmouth*, naszej tradycyjnej melodii! – rzucił i ukłonił się obecnym na sali, za co otrzymał burzę oklasków. – Postaram się jeszcze dzisiaj jakoś wam odwdzięczyć za to, co widziałem i słyszałem! – dodał.

Znowu rozległa się burza oklasków. Greg, Susan, Wojtek i pozostali muzycy zeszli z podestu. Tańczący niechętnie rozchodzili się powoli do stołów.

Adam po kolejnym toaście zaczął opowieść, jak to razem z Konradem i Wojtkiem poznali się z Gregiem w pubie w Edynburgu.

– Krążyliśmy z chłopakami od pubu do pubu. W jednym z nich trafiliśmy na występ trzech dudziarzy. Postanowiłem zrobić im zdjęcie, kiedy szli prosto na nas. Fajnie wyglądali, liczyłem na ciekawe ujęcie. Lampa błysnęła i jeden z nich oślepiony, potknął się i wpadł na mnie z tymi dudami. On w pozycji na klęczkach, z głową na moich kolanach. Tamci dwaj nawet nie przestali grać. Spytałem go zupełnie spokojnie, czy musiał mi zrobić scenę przy ludziach. Ten zaczął się tak śmiać, że koledzy odłożyli instrumenty, a jego śmiech zaraził resztę znajdujących się w pubie. Cały pub ryczał ze śmiechu parę minut. Gdy się uspokoiło, dokończyli występ, a potem on podszedł do nas „po cywilnemu", żeby bardziej się zbratać, bo mu się spodobałem! – Teraz z kolei wszyscy przy stole wybuchnęli śmiechem.

– Spodobał mu się, jak to powiedział, mój stoicki spokój, gdy przyjąłem go na swym łonie! – Znowu wybuch śmiechu. – Słuchajcie, okazało się potem, że Greg pochodzi z jednego z największych klanów szkockich. Są nieprzyzwoicie bogaci i sami wystawiają jedną z orkiestr na edynburski festiwal orkiestr marszowych. On gra w tej orkiestrze tylko dla przyjemności, a po pubach chodził z kolegami, żeby dorobić. To znaczy on nie musiał dorabiać, ale dwaj pozostali tak, a byli zbyt dumni, żeby od niego przyjmować pomoc. Tacy są Szkoci. Zgodzili się tylko na układ, że będzie grać z nimi, a jego zarobek pójdzie na dodatki do mundurów, konserwację instrumentów i transport.

Kolejny toast zagryzany serem. Kaśka czuła, że takiego apetytu jak dziś dawno nie miała. Bawiła się doskonale. Oprócz niej i Adama wszyscy przy ich stole ciągle zmieniali miejsca. Eliza siedziała teraz obok cherubina, naprzeciwko niej. Kaśka obserwowała ich z przyjemnością, bo jako para pasowali do siebie. On teraz nachylił się do Elizy i coś tam jej szeptał. Kaśka postanowiła na chwilę zaczerpnąć świeżego powietrza. Adam zerwał się i ruszył za nią.

Wrócili do stołu, gdy na sali znowu lekko przygasło światło. Na scenie włączono punktowy reflektor, w świetle którego siedział Wojtek z harmonią. Z tyłu w cieniu stał inny muzyk z zespołu z gitarą akustyczną. Rozbrzmiały jej rytmiczne akordy, a po chwili Wojtek rozpoczął łagodnie śpiewać. Popłynęły słowa piosenki *Mull of Kintyre* Paula McCartneya. Zapadła całkowita cisza. Po kilku wersach Wojtek zaczął grać na harmonii, przyłączył się do nich perkusista, bijąc cicho w werble. Wszyscy na sali siedzieli jak zahipnotyzowani; tego nigdy tutaj nie słyszeli. Po chwili dołączył kolejny muzyk z gitarą; obaj wspomagali też Wojtka, tworząc chórek. Po refrenie i kilku gitarowych akordach rozległy się nagle, od strony zaplecza, głośne dźwięki piszczałek. Na pokład wszedł Greg McLachlan w szkockim stroju i z prawdziwymi szkockimi dudami. Na sali wszyscy oniemieli z wrażenia. W przerwie pomiędzy zwrotkami Wojtek krzyknął do mikrofonu:

– Co to za spanie?! Wspomóżcie nas!

Kto tylko znał słowa piosenki, śpiewał, reszta głośno nuciła. Na zakończenie rozległa się kolejna owacja.

– To jest właśnie podziękowanie Grega za *Portsmouth*! – krzyknął Wojtek. Greg, sądząc po minie, był zadowolony z reakcji widowni.

– Dziękuję bardzo! A teraz, na zakończenie mojego krótkiego występu jeszcze jeden utwór Oldfielda – *Tattoo*, którego premiera miała miejsce podczas koncertu na zamku w Edynburgu w tysiąc dziewięćset dziewięćdziesiątym drugim roku. Wtedy debiutowałem w orkiestrze wojskowej, biorącej udział w tym koncercie. Mam do tego utworu słabość, ale chyba nie dziwicie mi się. Możecie teraz tupać, klaskać, podśpiewywać i co tam chcecie. Bawcie się dobrze.

Kaśka znowu odezwała się do Adama.

– Byłam na tym koncercie! To ja tego Grega też już niby znam! – roześmiała się.

Po wykonaniu utworu Greg zszedł z podestu żegnany brawami. Przecierał zaparowane okulary, a z czoła spływał mu pot.

Po chwili znowu przygasło światło.

– Ponieważ gościmy wyjątkowych artystów, a słyszymy, że jest duże zapotrzebowanie na naszą muzykę, zmieniliśmy dzisiejszy repertuar. Jest już późno, więc na zakończenie zagramy sekwencję nastrojowych utworów, tak jak poprzednie związanych z Wyspami Brytyjskimi. Ich aranżacja jest wspólnego autorstwa, to znaczy: Susan, Grega i moja.

Na podest wkroczyła zapowiedziana przez Wojtka para, którą przywitały oklaski. Susan wyglądała olśniewająco w długiej zielonej sukni, z kaskadami rudych włosów przytrzymywanych nad czołem zieloną opaską.

– Aha! – dodał Wojtek – przy trzech pierwszych utworach można pląsać, ale podczas czwartego radzę usiąść i trzymać się mocno krzesła.

Gdy po tańcach wszyscy zdążyli wrócić na miejsca, na sali prawie całkowicie przygasło światło. Podwieszony pod sufitem reflektor oświetlał tylko śliczną Irlandkę. Susan sama zapowiedziała utwór: *Marble halls* Ronana Herdimana ze spektaklu Michaela Flatleya *Fleet of Flames*.

Zaśpiewała przejmującym sopranem. Delikatnie towarzyszyły jej tylko gitara i mandolina oraz dzwoneczki; w pewnym momencie włączył się także Greg na zamponie, andyjskim odpowiedniku fletni Pana. Gdy wybrzmiały ostatnie dźwięki, właśnie minęła północ. Tuż po ostatnich słowach pieśni Susan, zabawnie szeleszcząc, powiedziała słodziutko:

– Dziękujemy i dobranoc szanownemu państwu!

Owacja trwała kilka minut. Przerwał ją wreszcie Wojtek.

– To był już ostatni utwór dzisiejszego wieczoru. Teraz tak jak zwykle dajemy wam kwadrans na dokończenie jadła i napitków.

Tawerna powoli pustoszała.

Kaśka i Eliza, podobnie jak inni, zaczęły się zbierać do wyjścia.

– Zostańcie jeszcze chociaż kilkanaście minut – poprosił Adam. – Odprowadzimy was potem z Bogdanem na Kamienną Górę, prawda Bogdan? Chciałbym poznać was z gośćmi z wysp i z chłopakami z piaskownicy.

*

Gdy rozbawione wracały około drugiej w nocy na kwaterę, Kaśka zachwycała się iluminacją teatru i widocznym ze skweru wielkim, podświetlonym krzyżem na Kamiennej Górze. Po wdrapaniu się na jej szczyt najpierw stanęła u jego stóp, zadarła głowę do góry, przypatrując się potężnym ramionom. Po chwili bez słów podeszła do balustrady zabezpieczającej platformę widokową. Spoglądała w dół na oświetlony Bulwar Nadmorski, Skwer Kościuszki i porty. Eliza, Adam i Bogdan przypatrywali się jej, stojąc nieco z boku.

– Czegoś takiego w Poznaniu nie mamy! – powiedziała dziwnym, przytłumionym głosem.

– Morza nie mamy! Ale mamy za to Stary Rynek! – ripostowała Eliza.

– On jest stary... a tutaj wszystko młode i to mi się dzisiaj podoba!

A po chwili dodała:

– Lubię Stary Rynek i to bardzo, ale dzisiaj kocham Gdynię!

Adam i Bogdan, słysząc melancholijne teksty wymieniane przez dziewczyny, coś sobie szepnęli, pożegnali się z nimi i zniknęli w ciemności schodów wiodących w dół.

Eliza przypatrywała się uważnie mamie. Od wczorajszego wieczoru widziała, jak często zmieniały się jej nastroje. Rozpoczęła wieczór żartami, potem ogarnęła ją głęboka zaduma, następnie szybko powrócił dobry humor i rozbawienie, a teraz znowu stała się refleksyjna. Takiej mamy nie znałam! Ona jest bardzo fajna! Taka... kolorowa!

Kaśka też miała o czym myśleć. Najpierw cudowny, nostalgiczny spacer z córką, z którą od lat nie potrafiła się pogadać. Potem wspólny wieczór w Erinie, przy ulubionej muzyce i z żywiołowymi tańcami. To nie jest płocha, histeryczna pannica! To rozsądna, kochana dziewczyna! Co ja mówię! To śliczna i mądra kobieta! Dobrze, że tutaj przyjechałam!

Kartuzy, wysiadać...

Autobus toczył się ospale w kierunku Kartuz. Minęła jedenasta. Znowu było upalnie, jak poprzedniego dnia. Kaśka i Eliza gawędziły cicho, broniąc się przed zaśnięciem. Zmęczone nocnymi emocjami w Erinie rankiem zdążyły jeszcze wykąpać się w morzu, ale teraz ten poranny wysiłek dawał o sobie znać. Ciała stawały się coraz bardziej leniwe, a powieki ociężałe.

– Ciekawa jestem, jak sobie poradziła mama... – zagadnęła po chwili milczenia Kaśka.

– Szkoda, że babcia cały czas w emocjach, bo przecież chciała się też trochę rozerwać...

– Da sobie radę. Przecież wiesz, jaka jest silna i uparta! Ale wzruszeń, jak na te kilka dni, naprawdę ma już w nadmiarze!

Autobus zatrzymał się nagle – kierowca wyłączył silnik. Ludzie, których w autobusie było niewielu, zaczęli wysiadać. Wszystkie siedzenia opustoszały. Kaśka i Eliza spoglądały po sobie zaskoczone.

– A panie na co jeszcze czekają? – Kierowca autobusu odwrócił się zdziwiony w ich kierunku. – Przecież jesteśmy już w Kartuzach!

– No tak, ale my jedziemy przecież do Parchowa!

– Mój autobus tutaj kończy bieg! A do Parchowa

musicie panie pojechać innym... Aha, teraz poznaję! To właśnie paniom mówiłem w Gdyni, żeby poczekać z wsiadaniem, aż sprawdzę bilety, prawda?! Gdybym je zobaczył, to bym zauważył, że panie chcą jechać do Parchowa. Autobus do Bytowa pojechał dzisiaj wyjątkowo z sąsiedniego peronu. Trzeba było słuchać komunikatów! A teraz przez gapiostwo mają panie problem!

– No i co my teraz zrobimy?

– Kartuziaki się ucieszą, że wydacie tutaj trochę pieniędzy! – roześmiał się kierowca. – Macie panie chyba ze dwie godziny z kawałkiem do kolejnego autobusu na Bytów. – Spojrzał na zegarek. – Tylko trzeba będzie wykupić jeszcze raz bilety!

Kaśka i Eliza bez entuzjazmu zaczęły się zbierać do opuszczenia autobusu.

– Mamuś, niedaleko jest rynek. Pójdźmy tam. Coś wypijemy, zjemy! Damy kartuziakom trochę zarobić! – Eliza sprawiała wrażenie zadowolonej z takiego obrotu sprawy. – Mamuś, coś masz na ustach!

Kaśka zaczęła je delikatnie pocierać.

– Już? Jeszcze? Bo zmażę sobie całkiem szminkę!

– Nie zetrzesz tego! – Eliza uśmiechała się fluternie do mamy. – To resztki wczorajszych pocałunków Adama!

Kaśka zmieszała się.

– No co ty, córcia!

– Kiedy wczoraj gdzieś zniknęłaś, pomyślałam, że jesteś w toalecie. Mnie też tam pognało, ale kiedy wracałam, zobaczyłam przez uchylone drzwi wejściowe ślicznie całującą się parę na chodniku. Trudno było was nie poznać! Tak ci było dobrze, że aż majtałaś w powietrzu nogami!

– Jak ty możesz tak o matce opowiadać!

– A ty mogłaś mi to zrobić przy ludziach?! Taki wstyd!

– Przecież rozglądałam się i oprócz nas nikogo tam nie było!

– Czyli jednak pamiętasz!

– To była chwila zapomnienia i już się nie powtórzy! A zresztą ty też wczoraj się zapomniałaś! Patrzyłam z niepokojem, kiedy cherubin sięgał ręką pod twoją bluzeczkę...

– To widziałaś i nie zareagowałaś? Nie ostrzegłaś mnie! Taka matka...! Ale zresztą to on sięgał, a nie ja!

– A czemu ty jemu nie przeszkodziłaś?!

– Bo on to robił bardzo delikatnie. Gdybym wiedziała, że będziesz mi dzisiaj robiła wyrzuty, to bym pozwoliła mu na więcej. A tak dostałam burę za darmo!

– No wiesz, jak ty możesz!

– Mhm! Moje bieduszki po raz pierwszy były poważnie zagrożone, ale z drugiej strony to było takie przyjemne... – Zrobiła maślane oczy. – Nawet zastanawiałam się, czy nie pójść na całość, ale ostatecznie uznałam, że któraś z nas musi być rozsądna. Jak ty nie mogłaś, to ja musiałam! – Obie zaczęły się śmiać, aż ludzie oglądali się za nimi.

Pośrodku rynku znalazły wolną ławkę, na której złożyły bagaże. Zaczęły taksować budynki stojące wokół rynku.

– O! – raptem wykrzyknęła Kaśka. – Tam widzę szyld biura podróży i o ile się nie mylę, to jest firma mojego kolegi ze studiów! Posiedź tu chwilę, a ja pójdę tam zerknąć... Nie widzieliśmy się od tamtego czasu. Spytaj kogoś w międzyczasie – zmrużyła oczy – gdzie tu jest jakaś fajna knajpka. Jak wrócę, pójdziemy na kawę albo nawet coś zjemy!

Eliza przyglądała się mamie, która odpływała, kołysząc biodrami i zgrabnie stąpając w zielonkawych sandałkach na niewielkim obcasiku. Dzisiaj, nie umawiając się, obie nałożyły krótkie dżinsowe spodenki i trykotowe, kolorowe bluzeczki. Bluzeczka mamy była seledynowa, a włosy miała jak zwykle spięte w kucyk. Ściągnęła je gumką z zielonymi koralikami, czubek głowy stroiły okulary słoneczne w zielonej oprawie, szyję zdobił zielony kamień na rzemyczku, w uszach kołysały się wisiorki z takim samym kamieniem; nadgarstek lewej dłoni owinięty był rzemyczkami, w które też wplecione były zielone koraliki.

Eliza kręciła się na ławce to w jedną, to w drugą stronę, przyglądając się budynkom otaczającym rynek. Kilka minut później dojrzała mamę z jakimś mężczyzną zmierzających w jej kierunku.

– Krzysztof, to jest moja córka Eliza.

Krótko ostrzyżony, niewiele wyższy od mamy mężczyzna wyciągnął do Elizy rękę na powitanie.

– Witam serdecznie w Kartuzach... – Spojrzał ciepło w jej oczy. – Wydawało mi się, Kasiu, że mówisz o małej dziewczynce, a to jest śliczna młoda kobieta. Wierna twoja kopia! Niedaleko spadło jabłko od jabłoni!

Elizie spodobały się słowa Krzysztofa. Podziękowała za nie uśmiechem.

– Przyjmijcie, proszę, moje zaproszenie na mały poczęstunek. Tam na rogu robią pyszną kawę. O...! To już prawie dwunasta! – Zerknął na zegar na wieży kościoła. – Można więc już zjeść nawet lekki lanczyk.

– Dobrze, Krzysztof, przyjmujemy zaproszenie! – wykrzyknęła szybko Kaśka. Eliza zdumiona przyglądała się mamie.

Po drodze do knajpki Kaśka opowiadała naprędce, skąd się tutaj w ogóle wzięły i jakie mają plany. Kiedy usiedli pod parasolem, dokończyła swoją opowieść:

– Teraz wracamy z Gdyni do Parchowa, a jak tylko samochód będzie gotowy i mama powie, że już wszystko wie o swoich korzeniach, natychmiast wracamy do Poznania.

– Szkoda, że tylko na tak krótko tu przyjechałyście!

– Może się jeszcze zobaczymy... – Kaśka zawiesiła głos. – Czy zdarza ci się samemu oprowadzać wycieczki po Kartuzach i opowiadać o mieście? – Nagle zmieniła temat.

– Moi klienci wyjeżdżają zwiedzać Niemcy, Austrię, Francję, albo gdzieś na wczasy do Włoch lub Hiszpanii. Ale mam porozumienie z kilkoma zaprzyjaźnionymi firmami wycieczkowymi z Niemiec i kiedy tutaj docierają, mają kilka godzin przeze mnie zajęte! – roześmiał się Krzysztof.

– Aha, to dlatego chodziłeś na dodatkowe zajęcia z niemieckiego na studiach?!

– Kiedy przyjechałem do Poznania, niemiecki znałem już całkiem nieźle. Zależało mi wówczas tylko na konwersacjach. Pamiętasz, wtedy tak nie wyjeżdżało się jak dzisiaj... No, ale ty przecież też tam chodziłaś! Przecież byliśmy na konwersacjach parą!

– Tak, byliśmy parą...! – Kaśka z lekką melancholią w głosie powtórzyła ostatnie słowa Krzysztofa.

Elizie nie uszło uwagi, że ich dłonie niespodziewanie połączyły się i na chwilę pozostały w delikatnym uścisku. Dojrzała w ich oczach lekkie zmieszanie, ale właśnie podeszła kelnerka i mogli zająć się zamawianiem. Eliza przyglądała im się z rosnącym rozbawieniem.

– A mnie to nikt nie spyta, co ja chcę zamówić, tylko decyzje zapadają na najwyższym szczeblu? – rzuciła po chwili w ich kierunku niby z wyrzutem.

– Oj, przepraszam!

– Wszystko kontrolowałam i pasuje mi, co zamówiliście, ale chciałam przypomnieć, że ja też tutaj jestem! – roześmiała się, chcąc rozładować sytuację.

Zobaczyła, że to chyba pomogło, bo Krzysztof spojrzał na nią z wdzięcznością.

Kiedy kelnerka przyniosła zamówione dania i wszyscy zabrali się do jedzenia, Krzysztof odezwał się:

– Kasiu, ponieważ widzę twoją córkę Elizę, wiem, jak wygląda twoja sytuacja rodzinna. Opowiem ci w takim razie, jak to wygląda u mnie. Mamy syna Igora, jest studentem informatyki, który w chwilach wolnych pracuje jako współpracownik w radiu Kaszëbe…

– Nie słyszałam o takiej stacji! – przerwała mu Kaśka.

– To taka nasza namiastka kaszubskiego radia, które na razie ma tylko krótkie audycje w Radiu Gdańsk, ale to będzie kiedyś nasze, w pełni autonomiczne radio! Mówimy o nim jeszcze trochę na wyrost radio Kaszëbe, ale przyzwyczajamy się już do jego przyszłej nazwy.

– Aha! – mruknęła z pełnymi ustami Kaśka.

– Dla nas Kaszubów to jest sprawa bardzo, bardzo istotna, natomiast dużo ludzi kwituje to – nie pogniewaj się za słowa, jakich użyję – zdawkowo jak ty!

– Przepraszam cię, Krzysiu, ale my tam w Poznaniu naprawdę nic o tym nie wiemy. – Kaśka poklepała go lekko po dłoni, a potem delikatnie ją uścisnęła.

Ani zmiana imienia Krzysztof na bardziej zdrobniałe, ani kolejne dotknięcie jego dłoni znowu nie uszły uwagi Elizy. Intrygowało ją, o co tutaj chodzi, ale podobał jej się ten spokojny mężczyzna, zwłaszcza jego zachowanie, sposób wysławiania... No, może na pierwszy rzut oka nie jest taki szałowy i atrakcyjny jak Adam, ale wygląda na bardzo dobrego człowieka. Szkoda, że mama kogoś takiego nie spotkała po śmierci taty, pomyślała.

– To teraz mogę dokończyć o rodzinie... – ni to spytał, ni to poinformował Krzysztof.

Kaśka skinęła głowa.

– Igor był zawsze bliżej matki, bo ja na ogół gdzieś tam byłem... – zatoczył ręką łuk w powietrzu – ...potem, gdy miał kilkanaście lat, miałem wrażenie, że zaczynamy się lepiej rozumieć, połączył nas temat żagli, a teraz trudno mi nawet powiedzieć... – Rozłożył ręce i uśmiechnął się sztucznie. – Wydoroślał, ma własne zainteresowania, a nas po prostu... toleruje.

Elizę szczególnie zaskoczyło ostatnie słowo. Dojrzała, że matka też spoważniała i zerka z niepewną miną na nią. Krzysztof nie dał im jednak przemyśleć tego i ciągnął dalej.

– Od jakiegoś czasu w zasadzie nie jestem już z żoną... – Zawiesił na moment głos. – Jesteśmy małżeństwem, ale nie układa nam się. Chodzimy własnymi ścieżkami... to znaczy ja nigdzie nie chadzam! – Przyłożył prawą rękę do serca, jakby przysięgał. – Ciągle się zbieram, żeby tę sprawę ostatecznie rozwiązać, ale... – przerwał wyznanie i wbił ponuro wzrok w stolik.

– Krzysiu, nie chciałam, żebyś mi o takich sprawach opowiadał!

– Trafiła mi się wreszcie okazja, by komuś o tym opowiedzieć, a ty jesteś naprawdę... odpowiednim słuchaczem. – Wbił w nią wzrok i zamilkł.

Eliza aż poderwała głowę. Spoglądała na przemian to na mamę, to na dopiero co poznanego mężczyznę. Siedzieli przy niej, ale byli zupełnie nieobecni.

– Z całą swoją rodziną jestem na bakier, więc nie mam z kim pogadać – podjął ponownie temat Krzysztof. – Poza tym chcę, żebyś akurat ty wiedziała dokładnie, co u mnie! – mocniej zaakcentował ostatnie słowa.

– Bardzo mi przykro...

– Wiesz co? – raptownie zmienił temat. – Potrzebuję na gwałt współpracownika, zastępcy. – Może mi kogoś polecisz? To musi być ktoś swój, zaufany, niezwiązany z moją rodziną ani niemający tutaj jakichkolwiek powiązań.

– Tak na gorąco?!... – zaskoczona Kaśka rozłożyła ręce. – Mam kilku znajomych z branży szukających pracy, ale nie wiem, czy ktoś chciałby się akurat tutaj przenieść i to tak nagle...

Eliza przysłuchiwała się tej rozmowie z coraz większym zainteresowaniem. Przypomniało jej się słynne powiedzenie Alfreda Hitchcocka, który mawiał, że aby widza zaciekawić, film powinien się zacząć od trzęsienia ziemi, a potem napięcie winno stopniowo rosnąć...

– Kaśka, a może ty!? – wykrzyknął znienacka Krzysztof i aż się uniósł na krześle.

Przy stoliku zapanowała na kilka chwil grobowa cisza. Wydawało się, że wszyscy przechodnie, a także wszystkie ptaki na rynku czekają na odpowiedź.

Kaśka zdumiona trzepotała powiekami, myśląc gorączkowo: Boże! O co tu chodzi? Jestem tu przypadkowo, tylko na chwilę, przejazdem. Poza tym nie znam Kaszub ani kaszubskiego języka. Niecałe cztery dni poza Poznaniem, a tu już tyle wydarzyło się, co tam przez ostatnich dziesięć lat życia.

– A nie mówiłam!? – Ciszę przerwał niespodziewanie okrzyk Elizy, stanowiący eksplozję kłębiących się w jej głowie myśli.

Wszystkie ptaki czekające na odpowiedź Kaśki zdziwione poderwały się do lotu, a przechodnie zwrócili głowy w kierunku Elizy.

– Tak naprawdę, to tylko sobie coś pomyślałam... – uzupełniła już cicho.

– Boże, jeśli tylko pomyślałaś, to dlaczego tak wrzasnęłaś? Przecież to mnie Krzysztof zadał pytanie, a ty się wyrywasz...!

Cała trójka spoglądała po sobie ze zdumieniem. Pierwszy nie wytrzymał Krzysztof i huknął salwą śmiechu. Kaśka i Eliza dołączyły do niego po chwili.

– Wiecie co, dziewczyny?! Zostawmy na razie te wszystkie pytania bez odpowiedzi! Dawno z nikim nie rozmawiałem tak szczerze jak dzisiaj i do tego bez nerwów, ani nie bawiłem się tak miło, więc niech zabawa trwa. W rewanżu zawiozę was dzisiaj do Parchowa, a po drodze zrobię wam małą wycieczkę po Szwajcarii Kaszubskiej!

– Krzysiu, przecież to dla ciebie będzie kłopot... – Kaśka zaczęła bez przekonania.

– Postanowiłem już i nie ma o czym gadać! – przerwał jej Krzysztof. – Wam i tak nigdzie się nie spieszy, a ja zrobię sobie przyjemność! Nie odmawiajcie mi! – Błagalnie spojrzał na Kaśkę i Elizę, przewracając komicznie oczami.

– Ja tam się cieszę! – Eliza mrugnęła do Krzysztofa.

– Przekonałeś i mnie! – sztucznie ociągając się, powiedziała Kaśka.

– A poza tym postanowiłem, że za granicę jutro też nie pojadę, choć miałem to w planach! Muszą się beze mnie obejść. – Miał minę, jakby komuś zrobił dobry kawał. – Ostatecznie to moja firma i mam kogo wysłać! – roześmiał się głośno, ale po chwili spoważniał. – Zresztą te wyjazdy to i tak była, i jest, ciągła ucieczka przed rodziną...! – Gdy ujrzał nagłą zmianę na twarzy Kaśki, wykonał palcami szybki ruch wzdłuż ust pokazujący, że już milczy i nie będzie tego tematu kontynuował.

Potem był krótki spacer do kościoła św. Kazimierza, niegdyś świątyni luterańskiej, jak zaznaczył Krzysztof, po czym ruszyli jego autem w kierunku klasztoru kartuzów. W czasie jazdy opowiadał ciekawostki z historii zakonu.

– Mnichowie mieszkali w osobnych eremach, w których samotnie jedli, pracowali i modlili się; każdy miał swój ogródek.

– To mieszkali tak jak dzisiaj w szeregowcach, tyle że każdy sam! – spuentowała Eliza. – No i satelity nie mieli! Nudno! – dodała.

– Córcia, zakon to zakon! – rzuciła niby poważnym tonem Kaśka. – Ty na pewno byś się na kartuza nie nadawała – uzupełniła, mrużąc oczy.

– Fajne jesteście! – roześmiał się Krzysztof. – Ale i tak nie mieli najgorzej... bo budynki były połączone wspólnym krużgankiem. Kartuzom na każdym kroku towarzyszyła myśl o śmierci – dodał już poważniej. – Oswajali się z nią, aby mobilizować się w dążeniu do doskonałości. Tradycja mówi, że spali w trumnach...

– W trumnach? – przerwały mu chórem Kaśka i Eliza.

– Tak, dobrze słyszałyście, spali w trumnach! Zresztą maksymą tutejszych zakonników było *memento mori*. Jakby tego było im mało, w osiemnastym wieku postanowili położyć nowy dach kościoła i to w kształcie wieka trumny! Do dziś jest on symbolem architektonicznym miasta. Tutejsza kartuzja słynęła z bogactwa, wyrobu słynnego likieru i działalności charytatywnej. W piętnastym wieku do zakonników należało kilka tysięcy hektarów ziemi, sięgającej aż po Żuławy, liczne wioski – o Gdyni już wam mówiłem – oraz wiele nieruchomości w Gdańsku.

– Bardzo obrotni byli ci kartuzi... – z szelmowskim uśmiechem wtrąciła Eliza.

Widziała, jak mama cały czas wpatruje się w Krzysztofa, jakby czytała z jego ust. Po wczorajszym wieczorze zaczynała się powoli przyzwyczajać do niektórych jej odruchów i zachowań, których nigdy wcześniej nie widziała. Ale to było coś zupełnie nowego.

– Ich tutejsza posiadłość nazwana została Rajem Maryi. To jest to wszystko, co widzicie przed sobą.

Spoglądały teraz na zabudowania, w pobliżu których zaparkował.

Raj Maryi ze swoimi drzewami przywitał ich nieco znośniejszym niż w rynku powietrzem. Krzysztof zatrzymał się obok ławki pod drzewami.

– Teraz odpocznijcie sobie tutaj chwilę, nabierzcie sił, a potem idźcie zwiedzić kościół. Ja skoczę na rynek, zamknę firmę i za godzinę jestem! – Krzysztof, nie oglądając się za siebie, ruszył szybkim krokiem w kierunku samochodu.

– Fajny jest ten Krzysztof... – patrząc za nim, powiedziała Eliza.

Usiadły na ławce. Kaśka odprowadzała go w milczeniu wzrokiem.

– Muszę ci zdradzić moją wielką tajemnicę.

Eliza z wrażenia aż się odwróciła w kierunku matki. Ta podniosła okulary na czoło i spojrzała w oczy córki.

Eliza już otwierała usta, ale Kaśka ją ubiegła, kładąc palec na swoich.

– Byłam dziewczyną Krzysztofa na pierwszym i początku drugiego roku studiów! Kochaliśmy się bardzo. – Ich oczy znowu się spotkały. – On był moją pierwszą wielką miłością. Dzisiaj dzięki Krzysztofowi przeniosłam się znowu w tamte lata...

– Mamuś, jesteś fantastyczna! Coś wyczuwałam, ale teraz wszystko już rozumiem! – przerwała jej Eliza, całując w policzek.

– Obawiam się, że chyba jeszcze nie wszystko! To był mój pierwszy mężczyzna... – przerwała, zauważając, że Elizie powiększyły się oczy; znowu złapała ją za rękę. – Spędzaliśmy prawie całe dnie razem. Rozstawaliśmy się tylko na noce, chociaż niektóre też były wspólne. – Obie zmrużyły oczy. – Miałam wyrozumiałych rodziców, więc mogłam bywać na różnych imprezach... – Śmiały się do siebie oczami. – Wydawało mi się, że moja miłość do Krzysztofa jest wielka, chociaż ona naprawdę taka była tylko dopóki nie poznałam Piotra... – zamilkła, jakby chciała sobie coś jeszcze przypomnieć. – On był młodym doktorantem, asystentem profesora i prowadził z nami wykłady z historii. Był cichy i skromny, unikał wzroku, peszył się... Tylko kiedy rozprawiał o „Solidarności", wolnej Polsce, mówił z pasją, płonął i błyszczały mu oczy. Cudownie argumentował, miał dużą wiedzę i potrafił nam ją przekazać. Wszyscy byliśmy pod jego ogromnym urokiem, zakochałam się w nim już na pierwszym wykładzie. Każde jego słowo to były dokładnie moje poglądy i myśli! Rozemocjonowana odezwałam się w dyskusji, którą on wywołał, a potem, tego dnia i podczas kolejnych wykładów, miałam wrażenie, że cały czas na mnie patrzy. Sama byłam zaskoczona, bo przecież obok siedział Krzysztof, którego kochałam, ale tamtego już też! W myślach broniłam się, ale chemia działała... Krzysztof chyba coś wyczuwał. – Znowu przerwała i spoważniała. – Przypadkiem spotkałam się z Piotrem w księgarni św. Wojciecha, a ten cichy Piotr popatrzył na mnie tak dziwnie i nieoczekiwanie zaprosił mnie do „Tureckiej", bo musi mi coś pilnie powiedzieć. Zgodziłam się, gdyż byłam strasznie ciekawa, co to takiego... Wtedy wyznał mi miłość od „mojego pierwszego odezwania się", takiego użył sformułowania. Byłam do tego stopnia w szoku, że w uniesieniu powiedziałam mu w rewanżu to samo. To była prawda! Byliśmy na Mount Evereście uczuć! Pożeraliśmy się wzrokiem, kurczowo trzymaliśmy za dłonie, ja płonęłam, on też cały w pąsach! Takie historie spotyka się tylko na filmach, a ja to przeżywałam! Nagle pojawił się w moim życiu problem. Byli dwaj wspaniali mężczyźni, których jednocześnie kochałam! Wówczas wybrałam Piotra. Dzisiaj przypomniałam sobie jednak tę pierwszą miłość i musisz mi to wybaczyć! – Przyciągnęła Elizę do siebie.

– Widzisz, dobrze, że przyjechałyśmy razem na Kaszuby!

– Tak! Naprawdę dobrze! Dziękuję ci za to! Chcę trochę pozostać w tamtych latach, do których na chwilę wróciłam, więc nie pytaj mnie dzisiaj już o nic więcej.

– Czyli jak to mówią: stara miłość nie rdzewieje – roześmiała się Eliza.

Uśmiechnięta Kaśka pokiwała twierdząco głową.

*

– Pokażę wam dzisiaj moje Kaszuby... – rozpoczął pod-ekscytowany Krzysztof, gdy ruszyli w kierunku Siera-kowic. – Zobaczycie dziwną budowlę, śliczne widoki na trasach kaszubskich, będziemy na Wieżycy, a na zakoń-czenie...

– Ależ na to wszystko całego dnia nie starczy, a teraz dochodzi przecież czwarta! – Kasia weszła mu w słowo, spoglądając na zegarek.

– Starczy i jeszcze zdążymy zjeść rybkę z jeziora! Już się na nią cieszę. Mam to wszystko obmyślone i obliczo-ne, przecież jestem tutejszy, a do tego to mój fach! – ro-ześmiał się, komicznie podnosząc nos.

Jechał w tempie „spacerowym", aby mogły chłonąć widoki za oknami samochodu. Wzgórza, doliny, lasy, jeziora, oczka wodne, zabudowania na wzgórzach, schludne wioski, wszystko to cieszyło ich wzrok. Opo-wiadał im ciągle o swoich Kaszubach, tutejszej kultu-rze, języku.

Samochód raz wspinał się pod górę, innym razem zjeżdżał w dół.

– Na początek naszej wycieczki pokażę wam coś nie-zwykłego. To nie jest ani zabytek, ani pomnik przyro-dy, ani kompleks użytkowy – sam nie wiem, jak to za-kwalifikować. Nazywam to więc obiektem w budowie.

W Łapalicach Krzysztof skręcił w lewo. Po kilku mi-nutach samochód zatrzymał się w lesie przed ogromną murowaną bramą w wysokim murze. Widok tego kom-pleksu na odludziu był zgoła niecodzienny.

– Za tym murem stoi zamek czy też pałac, bo różnie się mówi, który pod względem kubatury ustępuje na Pomorzu jedynie zamkowi w Malborku. Ogrodzony teren ma kilka hektarów, jest też spory kawałek lasu i sztuczny staw. Tam nie można wejść, więc zobaczycie tylko tyle, ile widać zza muru, przez szpary. A teraz mały spacerek!

Przemieszczali się wzdłuż ogrodzenia. Krzysztof prawił o szczegółach architektonicznych i wykończeniowych obiektu, o prawdopodobnych jego funkcjach, a także o samym pomysłodawcy i inwestorze oraz o problemach formalno-prawnych związanych z kontynuacją budowy.

– Eliza, gdzie jesteś?... – Kaśka kręciła się wokół, wypatrując córki. – Gdzie ona zniknęła?

– Spójrz na tamto drzewo – Krzysiek z uśmiechem wskazał za siebie.

Eliza, oparta o rozwidlenie konarów na wysokości około pięciu metrów, pstrykała zdjęcia.

– Kiedy ty zdążyłaś się tam wdrapać?

– W międzyczasie, mamo!

– Zuch dziewczyna! Takich teraz jest mało! – Krzysztof z podziwem pokiwał głową. – No zejdź już, Eliza, starczy. Muszę pilnować harmonogramu. – Eliza posłusznie zeszła i po chwili samochód ruszył dalej.

– Teraz pojedziemy jedną z najpiękniejszych tras w Polsce! Ona ma tylko trzydzieści kilometrów, przejechałem nią już setki razy, ale wciąż nie mam dosyć!

Droga prowadziła w pobliżu brzegów jezior. Krzysztof przywoływał kolejno ich nazwy: Łapalickie, Białe, Kłodno, Brodno Małe, Brodno Wielkie. Kaśka i Eliza spoglądały to w lewo, to w prawo, podziwiając niezwykłe widoki.

– Szkoda, że mamy tak mało czasu!

– Tak, mamuś! Jak dzisiaj zdamy relację babci, gdzie byłyśmy i co widziałyśmy, będzie nam zazdrościć!

– Zostańcie w takim razie jeszcze na weekend, to byśmy zrobili całodniowy wyjazd razem z twoją mamą! – Krzysztof nieoczekiwanie zjechał z szosy i zatrzymał się na parkingu przy rozdrożu.

– Krzysiu, to chyba raczej nie wchodzi w rachubę! Ale też tutaj pięknie! – Kaśka po wyjściu z samochodu zachwycona wpatrywała się w wody jezior połyskujących przed nimi w głębokiej dolinie.

Krzysztof spoglądał z satysfakcją na rozanieloną Kaśkę.

– Taki jeden Aleks z Gdyni, jak jechałam na rozmowy na uniwerek... – Eliza wykorzystała moment, żeby wtrącić parę słów – ...załatwił z kierowcą, żeby ten się tu specjalnie dla mnie zatrzymał, abym mogła pooglądać te widoki.

– Zapomniałem wam powiedzieć na początku tej trasy, jeszcze przy Łapalicach, że ta trasa ma przecież swoją nazwę... Nazywa się Droga Kaszubska. Wybudowano ją w drugiej połowie lat sześćdziesiątych. Ciągnie się właśnie od Łapalic aż do Góry Wieżycy, to tam daleko na horyzoncie! – wskazał.

– A dokąd teraz pojedziemy? – spytała Kaśka, gdy usiedli ponownie w samochodzie.

– Na Wieżycę, by popatrzeć na Szwajcarię Kaszubską z wieży widokowej.

Samochód zjeżdżał teraz drogą prowadzącą mocno w dół.

– Część jezior, które mijaliśmy lub będziemy jeszcze mijać, tworzy Kółko Raduńskie. To jest prawie czterdziestokilometrowa trasa kajakowa przebiegająca przez dziesięć jezior.

– Chyba sobie zaplanuję taki rejs! To by było wyzwanie! – rozemocjonowała się Eliza.

– A skąd weźmiesz na to siły?

– Zatrudnię do wiosłowania jakiegoś osiłka, silnego na przykład jak... Adam! – Eliza wyszczerzyła się w uśmiechu.

– A któż to ten silny Adam? – wtrącił się Krzysztof.

– Kolega mojego kolegi! Taki macho, a do tego obieżyświat. Postury młodego Perepeczki. – Eliza postanowiła jednak nie zdradzać szczegółów z ich wczorajszego wieczoru w Erinie. Kaśka odetchnęła z ulgą.

Mijali kolejne miejscowości położone przy Drodze Kaszubskiej, przebiegającej wzdłuż brzegów jezior. Dużo pensjonatów, ładne restauracje, kawiarenki i bary, ciekawe zabudowania, wielu spacerujących ludzi. Sezon wakacyjny już się rozpoczął. Wjechali w las.

– Zaraz będzie Wieżyca – zakomunikował Krzysztof. – Mamy tutaj taką namiastkę górskiej drogi – dodał, gdy wspinali się serpentyną pod górę.

– No, może to nie wieża Eiffla, ale fajnie tu – stwierdziła Eliza, gdy rozpoczęli wspinaczkę schodami na wieżę widokową.

– Jak widzisz, są trzy platformy na różnych wysokościach, bo nie wszyscy czują się na siłach wejść na samą górę – rzucił Krzysztof.

– Wy sobie idźcie powoli, a ja pędzę, nosi mnie! – krzyknęła Eliza i ruszyła szybszym krokiem w górę.

– Udała ci się córka – pochwalił Krzysztof, gdy zatrzymali się na pierwszej platformie. Taka... bezkonfliktowa! I bystra!

– Szkoda, że nie widziałeś jej w czasie ostatnich dwóch lat. Cały czas iskrzyło między nami, ale teraz widzę, że było w tym dużo mojej winy. Ten wyjazd pozwolił mi popatrzeć na wiele spraw z dystansem – z nutą melancholii odparła Kaśka.

– No, ale widzę, że tak naprawdę czytacie sobie w myślach.

– Po śmierci dziadka ona straciła swojego przewodnika, autorytet, coś się w jej szufladkach przestało zgadzać, a my, to znaczy głównie ja, nie potrafiłam tego właściwie odczytać. Ona chce już robić wszystko po swojemu, mówi o jakimś „nowym świecie" – tak mówi na przykład o Gdyni, a ja ciągle nie jestem jeszcze gotowa, żeby wypuścić ją spod skrzydeł.

– Ale masz tego świadomość, więc jesteś blisko!

– Krzysiu, ale to jest dziewczyna, a nie chłopak czy młody mężczyzna, jak twój Igor... Chciałabym go poznać, wiesz?! – uśmiechnęła się.

– Eliza ze wszystkim w życiu da sobie radę!

– Idźmy dalej, bo będzie się z nas śmiać, żeśmy spuchli!

– Mamuś, jesteście nareszcie! Czy wyście spuchli? – krzyknęła do nich Eliza, gdy pojawili się wreszcie na najwyższej platformie.

– To dla mnie zdumiewające, jak wy potraficie nadawać na tych samych falach.

Kaśka i Eliza spoglądały po sobie zdziwione.

– Ale o co chodzi? Czy wyście czasem o mnie nie gadali? Bo mnie jakoś tak dziwnie przylądki swędzą.

– Co takiego? – Kaśka ze zdziwienia aż zdjęła okulary.

– Jak szłam bulwarem w Gdyni po egzaminie, to tak je oba nazwałam – klepnęła się w jeden z pośladków. – Słońce operowało z tyłu, a to były najdalej wysunięte na południe części mojego ciała.

– Córcia! – krzyknęła Kaśka, udając zgorszoną.

– No nie Eliza, jesteś rewelacyjna! – Krzysztof zanosił się ze śmiechu.

– Ja już porobiłam masę zdjęć i tak sobie myślę, szkoda, że... babcia tego nie widzi!

– Ciągle namawiam mamę, żebyście jeszcze trochę zostały... – Krzysiek przerwał i pokazał ręką. – Tam jest Złota Góra, gdzie zatrzymaliśmy się na parkingu!

– Ta wasza Szwajcaria Kaszubska jest cudowna – W tonie Kaśki czuć było szczery zachwyt.

– Jeśli się wszystko potwierdzi, czy już nawet potwierdziło co do korzeni twojej mamy, to ta Szwajcaria Kaszubska jest także wasza! W tamtym kierunku pojedziemy, do Szymbarku. – Wskazał ręką w kierunku słońca.. – Gdy koloniści niemieccy zakładali go na początku siedemnastego wieku, nazwali go Schönberg... Piękna Góra.

– Dasz wiarę, że moja babcia Jutka też ma korzenie kolonistów niemieckich, ale z początków dziewiętnastego wieku?

– Kasiu, ale jeśli mama ma tutejsze korzenie, to twoje korzenie już nie sięgają kolonistów niemieckich!

– Kto wie, jakie korzenie mieli rodzice babci Ani! Może tam też gdzieś pojawiają się koloniści niemieccy? – wtrąciła rezolutnie Eliza.

– Ta umiejętność wyciągania szybko poprawnych wniosków, szczerość i rezolutność podobają mi się w tobie najbardziej! – Krzysztof prawie zapiał z zachwytu.

– Do usług, panie! – odkrzyknęła Eliza ze śmiechem.

– Słuchajcie, dziewczynki...

– A co ty tak mówisz jak moja mama? – przerwała mu Kaśka.

– Oj, przepraszam, tak mi się wyrwało!

– Z młodej piersi! – dorzuciła Eliza.

– Pani Elizo... kocham panią! – Krzysztof śmiał się całym ciałem, aż musiał przytrzymać się balustrady.

– Mnie jeszcze nie wolno kochać, panie Sułku, ale jak

pan się rozejrzy i to nawet blisko... – przerwała Eliza, chichocząc.

Po chwili wycierała wilgotne oczy i spoglądała raz na mamę, raz na Krzysztofa, speszonych jej żartem. Pospiesznie zmieniła temat.

– Czyli jak rozumiem, te jeziora, które tu widzimy, wszystkie należą do... do... Kółka Raduńskiego!

Krzysztof odetchnął pełną, a do tego młodą piersią, rad, że może wrócić do roli przewodnika.

– Tam są jeziora Raduńskie: Górne i Dolne, tam jezioro Brodno Wielkie, tu w dole Ostrzyckie i trochę prześwituje Patulskie.

– O, musiałabym wziąć ze dwóch Perepeczków, żeby to wszystko opłynąć – stęknęła Eliza z zawodem.

– A teraz zaprzyjcie się dobrze nogami i spójrzcie uważnie na północ! Ten wąski zielonkawy pasek wciśnięty przy horyzoncie w błękit to...

– To przecież... – Eliza spojrzała na Krzysztofa, szukając potwierdzenia w jego oczach – to jest... Półwysep Helski!

– Co? – Kaśka zdumiona spoglądała we wskazanym kierunku. – To zawsze tak go widać? Niesamowite!

– Stąd do cypla jest... chyba z siedemdziesiąt kilometrów?! – Eliza z podziwu dla siebie samej aż się zająknęła, a Krzysztof dla potwierdzenia celności jej oceny pokiwał z uznaniem głową.

– No, to jeszcze zrób nam zdjęcie – poprosił – a potem ja zrobię wam i skaczemy w dół! – roześmiał się.

Kiedy Eliza ruszyła schodami w dół, Kaśka dotknęła Krzysztofa i porozumiewawczo wskazała głową na zbiegającą dziewczynę. Ten z podziwu tylko pokręcił głową.

– Skąd jej się to bierze? – spytał, a Kaśka tylko rozłożyła ramiona.

– Za trzy minuty czekam na was na dole! To tylko sto osiemdziesiąt dwa stopnie! – dobiegł ich okrzyk Elizy z platformy poniżej.

Za kilka minut zjeżdżali już w kierunku Szymbarka, po czym ruszyli w stronę Golubia i dalej.

Od czasu do czasu pojawiały się między drzewami zabudowania, błyskały wody jakiegoś jeziora czy oczka wodnego.

– Jesteśmy w Stężycy! Podjedźmy najpierw pod kościół, a potem kolacja! – Krzysztof oblizał się.

– A co tu jest ciekawego? – dopytywała Eliza.

– To jest osiemnastowieczny kościół barokowy, piąty z kolei kościół na tym samym miejscu. Został wybudowany w tysiąc siedemset szóstym roku. Trzy pierwsze drewniane się spaliły, a czwarty, także drewniany, rozebrano i wtedy postawiono kościół dzisiejszy. Jest to parafia św. Katarzyny Aleksandryjskiej, duża wiejska parafia i jedna z najstarszych w tej części Kaszub. Obejmowała niegdyś znaczny obszar: od Parchowa przez Brodnicę Górną aż do Szymbarku.

– A ile stąd kilometrów jest do Parchowa? – dopytywała Eliza.

– Około trzydziestu!

– Daleko kiedyś mieli – Eliza zafrasowała się.

– Ale wtedy ludzie inaczej traktowali czas, nie spieszyli się – pocieszyła ją mama.

Po parunastu minutach siedzieli w gustownej knajpce „Sielawa", czekając na smażoną rybę.

– Zobaczycie, jaka to pychota, ta sielawa! – zachwalał Krzysztof.

– Nie znam takiej ryby! – powiedziała Eliza. – To znaczy jej smaku! – uśmiechnęła się. – Po łacinie nazywa się ... zaraz, zaraz... Już wiem: *Coregonus albula* i pochodzi z rodziny łososiowatych – dodała po chwili z przechwałką w głosie.

Przyglądała się mamie i Krzysztofowi, nie ukrywających zaskoczenia. Gdy wydało jej się, że mama już-już otwiera usta, żeby coś powiedzieć, ubiegła ją.

– Lubi głębokie i czyste jeziora o twardym dnie, i jest bardzo wrażliwa na zawartość tlenu w wodzie. To wszystko świadczy, że woda w obu jeziorach jest bez zarzutu! – deklamowała szybko, trzymając się pod boki, dumna ze swojej wiedzy.

– Ta uczelnia gdyńska jest dla ciebie naprawdę wymarzona!

Pałaszowali z apetytem i w zupełnej ciszy.

– Palce lizać! – odezwała się wreszcie Kaśka z pełnymi jeszcze ustami.

– Wszystkie! – dodała Eliza i demonstracyjnie oblizywała je kolejno.

– Elizka! – Kaśka próbowała ją strofować.

– Mamuś, przecież widziałaś, że zrezygnowałam z widelca, więc usmarowały mi się palce w tłuszczyku, wszystkie.

Gdy kelnerka przyniosła im sporej wielkości zawiniątko, Krzysztof odezwał się tajemniczo.

– Tutaj coś ekstra na wynos, ale jeszcze tego nie rozwijajcie. Zjedzcie to sobie na kolację. A teraz na koń! – Krzysztof poderwał się zza stolika.

– Ostatnim miejscem, które wam dzisiaj pokażę, są Kamienne Kręgi w Węsiorach – powiedział, gdy ruszyli. – To tylko kilkanaście kilometrów stąd. Według niektórych, w niezwykły sposób oddziałują na człowieka.

– Opowiadali mi o nich Kuba i Aleks, jak jechałam autobusem do Gdyni – próbowała coś wtrącić Eliza.

– Oo, to ty już coś o tym wiesz!? – zdziwił się Krzysztof.

– Córcia, ty samolubie! Może ja też chcę się czegoś o nich dowiedzieć?

– No, jeśli mama prosi, to musisz wysłuchać o nich jeszcze raz! – roześmiał się Krzysztof. – To jest stare cmentarzysko Gotów, tak przynajmniej uważają historycy! Są tam trzy kręgi i dwadzieścia kurhanów...

Opowieść o węsiorskich kręgach trwała aż do samego parkingu u stóp wzgórza, na którym były ułożone.

Gdy skończyli je zwiedzać, Eliza jęknęła, spoglądając na jezioro.

– Och, ale chętnie bym się wykąpała! – Wpatrywała się w jego migoczące wody z pożądaniem. – Przecież mamy kostiumy! – krzyknęła.

– Do „Iskierki" już niedaleko, dajmy spokój, córcia! Nie znamy tego miejsca!

Krzysztof nie skomentował tej wymiany zdań, tylko dziwnie na obie popatrzył. Po chwili wrócił do swojej roli.

– W Odrach, poniżej Jeziora Wdzydze, są według niektórych najstarsze po Stonehenge kręgi.

– Ciekawe, że to wszystko na Kaszubach!? – ni to spytała, ni to oznajmiła Eliza.

– Bo tu żyli Goci! – skomentowała krótko Kaśka.

– Boże, jaka jestem gorąca! – jęknęła Eliza, gdy wsiedli do samochodu.

– Ja też! Kiedy przyjedziemy do „Iskierki", wezmę długi, chłodny prysznic! – Kaśka dotykała rozgrzanych ramion i szyi.

– No widzisz, a nie chciałaś się wykąpać przy kręgach!

– Teraz żałuję.

– Dziewczyny, jeśli zechcecie się ochłodzić w warunkach naturalnych, to możemy się wykąpać w jeziorze

Mausz, które widać teraz po lewej. Niedaleko od szosy jest cypel, na którym niegdyś często bywałem. Tam można spokojnie popływać!

– Ale już po dziewiątej!

– Mamuś, chyba nie zamykają jeziora jak pływalni na Niestachowskiej o dwudziestej pierwszej. Przecież jest jeszcze jasno! Zróbmy sobie frajdę! No i zaoszczędzimy Feli wodę!

– Bo ja wiem!

– Podjąłem decyzję! Jedziemy na cypel! – rzucił zdecydowanym tonem Krzysztof, po czym przyhamował i skręcił z szosy w lewo, w boczną drogę.

– Jak to jest? Tam nazwa Parchowski Młyn, a tutaj Frydrychowo! To tylko kilkanaście metrów różnicy. – Eliza pokazywała ręką za siebie.

– Parchowski Młyn został w dole po prawej stronie szosy. Tam naprawdę był kiedyś młyn. Frydrychowo jest tutaj, gdzie jedziemy.

Samochód podskakiwał na drodze wyłożonej płytami jomb. Po jej lewej stronie, na skarpie nad brzegiem jeziora, przycupnęły domki letniskowe, po prawej zieleniła się łąka, a za nią majaczył młody las, za którym schowało się już słońce. Jeszcze tylko ostry zjazd kilkadziesiąt metrów w dół i już byli na cyplu. Zaparkowali tuż przy brzegu.

– Jesteśmy na miejscu! Na górce tylko jeden namiot, ale na samym cyplu pusto!

Szarzało, lecz ciągle było na tyle jasno, by móc podziwiać lekko sfalowane wody jeziora. Pojawił się nie wiadomo skąd delikatny wiaterek. Na przeciwległym brzegu dymiło ognisko, dochodziły stamtąd dźwięki muzyki i gwar dzieciarni. Na jeziorze tu i ówdzie kołysały się łódki z wędkarzami. Ryby kilka metrów od brzegu wyskakiwały ponad wodę, świecąc srebrzyście przez chwilę i z pluskiem ginęły na powrót w toni. W pobliskiej zatoczce pływały krzyżówki, cyranki i dostojne łabędzie.

Kiedy Kaśka i Krzysztof przyglądali się sobie ukradkiem, niby próbując stopami ciepłoty wody, niespodziewanie z dzikim okrzykiem na ustach wyskoczyła zza ich pleców Eliza i runęła do jeziora.

– Bez szaleństw, tutaj jest zaraz głęboko! – krzyknął za nią Krzysztof.

Wynurzyła się po chwili i prychając radośnie, zapiszczała:

– Cudowna woda! Chodźcie! Co tak stoicie?!

Kaśka wycofała się na kilka chwil za samochód. Po chwili wyszła dostojnym krokiem w jednoczęściowym kostiumie w kolorze tęczy. Przeszła obok Krzysztofa i lekko go trącając, rzuciła:

– No, Krzysiu, a ty na co czekasz?!

Krzysztof patrzył na nią jak urzeczony. Taką ją właśnie zapamiętał z plaży nad Rusałką i pływalni na Chwiałkowskiego dwadzieścia lat temu. Nic się nie zmieniła. Tak samo zgrabna, jakby czas się dla niej zatrzymał. Może tylko starsza o kilka kilogramów! Ale to jeszcze dodaje jej uroku, uśmiechnął się do własnych myśli.

– Panie Krzysztofie, czy do Parchowa jest jeszcze daleko? – Eliza wykrzyczała pomiędzy jednym a drugim nurkowaniem.

– Tylko dwa, trzy kilometry! – odpowiedział jej głośno, wchodząc wolno do wody.

Schylił się, popryskał wodą głowę i ciało, pokręcił ramionami do przodu i tyłu, cofnął się trzy kroki, rozpędził w krótkim rozbiegu, mocno wybił, wyciągnął w powietrzu jak struna i zginął pod wodą, rozbryzgując ją mocno na boki. Kilka sekund nie wypływał.

– Mamo, gdzie on jest? – spytała po chwili zaniepokojona Eliza.

– Pod wodą! Nic mu się nie stało! Nie bój się! Takim go pamiętam! On był mistrzem uczelni w pływaniu pod wodą.

Krzysztof wynurzył się ze trzydzieści metrów na wprost cypla. Lekko wybił nad wodę, schował pod nią, wynurzył się ponownie, potrząsnął głową na boki, strząsając wodę z krótkich włosów.

– Tego było mi trzeba! Zaraz wracam! – krzyknął. Ruszył crawlem w kierunku środka jeziora. One pływały spokojnie obok siebie wzdłuż brzegu, prychając radośnie.

– Super jest ten twój Krzysztof, mamo!

– Jaki mój! Cicho bądź, bo jeszcze usłyszy! – Kaśka plasnęła otwartą dłonią mocno o wodę, aż bryzgi poszły daleko na boki. Obie roześmiały się radośnie.

Dotarły do „Iskierki" po dziesiątej wieczorem, jeszcze z mokrymi od kąpieli włosami i ciągle rozbawione. Na werandzie biesiadowały w najlepsze Felicja i Anna. Na stole jedzenie, w karafce jakiś trunek, przed nimi małe kieliszki. Obie wpatrzone w siebie, roześmiane, mówią sobie po imieniu, szturchają się, jakby znały się od dziecka. Kaśka i Eliza stanęły jak wryte w progu werandy.

– A co to jest?... – zdziwiła się Kaśka.

– Aa, to! To dla odmiany jest nalewka pigwowa! – odparła niespeszona niczym Felicja, wskazując na karafkę. Klepnęła Annę w dłoń, ta jej oddała i obie roześmiały się.

– O, nasze dziewczynki już są! – Anna nagle jakby oprzytomniała. – Czemu nie dzwoniłyście? Co się wam stało, że jesteście takie mokre?

– To od kąpieli w Mauszu, ale co się tutaj dzieje? – odparła pytaniem Kaśka, ciągle zdziwiona, bo inaczej wyglądało tu, kiedy wyjeżdżała, a teraz jakby wróciła do zupełnie innego domu i innych ludzi.

– Elizko, a jak tobie poszło? – zapytała Anna.

Do Elizy to pytanie jakby nie dotarło.

Anna zniecierpliwiona powtórzyła pytanie:

– Jak ci poszło na egzaminie?

– A, egzamin, rozmowa! W porządku! – odpowiedziała Eliza po chwili, marszcząc czoło, jakby szukała odpowiedzi na trudne pytanie.

– Już wam robię picie! – Felicja poderwała się. – Na pewno, dziewczynki, jesteście głodne.

Kaśka położyła na stole zawiniątko.

– To jest coś na kolację, ale Krzysztof nie powiedział co! Jadłyśmy w Stężycy smażoną sielawę z patelni.

– Jaki Krzysztof? – spytała Anna.

– Kolega z uczelni!

– Elizy?

– Nie, mój!

– Na jakiej ty jesteś uczelni? Czegoś nie rozumiem! – zdziwiła się Anna.

– Ale się narobiło! Nikt niczego nie rozumie. My tego, co się tutaj dzieje, a babcia, co tam się działo! – wypaliła Eliza.

– A co i gdzie się działo? – zaniepokoiła się już nie na żarty Anna.

Felicja weszła na werandę, niosąc tacę z herbatą i nakryciami, i zaczęła spokojnie rozpakowywać przywiezione zawiniątko.

– Sielawa wędzona! – krzyknęła. – To jest dopiero rarytas!

Anna ostrożnie podniosła do nosa rybę.

– Cudownie pachnie!

– Od razu spróbuj! – zachęciła ją Felicja.

– Mamuś, ale opowiedz, co tutaj od wczoraj się działo! Widzę, że jest dobrze, ale naprawdę jesteśmy ciekawe, co się wydarzyło, że jesteście w tak dobrych humorach.

Anna opowiedziała, że wczoraj, gdy podeszła do schodów werandy, by pomachać jej, kiedy odjeżdżała z Ludką i Arturkiem, zsunęła jej się chustka z pleców, którą narzuciła wcześniej.

– Felicja zobaczyła plamkę, serduszko na plecach, i rozpoznała mnie jako dawną Basię Zalewską. Nie pozostało mi już nic innego, jak tylko to potwierdzić prawdziwą opowieścią Jutki. Przyznałam się do kłamstwa o ojcu! Ryczałyśmy ponad godzinę, tuląc się do siebie. Felcia oprzytomniała pierwsza i nakrzyczała na mnie, że okłamałam ją po tylu latach! Kazała mi mówić po imieniu i obiecałyśmy sobie solennie, że już nigdy nie będziemy się okłamywać! Potem pokazałam jej listy...

– No i od wczoraj balujemy! – przerwała jej radosna jak szczygiełek Felicja. – Byłyśmy też do późna w świątyni dumania! Było cudownie, bo akurat jest pełnia księżyca! Wszystko już o sobie wiemy!

Woda i ogień

Poranek w Parchowie wstał piękny. Anna i dziewczyny narzekały na ciężką noc, ale Felicja wytłumaczyła im powód tego.

– Winę za złe spanie ponosi księżyc, bo teraz jest pełnia!

Anna i Felicja krążyły blisko siebie, nieustannie coś tam sobie opowiadały i uśmiechały się. Kaśka zajęta nakrywaniem stołu nuciła pod nosem. Tylko Eliza siedziała pod oknem zamyślona. Ciągle próbowała zrozumieć, co się tutaj dzieje.

Proces analizy sytuacyjno-zdarzeniowej prowadzony w skupieniu przez Elizę przerwany został niespodziewanie przez Kaśkę.

– Jeśli samochód będzie dzisiaj okej, pojutrze wracamy do Poznania, bo przecież czwartego masz egzaminy na Akademii Ekonomicznej! – krzyknęła.

Eliza zdębiała.

– Ależ mamo, myślałam… przecież jeszcze wczoraj mówiłaś… – z wrażenia zaczęła się jąkać – …przecież już wreszcie ustaliłyśmy, że to są moje decyzje!

– Powinnaś zdawać na wszelki wypadek również w Poznaniu, a poza tym biologia morza to nie jest żaden fach!

Eliza poczuła się jak kiedyś, gdy koledzy wylali na nią wiadro lodowatej wody. Teraz też kipiała ze złości i bezsiły. Nie potrafiła zebrać myśli; stać ją było wyłącznie na rozpaczliwą defensywę.

– Matematyka czy tam ekonomia to są dopiero fachy, tak?!

Kaśka zatrzymała się naprzeciw córki. Patrzyły na siebie, a z oczu strzelały im iskry. Anna przyglądała im się ze zdumieniem.

– Jestem dorosła i chcę wreszcie decydować sama za siebie! – krzyknęła Eliza.

– Dobrze, zrobisz, jak zechcesz… – odezwała się nieoczekiwanie pojednawczo Kaśka.

Wyczuła, że wcześniej chyba się zagalopowała, jednak nie chciała tak po prostu oddać pola. Myślała intensywnie, marszcząc czoło i wpatrując się w córkę.

– Ale zapamiętaj! Jeśli nie przyjmą cię na studia w Gdyni, nie narzekaj, tylko od razu szukaj sobie pracy! – cedziła wolno i z naciskiem. – Każdy dorosły człowiek musi odpowiadać za swoje nieprzemyślane decyzje i popełnione błędy!

– Dobrze, mamo. Jeśli pieniądz jest dla ciebie najważniejszy, to deklaruję, że jeśli nie przyjmą mnie na studia w Gdyni, zarobię na swoje utrzymanie… – bez namysłu wypaliła Eliza i zawiesiła głos na kilka chwil – …do czasu… – znowu zrobiła krótką przerwę – …podjęcia następnej próby zdawania na studia w Gdyni! – dokończyła twardo i przymrużyła oczy.

Kaśkę zamurowało. Nie spodziewała się takiej reakcji. Riposta córki była celna. Anna, Felicja i Eliza znieruchomiały, wbiły w nią wzrok i wstrzymały oddech. W ciszy, która zapadła, słychać było tylko brzęczenie pszczół na gazonie oraz ziewanie psa w niedalekim gospodarstwie.

Choć Kaśka starała się zapanować nad mimiką, czuła, że wykonuje bezwiednie jakieś dziwne nerwowe miny i mogły one zostać odebrane przez córkę jako przygotowanie do kolejnego ataku. Postanowiła więc natychmiast wrócić na pozycje ugodowe.

– Och, córcia, córcia!...

Przywołała na twarz najmilszy uśmiech, na jaki było ją w tej chwili stać, uzupełniając go zalotnym zmrużeniem oczu, które córka tak u niej lubiła.

– Ty w ogóle się na żartach nie znasz! Przecież ja nie mówiłam tego na poważnie!

– Mamuś, ale tak nie wolno sobie żartować! – Eliza już nie wiedziała, która z nich bardziej blefowała, więc aby nie było, że nie zna się na żartach, przebiegła na drugą stronę stołu, wyściskała Kaśkę, a przy okazji babcię i Felicję. – Przecież ja już prawie dostałam palpitacji! – wrzasnęła.

Teraz Anna była skołowana. Spoglądała na Elizę, która w szale radości wykonywała czynności, przed którymi zawsze się wzdragała. Zbierała naczynia ze stołu i porządkowała jadalnię. Takiej Elizy nie znała z Poznania. Spoglądała na Kaśkę, która podobnie jak ona, ze zdziwieniem wodziła wzrokiem za Elizą.

Niespodzianie Kaśka się zerwała, ruszyła do sieni, jej sandałki zastukały na schodach. Po kilku chwilach była z powrotem na dole, z telefonem przy uchu.

– Pan Stach Janik?... Dzień dobry, panie Stachu!... Aha, idzie wszystko dobrze... aha... części będą już niedługo... kiedy?... za trzy dni? To znaczy we wtorek!... to nie byle jaki samochód, a limuzyna! No tak, zupełnie o tym zapomniałam!... no tak, takich aut jest rzeczywiście mało! ...to już przecież okres wakacyjny!... też zapomniałam!... Do widzenia!

– Słyszałyście?! Samochód uziemiony do wtorku! Musimy zorganizować sobie weekend! – Nie wyglądała jednak na zmartwioną, a wręcz odwrotnie.

Kolejny raz zapadła cisza. Wszystkie cztery kobiety spoglądały po sobie. Najmniej rozumiała z tego wszystkiego Felicja, ale ponieważ lubiła ruch i zagadki – a w ciągu kilku minut wysłuchała kilku całkiem skomplikowanych słownych szarad – więc przyglądała się całej sytuacji spokojnie. Trzy szaradzistki mierzyły się badawczo wzrokiem. Wszystkie zmrużyły oczy jak kocice, spoglądały po sobie i czekały na następny ruch którejś z nich. Felicja usiadła, założyła ręce na brzuchu i przenosiła wzrok po kolei na każdą z nich. Czekała.

– Ja się nigdzie stąd nie ruszam, mnie tutaj dobrze! – oświadczyła Anna. – Wy, dziewczynki, róbcie, co chcecie, a ja robię sobie urlop od urlopu! – po czym uśmiechnęła się do Felicji.

Z Felicji zeszło powietrze. Mądra ta Ania. Zostawiła je same z tym gorącym kartoflem. Jak to mówi ten kolorowy? Aha! Róbta, co chceta!

Patrzyła z radością na Annę i zbierała myśli.

– Tak! My jeszcze mamy sobie sporo do opowiedzenia! Teraz pójdziemy do ogrodu, potem, tak jak wczoraj ustaliłyśmy, zrobimy sobie spacer do lasu, a kiedy wrócimy, będzie akurat czas na południową kawkę... No, a wieczorem ognisko otwierające sezon letni! – Felicja ostatnie słowa skierowała w kierunku Kaśki i Elizy w tonie: *Posłuchanie królowej zakończone*, po czym wstała, zamaszyście zakręciła spódnicą i skierowała się do sieni. Roześmiana Anna ruszyła za nią.

Kaśka uderzała komórką o otwartą dłoń. Bardzo ucieszyła ją przeciągająca się naprawa Żaby – tym bardziej, że mama czuła się u Felicji dobrze, a Eliza pogodnie znosiła wszystko, poza gadaniem o studiach w Poznaniu. Ponownie podniosła telefon do ucha.

– Witaj, Krzysiu!... Ale nie wiesz, co mam do powiedzenia!... Zostajemy do poniedziałku-wtorku!... Ja też się cieszę! A co my możemy jeszcze tutaj zobaczyć?... Wspólny weekend?... A może przyjedziesz dzisiaj do Parchowa do „Iskierki" na ognisko?... W takim razie pogadamy wieczorem!... Pa! Pa! – zakończyła i szczęśliwa spoglądała na córkę.

– Mamo, a może wybierzemy się teraz nad Mausz? – Elizę też roznosiła energia.

– Ale przecież to kilka kilometrów, a my bez samochodu!

– Możemy przecież zrobić sobie spacer... A może Felicja ma tutaj jakieś rowery? – zastanowiła się. – Pójdę spytać! – I odfrunęła w kierunku werandy.

Po chwili sprzed domu doszło głośne wołanie Felicji:

– Ewelinka! Ewelinka! – Potem tupot nóg, przytłumiona rozmowa i znowu cisza.

Kaśka przeszła na werandę, wcisnęła się w wiklinowy fotelik i bębniąc palcami po stoliku, oddała się rozmyślaniom. Jej wzrok spoczął najpierw na gazonie, gdzie od czasu do czasu pojawiały się Felicja i mama. Potem zagapiła się na płot, policzyła słupki i sztachety, na koniec obrzuciła nieobecnym spojrzeniem drzewa stojące przed i za płotem. Motyle trzepotały skrzydełkami, pszczoły, osy i bąki bzyczały, ptaki kwiliły i śpiewały, kury gdakały, kaczki kwakały, gęsi gęgały, jakiś pies popisywał się radosnym szczekaniem, gdzieś z daleka dochodził cichy warkot samochodu, samolot zostawiał bezgłośnie smugę na niebie...

Dźwięki przyrody i ciszę przerwała Eliza, wpadając na werandę zdyszana, ale z triumfującą miną.

– Mamy rowery! Może one nie są wyczynowe ani zbyt lekkie, ale każdy z nich ma po dwa koła! – szczerzyła się do Kaśki, mierzwiąc brudną ręką ognistą czuprynę. – Pani Felicja mi odradzała, bo miał je podszykować do sezonu Stach Janik, ale nie zdążył! Odkurzyłyśmy je tylko, a Ewelinka kończy pompowanie opon!

Po kilkunastu minutach dwie cyklistki zmierzały w kierunku Mausza. Na polnej drodze słońce paliło niemiłosiernie. Droga wiła się, opadała w dół, czasami tylko nieznacznie wznosiła się pod górę. Po jej obu stronach złociły się zboża, poprzetykane modrakami i makami. Kaśka i Eliza wjechały w niewielki las, minęły staw i znowu miały przed sobą tylko pola, gdzieniegdzie porozrzucane zabudowania, a daleko ciemne ściany lasów. Na poboczach drogi żółciły się kaczeńce i dziurawiec, bieliły dzwoneczki, stokrotki i rumianek, czerwieniły maki, niebieściły modraki i różowiły osty. Rowery, lekko skrzypiąc, podskakiwały od czasu do czasu na wybojach.

Nagle usłyszały zbliżający się od tyłu głośny rumor i donośne trąbienie. Przestraszona Kaśka wjechała rozpędem w łany zbóż i zeskoczyła z roweru. Tuż za Elizą zatrzymał się w tumanach kurzu czerwony wysłużony polonez, ciągnący wyładowaną przyczepę.

– A czemu to pani wjechała w zboże? Droga za wąska? – krzyknął przez okno pucułowaty kierowca.

– Mógłby pan uważać! Mogłam sobie coś zrobić! – wrzasnęła zła i jednocześnie przestraszona Kaśka.

– Wystarczyło jechać z prawej strony jedna za drugą, a nie koło siebie, to bym dał radę przejechać! Ojojoj!

Przepraszam! To panie od tej francuskiej limuzyny! Dzień dobry! A dokąd to się wybieramy?

– Musiał nas pan tak przestraszyć? Ma pan szczęście, że to pan! – Kaśce szybko puściło, kiedy poznała, że to Stach Janik. – Bo wie pan, ze mnie to taka rowerzystka jak...

– ...jak z koziej dupy trąba! He, he, he! – dokończył za nią Stach i roześmiał się rubasznie. – Nie, no fajnie wyglądacie kobitki na tych rowerach. Gdyby nie robota, wybrałbym się z wami. Jak chcecie, to mogę was posmarować dobrym murzyńskim kremem... – Wyciągnął czarną dłoń w kierunku Elizy. – Mam tego kremu całą dużą puchę! He, he, he! A rowery miałem przesmarować i napompować, ale nie było kiedy! Skrzypią jak cholera, aż mam gęsią skórę, bo ja to delikatny jestem! – Cała jego okrągła twarz się śmiała.

– E tam, jakoś dałyśmy sobie radę z Ewelinką! Jedziemy trochę poplażować! – dodała Eliza, której coraz bardziej podobał się rubaszny dowcip Stacha Janika.

– Fajnie tak z górki jechać, no nie? – rzucił Stach filozoficznie.

– Nie myślałyśmy, że tu taka ładna droga. – Kaśka machnęła ręką w kierunku jazdy.

– Aha, ale z powrotem trzeba będzie rowery pchać pod górę! He, he, he! – przerwał jej Stach, pokazując w kierunku Parchowa, skąd właśnie jechały.

Kaśka i Eliza spoglądały na górkę, z której tak dobrze im się przed chwilą zjeżdżało.

– No, to teraz już, kobiety, wiecie, a z powrotem poczujecie! He, he, he! Jak wrócicie do Felci, to od razu będzie potrzebny prysznic! Ale to nic, wody jest u nas w rurach dużo! He, he, he! Będę wracał za trzy, cztery godziny. Jakby co, zadzwońcie, to wezmę was na przyczepę!

– Damy sobie radę! – odpowiedziała uśmiechnięta Eliza.

– To nie je tak letkò, jak z pieca chleba wëjic*, ale jak tam uważacie! Miłego dnia! – krzyknął na pożegnanie rozbawiony Stach i ruszył w kierunku Mausza, łomocząc wyładowaną przyczepą i wzniecając tumany kurzu.

– Przeczekajmy trochę, aż kurz opadnie! Szkoda, że nie spytałaś Felci, jaka to droga!

– Mamo, nie wpadłam na to, ale to wszystko przecież dla zdrowia!

– Tak, tak, tak! Przez sport do kalectwa! Stach miał rację! Już czuję, jakie będziemy wykończone, kiedy wrócimy do „Iskierki"!

– Będzie dobrze!

Kiedy zziajane dotarły na cypel, rozłożenie ręczników i przebranie się w kostiumy zajęło im tylko chwilę. Woda przyniosła oczekiwaną ulgę.

– W całym życiu nie zdarzyło mi się coś takiego, żeby na takiej wielkiej łące, nad czystą wodą, były tylko dwie osoby. A do tego ja jestem jedną z nich! – Kaśka była wniebowzięta. – Nad Rusałką czy Maltą jedni drugim włażą na koce, dookoła dzikie wrzaski, dymią grille, śmierdzi piwo, piłki albo inne gadżety fruwają nad głowami, psy latają, szczekają i sikają to tu, to tam, a tu... – Kaśka moczyła w wodzie dłonie i poklepywała się delikatnie po policzkach. – A jak rękę schowasz na dziesięć centymetrów pod wodę, to się boisz, że zginęła, taka tam ciemna woda.

– Mamo, dzisiaj nie wychodzę z wody! – Eliza na moment leniwie otworzyła jedno oko.

_____

* To nie tak łatwo, jak chleb z masłem zjeść – powiedzenie w języku kaszubskim.

Było jej dobrze. Woda ją chłodziła, z góry ogrzewało, a właściwie paliło słońce. Unosiła się na powierzchni wody na plecach z zamkniętymi oczami, delikatnie tylko poruszając dłońmi. Co chwilę podtapiała ciało, schładzając je, co starczało tylko na krótki czas.

Kaśka powolutku wchodziła coraz głębiej do wody i przyglądała się córce, zazdroszcząc jej krótkich włosów. Gdy woda sięgnęła jej do połowy ud, zatrzymała się, nabrała ją w złączone dłonie i wylała na włosy. Woda cienką strużką spływała jej po twarzy i plecach. Zrobiła kolejne trzy kroki, zacisnęła palce na nosie i kucając, zanurzyła się cała. Po chwili wyprostowała się, ściągnęła frotkę z kucyka, założyła ją na przegub dłoni i powtórnie się zanurzyła. Włosy z początku pływały po powierzchni, stopniowo opadając w toń. Gdy kolejny raz stanęła wyprostowana, potrząsnęła kilkakrotnie głową na boki i do tyłu, rozrzucając włosy daleko na ramiona i plecy. Zwróciła twarz w kierunku słońca, przymknęła oczy i czekała, kiedy strumyczki wody spłyną z mokrych włosów. Przypomniała sobie, że tak samo robiła nad Rusałką w czerwcu 1980 roku...

– Mamo, ty zamoczyłaś włosy? Przecież tego nie lubisz i nigdy nie robisz! – wykrzyknęła zdziwiona Eliza.

– Kiedyś bardzo lubiłam, a dzisiaj przyszła mi znowu na to straszna ochota! – odkrzyknęła Kaśka i rzuciła się energicznie w wodę, aby ukryć nagłe wzruszenie.

Po długiej kąpieli leżały zmęczone tuż przy brzegu jeziora na brzuchach, patrzyły na błyszczącą lazurową wodę, na przesuwające się środkiem jeziora łódki, bawiły się trawkami i polnymi kwiatkami, przypatrywały skaczącym pasikonikom i fruwającym motylkom, słuchały brzęczenia owadów, przeganiały mrówki wchodzące na ręczniki, oganiały się od końskich much, ale było im doskonale.

– Mamuś, a może by tu trochę zostać?! Byłoby fajnie, no nie? – Eliza rozmarzyła się. Usłyszała jeszcze tylko ciche: „Uhmm" – i jej mama, zmęczona słońcem oraz kąpielą, zapadła w drzemkę.

*

– Ile ja spałam? – Kaśka przecierała oczy.

– Chyba z godzinkę.

– A ty co robisz? Listy piszesz?

– Też już prawie zasnęłam, ale ktoś musiał pilnować, żeby spać mógł ktoś! – Eliza uśmiechnęła się, błyskając zębami. – Wiesz, mamo, coś mnie wzięło na rymowankę, no i zaczęłam kreślić w twoim notesiku!

– W moim notesiku?

– Odkupię ci!

– E tam! Ty wierszujesz?

– Mamuś, posłuchaj! Zaczyna się fajnie!

> A w Parchowskim Młynie,
> czas jak Słupia płynie...
> Tu jest tak spokojnie,
> tu jest tak bajkowo...
> Chcę iść z prądem tak jak Słupia,
> chcę być w życiu...

albo

> chcę iść z prądem stąd przez życie,
> choćby i na nowo...

nie mogę złapać rymu i nie wiem, co dalej! – Eliza gryzła końcówkę długopisu.

– Córcia, to może tak:

...chcę być w życiu... ciut mniej głupia!

– Ale śmieszne! – zirytowana Eliza wydęła usta.

– Nie obrażaj się! Przecież znalazłam ci rym! Ale zupełnie na poważnie: jestem pod wrażeniem, że się wzięłaś za pisanie! – Kaśka potarmosiła Elizę po płomiennej czuprynie. – Próbuj dalej!

– Naprawdę?! Później dokończę, ale powiem ci, mamuś, że babci historia i opowieści Felci, starego Kiedrowskiego, Parchowo i to miejsce, wszystko to jakoś mnie natchnęło i uduchowiło. Postanowiłam, że spróbuję wszystko to opisać! Czuję, że potrafię!

– Będziesz pisać?

– Pisać każdy może, trochę lepiej lub trochę gorzej! – wyśpiewała Eliza na melodię znanej piosenki i roześmiała się. – Już w Poznaniu, jak babcia przeczytała nam listy Jutki, zrobiłam sobie luźny szkic całej tej historii...

Kaśka zupełnie otrzeźwiała. Usiadła na ręczniku i wpatrywała się w Elizę szeroko otwartymi oczami.

– Chcesz mi powiedzieć, że ty już to piszesz?

– Tak. I mam już tego dosyć, dosyć, ale chcę, żeby to była taka moja wizja tych zdarzeń...

– Bożesz... nie poznaję cię wcale...

– Potrzebuję jeszcze wielu szczegółów na mięsko, a te może zdradzić mi tylko Felcia. – Spojrzała na matkę poważniej.

– Jakie znowu mięsko?

– No wiesz, podstawą tego mojego pisania muszą być fakty, a dopiero wokół nich buduję swoją historię.

– Jesteś niesamowita... – Kaśka pokręciła głową. – Że też tobie się chce!

– A mam coś innego do roboty?

– A egzaminów na Akademię Ekonomiczną to nie chciałaś zdawać.

– Kobieto, nie zaczynaj znowu – zaperzyła się Eliza.

– Przecież żartowałam. – Kaśka znów zmierzwiła jej czuprynę i zmrużyła oczy. – No, to rzeczywiście musisz pogadać z Felą.

– Na razie nie było kiedy. Zapomniałaś, że dopiero wczoraj dowiedziałyśmy się tak naprawdę, że babcia to Basia?

– No fakt. Ale przecież mama czytała nam listy, byłyśmy razem u Kiedrowskiego, znamy relację Felci, więc czego ci jeszcze brakuje?

– Mamo… Znam tylko takie oficjalne rzeczy, to znaczy to, co Felcia do tej pory zechciała opowiedzieć, a ja potrzebuję dowiedzieć się jakichś, no wiesz, smaczków, szczególików. Bo ja to chcę napisać tak wiesz… bardziej artystycznie.

– Aha! I to dlatego świeciłaś mi dzisiaj w nocy lampką po oczach?

– Bo jakaś niezdara strąciła abażur! – odgryzła się Eliza.

– To nie mogłaś go sobie wyciągnąć?

– Po nocy miałam się wciskać pod twoje łóżko? – Eliza uśmiechnęła się i machnęła ręką; spojrzała na wodę, a potem w niebo. – No, mamuś, a teraz jeszcze raz do wody! – Niespodziewanie zerwała się z ręcznika i galopem ruszyła do jeziora. Kaśka po chwili pobiegła za nią.

*

Wyszły z lasu na polną drogę. Słońce ciągle parzyło niemiłosiernie. Prowadziły rowery, bo w rowerze Kaśki
nie wiedzieć czemu zerwał się z trzaskiem łańcuch.

– No i Stach miał rację! Teraz prawie trzy kilometry
pod górę! – stęknęła nadąsana Kaśka.

– Damy radę! – Eliza nadrabiała miną, chociaż wy-
obraźnia podpowiadała jej, że będzie ciężko.

Były już zgrzane i zdyszane, a minęło dopiero kilkanaście minut od ostatniej kąpieli. Raptem usłyszały za
sobą znajomy już rumor samochodu ciągnącego przyczepę. Obejrzały się. Doganiał je właśnie swoim polo-
nezem Stach Janik.

– A dlaczego nie na rowerach? Przecież na razie była
tylko jedna większa górka! – Jego pucułowata, a teraz
jeszcze dodatkowo umorusana i rumiana z wysiłku
twarz wychyliła się przez otwarte okno samochodu.

– Rower się popsuł! – zrezygnowanym głosem odpowiedziała Kaśka.

– Aha, widzę. Łańcuch poszedł! – fachowo ocenił
Stach. – Się potem naprawi!

Wysiadł z samochodu.

– Wsiadajcie, kobiety! To tylko jeden przystanek,
więc wezmę na gapę! Rowery wrzucę na przyczepę!

– Dziękujemy! – Kaśka z ulgą wcisnęła się na przed-
nie siedzenie.

Eliza uchyliła tylne drzwi i niepewnie przyglądała
się kanapie, na której leżało wiele nieznanych jej przedmiotów.

– Odgarnij te klamoty i siadaj. Nic ci się tam złego
nie stanie! He, he, he! – Stach wcisnął brzuch za kierownicę i trzasnął drzwiami. – Wiecie, kobiety, to jest

mój warsztat na kółkach! Za auto rodzinne robi tylko w niedziele i święta, albo kiedy trzeba pojechać na zakupy. Eliza, tylko niczego nie chowaj do kieszeni albo gdzieś tam! He, he, he!... bo wszystko policzone! He, he, he! – żartował głośno, gdy Eliza wyciągała spod siebie uwierające ją śruby i nakrętki.

– Miałyśmy szczęście! – Kaśka chciała kontynuować podziękowania.

– A mówiłem dzwonić! – przerwał jej Stach. Jechał w skupieniu, slalomem omijając większe kamienie i dziury, starając się uchronić auto przed nadmiernymi podskokami. – Aha! Dzisiaj spotkamy się jeszcze raz! – wyrzucił z siebie.

– A co, samochód może gotowy? – Kaśka zaskoczona spojrzała na Stacha.

– Przecież rano mówiłem, że we wtorek – nie wcześniej!

– No to jaka to będzie okazja? – dopytywała Eliza.

– Jak to jaka? Ognisko u Felci rozpoczynające sezon agroturystyczny! Ktoś chyba musi je przygotować, a potem pilnować ognia. Tak jest od wielu lat! Ja robię ogień, a Felcia żarcie! Jak popracuję, to jestem głodny, a jak się najem, to trochę porąbię drewna i znowu jestem głodny. I tak w kółko! A poza tym to jest świetna impreza. Zawsze dużo ludzi, można pogadać, pośmiać się, potańczyć, wypić. Fajnie jest!

– A to miło, że się spotkamy!

Droga do „Iskierki" minęła szybko, bo Stach zabawiał je, opowiadając rubaszne dowcipy, z których śmiały się głośno, podskakując na siedzeniach. Gdy wysiadały, rzucił jeszcze za Elizą:

– Chyba nie gwizdnęłaś mi nic z moich klamotów, co!? He, he, he!

– Jestem gotowa do rewizji! – Stanęła wyprężona, podnosząc ręce do góry.

– He, he, he! No dobrze, tym razem ci odpuszczam! Do zobaczenia!

*

Ozdobą rozległego trawnika wewnątrz zabudowań „Iskierki" było miejsce nazywane przez Felcię i jej gości ogniskiem. Jego centrum stanowiło głębokie, wymurowane z cegieł palenisko, otoczone dla ozdoby sporymi bielonymi kamieniami, a dla bezpieczeństwa – szerokim pasem żwiru. Wokół niego, w pewnym oddaleniu, rozmieszczono najróżniejsze siedziska: grube brzozowe pniaki, bale wsparte na głazach i ławki. O słup z gaśnicą oparte były niewielkie, składane stoliki.

Stach Janik krzątał się przy palenisku. Najpierw przygotował sporą ilość drewna, a potem zajął się produkowaniem żaru do pieczenia. Dorzucał do ognia niewielkie suche szczapy, rozgarniał i przerzucał palące się kawałki, rozdrabniał je, powiększając tym samym nieustannie ilość żaru. Ocierając pot z czoła, znowu na dużym pniaku rąbał drewno na kawałki, wrzucał je do ognia i rozgarniał. Od jakiegoś czasu zerkał w stronę domu, co mogło oznaczać, że on i palenisko są gotowi.

Zauważył wreszcie, że od strony domu zmierzają w jego stronę Felicja Skierka i Ewelinka, niosąc tace wypełnione zawiniątkami w folii aluminiowej.

– Żar już gotowy, pani Felicjo! – zameldował, spoglądając łakomie na tace i oblizując przy tym wargi.

– Nam też się wydawało, że już najwyższy czas! – odpowiedziała mu uśmiechnięta gospodyni. – Panie

Stachu, tutaj są ryby, a tam mięso, kiełbasa i kaszanka. A dlaczego nie wziąłeś ze sobą Stefci?

– Bo obraziła się na mnie i poszła do siostry... z kobietami tak już jest.

– A co się stało?

– Ryknąłem na zięcia, że rzucił opony na wjeździe do garażu, a ta go wzięła w obronę, krucafuks.

– I tylko tyle?

– To mało?... Musiałem jej nawtykać, bo zapomniała, kto jest gospodarzem. Już kiedyś jej gadałem, że dwa kùronë nie zgòdzą sã na jednym pòdwórzim*. Nie ustąpię...

Felicja pokręciła głową. Janik w odpowiedzi tylko machnął ręką. Wstawił w żar dwa półkoliste ruszty z prętów stalowych, na których z wprawą zaczął układać zawiniątka z misek.

– Ewelinka, zapraszaj już panie! – zakomenderowała Felicja. – Poproś też, żeby wzięły to, co w kuchni przygotowałam na stole!

Siedziska przy ognisku zapełniały się powoli. Anna z Kaśką przyniosły papierowe talerze, szklaneczki i sztućce, zaś Eliza z Ewelinką przytachały kosz z nalewkami Felicji, piwem i innym napojami.

Na parking przed budynkiem letników wtoczyło się żółte autko Gulewskich, z którego, po chwili mocowania się z drzwiami, wyskoczyła jak na sprężynce pani Ludka.

– Zdążyliśmy, Arturku! Witamy wszystkich serdecznie! – Pani Ludka podskakiwała z radości. – Pięć minutek i jesteśmy! No, Arturku, szybciej, bierz baga-

---

* Dwa koguty na jednych nie zgodzą się śmieciach – powiedzenie w języku kaszubskim.

że i do góry! – krzyknęła i popędziła w kierunku kwatery.

Arturek, objuczony torbami i poobwieszany aparatami i lornetkami, posłusznie podreptał za nią na ugiętych z wysiłku nogach. Dzisiaj państwo Gulewscy byli w różowych koszulkach. Eliza prychnęła śmiechem, cicho zasłaniając usta.

– Ona wygląda jak panna Piggy! – wyszeptała w kierunku mamy.

– Cicho! – syknęła rozbawiona Kaśka.

Tymczasem przed wielką bramę „Iskierki" zajechał samochód Krzysztofa. W kierunku ogniska szedł wraz z nim młody, dobrze zbudowany chłopak.

– To pewnie Igor, jego syn – szepnęła Kaśka.

Goście przywitali się szarmancko z Anną i Felicją, po czym Krzysztof delikatnie cmoknął w policzek Kaśkę.

– Kasiu, pomyślałem sobie, że tym razem ja się pochwalę swoim potomkiem, a przy okazji wykorzystam go w drodze powrotnej jako kierowcę!

– Wykorzystam! Tato, co ludzie pomyślą! – podchwycił z kamienną twarzą, ale z chochlikami w oczach Igor.

– Jako kierowcę! – powtórzył i zaśmiał się Krzysztof.
– On tak zawsze! Każdego słowa się czepi!

Wszyscy zajmowali miejsca przy ognisku, ale Eliza i Igor od chwili przywitania wciąż stali naprzeciw siebie. On, zupełnie niespeszony, wpatrywał się w jej twarz. Ona taksowała go początkowo zza słonecznych okularów, które po kilku chwilach uniosła. Nieźle zbudowany, nieco wyższy od ojca, z włosami ostrzyżonymi na krótkiego jeżyka, o sympatycznej twarzy z lekko orlim nosem, w granatowych szortach i bordowej koszulce, prezentował się efektownie. Nie uszły jej uwadze nawet zadbane paznokcie u nóg, widoczne między rzemieniami sandałów.

– Sandały noszę przez całe lato! – odezwał się niespodziewanie.

Eliza dopiero teraz się zorientowała, że utkwiła wzrok w najniższej partii ciała Igora. Przesunęła go czym prędzej w górę i spotkała miły uśmiech oraz zielone błyszczące oczy. Z wrażenia kolejny raz uniosła jedną brew. Igor nie spuszczał z niej wzroku.

– Tato, jak miała na imię bohaterka *Przeminęło z wiatrem*? – rzucił pytanie w kierunku ojca, nie odrywając oczu od twarzy Elizy.

– A czy ja jestem encyklopedystą filmu? Nie pamiętam! – Krzysztof spojrzał w kierunku kobiet, jakby prosił o pomoc.

W tej chwili pani Ludka i pan Artur, oboje w kamizelkach z nieprawdopodobną ilością kieszeni, dotarli do ogniska i zaczęli się mościć na siedziskach. Uwaga siedzących przeniosła się na kilka chwil na nich.

– Jesteśmy gotowi! – wysapała wreszcie pani Ludka, usiłując uspokoić rozfalowane ciało.

– A ja wiem. To była Scarlett O'Hara! – Anna rzuciła koło ratunkowe Krzysztofowi i popatrzyła na Igora.

– Dziękuję pani serdecznie! – Krzysztof skłonił się w jej kierunku.

– I ja też! – dorzucił Igor i powtórzył gest ojca. – Elizo! – Ponownie wbił wzrok w jej twarz. – Jeśli kiedyś odrosną ci włosy, co się zapewne wydarzy, to będziesz co najmniej tak atrakcyjna jak Scarlett O'Hara! Jestem tego pewien! – zadeklarował głośno. – Usiądźmy gdzieś razem – dorzucił ciszej.

Skąd on wie, że ja znowu marzę o długich włosach? –

Elizę z wrażenia zatkało. Szkoda, że nie ma możliwości przyspieszenia tego procesu! Teraz muszę obejrzeć ten film, chociaż dotąd uważałam go z góry za ramotę!

– Jakież to piękne i rycerskie! – Pani Ludka machała w powietrzu nóżkami, klaskając w pulchne dłonie i uroczo przy tym falując.

Igor nie przejmując się zamieszaniem, jakie wywołała jego ni to deklaracja, ni to komplement, podał Elizie dłoń, gdyż drogę do ogniska zagrodziła im przeszkoda w postaci bala ułożonego na dużych kamieniach. Eliza, siadając, dojrzała kątem oka, jak mama i Krzysztof szepczą coś do siebie, patrząc na nich. Pozostałe osoby też im się bacznie przyglądały.

– Nie zaczynajcie beze mnie! – od bramy dał się nagle słyszeć piskliwy krzyk Marysi Sołygi, biegnącej truchtem w ich stronę. W uginających się z wysiłku szczupłych ramionkach dźwigała tacę, na której ukrywała coś pod papierem pergaminowym.

– A jakąż to niespodziankę, Marysiu, przygotowałaś na dzisiaj? – dopytywała Felicja, wskazując na tacę.

– Pleśniak! Pychota! – dumnie odparła Marysia.

– Super! No więc skoro jest Marysia, to zebraliśmy się wszyscy! – odezwała się Felicja. – Teraz możemy zaczynać! Jednak zanim zaczniemy, posłuchajcie zamiast toastu kolejnego wiersza o Szwajcarii Kaszubskiej, tym razem Agnieszki Osieckiej. Znalazłam go niedawno zupełnie przypadkiem. I chociaż mowa w nim głównie o Kościerzynie, to jest tam również kilka słów o naszej łące i dolinie, Mauszu i Parchowie. Jak to mówią w telewizorach, dedykuję ten tekst Ani, a właściwie Basi Zalewskiej, która odnalazła się szczęśliwie po sześćdziesięciu trzech latach! – Felicja pogładziła dłoń Anny.

Wszyscy ucichli i wpatrywali się w siedzące obok siebie kobiety. Anna przymknęła oczy, lekko się skuliła i opuściła głowę, Felicja zaś poprawiła się na ławce, chrząknęła i zaczęła czytać, ładnie akcentując.

Czerwiec czeremchą się upija,
Tulipan tuli się do brata,
Noc jak pieszczota szybko mija,
Serce zaczyna znów kołatać...

Drogą siwą, wodą siną,
Jasne chmury wolno płyną;
Złotym kłosem i wikliną,
Kłaniam ci się, Kościerzyno!
Dzień dobry lesie,
Dzień dobry Mario,
Dzień dobry moja, Kaszubska Szwajcario!
Za pogodą, za dziewczyną,
Płynę znowu wodą siną,
Złotym kłosem i wikliną
Kłaniam ci się, Kościerzyno!

Tam gdzie szczupaki ostrzą zęby.
Przywożę plecak pełen marzeń,
Dzięcioł depeszę śle do zięby,
I gwarzą pszczoły w swojej gwarze...

Drogą siwą...

Rzedną ogonki po GS-ach,
Choć bywa, że dowiozą piwo,
Rzepaku łany wiatr przeczesał,
Zbiegł w koniczynę ledwo żywą...

Drogą siwą, wodą siną,
Ciemne chmury wolno płyną;
Ściętym kłosem i wikliną
Żegnam ciebie, Kościerzyno!
Bądź zdrowy lesie,
Bądź zdrowa Mario,
Bądź zdrowa moja, Kaszubska Szwajcario!
Za pogodą, za dziewczyną,
Wrócę, kiedy chmury miną,
Złotym kłosem i wikliną
Skłonię ci się, Kościerzyno!

Rozległy się oklaski.

– Jesteś, Basiu, u siebie, a my parchowianie gorąco cię tu dzisiaj witamy! – Felicja przykryła dłonią drobną dłoń Anny.

– Dziękuję, Felciu! Jesteś taka kochana! – podziękowała jej, wyraźnie wzruszona.

– Panie Stachu, można już wyciągać ruszty z ognia! – Felicja nagle odwróciła się od Anny i wydała donośnym głosem komendę. – A na początek proponuję dla apetytu po kieliszeczku nalewki śliwkowej! – I z wprawą zaczęła rozlewać do kieliszków trunek z karafki.

– Arturku, kiedy ty wreszcie coś zagrasz? – z pełną buzią odezwała się pani Ludka.

Artur Gulewski zdziwiony spojrzał na żonę, przekładając z ręki do ręki gorące foliowe zawiniątko.

– Ależ, Ludziu, przecież prawie nic jeszcze nie zjadłem!

– Jeszcze zdążysz, a teraz zagraj! – naciskała pani Ludka.

Arturek wstał, rozpostarł szeroko poły swojej kamizelki, pokazując wszystkim jej wewnętrzną stronę.

W kieszonkach po obu stronach kamizelki spoczywało kilka harmonijek ustnych.

– To jest człowiek orkiestra! – z dumą powiedziała pani Ludka, spoglądając w kierunku Anny.

– One są do gry w różnych tonacjach – wyjaśnił pan Artur, po czym rozsiadł się wygodnie i po chwili popłynęły pierwsze tony piosenki *El condor pasa*.

Pani Ludka zaczęła nucić nieco przytłumionym głosem, do niej dołączali kolejno pozostali, najpierw nieśmiało, a potem coraz głośniej.

– Czuję, że w tonacji A-dur będzie wszystkim śpiewało się lepiej – rzekł pan Artur po zakończeniu piosenki i sprytnie zamienił harmonijki. – A teraz mały koncercik harcerskich piosenek.

I popłynęły po kolei *Czerwony pas*, *Płonie ognisko*, *Stokrotka*...

Słońce za drzewami zachodziło na czerwono.

– Jutro będzie wiatr, a potem pogoda się zmieni – patrząc na nie, stwierdziła Felicja Skierka.

– Brakuje pana Zagórskiego i jego gitary, można by wtedy zagrać *Czerwone słoneczko* – westchnęła pani Ludka.

Igor na kilka minut zniknął, po czym niespodziewanie pojawił się z gitarą. Jego powrót z instrumentem został przywitany przy ognisku chóralnym: „Ooo!".

– To ty miałeś gitarę i siedziałeś cicho? – spytała Eliza. – Trzeba było aż prosić!

– Nie wiedziałem, że będzie na nią zapotrzebowanie.

– Arturku, teraz wyciągnij i mój instrument! – Pani Ludka ucieszona klasnęła w dłonie.

Ten znowu rozpostarł poły swojej kamizelki i za moment pani Ludka trzymała w rękach wiśniowy flet prosty. Kilka próbnych dźwięków, uzgodnienie tonacji i zagrała przygrywkę do wywołanego niedawno utworu. Pan Artur na harmonijce i Igor na gitarze dołączyli do niej po chwili. Chóralny śpiew siedzących przy ognisku stanowił dopełnienie. Gdy skończyła się piosenka, wszyscy bili sobie brawo.

– Teraz, gdy jest już gitara, ja może wreszcie coś zjem! – rzekł uradowany pan Artur i schował harmonijkę.

– Czy ty zawsze, Arturku, musisz być ostatni?! Teraz już wszystko jest prawie zimne! – Pani Ludka załamała ręce. Ten podniósł ręce i oczy do nieba, jakby chciał coś powiedzieć, ale gdy napotkał wzrok żony, natychmiast zrezygnował.

– Już ty się, Ludka, nie martw, ja pilnowałem, żeby Artur nie był poszkodowany! – zamruczał z pełnymi ustami Stach Janik. – O, tutaj masz jeszcze ciepłe kawałki! – I wskazał na jeden z rusztów stojących w pobliżu ognia, na którym leżały foliowe zawiniątka.

Szarzało. Stach dorzucił do ognia większe szczapy drewna, które strzeliły iskrami w górę. Igor stroił cicho gitarę. Wszyscy przyglądali mu się z zainteresowaniem. Gdy wreszcie rozpoczął przygrywkę, Eliza od razu ją poznała. *Nothing Else Maters*. Przy ognisku zapadła cisza. Igor śpiewał mocnym, dobrze postawionym głosem po angielsku. Wszyscy byli zasłuchani, pewnie im się śpiew i piosenka podobały, ale Eliza czuła, że to audytorium czeka chyba na coś innego. Gdy rozpoczął kolejny utwór *November Rain*, przerwała mu i poprosiła o gitarę. Igor zdumiony wyciągnął do niej instrument, a Eliza po kilku próbnych uderzeniach zaczęła grać i śpiewać *California Blue* Roya Orbisona. Wszyscy odzyskali natychmiast werwę. Mama z Krzysztofem i Stach Janik z Felcią zaczęli nawet pląsać. Potem zagrała z kolei *Ob-La-Di,*

Ob-La-Da Beatlesów i wówczas przy ognisku zrobiło się znowu wesoło i głośno. Po zakończeniu kawałka zwróciła gitarę Igorowi, oznajmiając mu:

– Widzisz? Takie rzeczy graj!

Igor nie krył zaskoczenia. Gra i śpiew Elizy wywarły na nim wielkie wrażenie. Eliza kątem oka obserwowała, że mama i Krzysztof z każdą chwilą siedzą coraz bliżej siebie.

Igor grał i śpiewał niezmordowanie. Gdy Elizie jakiś utwór nie przypadł do gustu, szybko zmieniał go na inny. Od czasu do czasu wszyscy ożywiali się i śpiewali razem z nim. Kaśka z Krzysztofem byli jeszcze bliżej siebie. Często tańczyli. Eliza podsłuchała, że rozmawiają o dawnych czasach, wydało jej się także, że mówią coś o wspólnej pracy. Przyglądała się reszcie towarzystwa. Marysia przesiadła się w pobliże Janika i Gulewskich. Opowiadali sobie jakieś wesołe facecje, po których raz po raz wybuchali śmiechem. Po drugiej stronie ogniska babcia Ania i Felcia patrzyły sobie w oczy, poszturchiwały się i cicho coś sobie opowiadały. Wreszcie Felicja wstała, spojrzała na wznoszący się powoli nad horyzontem księżyc i zwróciła się do Anny:

– Chodź! Pójdziemy pooglądać księżyc w stawie! – I ruszyły wolnym krokiem w kierunku bramy.

Eliza patrzyła na to wszystko i myślała: Nic tu po mnie! Wypiła piwo bez większej przyjemności, ale coś przecież trzeba było robić, i teraz czuła, że zaszumiało jej trochę w głowie. Zaproponowała więc Igorowi wypad na mauszowski cypel, żeby się wykąpać dla ochłody.

– Chyba jest ze dwadzieścia stopni, a tam pewnie jasno jak w foyer w operze! Będzie fajnie! Nie przejmuj się, tutaj nikt nawet się nie zorientuje – przekonywała go konspiracyjnym szeptem.

Ociągał się, ale wreszcie się zgodził. Podszedł do ojca, z którym chwilę poszeptał. Kiedy wrócił, pokazał Elizie kluczyki od samochodu. Za niecały kwadrans byli nad jeziorem. Woda srebrzyła się cudownie w świetle księżyca i pluskała cichutko o brzeg. Żaby rechotały głośno w sitowiu, a świerszcze w trawach wygrywały swoje wieczorne koncerty. Eliza i Igor jak urzeczeni stali w milczeniu. Raptem Eliza plasnęła się otwartą dłonią w czoło.

– A kostium? Dlaczego mi nie przypomniałeś?
– Myślałem, że masz przy sobie!
– Jak już, to chyba na sobie!
– Wracamy po niego? – Igor spojrzał na nią pytająco.

Ona jednak milczała, gorączkowo zastanawiając się, co zrobić. Obejrzała się na boki i za siebie, popatrzyła z uśmiechem na Igora, zrobiła dwa kroki do przodu, uniosła ramiona do góry i niespodziewanie zdjęła koszulkę, potem spodenki i wbiegła do wody w samych figach, kołysząc piersiami. Igora ze zdumienia aż wcisnęło w trawę. Teraz on rozglądał się przez chwilę niepewnie dookoła, jakby sprawdzał, czy na pewno nikt ich nie podgląda. Im bardziej się rozglądam, tym bardziej nikogo wokół nie ma, uśmiechnął się do własnych myśli.

Zdjął powoli spodnie i koszulkę i ruszył do wody. Eliza pływała hałaśliwie blisko brzegu, na przemian żabką i crawlem. Nurkowała, prychając przy tym donośnie. Igor pływał trochę dalej, wolno i cicho, przyglądając się jej głośnym zabawom.

– Igor, możesz mnie powyrzucać w górę, żebym mogła ponurkować?! – wykrzyknęła nagle.

Stała przodem do niego, a księżyc oświetlał jej zgrabne ciało. Igor zaskoczony niespodziewaną propozycją i widokiem prawie nagiej Elizy, z wrażenia zaniemówił i przestał poruszać w wodzie ramionami. Zniknął na chwilę pod powierzchnią. Zachłysnął się i kasłąc, odpłynął nieco w bok. Eliza jednak nie ustępowała, lecz z każdą chwilą nakręcała się coraz bardziej.

– No, powyrzucaj mnie trochę! – przymilała się, popiskując. Zagarniała dłońmi wodę, wypuszczając w jego stronę jej obfite pióropusze.

– Cicho, bo zaraz tutaj zlecą się ludzie! – Igor odezwał się przytłumionym głosem.

– No to powyrzucaj mnie!

Igor podszedł z ociąganiem, rozbryzgując wodę nogami. Przystanął obok niej, plecami w stronę brzegu i zrobił koszyczek z dłoni.

– No, próbuj! Najpierw skoczysz do tyłu!

Postawiła lewą stopę na jego splecionych dłoniach, opierając ręce na jego ramionach. Jej szeroko otwarte oczy błyszczały i patrzyły prowokacyjnie wprost w jego oczy. Uśmiech błąkał się po ślicznej twarzy, wspartej na zgrabnej szyi i posągowych ramionach. Nie wytrzymał jej wzroku i opuścił oczy. Tam czekał już na niego widok kształtnych piersi pokrytych kroplami wody. Wolał więc ponownie podnieść wzrok w górę. Eliza ciągle się uśmiechała, ale teraz miała oczy przymknięte.

– Odbijesz się prawą nogą od dna, a ja wyrzucę cię rękoma w górę! – poinstruował ją, chcąc przyspieszyć skok, aby przerwać tę dziwną sytuację. – Gotowa?

Uradowana skinęła głową. Silniej wsparła się dłońmi na jego ramionach, ugięła kilkakrotnie prawą nogę, po czym raptownie wyprostowała się, odpychając dłońmi od jego ramion. W tej samej chwili on gwałtownie podciągnął dłonie z jej lewą stopą w górę. Obserwował, jak jej wyprostowane niczym struna ciało wygięło się w łuk i pofrunęło do tyłu w kierunku głębszej wody. Głośne zetknięcie z lustrem jeziora i po chwili zadowolona Eliza znowu stała obok.

– Wyszło tak, jakbyśmy nic innego w życiu nie robili!

Dwa kolejne skoki udały się podobnie jak pierwszy. Eliza była zachwycona.

– A teraz chcę skoczyć przodem!

Igor z ociąganiem odwrócił się przodem do brzegu i ponownie splótł dłonie. Po wyrzuceniu w górę przeleciała blisko nad jego głową. Oboje z pluskiem zniknęli pod wodą.

– Cudownie! Jeszcze raz!

Przy kolejnym skoku jej piersi, a potem i brzuch, delikatnie musnęły jego twarz. Przy następnym poślizgnęła się, spadła na Igora i... zaczęła go niespodziewanie całować. Igor początkowo poddał się temu, ale po chwili odskoczył od niej, rzucając się plecami daleko na wodę. Przy ponownej próbie skoku Eliza celowo powtórzyła upadek, ale Igor był już czujny. Odskoczył na bok zawczasu.

– Eliza, co ty wyczyniasz? – rzucił przytłumionym głosem.

– O co chodzi? Przecież to tylko zabawa!

– Ja nie potrafię tak się bawić! – Igor zanurkował i zdecydowanie ruszył crawlem w kierunku środka jeziora.

– Chcę już wracać do „Iskierki"! – krzyknęła za nim wściekła.

Po chwili ubierali się bez słowa.

Szkoda, że babcia tego nie widzi...

Na niedzielne śniadanie Felicja przygotowała kaszubskie smakołyki. Wszyscy stawili się na czas, tylko Eliza kazała na siebie długo czekać. Gdy wreszcie zeszła na dół, wyglądała jak gradowa chmura.

– Dzień dobry wszystkim – wycedziła przez zęby.

Kaśka zdumiona przyglądała się córce.

– Dzień dobry, córeczko! Jak minęła noc? – zagaiła.

– Ciężko! Przecież ciągle jest pełnia! – burknęła wymijająco Eliza.

– No, a jak wam się udała kąpiel? – kontynuowała Kaśka, chcąc poprawić jej humor.

– Woda była fajna, reszta już nie! – Eliza znowu burknęła, przenosząc widelcem plaster żółtego sera na kanapkę.

– Ale Igor przecież jest fajny, tak czy nie? Na wszystkich zrobił dobre wrażenie, prawda? – Kaśka szukała poparcia u siedzących przy stole, którzy twierdząco potakiwali głowami.

Eliza wpatrywała się w kanapkę, jakby chciała oczami wypalić kolejną dziurę w plastrze żółtego sera.

– Igor jest zimniejszy niż zimą woda w przeręblu! – wycedziła pełną buzią i strzeliła z oczu błyskawicą. Skonsternowana Kaśka zmieniła temat:

– Wczoraj był cudowny wieczór!

Eliza tylko łypnęła w jej kierunku, przeżuwając kanapkę.

– A żebyście widziały, jak pięknie wyglądają dwa księżyce w stawie! – Anna podchwyciła temat.

– Rzeczywiście wczoraj było wyjątkowo ślicznie, no i ciepło! – uzupełniła Felicja.

– Wróciłyśmy stamtąd dopiero koło północy – dodała rozanielona Anna. – Wczoraj można było w świątyni dumania zostać nawet na całą noc!

– Aha, Elizka! Po dziesiątej będzie Krzysiek i jedziemy, tak jak się umawialiśmy, dalej zwiedzać Kaszuby! – rzuciła Kaśka, przerywając na moment zachwyty nad księżycowym stawem.

– Kto się umawiał, ten się umawiał! – Eliza znowu łypnęła w kierunku mamy i wykonała nieokreślony ruch głową.

Gdy celebrowanie śniadania wreszcie się zakończyło, Kaśka i Eliza poszły do siebie przygotować się do wyjazdu, reszta zaś towarzystwa zamieniła jadalnię na werandę.

– Na wszelki wypadek weźmiemy chyba kostiumy, ręczniki, jakieś kosmetyki, coś do mycia, no i coś może do przebrania! – świergotała radośnie Kaśka, zapełniając torbę.

– Po co nam to wszystko? – zdziwiła się Eliza.

– A jeśli będzie deszcz albo będziemy chciały się wykąpać, albo coś innego się wydarzy?

– Ja już wczoraj nacieszyłam się kąpielą! – ze złością w głosie wycedziła Eliza. – A co może się wydarzyć? – Podniosła oczy na matkę. – Przecież tu wszędzie niedaleko i w każdej chwili możemy wrócić do Parchowa!

– No dobrze już, dobrze! Pakujmy się. Ty tego nie

będziesz przecież nosić, tylko powiezie samochód. – Kaśka rzucała na łóżko kolejne fatałaszki.

Gdy chwilę po dziesiątej podjechał samochód Krzysztofa i Eliza zobaczyła w nim również Igora, poziom adrenaliny wzrósł u niej gwałtownie. Podczas pakowania do samochodu starała się chodzić po dużym kole i omijać go wzrokiem. Oczywiście nie uszło jej uwagi, że miał, tak jak wczoraj, znowu fajne krótkie spodnie tuż nad kolana, z których wystawały zgrabne łydki. Na zewnątrz jednak demonstrowała coraz większe nadąsanie. Gdy auto ruszyło już w kierunku Kościerzyny, a Kaśka i Krzysztof gruchali sobie jak para turkawek, na tylnym siedzeniu panował zupełnie inny nastrój. Igor siedział z jednej strony, milczący i z nieco ironicznym uśmiechem na twarzy, zaś Eliza z drugiej strony przycisnęła się do drzwi, wydęła ze złości usta i patrzyła nieobecnym wzrokiem za okno. Wyglądało, że na Elizie i Igorze nie robią żadnego wrażenia mijane wsie, lasy, pola, wzgórza oraz doliny z jeziorami i stawami.

– Tutaj warto przyjeżdżać na grzyby. – Krzysztof zauważył ich nastrój i starał się wciągnąć młodych do rozmowy, wskazując na lasy po obu stronach drogi. – Jadąc ciągle prosto, dotarlibyśmy do Lipusza, a lasy na trasie do niego są tak samo pełne grzybów jak te... – Ale i ta myśl także nie znalazła odzewu.

Zjechali na szeroką szosę Kościerzyna – Bytów.

– Czy wiedziałyście dziewczyny, że Kościerzyna jest jedynym miejscem w Europie, w którym znajdują się dwa sanktuaria Matki Bożej i to na terenie jednej parafii? – spytał ni stąd, ni zowąd Krzysztof, ciągle starając się rozruszać tyły.

– Ja w tej dziedzinie jestem słabiutka, może babcia

ma jakieś pojęcie – rzuciła Kaśka, zwracając się na moment w kierunku córki, ale ta tylko pokiwała głową.

– Niedaleko Kościerzyny, we Wielu, można zwiedzić zabytkową Kalwarię, która powstała w latach tysiąc dziewięćset piętnaście – tysiąc dziewięćset dwadzieścia siedem, a niezwykłej urody Kalwaria jest także w Wejherowie... – kontynuował Krzysztof, wróciwszy do roli przewodnika, w jakiej dał się poznać już w czwartek.

– Babcia byłaby w siódmym niebie, gdyby mogła któreś z tych miejsc zobaczyć! – przerwała mu, ożywiając się nagle Eliza, bo już jej trochę ciążyła cisza.

– Kalwarie w Wielu i Wejherowie są wspaniałe na fotograficzny plener – odezwał się nieoczekiwanie Igor. – Od dawna o tym myślę, ale jakoś nie mogę się tam wybrać. Eliza! Mówiłaś coś wczoraj, że lubisz fotografować! Masz chyba w aparacie jakieś zdjęcia? Pokaż, proszę!

Ależ mnie podszedł! Szczwany lis! Wie, co lubię! Dobra, gramy w to! – pomyślała. I nie czekając, aż powtórzy prośbę, odwróciła się w jego stronę i jak gdyby nigdy nic, zaczęła pokazywać zdjęcia zrobione od czasu wyjazdu z Poznania.

– Podoba mi się sposób, w jaki fotografujesz szczegóły dużych budynków – powiedział po obejrzeniu części zdjęć. – Niektórzy skupiają się tylko na tym, żeby pokazać je same, a ty potrafisz oddać je w jakiś intrygujący sposób. Umiesz zawsze jakoś wkomponować otoczenie w kadr. Wszystko masz zawsze bardzo fajnie zaplanowane, nie widziałem tutaj przypadkowych zdjęć. Pstrykasz i szybko, i dużo. Staram się fotografować podobnie.

Eliza słuchała kolejnych jego słów z rosnącym zachwytem. Jak wszyscy, lubiła miłe słowa, ale ten komentarz Igora był czymś więcej. Jego cały wywód potraktowała jako komplement. Czuła się też wyjątkowo dowartościowana. Nie wiadomo kiedy i jak to się stało, ale teraz siedzieli bliziutko siebie, dotykając się kolanami. Mile ją łechtały jego owłosione kolana i łydki. Zwrócona w jego stronę, patrzyła na niego przez zmrużone oczy, on uśmiechał się do niej tymi swoimi zielonymi oczami. Oboje zamilkli, jakby zmęczyła ich ta ekspresyjna dyskusja o fotografii.

– Eliza, Igor, czy wy śpicie? Co tak nagle cicho się zrobiło u was? Zaraz za tymi zakrętami jest już Kościerzyna! – Krzysztof wyrwał młodych z letargu.

Wkrótce cała czwórka maszerowała w kierunku jednego z dwóch sanktuariów Matki Boskiej.

Okazał się nim kościół parafialny pod wezwaniem Świętej Trójcy. Krzysztof po drodze opowiedział skrótowo jego historię. W środku zatrzymali się przed obrazem Madonny Kościerskiej, znajdującym się w bocznej kaplicy.

Kaśka i Eliza były zachwycone pięknie utrzymanym wyposażeniem, pochodzącym w większości z pierwszej połowy XVIII wieku.

– Wiesz, córcia, ja często mam trudności z określeniem się, jeśli idzie o wiarę, religię, ale pobyt w takich miejscach jak tutejsze sprowadza mnie z powrotem na ziemię – wyszeptała w jej stronę Kaśka, gdy Eliza przysiadła obok matki po obfotografowaniu wnętrza. – Takie miejsca są jednak niezbędne, żeby uzmysłowić sobie, jakie jest nasze miejsce we wszechświecie. Gdyby nie było Boga, ludzie nie tworzyliby takich przybytków, prawda?! Cudowny kościół!

– Piękny kościół i piękne słowa! – odpowiedziała Eliza również szeptem.

Mama podziękowała jej delikatnym uśmiechem i zmrużeniem oczu.

– Szkoda, że babcia tego nie widzi! – dodała Eliza.

Za godzinę, po dużej dawce przeżyć duchowych, szli w milczeniu w kierunku kościerskiego rynku.

– Przejdźmy na stronę południową, znajdziemy tam cień – zaproponował Igor, gdy dotarli na miejsce.

– Skąd wiedziałeś, że właśnie tam mamy zamówiony stolik? Właścicielem tamtej kawiarenki jest mój dobry przyjaciel... – Krzysztof uśmiechnął się i wskazał parasole z nazwą krajowego piwa, otoczone niewysokim płotkiem.

Znajomy Krzysztofa chyba czekał na niego, gdyż momentalnie się zjawił, wskazał stolik, zamienili kilka słów, ukłonił się pozostałym i oddalił. Po chwili kelnerka przyjęła zamówienie: lody, ciasto z truskawkami i kawa. Kaśka i Eliza wierciły się na krzesłach, oglądając rynek.

– Sama nie wiem, który rynek ładniejszy, ten czy kartuski? – zastanawiała się Kaśka, oblizując łyżeczkę zanurzoną przed chwilą w pucharku z lodami. – Mnie chyba podobał się bardziej kartuski, chociaż tutaj też ładnie. Tylko szkoda, że babcia tego nie widzi! – Wskazała głową na rynek.

– A możemy przyjąć, że oba są niczego sobie? – rzucił Igor, zapamiętale goniąc łyżeczką po talerzyku kawałek galaretki z ciasta truskawkowego. – No, mam ją wreszcie! – zakomunikował uśmiechnięty, gdy dostrzegł, że przez kilka chwil wszyscy gorliwie kibicowali mu w tej gonitwie.

– Krzysiu, a co to za budynek z czerwonej cegły z zegarem na szczycie? – Kaśka wskazała na wschodnią ścianę rynku.

– No i wyłowiłaś budynek, o którym miałem coś właśnie powiedzieć. To był ratusz. Będzie w nim kiedyś prawdziwe muzeum. A słyszałyście, co zalicza się do kaszubskich instrumentów ludowych? – Krzysztof raptem zmienił temat.

– Nie bardzo – odparła zaskoczona Eliza.

– A skąd w ogóle takie pytanie? – zdziwiła się Kaśka.

– Bo przypomniałem sobie, że w Kościerzynie mieszka taki zapaleniec, który ma ponad sto starych akordeonów, myślę, że kiedyś ta kolekcja może stać się ekspozycją w muzeum!

– Ale dlaczego właśnie akordeony? – dopytywała Eliza.

– Bo to jest ulubiony na Kaszubach instrument. Już gdzieś w końcu dziewiętnastego wieku pojawiła się tutaj *bandonia*. Jest czworokątna, ma guziki zamiast klawiszy i wydaje inne dźwięki przy rozciąganiu miecha, a inne przy jego składaniu. W wielkim uproszczeniu działa podobnie jak harmonijka i przez to dosyć trudno się na niej gra...

– Kiedyś próbowałam uczyć się na harmonijce, ale to nie na moje nerwy! – wtrąciła ze śmiechem Eliza.

– No widzisz! Ale właśnie tutaj *bandonię* polubiono szczególnie, aż stała się prawdziwie ludowym instrumentem. Potem *bandonię* wyparł akordeon, na którym łatwiej się gra, a był też tańszy i dlatego teraz on króluje. Ale ciągle są jeszcze na Kaszubach muzycy grający na tamtych instrumentach.

– Mamuś, a w Erinie szantymen grał na czymś takim, ale... – Eliza zająknęła się, ujrzawszy dziwny wzrok mamy.

– On grał i na akordeonie, i na czymś mniejszym – Kaśka postanowiła jednak jakoś zareagować. – To chyba nie była *bandonia*, bo było to mniejsze i sześcio-kątne.

– Jeśli sześciokątne, to na pewno *concertina*. Dobra jesteś, bo wyłapałaś różnicę! – pochwalił Krzysiek. – A to było w Erinie, w Gdyni? – dopytywał.

Kaśka skinęła głową.

– Poznałem kiedyś szefa tego lokalu. Ponoć zespół gra dobrą muzykę, a sam lokal jest zupełnie różny od innych. – Przyglądał się Kaśce i Elizie, które wymieniły gwałtowne spojrzenia. – Inne tutejsze instrumenty ludowe – wrócił do tematu – to bazuna, burczybasy, diabelskie skrzypce, czyli tzw. krzywy róg, gitarola, no i skrzypce, wiolonczela, a także dudy wielkopolskie! Będzie można je wszystkie zobaczyć w skansenie na Wdzydzach.

– A co ciekawego jest jeszcze do zobaczenia w mieście? – spytała Eliza.

– Jest kilka interesujących budynków, kościół poewangelicki, parę pomników. – Krzysztof popatrzył na zegarek. – Mamy dzisiaj w planie jeszcze dwa ciekawe miejsca do obejrzenia, ale oba poza Kościerzyną, więc powinniśmy się powoli zbierać. Wytrzymacie do obiadu?

– Choćby do wieczora! – Kaśka poklepała się po brzuchu.

Za kilkanaście minut byli w trakcie objazdu Kościerzyny.

Samochód toczył się wolno po ciasnych uliczkach, aż wreszcie wyjechali na główną arterię miasta, będącą zarazem drogą wylotową.

– Czy wyjeżdżamy tą samą trasą, co przyjechaliśmy?! – ni to spytała, ni to stwierdziła Eliza.

– Jesteś spostrzegawcza! – znowu skomplementował ją Krzysztof. – Ale tylko kawałek pojedziemy tą samą drogą, a potem skręcimy na południe.

Wjechali w lasy.

– Czy wiecie, że w Będominie, niedaleko Kościerzyny, ale od strony Gdańska, jest jedyne na świecie Muzeum Hymnu Narodowego, które przez lata należało do rodziny Józefa Wybickiego? – spytał Krzysztof.

– Coś, kiedyś, uczyłam się o tym – pochwaliła się Eliza.

– I ja też – roześmiał się Igor.

– Teraz odwiedzimy Łubianę. To są największe w Polsce zakłady produkcji porcelany...

– A nie szkoda czasu na oglądanie jakiejś fabryki? – przerwała mu Eliza.

– Warto popatrzeć. Gdyby porcelana stąd nie była dobra, nie zagrałaby w filmie!

– Jak porcelana może zagrać w filmie?

– Wiem, że w jednej ze scen francuskiego filmu *Amelia* zagrał serwis z kaszubskimi wzorami właśnie stąd. Czekam na film, jesienią ma być u nas premiera! Kolega z Kartuz, który mieszka w Paryżu, pisał mi o tym niedawno. – Krzysztof był dumny z siebie, przekazując taką ciekawostkę.

– Krzysiu, a wiesz, że ja już obejrzałam ten film? – pochwaliła się Kaśka.

– Przecież nie był jeszcze wyświetlany?

– W Polsce jeszcze nie, ale gdy byłam pod koniec maja na wycieczce w Brukseli, koleżanka, która tam mieszka, wyciągnęła mnie do kina. To taka miła i ciepła paryska komedia ze słodką Audrey Tautou. Ale o tym, co powiedziałeś, nic nie wiedziałam!

– Ten kolega mówił mi, że przy jednej ze scen coś go tknęło, bo wydało mu się, że zobaczył na filiżankach kaszubski wzór. Potem szperał w prasie, dzwonił w różne miejsca, no i potwierdziło się to, co zauważył!

Z daleka pomiędzy drzewami prześwitywały budynki zakładu w Łubianie. Po chwili wysiadali już z samochodu.

– Tam – wskazał ręką Krzysztof – jest firmowy sklep i dlatego się tu zatrzymałem. Na pewno coś sobie wybierzecie!

Przyglądał się z uśmiechem, jak Kaśka i Eliza zachwycały się porcelanowymi wyrobami, nie mogąc się zdecydować, co kupić. Wreszcie wybrały kilka sztuk z kaszubskim wzorem.

– Tak właśnie myślałem, że tego typu cacka wybierzecie – zrecenzował leżące na ladzie zakupy. – Porcelanę tutejszą kupują najlepsze polskie hotele z wielkich światowych sieci: Mariott, Radisson, Sheraton i Hyatt! – dodał z dumą w głosie.

– Kiedyś, jak będę bogata – rozmarzyła się Kaśka – i będę wyposażać po swojemu dom, to już wiem, jaką kupię porcelanę.

– Szkoda, że babcia tego nie widzi! – Eliza wskazała na sklepowe regały. – Myślę, że i tak ucieszy się najbardziej z tego dzwoneczka i puzderka! – Eliza była podekscytowana. – Powiesz, mamuś, że to ja wybrałam?!

Znowu jechali pomiędzy ścianami lasów, ale mimo to słońce dawało im się mocno we znaki. Wisiało prawie pionowo nad szosą, prowadzącą teraz dokładnie na południe.

– Do Wdzydz Kiszewskich mamy tylko kilkanaście kilometrów, spędzimy tam czas do wieczora.

– O tym skansenie też uczyłam się kiedyś na geografii! – pochwaliła się znowu Eliza.

– No i ja – potwierdził Igor.

– Ja też! – dorzuciła szybko Kaśka.

– I ja również! – ze śmiechem dodał Krzysztof. –

Posłuchajcie! Żebyście to wszystko spokojnie obejrzały, potrzebujemy około trzech godzin. Więc umówmy się, że kiedy poczujecie się zmęczone, posilimy się i odpoczniemy tam na miejscu. Igor! A ty tutaj jesteś? – wyszczerzył się do wstecznego lusterka. – Przez prawie godzinę nie słyszałem twojego głosu!

– Tata, ty przecież wiesz, że porcelana to nie moja specjalność!

– Chyba wręcz odwrotnie! – Krzysztof ponownie pokazał zęby w lusterku.

– Ale śmieszne!

– Bo wiecie, parę lat temu Igor rozbił...

– Tata!

– ...stary, rodowy serwis kawowy i od tego momentu ma nieustanną porcelanową traumę! – Krzysztof dokończył wcześniejszą myśl tragicznym tonem, ale z rozbawieniem na twarzy.

– Jak to się stało? Opowiedz! – Eliza zwróciła się w kierunku Igora.

– Tata, musiałeś?...

– Odwagi, synu, opowiedz dziewczynom, bo to całkiem fajna historia! Zresztą sam mnie na nią naprowadziłeś. Czyż nie tak było, dziewczyny?

Kiedy obie twierdząco pokiwały głowami, Igor poczuł, że już nie wywinie się z opowieści, tym bardziej, że Eliza przysunęła się do niego kolanami, wlepiając w niego zmrużone oczy, a Kaśka też odwróciła się w jego kierunku.

– No dobrze! – poprawił się nieco i wziął oddech. – Po familijnej uroczystości z okazji mojego bierzmowania rodzice poszli odprowadzić babcię. Ja z kuzynką mieliśmy pomyć i powycierać wszystkie naczynia. Świętowało przy stole dziewięć osób, więc naczyń było dosyć sporo. Kiedy umyliśmy i wytarliśmy je, a rodzice jeszcze nie wrócili, postanowiliśmy, że poznosimy i poukładamy zastawę w bufecie w stołowym pokoju. Bo to nie była taka codzienna zastawa – tylko świąteczna! Cięższe naczynia: wazy, półmiski, talerze, znosiłem po trochu, a kuzynka je układała. Przy kawowym serwisie postanowiłem usprawnić sobie pracę i załadowałem na tacę wszystko, żeby było szybciej. Wchodząc z przedpokoju do stołowego, potknąłem się i cała taca wystartowała mi z rąk prosto na ścianę. Dwie filiżanki i dwa talerzyki ocalały, reszta porozbijała się w drobny mak!

– O Boże! – Kaśka aż jęknęła. – I co dalej?

– Rodzice właśnie wchodzili do domu, a ja pokrwawiony i oszołomiony wstawałem z podłogi. Mama prawie zemdlała, a potem płakała przez kilka dni.

– Tak strasznie się poraniłeś? – Eliza wyglądała na przejętą.

– Nie chodziło wcale o mnie! To była przedwojenna, rodowa zastawa, którą dostała w prezencie od babci. Rosenthal Sanssouci Gold! Wtedy tej nazwy jeszcze nie znałem, ale tego wieczora nauczyłem się jej szybko i nie zapomnę do końca życia!

– Jak mogłeś być taki nieostrożny?! Rosenthal... – Kaśka z przejęcia złapała się za głowę. – Wcale się mamie nie dziwię!

– No widzisz, tato, co ty narobiłeś? Jeszcze dzisiaj mi się obrywa! – Igor roześmiał się, gdy zobaczył, że Eliza od kilku chwil krztusi się ze śmiechu.

– Eliza, jesteś... jesteś... taka bezduszna! – Kaśka nie mogła zrozumieć, jak taka tragedia, z porcelaną marki Rosenthal w roli głównej, mogła wzbudzić u jej córki wesołość.

Krzysztof, słysząc reakcję Kaśki, nie mógł się także powstrzymać od przyłączenia do chóralnego już śmiechu dochodzącego z tyłu. Kaśka przez chwilę zdezorientowana przyglądała się rozbawionej trójce, a po chwili sama parsknęła śmiechem. Przez kilka minut w samochodzie trwała frenetyczna wesołość.

– Widzisz, Igor! Warto czasami oczyścić duszę! Takie twoje porcelanowe *katharsis*! Widzisz, pomogło!

– No dobrze, ale co było dalej? – Kaśka powtórzyła swoje wcześniejsze pytanie, gdy atmosfera nieco się uspokoiła.

– Potem schowałem Igora przed matką na dwa miesiące u kolegi nad jeziorem, pomagał przy jachtach, zarobił parę groszy, a przy okazji wyrobił sobie patent żeglarski.

– Ale mama i tak długo mi to wypominała, mimo że za pieniądze, które wtedy zarobiłem, kupiliśmy razem z tatą podobny serwis kawowy!

– Tak, to prawda, chociaż twoich pieniędzy starczyło tylko na mały czajniczek!

– To nie moja wina, że ten twój kolega tak mało mi płacił!

Niebawem ciągle jeszcze rozbawiona czwórka wysiadała na parkingu przed skansenem. Stare chaty, kościółek, karczma, studnia z żurawiem zapraszały do zwiedzania. Kaśka i Eliza przyglądały im się z zachwytem.

– Szkoda, że babcia tego nie widzi! – wydusiła z siebie podekscytowana Eliza, wskazując widoczne z parkingu, stojące najbliżej stare zabudowania. Pomiędzy nimi krzątali się wolontariusze w strojach kaszubskich.

– Dzisiaj powiedziałaś to już czwarty raz! – uśmiechnął się Igor, pokazując cztery wyprostowane palce. – Chyba więcej okazji już nie będzie!

– Skąd wiesz? – burknęła czupurnie Eliza.

Podziwianie zagród gburskich, zagród szlacheckich, dworków, tartaku, kuźni, świątyni i wiatraków z różnych rejonów Kaszub oraz przerwa na zjedzenie obiadu, zajęły im rzeczywiście prawie trzy godziny. Chwilę po osiemnastej zmęczeni przysiedli na ławce.

– Cudownie jest tutaj! Szkoda wracać! Gdyby była z nami mama, na pewno byśmy zostali na drugi dzień! – Kaśka wachlowała się folderem. – Jestem „schodzona"... – Zrobiła zbolałą minę. – Teraz przydałby się chłodny prysznic!

– Tutaj jest fajny hotelik, „Niedźwiadek" się nazywa, a w nim mój bardzo dobry znajomy...

– Czy jest gdzieś na Kaszubach miejsce, gdzie nie masz dobrych znajomych lub przyjaciół? – przerwała mu nieoczekiwanie ożywiona Kaśka.

– Tak! Miasto Hel! – wyszczerzył się Krzysztof. – Ale jeśli tylko, Kasiu, chcesz, to i prysznic, dobre łóżka i inne atrakcje będziemy mieć tutaj zapewnione.

Kaśka nie wyglądała wcale na zaskoczoną tą propozycją. Odwrotnie. Jej twarz ze stanu „zbolała" przełączyła się jak za dotknięciem różdżki w stan „pogodna"; badawczo przyglądała się Krzysztofowi przez zmrużone powieki. Eliza przenosiła wzrok z mamy na Krzysztofa i z powrotem. To, co usłyszała i zobaczyła, zaskoczyło ją.

– Mamo, przecież do Parchowa jest niedaleko i ...

– A czy tutaj jeszcze kiedykolwiek będę? – przerwała jej raptownie Kaśka. – Krzysiu, załatwiaj! Zostajemy!

Eliza otwierała i zamykała usta w zdziwieniu. Wyglądała jak ryba wyciągnięta raptownie z wody. Igor też był zaskoczony, ale gdy przyjrzał się ojcu, który szybował wysoko i nie zamierzał wcale wylądować, zrezygnowany tylko machnął ręką. Kaśka nieoczekiwanie objęła Elizę i pogłaskała ją po policzku.

– Posłuchaj! Babcia zrobiła sobie urlop od urlopu, a my zrobimy sobie urlop w urlopie! – oznajmiła słodziutko.

Eliza nie wiedziała, czy mama jest tak zadowolona z wymyślonej przed chwilą sentencji, czy z zapowiedzianych przez Krzysztofa atrakcji. Przypomniała sobie opowiedzianą przez nią w Kartuzach historię z okresu poznańskich studiów, z Krzysztofem w roli głównej. Zdołała więc wydusiła z siebie tylko krótkie: „Aha!".

– Dobra decyzja, nie będziecie żałować! – Krzysztof wyglądał na uszczęśliwionego rozwojem wydarzeń.

A potem wszystko potoczyło się już błyskawicznie. Przejazd pod hotel, klucze do pokoi, prysznic, szykowanie do kolacji i parenaście minut po dwudziestej wszyscy spotkali się w holu przy restauracji. Sala była prawie pełna, zespół grał stare i nowsze melodie. Po zaspokojeniu pierwszego głodu i toaście kieliszkiem szampana Kaśka z Krzysztofem ruszyli na parkiet. Eliza przyglądała im się z przyjemnością. Pasowali do siebie. Tańczących przybywało. Eliza i Igor siedzieli w milczeniu, ale i tak wokół było zbyt głośno, by rozmawiać. Wreszcie Igor zdecydował się poprosić Elizę do tańca, ta jednak szybko oceniła, że to nie jest jego specjalność. Pociągnęła go więc do grupki takich młodych jak oni, którzy pląsali w kółeczku. Igor nie wyglądał jednak na zbyt ucieszonego.

W przerwach między tańcami Eliza widziała, jak mama coraz bardziej promienieje. Po którymś z tańców ona i Krzysztof nie wrócili do stolika. Pojawili się ponownie dopiero po godzinie.

– Byliśmy na spacerze! – Kaśka rzuciła w kierunku Elizy.

Eliza uśmiechnęła się. Należy się mamie, niech się rozerwie! Tylko niech uważa bo on jest przecież żonaty!

Dancing trwał dalej. Eliza trochę się nudziła, trochę bawiła, obserwując Igora – ten nie wiedział, jak się zachować. Kiedy znowu zostali przy sami stoliku spytała go:

– Powiedz mi, co sądzisz o naszych rodzicach?

Zesztywniał, zdumiony taką bezpośredniością.

– Sam... nie wiem... co myśleć... – wydukał.

– Ale chyba jakoś to oceniasz, prawda?

– Są... dorośli...

– Też tak uważam, ale moja mama nie jest formalnie związana z żadnym mężczyzną.

Igor zastanawiał się, czy toczyć zaczętą rozmowę w takich warunkach jak tutaj, ale dostrzegł w postawie Elizy coś, co go przekonało, że ona nie odpuści, nie da się zbyć czymkolwiek. Orkiestra właśnie zaczynała grać kolejny kawałek. Mamy więc chwilę czasu, pomyślał.

– Moim rodzicom, kiedy chcieli zrobić mi po egzaminach na studia fetę rodzinną, powiedziałem, że to ja ich zapraszam na obiad, bo muszę z nimi pogadać. Mam oszczędzone zaskórniaki i chcę, żebyśmy byli tylko we trójkę. Widziałem ich przestraszone miny. W lokalu spytałem, czy mają zamiar jeszcze długo udawać, że są razem... – Nachylił się bliżej Elizy. – Musiałabyś wówczas widzieć ich miny! – roześmiał się. – Mamo, powiedziałem, masz innego mężczyznę i skoro ja wiem, kto to jest, to i inni wiedzą. Tato, czy ty także wiesz, o kim mówię? Obydwoje patrzyli na mnie zmieszani. Pierwszy odezwał się tata. Wiem, ale ja też nie jestem święty. Mama spojrzała na niego i na mnie dziwnie. Tak... mam kogoś, powiedziała cicho. Tato zaś szybko dodał, że owszem, grzeszył, ale nie ma nikogo na stałe. Chyba obydwoje mieli dosyć tego obiadu. Wtedy mi się zrobiło trochę ich żal.

Eliza spojrzała z podziwem na Igora. Kurczę! Skąd się taki wziął? Przez moment zastanawiała się, czy byłaby w stanie zadać swojej mamie takie bezpośrednie pytanie. Ale nie myśl, że ci powiem coś w rewanżu o swojej mamie – zmrużyła oczy. Na twarzy Igora dostrzegła dziwny uśmiech.

– Jest mi przykro, że tak się pomiędzy wami porobiło, tak im wtedy powiedziałem. Chciałem jednak przed rozpoczęciem studiów dać wam jasno do zrozumienia, że jeśli nie dla mnie i otoczenia, to dla siebie powinniście tę sprawę uczciwie rozwiązać. Gdyby mogli, natychmiast by stamtąd uciekli.

– Jesteś odważny...

– Tu nie chodzi o odwagę, Eliza, ale o uczciwość i już. – Zamilkł i spojrzał na nią badawczo. – Ja się wówczas tym nie bawiłem. – Znowu zamilkł i przeniósł wzrok na parkiet. – Wiem, co myślisz... – Spojrzał na nią i uśmiechnął się. – Sam nie wiem, dlaczego taki jestem, ale jestem!

– Mama mi opowiedziała, że znają się ze studiów w Poznaniu...

– Kiedy wczoraj wracaliśmy do domu, tato też mi to powiedział. Ja nic więcej nie muszę od niego słyszeć, bo wszystko widać... – Wykonał ruch głową w kierunku parkietu.

Ich rodzice tańczyli mocno przytuleni, w najbardziej odległej, ale też najbardziej zacienionej części parkietu.

– Fajnie wyglądają... – Eliza nie potrafiła się powstrzymać.

– Nie mam nic przeciwko temu, ale nie pochwalam. Tak właśnie na tym obiedzie powiedziałem swoim rodzicom: daję wam pół roku, żebyście się określili. No i te pół roku trwa już trzeci rok – uśmiechnął się, ale jego oczy były smutne. – To nie jest w porządku! – dodał po chwili.

– Ale czy uważasz, że ja...

Igor wykonał przeczący ruch głową.

– Sama wiesz na pewno, czy, co i ewentualnie kiedy powiedzieć. Oni muszą się sami określić... – Eliza skinęła głową. – Ojcu już wczoraj coś takiego powiedziałem, że on wie, że ja wiem, i wydaje mi się, że będzie chciał coś z tym zrobić – spoważniał.

– Ale nie popsujemy im dzisiaj wieczoru?

– Nie myślałem, że ty też jesteś taka... – nie dokończył myśli, nieoczekiwanie wstał i wyciągnął dłoń w kierunku Elizy. – Wiem, że męczysz się ze mną w tańcu, ale pójdźmy choć na chwilę potańczyć, niech chociaż dzisiaj będzie im dobrze... – Eliza z uśmiechem podniosła się i ruszyli w kierunku parkietu.

Niespodziewanie o północy konferansjer zapowiedział pokazy sztucznych ogni. Okazało się, że w innej sali świętują wesele i ten pokaz to prezent dla młodych.

Fajerwerki były rzeczywiście imponujące.

– Tak jak kiedyś na Szelągu... – rozmarzyła się Kaśka.

– Szkoda, że babcia tego nie widzi! – dodała Eliza i roześmiała się. – Miałam już dzisiaj tego nie mówić!

Po dancingu wyszli jeszcze na krótki spacer. Było ciepło, czuło się większą niż w Parchowie wilgoć. Księżyc wciąż jeszcze wielki, ale już nie całkiem okrągły.

– Która to godzina? – spytała Eliza szeptem.

– Chwila po drugiej... – odparł Igor.

Tylko z sali, w której trwało wesele, dochodziły przytłumione dźwięki muzyki i śpiewy. Poza tym wszędzie wokół panowała cisza. Od czasu do czasu słychać było tylko pisk nietoperza lub pohukiwanie sowy. Eliza z Igorem szli parę kroków za rodzicami, którzy nie bardzo wiedzieli, jak się zachować. Jakiś magnes przyciągał ich do siebie, szczególnie gdy na moment wchodzili w smugę cienia pod drzewami. Wówczas ich dłonie szybko się łączyły, a kiedy tylko robiło się nieco jaśniej – szybko rozłączały. Wówczas młodzi spoglądali po sobie i porozumiewawczo się uśmiechali. Zatoczyli kółko i wrócili pod hotel.

– Dobranoc! – wzajemne cmoknięcie w policzki Kaśki i Krzysztofa.

– Pa, pa! – Elizy i Igora.

– Słodkich snów! – Krzysztofa do dziewczyn.

W pokoju Eliza kątem oka zauważyła, że łóżko mamy jest jakieś takie lekko sfatygowane. Zaryzykowała:

– Mamuś, czy ty z nudów byłaś w międzyczasie poprawiać prześcieradło?

Kaśka zmieszała się.

– A fajnie chociaż Krzysiek całuje? Lepiej niż Adam? – Eliza nie ustępowała.

– O co ty mnie pytasz, dziecko? – odpowiedziała pytaniem na pytanie lekko zawstydzona Kaśka.

– Mamuś! Ja dziecko?

– No dobrze, może już nie dziecko, ale nie każ mi też za dużo mówić...

– To aż tak dużo było... tego?

– No przestań już! – Kaśka pogroziła jej palcem. – Ale całuje fajnie, tak jak dwadzieścia lat temu... – Zrobiła maślane oczy. – Kochany jest, ale, niestety, żonaty.

– Przecież mówił, że nie są razem!

– Formalnie są!

– Aha!

– Kąpmy się już. Ty młoda... pierwsza!

– Ty jesteś starsza, ale za to bardziej rozrywkowa!

Po chwili na głowie Elizy lotem błyskawicy wylądował jaśkowy pocisk.

– Ja ci dam starsza! – roześmiała się Kaśka.

Za kilkanaście minut, zrelaksowane kąpielą, leżały w łóżkach. Po zgaszeniu światła Kaśka odezwała się rozmarzonym głosem:

– Tu jest cudownie! Tutaj, to znaczy w Parchowie, no i w ogóle na Kaszubach. Zastanawiam się poważnie, czy nie przyjąć propozycji Krzyśka w sprawie pracy i nie wyjechać z Poznania! Ale to musiałoby wyjść od niego – konkretnie! Nie chcę się narzucać, no wiesz.

– Niezły pomysł! – sennym głosem odpowiedziała Eliza.

– Tak mówisz?

– Tak, ale najpierw zadzwoń do Piotra i załatw sobie kolejny tydzień urlopu, bo samochód przecież ciągle martwy! – już bardzo cicho wyszeptała Eliza.

Zasypiającej Kaśce przez głowę przelatywały myśli: Mądra ta Eliza! Wszystko widzi! A mnie tu naprawdę jest dobrze. Zapomniałam nie tylko całkowicie o pracy, ale także o urlopie i o Piotrze! Ojej! Piotr znalazł się na trzecim miejscu!

Sen na obie spłynął szybko i spały długo i twardo.

*

Chmurki na niebie, lekki wiaterek, pomarszczona woda na jeziorze – wszystko to zapowiadało ładny dzień. Po śniadaniu, które Krzysztof z synem zjedli sami, zasiedli na ławce przed hotelikiem i z minuty na minutę coraz bardziej niecierpliwie spoglądali na balkonik przy pokoju Kaśki i Elizy. Około dziewiątej wyjrzała Kaśka. Pomachała im, a po chwili podobnie uczyniła Eliza. Nieco ponad pół godziny później siedzieli już wspólnie przy stoliku na tarasie restauracji. Dziewczyny jadły spóźnione śniadanie, zaś panowie niecierpliwie sączyli soczek. Gdy już im się zdawało, że moment udania się do mariny jest tuż, tuż, Kaśka zaproponowała jeszcze małą kawkę.

– Dzisiaj zaplanowałem krótki rejs jachtem po jeziorze, tyle że wiatr już siada. – Krzysiek postanowił wreszcie wyłożyć, chociaż nieco dyplomatycznie, kawę na ławę.

– Bardzo dobry pomysł, Krzysiu. Mówiłeś przecież o tym wczoraj

– Kasiu, ale jak będzie słaby wiatr lub jak zupełnie siądzie, to rejs po jeziorze marnie widzę.

– Popłyniemy wtedy wolniej, zacumujemy gdzieś, zrobimy sobie piknik na pokładzie. Zobaczysz, że nawet bez wiatru może być wspaniale!

– Kasiu, ale jacht to żagle, a żagle to wiatr. Jak nie ma wiatru, to nie ma pływania! – Krzysztof desperacko, ale ciągle jeszcze dyplomatycznie, starał się jej wyjaśnić istotę żeglarstwa.

– Dla nas samo bycie na jachcie, nawet stojącym przy pomoście albo na kotwicy, to niezapomniane przeżycie, prawda, córcia?

– Nigdy nie pływałam na żaglówce, więc już się cieszę. A czy tam jest jakieś radyjko, czy mam wziąć swoje? Posłuchamy sobie muzyczki, poopalamy na środku jeziora… – Teraz z kolei rozmarzyła się Eliza.

Krzysztof i Igor spojrzeli po sobie z ogromnym zdumieniem. Igor zbierał się, aby coś jeszcze odpowiedzieć Elizie, ale ojciec dał mu dyskretny znak, żeby się powstrzymał.

– Macie rację, rejs będzie cuuudowny! – odezwał się nieco ironicznie Krzysztof. – Więc za ile możemy się was spodziewać? – Demonstracyjnie odsunął pustą filiżankę na środek stolika, poderwał się z krzesła, a za nim Igor.

– Kwadrans, no góra pół godzinki! Elizka, idziemy się przygotować! – Dziewczyny majestatycznie odpłynęły w kierunku hotelowych pokoi.

*

Gdy panowie zobaczyli zbliżające się do przystani Kaśkę i Elizę, zaniemówili z wrażenia. Obie wyglądały szałowo. Duże płócienne kapelusze z rondami, zwiewne kolorowe sukienki, japonki na nogach, okulary słoneczne, każda ze sporą torbą. Eliza niosła dodatkowo mały składany leżaczek, a pod pachą plik kolorowych gazet.

– Cudownie wyglądacie! – Krzysztof mimo wszystko starał się być miły.

– Dziękujemy! W takich strojach będziemy czuć się swobodnie – radośnie odpowiedziała Eliza.

– A ten leżaczek? – wskazał Igor.

– Mama odradzała, ale ja się uparłam. – Eliza zrobiła buzię w ciup. – Jak będzie fajne słońce i uspokoi się wiatr, usiądę i poopalam się trochę. Chyba na żaglówce tyle miejsca się znajdzie?!

– Aha! – Igor nie był w stanie nic więcej wydusić; wytrzeszczył oczy, spojrzał na ojca, ale ten też wyglądał na nie mniej zszokowanego.

– Mamy nawet dla was sportowe gazety. Właśnie kiosk otworzyli! – dodała radośnie Eliza.

– Igor, nie marudź! Pakujemy i odbijamy. Wiatr się kończy! – Krzysztofowi już tylko to pozostało do zakomunikowania.

Dziewczyny, gdy tylko znalazły się na jachcie, zachowywały się jak koty z pieprzem na ogonie. To schodziły do pomieszczeń pod pokładem, to wchodziły na powrót na pokład. Oglądały wszystko z zainteresowaniem. Koje, mały kubryk, łazienka z toaletą, błyszczące nikle na pokładzie, duży żagiel, wygodne siedzenia. Wszystko je cieszyło.

– Dlaczego ciągle stoimy, a nie płyniemy? – spytała po jakimś czasie Kaśka, głaszcząc jakiś błyszczący detal.

– Czekamy, aż wreszcie usiądziecie, bo tu nad pokładem będzie często przelatywał bom z żaglem – nieco sarkastycznie odpowiedział Krzysztof.

– No, to możecie robić to dzisiaj trochę ostrożniej i delikatniej, żeby nam się nic nie stało!

– Kasieńko, ale to wszystko zależy od wiatru. Jachtem steruje się, wykorzystując głównie wiatr i żagiel! – Krzysztof był na skraju wyczerpania nerwowego.

– Ale macie przecież jakiś silniczek albo wiosła, prawda? To może za ich pomocą ruszymy, a dopiero potem, na środku, użyjecie sobie troszeczkę żagli!

Krzysiek bez siły opadł na siedzenie za sterem. Chwilę siedział nieruchomo. Poprawił czapeczkę na głowie, wstał, popatrzył w kierunku wyjścia z mariny, na krzątające się ciągle po pokładzie Kaśkę i Elizę, a potem na Igora wyczekującego na dziobie. Nabrał powietrza w płuca i...

– Kotwica na pokład! – krzyknął donośnym głosem.

– Jest kotwica na pokład! – odpowiedział mu w podobny sposób Igor.

Dziewczyny przysiadły z wrażenia.

– Sklarować kotwicę! – wydał kolejną komendę Krzysztof.

– Kotwica klar! – odpowiedział Igor i zeskoczył na pomost.

– Przygotuj cumy do oddania!

– Jest przygotuj cumy do oddania!

Komendy Krzysztofa i meldunki Igora padały jedne po drugich. Kaśka i Eliza jak na meczu tenisowym zwracały głowy każdorazowo w kierunku krzyczącego. Patrzyły z rosnącym zdumieniem na przygotowania związane z wyjściem jachtu na jezioro.

– Cuma dziobowa do oddania klar! – krzyknął Igor, a po chwili dorzucił: – Cuma rufowa do oddania klar!

Igor odwiązał od polerów najpierw cumę dziobową, potem rufową i wskoczył na odsuwający się wolno od pomostu jacht, wcześniej go lekko odepchnąwszy bosakiem. Jacht poruszał się powoli na silniku, który już od kilku minut cichutko terkotał. Kaśka i Eliza siedziały z otwartymi buziami. Przytrzymywały ręką kapelusze, których ronda wyczuły nagle wiatr wywołany pędem jachtu.

– Czy musimy płynąć tak szybko? – spytała Kaśka, walcząc z kapeluszem.

– Kasiu, wolniej już się nie da! – odpowiedział poważnie Krzysztof, skupiający całą uwagę na bezpiecznym wyjściu z mariny.

Kaśka chciała wstać, ale zatrzymała ją kolejna komenda wydana przez Krzysztofa, która powtórnie wcisnęła ją w siedzenie.

– Przygotuj foka do stawienia!

– Jest przygotuj foka do stawienia! Fok do stawiania klar! – Igor wykonywał polecenia ojca i głośno potwierdzał ich wykonanie.

– Fok góra staw!

– Jest fok góra! Fał foka obłożony! Fok po stawieniu klar!

Rozwinięty dziobowy żagiel załopotał głośno. Krzysztof szukał sterem wiatru, aby wypełnić nim mocniej żagiel. Kiedy wreszcie uznał, że więcej się nie uda, wyłączył silnik, a po chwili rozpoczęła się kolejna seria komend i meldunków. Kaśka i Eliza patrzyły i słuchały jak zahipnotyzowane.

– Przygotuj grota do stawienia!

– Jest przygotuj grota do stawienia! Grot do stawiania klar!

– Grot góra staw!

– Jest grot góra! Fał grota foka obłożony! Grot po stawieniu klar! – Igor sprawnie zawinął linkę wokół knagi i zszedł do kokpitu.

– Fajnie to wszystko wygląda, ale czy wy musicie tak do siebie krzyczeć? – Kaśka nie mogła się powstrzymać, by nie zadać dręczącego ją od kilku minut pytania.

– Kasieńko! Na jachcie, tak jak na każdym statku, jest kapitan. On wydaje komendy. Głosem donośnym. Tylko jedna osoba jest kapitanem. Tutaj kapitanem jestem ja! Reszta na statku czy na jachcie to załoga. Tutaj Igor jest jedynym majtkiem – bo wy się nawet do takiej roli nie nadajecie. Jesteście jednak załogą jachtu, czy tego chcecie, czy nie chcecie, i musicie słuchać i wykonywać polecenia kapitana. Moje polecenia. Myślałem, że takie elementarne sprawy nie są wam obce.

Kaśka i Eliza słuchały słów Krzysztofa w osłupieniu i z rosnącym zakłopotaniem.

– Ależ, Krzysiu, przecież to tylko zwykła przejażdżka. Wokół wszędzie niedaleko brzegi, a myśmy chciały pobyć trochę na wodzie, no wiesz, tak po prostu poopalać się!

– Dziewczyny! Muszę jednak wam to powiedzieć, wybaczcie! W ubiegłym roku kilkanaście jachtów utonęło na Śniardwach właśnie blisko brzegu i były trzy ofiary śmiertelne. Tylko dlatego, że ludzie piknikując na jachtach, zlekceważyli zasady, o których mówiłem, a gdy zerwał się niespodziewany, kilkunastominutowy wiatr, byli w szoku i spanikowali.

Kaśka i Eliza wszystkiego mogły się w czasie tej wycieczki spodziewać, ale nie nauk Krzysztofa o zasadach zachowania na wodzie i to przekazanych w takiej, przykrej dla nich, formie. Siedziały zastygłe w zadziwieniu i pewnie kombinowały, co teraz powinny zrobić, ale Krzysztof był szybszy. Odezwał się zaskakująco słodziutko, zupełnie jakby nie było wcześniejszych słów:

– Mamy postawione oba żagle, są jeszcze resztki wiatru, więc dokąd chcecie teraz popłynąć? – te słowa jeszcze bardziej zdumiały Kaśkę i Elizę. – A czy wiecie, jak duże jest jezioro Wdzydze? – spytał, jakby przed chwilą nic się zupełnie nie wydarzyło.

– No, największe na Pomorzu! – wyrwała się Eliza, wyszczerzając trochę sztucznie zęby w uśmiechu.

– Doskonale, panno Prawosz! Dzienniczek poproszę! – Krzysztof zrewanżował się uśmiechem.

– Tato, to dokąd płyniemy? – wtrącił się zniecierpliwiony Igor.

– A jak myślisz, ile nam zostało wiatru? – Obaj spoglądali na przemian w niebo, na żagle i wodę.

– Za dwie godziny siądzie – ocenił Igor.

– Widzę podobnie... – Krzysztof skinął głową. – Więc abyśmy szczęśliwie wrócili tutaj na żaglach, proponuję popłynąć na chwilę na Wdzydze, a potem wycofamy się i może do końca Gołuńskiego i z powrotem wiatru starczy!

– Aha, to dobry pomysł, tym bardziej, że z powrotem pójdziemy z wiatrem!

– Więc teraz wielkie kapelusze z głów! Igor, podaj dziewczynom czapeczki, Eliza, schowaj gazety do skrzyni pod siedzeniem, no i jeszcze zdejmijcie klapki! – Krzysztof wydawał polecenia głosem nieuznającym sprzeciwu.

O dziwo, tym razem Kaśka i Eliza wykonały je bez szemrania. Jednocześnie przyglądały się Krzysztofowi i Igorowi z niekłamanym podziwem.

– Ster lekko prawo!

– Jest ster lekko prawo!

Dziewczyny już się nie dziwiły ani komendzie, ani meldunkowi. Jacht posłusznie skręcał lekko w prawo, unosząc nieco lewą burtę w górę.

– A teraz, Elizo, przenieś się na drugą burtę, ale spokojnie, i nieco wychyl!

Eliza zrobiła tak jak polecił kapitan Krzysztof.

– O, żaglówka już się prostuje! – krzyknęła zadowolona z siebie.

– Więc jak skręcamy lub robimy zwrot w prawo, ty się wychylasz, a jak w lewo, wychyla się mama. – Krzysztof uśmiechnął się do Kaśki.

– Fajna zabawa! – Kaśce już przeszła wcześniejsza złość po naukach Krzysztofa.

– Z tyłu zostało jezioro Jelenie, w prawo Radolne, w lewo Gołuńskie, a przed nami za przesmykiem jezioro Wdzydze. Cały kompleks jest w kształcie krzyża. Ze wschodu na zachód przekracza dziewięć kilometrów, natomiast z południa na północ jedenaście.

Popłynęli halsami w kierunku jeziora Wdzydze. Wiatr wiał od lewej burty.

– Ależ ono jest wielkie! – Kaśka patrzyła w dal jeziora, gdy pokonali przesmyk.

– Dlatego nazywamy je Morzem Kaszubskim!

– Nie słyszałam takiego określenia – rzuciła Eliza, marszcząc czoło.

– Na tych jeziorach jest dziesięć wysp, a ta największa. – Krzysztof wskazał na prawo. – Nazywa się Ostrów Wielki. Jest zamieszkana, ale jak dla mnie ma niezbyt wyszukaną nazwę. Najbardziej lubię, jeśli idzie o nazwę, wyspę Sorka. Spojrzał na Elizę. Dostrzegł uśmiech i skinięcie głowy. Rozumieli się.

Wrócili na jezioro Gołuń. Halsując od brzegu do brzegu, płynęli w kierunku wschodnim. Tym razem wiatr wiał od dziobu. Czas płynął szybko. Kaśka i Eliza bawiły się doskonale. Drogę powrotną jacht pokonywał już przy coraz bardziej słabnącym wietrze.

Zbliżali się do trzcin znajdujących się w niewielkiej odległości od mariny, skąd wypłynęli prawie trzy godziny temu. Jacht płynął już tylko siłą inercji. Żagle zwisały smętnie.

– Macie dobre zadatki na zejmanki! – pochwalił Krzysztof Kaśkę i Elizę. – Teraz już możecie nałożyć swoje kapelusze, wyciągnąć gazety i poopalać się trochę. Zaraz rzucimy kotwicę.

– Cudownie było! Nigdy bym nie pomyślała, że pływanie na jachcie może być tak ekscytujące! – komplementowała Kaśka, tym bardziej, że uszczęśliwiła ją także pochwała Krzysztofa.

Eliza wyciągnęła gazety spod siedziska, po chwili

zaś obie miały na głowach swoje piękne kapelusze, a na nogach klapki.

– Zrobię jeszcze tylko zwrot! – krzyknął Igor. – Uwaga!

Położył ster mocno na burtę i wybrał żagiel. Jacht siłą inercji posłusznie wykonywał ciasny zwrot o180 stopni. Kaśka siedziała zapatrzona w wodę.

– Mamo, uważaj, bom!

Kaśka intuicyjnie wtuliła głowę w ramiona, ale zwisająca linka z przesuwającego się wolno nad kokpitem bomu zahaczyła o kapelusz, zrywając go z jej głowy. Przez moment przesuwał się jakby przyklejony do bomu, więc Eliza rzuciła się za nim, zapominając, że na kolanach ma gazety, które pęd wiatru porwał, z impetem wyrzucając za burtę. Kaśka jeszcze bardziej wychyliła się za przesuwającym się bomem z jej kapeluszem, ale straciła równowagę i... zniknęła razem z jednym klapkiem za burtą. Krzysztof, nie namyślając się, skoczył jej na pomoc do wody, krzycząc jeszcze w powietrzu:

– Igor, koło!

Po kilku chwilach ukazał się niecodzienny widok. Wielki żółty kapelusz Kaśki sztormował dostojnie w kierunku trzcin, w drugą stronę płynął błękitny klapek, kilka metrów kwadratowych wody pokrywały pływające, przemoknięte gazety, spośród których wystawały głowy Kaśki i Krzysztofa. Eliza błyskawicznie złapała aparat fotograficzny.

– Cudownie wyglądacie! Proszę o uśmiech! Jeszcze raz proszę! Szkoda, że babcia tego nie widzi! – Eliza zanosiła się śmiechem.

Gdy otarła łzy, ujrzała mamę i Krzysztofa, też krztuszących się od śmiechu, stojących w wodzie sięgającej im nieco ponad pas. Krzysztof trzymał w rękach plik wyłowionych, przemokniętych gazet, mama wykręcała wodę z kapelusza.

– Tam za wami jest koło ratunkowe! – Eliza pokazywała ręką, jeszcze bardziej nakręcając się do śmiechu.

Jacht z wolna oddalał się od rozbitków i trzcin. Gdy odpłynął na około piętnaście metrów, rżący śmiechem Igor nie bez trudu rzucił i sklarował kotwicę.

– Tato, nie będę ogłaszał alarmu „człowiek za burtą", bo wszystkie tutejsze uhle i perkozy ze śmiechu by się wodą zachłysnęły! – Eliza i Igor wycierali załzawione od śmiechu oczy.

– Jaka piękna katastrofa! – Krzysztofowi nie pozostało już nic innego, jak tylko zacytować Greka Zorbę.

*

Wieczorem po powrocie do Parchowa Kaśka przypomniała sobie, że miała zadzwonić do Poznania. Wybrała nerwowo numer Piotra. Wielkie było jej zdziwienie, gdy ten spokojnie przyjął jej prośbę, zgadzając się na dalszy urlop.

– Kasiu, jeśli to dla ciebie takie ważne, to zostań tam i odpoczywaj. Nie chcę cię stracić jako swojej prawej ręki! Tylko już więcej nie przedłużaj bo... bo... tęsknię! – wyszeptał na koniec rozmowy.

Kaśka uzmysłowiła sobie wówczas, że o swoim wieloletnim romansie z Piotrem – bardziej techniczno–erotycznym niż uczuciowym – przez cały tydzień nawet nie pomyślała. Jak wrócę do Poznania, muszę to przerwać! Była z Piotrem od dawna, bo nie chciała z nikim innym wiązać się dla uczucia, a i jemu było z tym wygodnie. Pierwszy raz poszła z nim do łóżka ponad dwa lata po śmierci męża. Najpierw widywali się sporadycznie, a gdy skończyła studia i znalazła u niego pracę, ich kontakty stały się intensywniejsze. Przyzwyczaili się do siebie i tak już zostało. Wytrzymała bez stałego uczuciowego związku z innym mężczyzną przez prawie dwadzieścia lat. Z Piotrem – szefem – pozostawała z dwóch istotnych powodów: był dobrym kochankiem, no i nie mieli wobec siebie żadnych zobowiązań. A poza tym on także ma na imię Piotr! – nie musiała uczyć się nowego imienia!

Swojaczka

– Aniu, idziemy do proboszcza! – zarządziła Felicja po poniedziałkowym śniadaniu.

– Boże! A ja tam po co?

– Bo proboszcz chce ciebie poznać osobiście. Widział już w kościele, a teraz chce z tobą porozmawiać!

– A skąd on wie, że ja to ja?

– Oj, Aniu! Rozmawiałam z nim o tobie, bo widział, że stałaś koło mnie na mszy. Inne parafianki zna, a ciebie widział pierwszy raz i teraz już wie, że ty to ty! Zadzwonił dzisiaj rankiem i zaprosił nas do siebie.

– No tak. Całkiem proste. Nie pomyślałabym.

– Jo!

Poszły przez łąki, wstępując na chwilę na cmentarz. Zaniosły Bronkowi bukiecik polnych kwiatów. Postały chwilę przy grobie. Obeszły kościół i ostrożnie stąpały w dół po schodach. Proboszcz akurat żegnał kogoś przed ceglaną plebanią.

– Niech będzie pochwalony! – przywitały go zgodnym chórkiem.

– Pochwalony! Czyli tak wygląda z bliska ta nasza odzyskana po latach swojaczka... Witam serdecznie! – Proboszcz patrzył Annie prosto w oczy.

– Anna Nagengast-Prawosz! – Anna podała proboszczowi rękę.

Wyczuła natychmiast w jego głosie, spojrzeniu i sile uścisku dłoni – ciepło i dobroć. Lubiła takie powitania, nie cierpiała zaś ludzi błądzących gdzieś wzrokiem i niedbale podających rękę.

– Zapraszam na kawę. Pragnąłbym, jeśli oczywiście pani pozwoli, poznać tę niecodzienną historię z pierwszej ręki.

Przeszli przez ganek i chłodną sień plebanii na oszkloną werandę od strony ogrodu.

– Jak mam się zwracać do pani? Dla Felicji jest pani Basią Zalewską, ale nosi pani przecież formalnie imię Anna...

– Tak. Dopiero kilka dni temu poznałam nazwisko swoich rodziców i przyzwyczajam się powoli do niego. Żyłam ponad sześćdziesiąt lat pod innym imieniem i nazwiskiem...

– Przedziwne są te losy ludzkie...

Gospodyni proboszcza bezszelestnie weszła na werandę, powiedziała cicho „dzień dobry!" i postawiła na środku stolika dzbanek pachnący kawą, talerz z kruchymi maślanymi ciasteczkami, a przed każdym talerzyk i filiżankę. Napełniła je kawą, uśmiechnęła się i równie bezszelestnie opuściła werandę.

– Częstujcie się, panie. A teraz, pani Anno, proszę opowiedzieć, jak to było.

Anna opowiedziała historię z listów mamy Jutki, poszerzając ją o fakty zaczerpnięte z opowiadań Felicji i Feliksa Kiedrowskiego. Proboszcz podnosił co jakiś czas filiżankę do ust, sięgał po ciasteczko maślane, a potem strzepywał z sutanny widoczne i niewidoczne okruchy. Kiwał od czasu do czasu głową i patrzył z uwagą na Annę.

Gdy zamilkła, uczynił znak krzyża i wzniósł oczy ku niebu.

– Boże Przenajświętszy i Jasnogórska Panienko. To dzięki Nim wszystko tak się zakończyło...! Przejdźmy na chwilkę do biura, chcę pani coś pokazać.

Otworzył skrzypiące drzwi wielkiej szafy i przez chwilę mocował się z ogromną księgą, zanim ułożył ją na biurku. Delikatnie wertował kartki.

– O, proszę! Tutaj zostały zgłoszone przez pani ojca, Bronisława Zalewskiego, narodziny córki Barbary – pokazał. – Zapisana data narodzin to szósty listopada tysiąc dziewięćset trzydziestego siódmego roku. Jako matka widnieje Barbara Zalewska z domu Jamiołkowska. A tutaj, pod datą siedemnastego kwietnia tysiąc dziewięćset trzydziestego ósmego roku, zapis z pani chrztu. Chrzestnymi byli Ludwik i Aniela Skierkowie, rodzice Felicji. To była Wielkanoc, już wcześniej sprawdziłem – dodał, spoglądając poważnie na Annę. – Felicja mówiła mi, że rozpoznała panią po znamieniu, i nie ma żadnych wątpliwości, że pani to Basia Zalewska... Dlatego wszystko to pokazuję.

Anna ze wzruszeniem wpatrywała się w zapisy w księdze i niezdarny podpis jej ojca zgłaszającego narodziny córki.

– Felciu kochana! – Przytuliła się do niej. – Nic mi nie mówiłaś, że twoi rodzice byli moimi rodzicami chrzestnymi! – Wycierała napływające łzy.

– Chciałam, żebyś zobaczyła to najpierw sama w księgach, przy księdzu proboszczu.

Objęły się, pochlipując cicho.

– No, już dobrze, pójdźmy z powrotem na werandę – odezwał się cicho proboszcz.

Gdy zasiedli znów w starych fotelach, włączył mały odtwarzacz; z głośników popłynęła muzyka. Uzupełnił filiżanki kawą.

– Piękna historia. Cieszę się, że wreszcie pani Felicja będzie miała za sąsiadkę bliską sobie osobę, a ja uzyskam nową, interesującą parafiankę. Bo wierzę, że pani tutaj zamieszka.

Anna, zaskoczona zarówno słowami proboszcza, jak i rozbrzmiewającą muzyką, wpatrywała się w odtwarzacz, jakby spodziewała się tam ujrzeć orkiestrę i dyrygenta. Uniosła brwi do góry i z lubością wsłuchiwała się w znajome dźwięki. Skierowała w końcu wzrok na proboszcza.

– Jestem tutaj, jeśli tak mogę rzec, tylko przejazdem... To ksiądz słucha takiej muzyki?

Proboszcz obrócił się najpierw w lewo, potem w prawo i spoglądając na Annę, położył palec na ustach.

– Tylko proszę mnie nie wydać przed arcybiskupem albo kimś z rady parafialnej! – mrugnął do niej. – A wie pani, co to jest?

– To *Peer Gynt* Edwarda Griega, a ten cudowny fragment to *Poranne nastroje*!

– A ja po swojemu tłumaczę go niezmiennie jako *Przebudzenie*. Przygotowałem to specjalnie, bo pani Felicja mówiła mi, że pani pracuje w operze i pomyślałem wtedy, że zrozumie, co chcę przez tę muzykę powiedzieć. To, co pani tutaj przeżywa, to jest przebudzenie w nowym życiu, czy jak pani chce – poranek nowego życia! – mówiąc to, założył ręce na brzuchu.

– Ślicznie to ksiądz powiedział, ale ja do tej pory w takich kategoriach nie myślałam.

– Więc powinna pani przynajmniej trochę się nad tym zastanowić, przemyśleć! Ja też bym coś zyskał. Już to mówiłem – dobrą, w każdym tego słowa znaczeniu, parafiankę! – Proboszcz puścił oko do Anny. – Czasami nie uzmysławiamy sobie, kto lub co nas w życiu prowadzi, dokąd zmierzamy i jakie losy są nam pisane. My kapłani często oczywiście trochę upraszczamy, mówiąc „wszystko z woli Boga", ale sama pani widzi, że to, czego rok temu – co ja mówię, kilka dni temu – pani sobie jeszcze nie uświadamiała, właśnie się dzieje. Inni mówią o takich zdarzeniach: przeznaczenie. Pani jest tu główną bohaterką – mówił cicho, ale z naciskiem. – Słyszy pani te ptaki, tę szemrzącą wodę w strumieniu? – Wskazał gestem na odtwarzacz. – Widzi pani te trawy i polne kwiaty kołyszące się w porannym słońcu? To wszystko może pani mieć codziennie na górce obok pani Felicji.

– Jak ksiądz ślicznie opowiada muzykę! – Widoczna nić porozumienia połączyła proboszcza i Annę.

– Przy muzyce oddaję się rozmyślaniom i staram się ją sobie wyobrazić. A jeśli ją sobie wyobrazimy, to już żadna sztuka wypowiedzieć słowa, bo one same cisną się wówczas na usta. Ale wracajmy do pani spraw! Proszę obiecać, że pomyśli pani o tym wszystkim, co sobie dzisiaj powiedzieliśmy.

Utwór się skończył, proboszcz wyłączył odtwarzacz.

– Nie wyganiam pań, ale to już mój czas na brewiarz.

Kobiety posłusznie wstały i ruszyły w kierunku wyjścia.

– Do zobaczenia. Mam sporo muzyki do odsłuchania. Zapraszam w każdej chwili, pani Anno! Powyobrażamy ją sobie wspólnie – mówił po drodze na ganek. – Idźcie z Bogiem!

– Bóg zapłać, proszę księdza! Do widzenia! – Anna i Felicja wyszły z plebanii.

Upał już nie był tak wielki jak w poprzednich dniach. Lekki wiaterek dawał wreszcie wytchnienie. Anna słyszała ciągle w uszach wibrującą muzykę Griega.

– A teraz do urzędu gminy! – powiedziała Felicja.

– A tam po co?

– Dowiesz się czegoś z ksiąg wieczystych o swojej ojcowiźnie.

– O czym?

– Powiedziałam wyraźnie, o ojcowiźnie!

– Ale jak to? Przecież... ja nie jestem gotowa... – Anna zwolniła kroku.

– Nie marudź tyle, kochana... – Felicja pociągnęła ją za sobą.

Weszły do piętrowego budynku urzędu gminy. Jakaś panienka wyszła z jednego z pokoi na korytarz.

– Dzień dobry! Pani Krysia czeka na panie w pokoju numer osiem.

– Jo! – skwitowała krótko Felicja Skierka.

– A skąd tutaj ktoś wie, że miałyśmy być? – spytała Anna.

– Tu wszyscy wszystko szybko wiedzą – odrzekła radośnie Felicja i zapukała do wskazanego pokoju. Siedząca za biurkiem, czterdziestoletnia na oko, okrągła czarnula przywitała je serdecznie.

– To pewnie pani Barbara Zalewska... – odezwała się, wskazując na Annę.

– Jo! – potwierdziła Felicja Skierka.

– Niby jestem Barbara Zalewska, ale nazywam się ciągle jeszcze Anna Nagengast-Prawosz – odpowiedziała zgodnie z prawdą Anna.

– No to jak?... Bo księga, którą mam pokazać, jest na nazwisko Zalewski – zamrugała oczami pani Krysia.

– No jo! – zgodziła się Felicja. Do pokoju weszła starsza od pani Krysi kobieta z rudym kokiem na głowie.

– I jak, pani Krysiu, czy pani Zalewska widziała już księgę? – spytała.

– Ale ta pani nazywa się... jakoś inaczej, coś tam i Prawosz, a księga jest na nazwisko...

– Przecież ksiądz mówił, że pani Anna to pani Basia. Dobrze mówię? – spytała Annę pani z rudym kokiem.

– Jo! – mruknęła lekko już poirytowana całą sytuacją Felicja.

– Ale według dowodu jestem ciągle Anną Nagengast-Prawosz, a nie Barbarą Zalewską! – cierpliwie powtórzyła Anna, którą z kolei zaczynała trochę bawić ta sytuacja.

– Pani Krysiu, niech pani już pokazuje księgę, wszystko się zgadza! Rozmawiałam z proboszczem, a resztę biorę już teraz na siebie! – podsumowała pani z kokiem.

– Hela, a jak tam mama? – spytała ją Felicja.

– Wczoraj wieczorem było jeszcze słabo, ale dzisiaj z rana trochę lepiej.

– Chwała Bogu! Pozdrowić! Odwiedzę wnet!

Pani Krysia położyła na ladzie pożółkłą księgę z wykaligrafowanym nazwiskiem Zalewski. Powoli przewracała kartki. Tłumaczyła Annie dokładnie poszczególne zapisy.

– To, że ta księga w ogóle istnieje, a grunt nie został już dawno sprzedany, to zasługa pani Felicji Skierki – zauważyła pani Hela.

Anna oderwała wzrok od księgi i spoglądała po kobietach ze zdziwieniem.

– Kiedyś, przede mną, na tym miejscu pracowała moja mama, a przed nią jej mama, czyli moja babcia. Pani Aniela, mama Felicji, szantażowała moją babcię, że jak tamta ziemia komuś zostanie sprzedana, to ją przeklnie. Ciągle też wszystkich straszyła, że nowym gospodarzom duchy nie dadzą w tym miejscu żyć! Zbyt wielu chętnych do kupienia nie było, bo ziemi na szczęście tu wszędzie dużo, a PGR-owców, gdy tylko raz spróbowali tam wjechać, pani Felicja pogoniła drągiem, wybijając szybę w traktorze. Za czasów mojej mamy było kilka prób kupna, ale zawsze po rozmowie z panią Felicją mama im serdecznie odradzała. Za moich czasów pojawiali się często letnicy, ale ja już odziedziczyłam po mamie i babci sposób kierowania ich w inne miejsca! – Pani Hela z rudym kokiem uśmiechnęła się od ucha do ucha. – I to wszystko! Prawda, pani Felicjo?

– Jo! – Felicja wyszczerzyła się w uśmiechu. – Tylko że, Hela, ja mamy nie szantażowałam, ale zawsze dobrze jej radziłam!

– Felcia, czyli to dzięki tobie i twojej mamie!? – Anna znowu objęła Felicję i z rozpędu ucałowała także panią Helę.

– Przestań mnie, Ania, tak przy babach ściskać! – Felicja Skierka krygowała się, chociaż radość, duma i wzruszenie rozpierały ją na przemian.

– Teraz pani musi znaleźć sposób, aby przyjść do nas z dokumentem potwierdzającym, że jest pani Barbarą Zalewską. I wszystko w mig załatwimy!

– Ale jak to załatwić?

– Na tym to ja już się nie znam, ale na pewno trzeba iść do prawnika.

– Aniu, wszystko widziałaś i wszystko teraz wiesz. Idziemy! – Felicja od kilku dobrych chwil przebierała nogami, jakby ją stopy swędziały.

Anna mrugała z wrażenia oczami, czuła, że w głowie ma całkowity mętlik. Chciała się skupić, o coś spytać, ale nie mogła zebrać myśli. Słowa Felicji jeszcze bardziej ją rozkojarzyły. Popatrzyła nieprzytomnie na urzędniczki i dała radę tylko wydukać:

– Dziękuję paniom! Do widzenia!

Wszyscy traktują mnie jak córkę Zalewskich! Czyli jestem dziedziczką! No tak, ale *de iure* jestem kimś zupełnie innym, myślała, wychodząc z urzędu.

– Wiem, co myślisz, ale wszystko, co widziałaś i słyszałaś, to prawda. Jesteś dziedziczką albo gospodynią, jak chcesz! – Felicja chyba czytała w jej myślach. – Trzeba do sądu, prawnika, czy ja wiem gdzie? Ja mogę za tobą we wszystkim świadczyć!

Przy kawie na iskierkowej werandzie Anna opowiedziała Kaśce i Elizie przebieg spotkania u proboszcza i wizyty w urzędzie gminy. Zaczynała się powoli oswajać z sytuacją, chociaż widać było, że potrzebuje jeszcze powietrza, dystansu, a przede wszystkim czasu.

– I to wszystko zawdzięczam mojej Felci kochanej! – podsumowała.

– A daj ty spokój! Zawsze pilnowałam tylko swego! Nie lubię za sąsiadów obcych. Poza tym nie godziło się, aby ktoś nie szanował tej tragicznej ziemi... Teraz ci powiem przy twoich dziewczynach najprawdziwszą prawdę, taką, z którą żyłam przez te wszystkie lata. Nic nie ukryję! – Wszystkie trzy spojrzały na Felicję. – Nie gapcie się na mnie takimi oczyskami! – uśmiechnęła się blado. – Jak ludzie wtedy po pożarze mówili, że to było takie malutkie dziecko i dlatego nawet kosteczki się spaliły, początkowo im uwierzyłam! Głupiam była. Ale jacy byli głupi ci wszyscy dorośli, szkoda gadać! A przecież nie brakowało wśród nich ludzi wykształconych: byli i policjanci, i strażacy, i nawet ktoś z sądu. Nie znałam się przecież wtedy na tym, przecieżem była dzieckiem. Dopiero jak już byłam trochę starsza i przyszła wojna, i widziałam spalone małe zwierzęta: psy, koty, to naszły mnie wątpliwości... Bo zawsze coś zostaje… Zawsze! Od tamtej pory miałam nadzieję, że ty na tym polu jednak nie zginęłaś. Powinno po tobie coś zostać, a tam nie znaleziono nic. I wtedy pojawiał mi się w oczach obraz tej bladej, mdlejącej w samochodzie pani Jutki z Poznania, która trzyma dziecko w beciku na kolanach. Tylko że Basia była opalona, a to dziecko było bladawe, jak jego mama. Coś mi w tym wszystkim było dziwne, ale sama nie wiedziałam co. Nie przyszło mi wtedy do głowy, że ty byłaś po ciężkiej chorobie, pobycie w szpitalu i dlatego mogłaś się zmienić. Inaczej samochód musiałby po mnie przejechać – nim bym pozwoliła wam stąd wyjechać. Ale nadzieja, że możesz się jeszcze tu pojawić, z biegiem lat coraz bardziej gasła. W ostatnich latach już się tylko tliła. No i stał się cud. Dlatego to wszystko, co robiłam, miało jednak sens!

– Felciu moja najukochańsza! Tu wszyscy jesteście tacy kochani i uczynni: i ksiądz proboszcz, i panie z urzędu, i Marysia, i Stach, wszyscy! A ty jesteś sprężyną tego dobra.

– A tam, nie opowiadaj. Myślałam tak, więc tak robiłam. I to wszystko. A co do ludzi?! Jo! My nie jesteśmy jacyś tam, jak mówisz, kochani, ino normalni! I tyle! – Felicja otarła wilgotne oczy i wydęła usta.

– Felciu, nie pogniewasz się chyba, ale chciałabym pójść teraz z moimi dziewczynami podziękować pani Marysi, że skierowała nas właśnie do ciebie!

– Mówiłam ci o niej, że to dobry psycholog, co do ludzi nie myli się nigdy. Ona ma też takie zdolności – nie wiem, jak to nazwać – jakiegoś przewidywania, zawsze ma właściwe przeczucia. No, ty jesteś mądra, pewnie wiesz, jak to się nazywa. Musiała w twojej opowieści zauważyć coś dziwnego i od razu do mnie zadzwoniła. Powiedziałam jej wtedy, że was stąd nie wypuszczę, dopóki sama tego nie prześwietlę! Ale nie gadałam jej dlaczego! Początkowo też myślałam, że Marysia po prostu nie miała wyjścia i skierowała was do mnie! Jednych nie lubi, u drugich remont, innych gospodarstw nie znała, zostałam ino ja! A przecież od nowego sezonu kilku gospodarzy zgłosiło oficjalnie działalność agroturystyczną! Ale ja o tym wiem, a ona nie miała pojęcia! Więc sama widzisz, jakie ma zdolności!

Po kilkunastu minutach Anna, tym razem z Kaśką i Elizą, znowu szła w kierunku wsi. Spoglądała na swoje dziewczynki szczęśliwym wzrokiem.

– Teraz już nie mam wyjścia. Muszę zacząć szukać mojej rodziny. Na początek chyba napiszę do Czerwonego Krzyża! – powiedziała, gdy zeszły na szosę.

– Babciu, listy można zawsze napisać, ale pogadam z Igorem, może najpierw da się coś znaleźć w internecie. Nie wiem jak się do tego zabrać, ale on pewnie coś podpowie.

– Ale co informatyk może podpowiedzieć w mojej sprawie? Przecież ja sama wiem tylko tyle, że mama wyjechała z Gdyni „Batorym" w tysiąc dziewięćset trzydziestym ósmym roku.

– Babciu, jeśli znasz datę, to już dużo wiesz! Gdzieś na pewno przechowywane są oficjalne listy pasażerów z takich statków. Po nazwisku też można szukać rodziny w internecie. Pozwól, że najpierw porozmawiam z Igorem. Znam taki program – NetMeeting, w którym, oprócz swojego nicka, można wpisać prawdziwe nazwisko. Nie mówiłam ci o tym, ale kiedyś spróbowałam szukać i Prawoszów znalazłam przypadkowo w Australii i Ameryce Południowej. Nie próbowałam z nimi rozmawiać, ale myślę, że można dojść po nitce do kłębka!

– A jest w Parchowie internet?

– Zaraz zapytamy Marysię – odezwała się wreszcie Kaśka.

– Aha! – Anna ściągnęła na siebie wzrok Elizy. – Czy ty wczoraj powiedziałaś Felci coś przykrego? – Ta pokręciła przecząco głową. – Nie? Bo widziałam was z balkoniku, jak szeptałyście sobie na ławeczce przy gazonie, a jak już poszłaś, to ona chyba wycierała łzy.

– Opowiedziałam jej... – Eliza zawahała się – ...kawał... i chyba to ze śmiechu tak miała...

Anna nie wyglądała na przekonaną, ale kolejnego pytania już nie zdążyła zadać, bo weszły na teren szkoły. Po chwili witały się z uśmiechniętą Marysią Sołygą. Coś znowu dłubała przy planach na nowy rok, ale stolik do kawy już czekał nakryty. Miała na sobie jak niegdyś bordowe spodnie dresowe z wypchanymi kolanami i szarą koszulkę.

– Już przygotowałam kawę, więc nie odmawiajcie! Skąd wiedziałam?... Felcia dzwoniła!

Przemieszczała się co chwila w inne miejsce, razem ze swoją wiercącą się pupą. Anna powtórnie musiała opowiedzieć przebieg dzisiejszych wizyt u proboszcza i w urzędzie gminy.

– To wy właściwie wszystkie jesteście tutejsze! Swojaczki! – skomentowała krótko Marysia.

– Właściwie tak!

– No to, swojaczki, opowiedzcie mi teraz coś więcej o sobie. Proszę! Przecież musimy się lepiej poznać. – Marysia rozłożyła ręce i zrobiła proszącą minę.

Najpierw Anna opowiedziała, że jest lingwistką, tłumaczką, i że hobbistycznie zajmowała się akompaniowaniem baletowi w operze.

– A teraz jestem ojcem, matką, dziadkiem, babcią, no i głową rodziny.

Z kolei Kaśka opowiedziała o swoich studiach, niedoszłym mężu, jego niespodziewanej śmierci, ciąży oraz pracy w turystyce. Trochę się wypogodziła, gdy na zakończenie mogła dodać kilka słów o Krzysztofie.

– Ale on jest żonaty, więc dalej będę sama – podsumowała z buzią w ciup.

– Biednaś ty, Kasiu! – Marysia pogłaskała ją po dłoni. – Ale ja mam tylko troszeczkę lepiej... Wiesz, bo już ci mówiłam. Oprócz tego mam bliskiego przyjaciela, Macieja...

– A ja, jeśli mnie przyjmą, będę studentką na UG! – stwierdziła krótko jako ostatnia Eliza. – I to wszystko!

– Może poznasz go, Eliza, tam na uczelni – on jest biologiem morza! To jest człowiek stąd, syn... – Marysia ściszyła głos i rozejrzała się dookoła – ... pani Felicji!

Anna, Kaśka i Eliza wbiły wzrok w Marysię. Cisza dzwoniła w uszach.

– Przecież Felicja nigdy nic nie mówiła, że ma syna! – odezwała się Anna cicho, unosząc do góry brwi.

– Bo wie pani, on u matki nie był od momentu, kiedy wyjechał na studia! – konspiracyjnym szeptem kontynuowała Marysia. – Pytałam go wiele razy, dlaczego tak jest, ale zawsze zbywał to milczeniem. Poznaliśmy się tutaj w szkole i czasami do mnie cichaczem zajeżdża! Lubi pomagać, ale moim zdaniem, chce mieć także ciągłe baczenie na mamę i „Iskierkę". Mówiłam wam, że mój mąż Klaus prawie cały czas siedzi w Niemczech, więc pomoc Macieja bardzo się przydaje!

Czy to aby nie jest jakiś romans? – myślała Kaśka, patrząc na drobniutką, trajkoczącą jak najęta Marysię. Nie znała Macieja Skierki, ale nie miała wątpliwości, że w innym stroju niż wiśniowy dres i szara koszulka Marysia może się podobać nawet profesorowi uniwersytetu. Chociaż ona i w tym stroju jest cudowna!

– Wbrew pozorom tu się dużo dzieje – Marysia raptownie zmieniła temat. – Co roku organizowane są festiwale teatrów szkolnych, regionalnych zespołów muzycznych, recytatorskie, Pobocza Folku i inne imprezy. No i ciągle potrzebna jest pomoc – Marysia trajkotała szybko, tym razem jakby obawiała się, że nie będzie już innej okazji, aby to wszystko opowiedzieć. – Dlatego teraz robię te tabelki, liczę godziny, sprawdzam krzyżówki planów lekcji dla nauczycieli, żeby od drugiej połowy lipca mieć już wolną głowę!

– No, to jest pani, jak to się mówi, animatorem kultury! Dobrze, że pani tu trafiła – pochwaliła ją Anna.

– Ja zajmuję się tylko sprawami organizacyjnymi, ale i tak wszystkiego nie jestem już w stanie ogarnąć...

Nagle zamilkła i zaczęła się przyglądać kobietom siedzącym na krzesełkach obok niej, jakby pierwszy raz je zobaczyła. Przekrzywiała główkę w prawo, w lewo, jak ptaszek przyglądający się czemuś z gałęzi. Milczała jednak i tylko uśmiechała się. Widać było, że się nad czymś głęboko zastanawia lub ma już coś do zakomunikowania, lecz nie wie, jakich użyć słów.

– A może wy mi pomożecie? Może zostaniecie tu na stałe?... – wykrzyknęła nagle.

Anna i Kaśka najpierw wyprostowały się na krzesłach, po czym znieruchomiały.

– Miałybyście pracę od zaraz, bo nikt z takim wykształceniem nie chce do nas przyjechać na stałe, no, a wy jesteście swojaczki! – ciągnęła swoją odkrywczą myśl Marysia. – Dużych pieniędzy z tego nie ma, ale tutaj dużych pieniędzy na życie też nie potrzeba.

W drodze powrotnej do „Iskierki" trzy kobiety dyskutowały o propozycji Marysi.

– W Poznaniu mamy willę i mieszkanie na Szamarzewskiego, a tutaj nie mamy nic – stwierdziła Anna poważnym tonem.

– Poza tym sprzedaż i kupno nieruchomości to często wielkie problemy. I nie da się tego zrobić tak szast-prast! – dodała Kaśka.

– No, ale właściwie czemu nie miałybyście tutaj zamieszkać? – Eliza przerwała tę grzeczną rozmowę. – Co wy tam w Poznaniu macie dalej same robić? Przecież ja po studiach i tak zostanę nad morzem. Miałybyśmy blisko do siebie – podsumowała tak samo poważnie jak one i natychmiast uśmiechnęła się promiennie.

Anna i Kaśka aż przystanęły. Pierwsza ocknęła się Anna.

– Marysia proponowała mi, jeśli dobrze zrozumiałam, jakąś pracę dla gminy... – powiedziała wolno.

– A ja mam propozycję pracy od Krzyśka! – dodała Kaśka.

– Zaraz, przecież my na ten temat całkiem poważnie rozmawiamy! Dlaczego? – skonstatowała nagle Anna, trąc czoło.

Kobiety spoglądały po sobie w milczeniu. Ruszyły dalej. Do samej „Iskierki" nie odezwała się już żadna. Wszystkie pochłonięte były własnymi myślami.

Po powrocie, gdy Anna została z Felicją na chwilę sama, zadała jej pytanie o syna Macieja. Felicja stanęła jak wryta.

– A ty skąd o tym wiesz?

– To nie jest ważne, kto mi powiedział, chociaż wiesz, gdzie byłyśmy! Miałyśmy być jak siostry i przyrzekłyśmy sobie, że już nigdy nie będziemy przed sobą czegokolwiek zatajać ani się oszukiwać! – mówiła Anna z wyrzutem.

Felicja rozpłakała się.

– Pójdźmy do świątyni dumania. Tam ci powiem, tutaj nie zdołam – poprosiła przez łzy. Szły w milczeniu. Lekki zefirek wiał im prosto w twarz. Gdy usiadły, Felicja oparła dłonie o ławkę, spojrzała na staw i głęboko westchnęła.

– Ma na imię Jan, dzisiaj jest zakonnikiem... – Anna odwróciła się, chcąc zajrzeć Felicji w oczy. – Urodził się niedaleko stąd, w Gołczewie. Dwóch innych chłopaków konkurowało o mnie, ale ja tylko o tym trzecim myślałam. Kochałam go, a on utrzymywał dystans. Nie mogłam tego zrozumieć. Myślałam, że może gdzieś ma jakąś dziewczynę. Węszyłam, gdzie tylko się dało, a jestem w tym dobra, ale żadnej nie znalazłam. Wiosną pięćdziesiątego drugiego roku, jak gdyby nigdy nic, powiedział mi, że idzie do zakonu. Zdębiałam. Spytałam ponownie, a on potwierdził z takim dziwnym uśmiechem. Nic mnie przed tym nie powstrzyma, powiedział mi wtedy. Ryczałam dniami i nocami. Zastanawiałam się, dlaczego on to robi – przecież czułam, że mnie lubi. Kiedy tylko mógł, przyjeżdżał do Parchowa, spotykaliśmy się całą gromadą, chodziliśmy na tańce. Więcej o zakonie już nic potem nie mówił, więc myślałam, że mu się odmieniło. Przyszło lato, i wtedy to się jakoś nieoczekiwanie wydarzyło! – Anna znowu spojrzała pytająco na Felicję. – No, wiesz chyba co! – Na twarzy Felicji na moment pojawił się uśmiech. – Po pracy przy sianokosach poszliśmy jak zwykle tą naszą gromadą kąpać się na cypel nad Mausz. Po kąpieli zmęczona usnęłam. Wszyscy już chcieli wracać, a mnie, dopiero co przebudzonej, było tak dobrze, błogo. Słoneczko stało już nisko, ale jeszcze grzało, ptaszki śpiewały cudownie, świerszcze grały, żaby rechotały. Ja się ociągałam, więc Jan powiedział, żeby nie czekali na nas, że mnie popilnuje i zaraz ich dogonimy. Zostaliśmy samiutcy. Gdy wreszcie ocknęłam się na dobre, stało się to! – Felicja szlochała, a Anna próbowała schować duże spracowane dłonie Felicji w swoich małych dłoniach. – Wiesz, to ja chciałam, a on się opierał! Tydzień później Jan wyjechał i wstąpił do nowicjatu w zakonie. Taki miał termin, chociaż wtedy myślałam, że uciekł. Za dwa miesiące z kawałkiem byłam już pewna, że jestem w ciąży! Widziałam się z nim potem ze trzy, cztery razy i nie chciałam, nie mogłam mu o tym powiedzieć! No bo jak, jeśli chciał zostać zakonnikiem!? – Felicja szlochała. – Rodzicom skłamałam, że to się zdarzyło z takim jednym Bogdanem. On się utopił tego samego lata po gorzałce… Pomyślałam wtedy, że nikt nie dojdzie prawdy! I tak też się stało. Moi rodzice rozmówili się z jego rodzicami i wszyscy dali mi spokój. Wówczas byłam już jedynym dzieckiem w domu i miałam przejąć gospodarstwo. Brat w ostatnim roku wojny zginął w partyzantce w oddziale „Pomorskiego Gryfa". Rodziców okłamałam, a mieli i tak ciężko, bo widzieli, że do gospodarowania nie mam chęci ani drygu, a za innego za mąż też nie chciałam. Szybko się zawinęli z tego świata. Chyba było w tym dużo mojej winy! No i zostałam samiuteńka z synem! – Felicja łkała, a Anna starała się ją uspokoić. – Właśnie tu, nad tym stawem, na starej, jeszcze ojcowej ławce, powiedziałam Janowi, że go kocham. On był taki dobry. Chciał być tylko przyjacielem. To przeze mnie jest to dziecko, mój syn Maciej!

Felicja zanosiła się od płaczu. Anna głaskała ją po głowie, a ona, wydawało się, silna kaszubska kobieta, nie mogła powstrzymać szlochania.

– Nigdy się z tego u żadnego księdza nie wyspowiadałam! – Podniosła twarz i spojrzała Annie prosto w oczy. – Chciałam, ale nie potrafiłam. Czekałam nie wiedzieć na kogo. Ale teraz już wiem... czekałam na ciebie!

– Felciu, byłaś i jesteś bardzo dzielna. Inni w takiej sytuacji dawno by się załamali, poddali... A ty wychowałaś wspaniałego syna, masz gospodarstwo, przyjaciół...

– Wiesz, jak tu przychodzę, to zawsze po to, aby o wszystkim zapomnieć, wzmocnić się. Robiłam na tej ławce to, czego nauczył mnie mój tata. Podróżowałam!

– Jak? Siedząc na ławce?

– Tak. Siedząc tutaj, wybierałam się w świat i podróżowałam. Kiedyś, jeszcze przed wojną, zanim przyjechałaś z mamą z Gdyni, prosiłam rodziców o globus. W kwietniu mam imieniny, dwudziestego siódmego. A w twoje chrzciny, siedemnastego, wszyscy mi mówili, że ty jesteś moim prezentem imieninowym! Zapomniałam więc o globusie, tak jak zapomnieli o nim rodzice. Twoja mama tak się cieszyła, że przychodzę i bawię z tobą. Odciążałam ją trochę. Musiałam przychodzić, chciałam przychodzić, bo przecież byłaś moim ukochanym prezentem imieninowym! Poza tym byliśmy od twojego chrztu rodziną, a tutaj takie rzeczy traktuje się poważnie... – Teraz z kolei Anna się rozpłakała i tak trwały kilka minut, tuląc się do siebie.

Słońce schowało się za olszynami, samochody coraz rzadziej pojawiały się na krętej bytowskiej szosie.

– Po pożarze i tej tragedii ciągle za tobą płakałam... – odezwała się znów Felicja. – We wrześniu tato przywiózł skądś globus, wtedy są jeszcze raz imieniny Felicji, i powiedział, że to spóźniony imieninowy prezent;

ten sam globus, co go widzisz w domu. Jak tato jeszcze żył, wybieraliśmy sobie jakieś miejsce na globusie, a potem przychodziliśmy tutaj i podróżowaliśmy w wyobraźni w tamto miejsce. Miał nieprawdopodobną fantazję. Ciągle go widzę... Zawsze opalony, silny żylasty chłop, tylko rzęsy jak u aktorki i dusza jak u romantycznej małej dziewczynki z rudymi warkoczykami... Do taty pasuje nasze przysłowie: „Kaszëba mô cwiardą mòwǎ, ale mitczé serce"* – zamilkła na chwilę. – Mama też była kochana, ale taka zasadnicza i prawdziwie twarda Kaszubka. A ja dzięki tacie pokochałam ten wielokolorowy staw. Tu się wyrywałam czasami sama jako dziecko, najlepiej jednak było mi tutaj razem z nim. Bywał zmęczony, ale nigdy mi nie odmawiał. Tutaj odkryłam, że księżyce są dwa! Ten u góry i ten mój w stawie. A najcudowniejsze bywają zimą! Kiedyś tak się zapomniałam, że mało z wyziębienia nie umarłam. Poszłam w zimowy wieczór, w samej koszulinie, aż do skarpy. – Wskazała przed siebie. – Szłam tak długo, aż wreszcie zobaczyłam obydwa księżyce. Jeden u góry na niebie, a drugi ślizgający się po stawie. Potem byłam przez ponad dwa tygodnie ciężko chora.

– To dlatego tak zawsze ciągniesz do księżyca! Muszę to wszystko opowiedzieć dziewczynkom – to takie cudowne!

– E tam! Ale księżyc nigdy nie zrobił ze mnie lunatyczki! – Felicja uśmiechnęła się na moment. – Te nasze wizyty z tatą tutaj, nad stawem, popsuła wojna, przychodziliśmy już coraz rzadziej – Felicja znowu posmutniała. – Po wojnie, po śmierci brata, najczęściej

---

* Kaszub ma twardą mowę, ale miękkie serce.

bywałam tu już tylko sama. To znaczy tato też czasami przychodził ze mną, ale widziałam, że potrzebuje jednak być sam.

– Ciężko miałaś. Przy mnie zawsze była mama Jutka...

– Tamten dzień, najgorszy dzień w moim życiu, wracał do mnie co roku dwudziestego drugiego lipca. Po wojnie to było wielkie święto. Wszyscy dookoła rozbawieni, a do mnie to zdarzenie ciągle wracało. Zawsze wówczas uciekałam od ludzi, żeby być sama, tylko z roku na rok oczy miałam coraz bardziej suche. Teraz znowu się rozkleiłam.

– Opowiedz mi, jak to było z Maciejem.

– Był bardzo zdolny i zawsze najlepszy w klasie – Felicja ożywiła się. – Wszystko w mig łapał i inne dzieci zawstydzał. Musiałam go hamować, bo nauczyciele ciągle mnie o to prosili. Wszystkiego dobrze się uczył. Ale najbardziej ciekawiła go geografia i przyroda. Wiesz, że on potrafił przepowiadać pogodę tak jak ja?

– A jaka będzie pogoda w końcu tygodnia?

– Czuję, że idą deszcze! W sobotę i niedzielę będzie już mokro.

– Ale nic takiego na niebie nie widać! Chmureczki jak wczoraj, wiaterek taki sam.

– Zauważyłam, że chmurki rankiem lekko srebrzyły się od zachodu, a teraz wiatr co i rusz skręca. To zapowiada większą zmianę. Więc jak teraz jest słońce, to wnet będzie deszcz! Proste!?

– Ciekawa jestem, czy się sprawdzi.

– Sprawdzi się, sprawdzi!

– A gdzie chodził Maciej do szkoły średniej?

– Chciał do Gdyni, ale ja nie chciałam, żeby był sam w tak dużym mieście, daleko od domu. Liceum zrobił więc w Kartuzach. Mieszkał na stancji u znajomych.

Nie zepsuł się tam, co mi nauczyciele zawsze mówili. Znowu ze wszystkiego był w szkole najlepszy, od połowy drugiej klasy nie musiałam już nawet na wywiadówki jeździć. Dziewczyny w Parchowie chyba wszystko swędziało, jak go widziały – Felicja roześmiała się głośno.

– Co robiło? – Anna aż się uniosła.

– Swędziało! Jo! Dobrze słyszałaś i ty wiesz co! – Felicja nie przestawała się śmiać. – Nie bądź taka święta!

Obie tak się głośno śmiały, że żaby przestały ze zdziwienia rechotać.

– Byłam dumna z Macieja, bo maturę zdał z wyróżnieniem – kontynuowała Felcia. – Dostał nagrody i jakieś tam dodatkowe punkty, ale nie były mu potrzebne, bo egzaminy i tak znowu zdał najlepiej. Studiował w Gdyni, tam gdzie teraz Eliza zdawała, i tam też pracuje. W końcu września siedemdziesiątego pierwszego roku widzieliśmy się po raz ostatni! – Ciałem Felicji znowu wstrząsnął szloch.

– Felciu, wszystko może się jeszcze ułożyć! – Anna gładziła ją po spracowanych dłoniach.

Felicja otarła łzy i wpatrywała się w nieokreślone miejsce na stawie.

– Zanim wtedy we wrześniu uciekł, bo on nie wyjechał, a uciekł, ja z Janem parę razy zdążyłam się już zobaczyć. Akurat kiedy Maciej uczył się w Kartuzach, Jan dostał zadanie rekolekcyjne u nas i nie mógł się z tego wycofać. Tak się spotkaliśmy pierwszy raz po latach. Ja mu wtedy opowiedziałam wszystko o synu. Płakaliśmy całą noc. Chciał odejść z zakonu, ale ja go wtenczas powstrzymałam. Zostaliśmy znowu wielkimi przyjaciółmi, tak jak kiedyś. I wtedy, w tym wrześniu, krótko przed wyjazdem na studia, Maciej wrócił do domu niespodziewanie i usłyszał, jak Jan mówi do mnie: „Jestem bardzo dumny z naszego Maćka! Zostawiam trochę pieniędzy, żeby mógł sobie książki kupować". Syn podszedł do nas i zażądał wyjaśnień. Opowiedzieliśmy mu wszystko, bo już nie było co ukrywać. On robił się coraz bledszy i naraz zaczął krzyczeć: „Czyli zakonnik jest moim ojcem! Oszukiwaliście mnie! Nie chcę was więcej znać! Nigdy!" – i uciekł z domu. Tak jak stał! I nigdy tu już nie przyjechał! Trzydzieści lat wnet minie! – Felicja znowu dostała spazmów.

– Felciu, jesteś kochana i dzielna. Musicie się spotkać i sobie wybaczyć! Musisz być mądrzejsza!

– Ja do niego trzy razy jeździłam. Zawsze uciekał, kiedy tylko mnie zobaczył, więc dałam spokój. Myślałam, że kiedyś wreszcie się opamięta, ale on chyba zapiekł się w tej nienawiści do mnie! – Felicja zacisnęła dłonie, aż kości zatrzeszczały.

– Nie mów tak, bo grzeszysz!

– Po ucieczce Maćka i Jan zaraz wyjechał. Przysłał do mnie tylko jeden list, że musi teraz wszystko odpokutować i przyjedzie dopiero wtedy, jak się rozmówi z Bogiem! I przez te wszystkie lata jestem ciągle sama, ciągle sama! Jeden mnie znienawidził, a drugi wciąż rozmawia z Bogiem! Dlatego tutaj przychodzę i podróżuję jak kiedyś z moim tatą. Inaczej bym dawno zwariowała! – zakończyła Felicja.

– A kiedy on wyjechał... – zaczęła Anna, ale Felicja jej przerwała, kręcąc głową. – No dobrze... kiedy uciekł, jak sobie dawałaś radę?

– Ostatnie lata, gdy był w liceum w Kartuzach, przyjeżdżał do domu tylko na niedziele. Cały czas udawaliśmy, że gospodarzymy – ja nigdy nie miałam do tego serca ani siły, on też nie chciał! Wtedy postanowiłam, że koniec udawania, zostawiłam tylko parę kurek i jedną krowę, i zaczęłam wynajmować pokoje. Pierwsza we wsi zaczęłam zajmować się agroturystyką. Ziemię dawałam w dzierżawę pod uprawy. Nie było łatwo, ale zawsze wychodziłam z lekką górką.

– Nowoczesność do wsi wprowadziłaś!

– Potem wzięłam kredyt, założyłam w banku konto, wyremontowałam z rozmachem te moje budy i zaczęłam w innym stylu, z roku na rok było coraz lepiej. W pewnym momencie, przy tych remontach, patrzę, a na koncie zamiast pieniędzy ubywać, to ich przybywa. Myślałam, że w banku się pomylili. Ale nie, pokazują, że ktoś ciągle robi wpłaty. To ja już wiedziałam kto! Zmieniłam numer konta, ale pieniądze dalej przychodziły i przychodzą. Gryzłam się przez jakiś czas... Potem pomyślałam sobie: „Skoro płacisz – to chcesz, Maćku, jednak kiedyś wrócić!".

– No widzisz, pewnie sobie wszystko przemyślał...

– Wiem, że Maciej przyjeżdża od czasu do czasu do Parchowa, ale nie chcę go śledzić. Ja już za nim jeździłam, więc teraz jego kolej! Jak on tu jest, unikam wychodzenia poza „Iskierkę". Zawsze dowiaduję się, że przyjechał. Kiedyś mówili Maciek, potem doktor, teraz profesor. Cieszę się, że moja Marysia się z nim przyjaźni! Obie udajemy, że ja nic nie wiem, i na jego temat ze sobą nie rozmawiamy. To nie jest normalne, nie? I przykro, bardzo przykro!

Anna gładziła ją po zaciśniętych, kościstych dłoniach. Zamilkły. Od strony wsi nadleciała trójka bocianów. Zatoczyły koło nad stawem i wylądowały na łące niedaleko nich. Spacerowały po trawie, podnosząc wysoko czerwone nogi.

– Zobacz, Aniu, czy to nie piękne? Lubię takie obrazki. To są potomkowie Bronkowych Lolka i Zuzy, o których ci kiedyś mówiłam. One też nie boją się ludzi...

– Felciu, jak patrzę na te bociany, to myślę, że ty, Maciej i Jan też tak kiedyś zrobicie jak one. Do tej pory ciągle zataczacie wielkie koła i dlatego nie możecie się ani dojrzeć, ani spotkać! Kiedyś zrobi się wreszcie małe koło, na którym zdołacie się zobaczyć, a potem szczęśliwie razem wylądujecie.

– Bëlné słowò mało kòsztëje, a skòpicą wiele mòże dobrégò zrobic* – wyszeptała po dłuższej chwili Felcia.

– Nie rozumiem...

– Dobre słowo mało kosztuje, a może bardzo pomóc... Aniu, zostań ze mną tutaj. Proszę! – Oczy Felicji zaszkliły się. – Będę miała wreszcie kawałek rodziny na stare lata! – powiedziała szeptem i przyciągnęła Annę do siebie.

*

Wieczorem na werandzie Felicja opowiedziała całej trójce, jak nieustannie prosiła Krysię, aby ta opowiadała jej swoje życie.

– Tak to wtedy nazywałam – życie! Krysia zanosiła się od śmiechu, kiedy prosiłam, aby jeszcze raz opowiedziała mi o zapachu różanych pączków albo o pobycie w ochronkach, albo o spotkaniu z Bronkiem. Krysia potrafiła opowiadać z takimi szczegółami, że Józefę Kuszerową z Gdyni, matkę Tadzia, która miała cudowny uśmiech i śliczne zęby, mogłabym namalować, gdybym potrafiła. Często poprawiałam Krysię; znałam te wszystkie opowieści na wyrywki, bo już wtedy miałam

---

* Powiedzenie kaszubskie.

pamięć dobrze wyćwiczoną przez tatę. My to mamy w genach... Nasi przodkowie nie umieli pisać, musieli więc ćwiczyć pamięć, żeby potem dzieciom opowiadać. Proste, nie?! – Anna, Kaśka i Eliza spoglądały na nią z niedowierzaniem.

– Ja te wszystkie historie często powtarzałam sobie z pamięci, tam, na tej ławce... Pamiętam nawet większość wypraw w świat z tatą... – ostatnie słowa powiedziała ciszej.

La dolce far niente *

– Kto śmie przeszkadzać mi w śniadaniu? – prychnęła Kaśka, patrząc z niechęcią na podskakujący na parapecie telefon.

– Halo... kto mówi?... ach, to pan, panie Stachu!... Samochód gotowy? Już?.... No, to do zobaczenia! – Kaśka zupełnie nie wyglądała na uszczęśliwioną.

– Udało się panu Stachowi naprawić Żabę? – zainteresowała się Anna.

– Tak, powiedział, że za godzinę przyjedzie!

– To kiedy wyjeżdżamy? Kiedy? – Eliza zapiszczała z radości.

– Dzisiaj wtorek, więc najpóźniej we czwartek. Przecież musimy przygotować cię do pobytu na Helu, a ja niestety od poniedziałku idę do pracy!

Anna spoglądała na córkę i wnuczkę zza przymrużonych oczu. Uśmiech błąkał się po jej twarzy. Eliza z apetytem zajadała kanapki.

Kaśka za to kończyła śniadanie na zwolnionych obrotach. W głowie miała mętlik.

– A mnie tu dobrze, ja nigdzie nie wyjeżdżam, mogę tu zostać nawet do końca lata! – nieoczekiwanie oświadczyła Anna.

---

* Słodkie próżnowanie, nicnierobienie (wł.).

– No a co z szukaniem Zalewskich, pisaniem listów i całą resztą? – Kaśka z niedowierzaniem patrzyła na matkę.

– Tutaj papieru nie brak, poczta też jest. Róbta co chceta, ja zostaję! – Po tych słowach zerwała się i pobiegła do Felicji.

I już za chwilę obie starsze panie pląsały w dzikim tańcu wokół stołu. Kaśka i Eliza w zdumieniu spoglądały na rozradowane i obdarzające się całusami kobiety.

– A dzisiaj chcę nad jezioro! – rzuciła lekko zasapana Anna, zatrzymując się na moment.

Kaśka wiedziała, że z takimi postanowieniami mamy nie ma co dyskutować. Gdy przyjechał Stach Janik, rozliczyła się z nim sprawnie, przygotowała z Elizą napoje i trochę kanapek, zapakowały do Żaby leżaki i ręczniki kąpielowe. Gdy już miała ogłosić gotowość do wyjazdu, ujrzała Annę wchodzącą na werandę. Duży biały kapelusz, sukienka w czerwone i czarne kwiaty zapinana z przodu na duże guziki, wielkie czerwone kolczyki, usta pociągnięte mocną czerwienią, a na stopach czerwone sandałki na małym koturnie. Anna prezentowała się szałowo.

– Mamuś, tam nie ma promenady, jest tylko łąka i nikogo nie będzie… chyba…

– Ubrałam się dla siebie! Mam urlop i wreszcie dość czasu, aby wyglądać tak, jak się sobie podobam! Muszę spodobać się też florze i faunie Mausza! – zakończyła nieco filozoficznie, pomachała Felicji i skierowała się do samochodu.

Rozłożyły się na cyplu przy samej wodzie. Były zupełnie same.

– Cudownie jest tutaj! – Annę wszystko cieszyło. Zachwycała się lekko sfalowaną wodą, wysoką trawą, delikatnym wiaterkiem, cieniem pod olchami, pasem wysokich sosen na górce, wśród których stały domki campingowe z poprzedniej epoki, pachnącym tatarakiem i sitowiem, łabędziami o wygiętych szyjach, mieniącymi się barwnie kaczuszkami, błękitnymi ważkami i owadami brzęczącymi w różnych tonacjach. Zdjęła sukienkę, usiadła na leżaku i rozglądając się dookoła, smarowała olejkiem twarz i ramiona.

– Która posmaruje mi plecy? – spytała.

W tym właśnie momencie rozpędzona Eliza wskoczyła do wody, rozchlapując ją na wszystkie strony. Obowiązek spoczął więc na Kaśce.

– Serduszko, rombik, kółeczko! Zapomniałam, mamuś, że ta twoja plamka na łopatce naprawdę ciągle zmienia kształty. – Kaśka wcierała olejek w plecy mamy i wpatrywała się w nią uważnie. – To dlatego kiedyś tak lubiłam cię smarować nad Rusałką!

Kaśka po krótkim zastanowieniu, czy najpierw wygrzać się czy wykąpać, postanowiła wybrać drugie rozwiązanie.

– Wykąpiesz się z nami, mamo? – spytała, zmierzając w kierunku brzegu.

– Potem! Najpierw chcę się trochę podrumienić! – odparła Anna, sadowiąc się wygodniej na leżaku.

Kilkanaście minut później Kaśka i Eliza, mokre i zmęczone, leżały na dużych ręcznikach obok leżaka Anny, napychając buzie kanapkami.

– Kąpiel i zaraz kanapki! Kasiu, ty zawsze tak miałaś, a Eliza ma to po tobie!

– Dlatego zawsze brałyśmy ich dużo.

– A ja na razie piję tylko wodę! Na razie! Ale zostawcie mi choć jedną kanapkę! – ze śmiechem rzuciła Anna, kiedy ujrzała, że obie ponownie sięgają do torby z jedzeniem. – Czy wiecie, jak Włosi nazywają coś takiego, co tutaj robimy, a właściwie czego nie robimy?... *La dolce far niente*! – dodała, nie czekając na odpowiedź.

– A cóż to oznacza, babciu?

– Myślałam, że się domyślisz. To znaczy słodkie próżnowanie, albo słodkie lenistwo, ale mnie najbardziej się podoba słodkie nicnierobienie ! Oni to kochają!

– Ja też to lubię! – krzyknęła Eliza. – Kto wie, czy nawet nie uwielbiam. Może jestem Włoszką?

– Na ogół takie rzeczy mi nie wychodziły, ale tutaj w nicnierobieniu spełniam się jak nigdy dotąd! – odezwała się Kaśka z nutą melancholii w głosie. – A ty, Elizko, jesteś niestety Słowianką. Wiem coś o tym.

– No, skoro tak sobie szczerze rozmawiamy, to przyznam się wam, że *la dolce far niente* to jest także mój ulubiony stan... – słowa rozbawionej Anny przerwał dzwonek telefonu.

– A kogo to licho niesie? – burknęła Kaśka. – Krzysztof? – rozchmurzyła się natychmiast, gdy tylko rozpoznała głos w słuchawce. – Auto naprawione! Już zaczęłyśmy je testować. Właśnie wybrałyśmy się nad Mausz!

Leżała na brzuchu podparta na łokciach, z zadowoleniem uderzając stopami o ręcznik.

– Chcemy ruszyć w czwartek! – ciągnęła. – Co? Ty też jedziesz do Poznania? – zdziwiła się. – ...z Igorem?... W piątek rano...! Zaskoczyłeś mnie! ...Zastanowię się i oddzwonię! Na razie!

– Co tam, mamo? – Elizę zaciekawiło to, czego nie zdołała usłyszeć.

– Krzysztof musi jechać w interesach do Poznania i proponuje, żeby pojechać z nim. Wraca w poniedziałek lub wtorek.

– No, ale przecież idziesz w poniedziałek do pracy, tak? – zdziwiła się Anna.

Wszystkie zamilkły. Na niebie samolot rysował kreski pomiędzy chmurkami, łącząc je ze sobą w przemyślne obrazy, które wiatr już po chwili rozwiewał. Owady usypiająco brzęczały. Od czasu do czasu słychać było plusk nurkujących cyranek i krzyżówek, a po chwili trzepot ich skrzydeł. Z drugiego brzegu dochodził hałas kąpiących się dzieci. Ze środka jeziora niósł się ze spacerowych łodzi pisk nienaoliwionych dulek.

– Elizka, do wody! Muszę schłodzić zwoje mózgowe! – rzuciła nagle Kaśka.

– Idę z wami, tylko mnie nie ochlapcie! – Anna wstała i z wdziękiem weszła do wody, przyglądając się córce i wnuczce, które chwilę wcześniej zdążyły się zanurzyć.

Trzy śniade gracje, bardzo podobne do siebie mimo różnic wiekowych, kąpały się w wodach Mausza. Pluskały, śmiały się, bawiąc jak najlepsze koleżanki. Kaśka pływała razem z nimi, chlapała się z Elizą, cały czas jednak zastanawiając się nad czymś uparcie. Raz po raz nurkowała, żeby ukryć swoje zamyślone oblicze.

– Eureka! – wrzasnęła nagle i wybiegła z wody.

Anna i Eliza patrzyły zdumione, jak Kaśka przemieszcza się nerwowo po brzegu. Parę kroków w jedną, parę kroków w drugą stronę.

– Jedziemy z Elizą do Poznania samochodem Krzysztofa, ja załatwiam sobie dwa miesiące urlopu bezpłatnego i natychmiast wracamy tutaj! – wykrzyczała lekko zdyszana. – Po tylu latach bez urlopu czuję się wreszcie doskonale i beztrosko, poza tym mama też nie chce wracać, więc co? Będziemy trzy domy prowadzić?! Mamuś, zostawimy ci autko, więc będziesz mobilna!

– A ja znowu z Igorem z tyłu?! – skrzywiła się Eliza. – A co będzie z moją imprezą w Poznaniu?

Jej pytania pozostały jednak bez odpowiedzi.

Anna tylko się uśmiechnęła, położyła na wodzie na wznak i oddała podziwianiu chmur. Eliza jak szalona pływała wzdłuż brzegu na plecach, łomocząc głośno rękoma o wodę.

*

Kolejne dwa dni Anna, Kaśka i Eliza również spędziły na cyplu. Wyjeżdżały po śniadaniu i wracały dopiero na kolację. Pogoda dopisywała, na górce obok cypla pojawiły się kolejne namioty, ale ich mieszkańcy tylko sporadycznie przychodzili na brzeg, aby się wykąpać. Miały więc prawie na wyłączność zarówno cały cypel, jak i słońce świecące nad nim. Ich śniade ciała stawały się coraz ciemniejsze. Anna zaczytywała się książkami pożyczanymi od Felicji, Kaśka rozwiązywała krzyżówki kupowane w Parchowie na poczcie, Eliza zaś pisała coś zaciekle w dużym zeszycie. Odsuwała się od mamy i babci, twierdząc, że ich rozmowy ją rozpraszają. W czasie przerw na kąpiel, jedzenie i opalanie była skupiona i małomówna.

W trakcie jednej z nich nieoczekiwanie jednak przemówiła.

– Ciągle obmyślam, jak ująć usłyszane od babci i Felicji ostatnie historie, dotyczące wydarzeń sprzed sześćdziesięciu trzech lat... – Spojrzała w kierunku Anny, wskazując na brulion. – Obiecuję, babciu, że przeczytam te swoje wypociny w czwartek pod wieczór. Jestem już blisko końca.

– A wiesz, że ja wiem, że przed szkołą to mi prawdy nie powiedziałaś? – Anna zmierzyła wnuczkę poważnym wzrokiem. – Widziałam jeszcze kilka razy, jak się gdzieś przemykacie z Felcią... Ponieważ ty opowiadasz tylko kawały – pogroziła jej palcem – spytałam Felci. My mówimy sobie już tylko prawdę, stąd wiem, że wypytywałaś ją za każdym razem o tamte czasy. Daj już jej spokój.

– Obiecuję! Wczoraj gadałyśmy ostatni raz – uśmiechnęła się Eliza. – Ależ ona ma pamięć! Przecież wtedy to ona ośmiu lat nie miała! A pamiętacie, co mówił Kiedrowski? Jak powtarzał sobie te historie opowiedziane przez Tadzia Kuszera? Oni tutaj tak mają. Kilka dni temu wątpiłam w to, ale teraz...

– Masz rację. Nie inaczej powstała *Iliada*, *Odyseja*... Starzy gęślarze opowiadali historie z dawnych czasów, pokolenie po pokoleniu, cały czas tak samo. No, prawie. Wtedy przecież pisma nie znali, więc uczyli się na pamięć. Wiecie chyba ze szkoły, że Homer był ślepcem. Dopiero po latach uwieczniono to wszystko w księgach, kiedy wynaleziono pismo.

– Wiesz, mamo, że ona już kilka wieczorów wypala mi oczy lampką? Ćmy latają jak głupie! Do późnej nocy świeci... – Kaśka ni to wydała, ni to pochwaliła córkę.

– Przecież abażur jest już nałożony i jeszcze zastawiam albumem z Bytowa...

– Zwariowałaś? Moim albumem? Chcesz go spalić? – obruszyła się Anna. – A do tego niszczysz sobie oczy. W dzień nie możesz pisać?

– Bo ten album jest duży i przesłania światło, żeby mama mogła spać. A w dzień porządkuję to, co w nocy wymyślę... Teraz też... – Ponownie wskazała na brulion.

– No dobrze już. – Anna machnęła ręką. – Ciekawość mnie zżera, co tam napisałaś – uśmiechnęła się i zmrużyła oczy.

*

Kiedy w czwartek pod wieczór zjechały na kolację do „Iskierki", zadzwoniła Marysia Sołyga. Gdy usłyszała, że Kaśka i Eliza wyjeżdżają, trochę się zmartwiła, ale kolejna wiadomość, że Anna jednak zostaje – rozwiązała jej język.

– Pani Anno, rozmawiałam z szefową i mogę pani w jej imieniu zaproponować pracę. Mam z panią omówić szczegóły i od jutra może pani zaczynać! – trajkotała do słuchawki. – Umowa w międzyczasie, jak to mówi Eliza. Trzeba będzie napisać sporo listów i zaproszeń na Pobocza Folku i dożynki. Do zespołów w Polsce już są napisane, ale została zagranica. Po otrzymaniu potwierdzeń trzeba będzie uzgodnić szczegóły pobytu zespołów krajowych, no i tych z Niemiec, Włoch, Anglii i Francji. Będzie sporo roboty.

– Dobrze, zgadzam się! – przerwała jej Anna. – To jest coś, co mnie na pewno wciągnie!

– Czuję, że muszę do was jeszcze dzisiaj wpaść – dorzuciła Marysia i nieoczekiwanie zakończyła rozmowę.

– Widzicie, dziewczyny, będę miała zajęcie i nawet dostanę za to parę groszy. – Anna patrzyła na nie z triumfującą miną.

Felicja podczas kolacji była w wyśmienitym humorze. Cieszyła się, że jeszcze przez kilka dni będzie miała Annę tylko dla siebie.

Najprawdziwsza prawda

Gdy Eliza po kolacji szepnęła babci, że jest już gotowa do czytania swoich opowiadań, ta – nie wiedzieć czemu – zaprosiła Gulewskich, aby też przyszli na werandę.

– Babciu, przecież to sprawa rodzinna! – zareagowała sykiem Eliza.

– Ależ dziecko! Powinni dojść jeszcze Janikowie i Marysia... Czy oni wszyscy nie są zupełnie jak rodzina? – spytała. – Niektórzy z nich znają jedne fragmenty, inni drugie, więc czas, żeby wszyscy poznali pełną wersję zdarzeń.

Eliza tylko machnęła ręką. Przy zajmowaniu miejsc zrobiło się troszkę zamieszania, bo pani Ludka Gulewska jak zwykle nie mogła się zdecydować, gdzie posadzić swoje rozfalowane ciało. Siadała to tu, to tam, ciągnąc za sobą Arturka, innym razem każąc mu usiąść gdzie indziej. Wreszcie wybrała miejsce obok Kasi, odklejając się na ten wieczór od swojej papużki-nierozłączki. Teraz zarumieniona z powodu wrażeń, wysiłku i wcześniejszej sutej kolacyjki, oddychała głęboko, uspokajając rozemocjonowane ciało.

– Jeszcze ja, jeszcze ja! – Od furtki sunęła Marysia Sołyga, kręcąc pociesznie pupą. – A tak w ogóle co to za imprezka?

– Trafiłaś na literacki debiut Elizy i dobrze, że jesteś. – Kaśka przesłała jej ponad stołem buziaka.

– Marysiu, przepraszam, że nie zdążyłam ci o tym powiedzieć, ale dobrze, że masz o ten jeden zmysł więcej niż pozostali! No, przynajmniej niż ja.... – przeprosiła ją gospodyni, głaszcząc po policzku.

Na werandzie wreszcie się uspokoiło. Felicja Skierka siedziała na swoim stałym miejscu u szczytu stołu, mając po prawej stronie Annę i żywą jak srebro Marysię. Vis à vis siedziała Eliza, po lewej Kasia i pani Ludka. Arturek rozgościł się w wiklinowym kąciku.

Słońce, zmierzające za wzgórza nad doliną na odpoczynek, zaglądało swoimi długimi promieniami do wnętrza werandy, jakby też było ciekawe, co się tam szykuje. Felicja ogarnęła wzrokiem całe audytorium i dała Elizie znak przyzwolenia.

– Całą tę historię nazwałam *Dawno, dawno temu...* i składa się ona z sześciu opowiadań – chrząknęła z emocji autorka.

– Ooo! – chóralny okrzyk rozszedł się po werandzie.

Pani Ludka klasnęła radośnie w pulchne dłonie, zaś Marysia Sołyga pokręciła z niedowierzaniem głową.

– Sześć opowiadań? Kiedy ty to napisałaś?

– W międzyczasie... – swoim zwyczajem krótko skwitowała Eliza.

– Ja w życiu tylu wypracowań samodzielnie nie napisałam – wystrzeliła znowu jak karabin maszynowy Marysia. – Zawsze ściągałam od brata, bo on ładnie pisał i zbierał te swoje zeszyty na pamiątkę.

– I kto to mówi? Nauczycielka! – Felicja mrugnęła do Marysi. – Mam jeszcze coś ważnego do powiedzenia... – wykonała gest uciszający wszystkich – ...bo państwo Gulewscy nie wiedzą prawie w ogóle, o co chodzi – ściszyła głos. – Historia, którą usłyszycie, dotyczy tu siedzącej Anny, czyli dawniejszej Basi Zalewskiej, jej rodziców Krysi i Bronka oraz jej przybranej mamy, z którą potem mieszkała w Poznaniu, Jutki Nagengast. Domyślam się, że będzie tam też coś o mnie oraz o pewnym bohaterskim Tadziu z Gdyni, bo Eliza przy każdej nadarzającej się okazji dopytywała mnie o różne szczegóły.

Gulewscy spoglądali ze zdziwieniem na Felicję i Annę.

– Zastanawiałam się właśnie, jak by tu podpytać panią Annę, bo coś tam słyszałam... – odezwała się pani Ludka.

– No i nie będzie już żadnej potrzeby męczyć się... – Felicja uśmiechnęła się, przerywając jej. – Nie mam zupełnie pojęcia, jak to Elizka opisała, ale jednego jestem pewna. To wszystko, co tutaj usłyszycie, wydarzyło się naprawdę sześćdziesiąt trzy lata temu... O! Tam pod lasem, gdzie niegdyś stały zabudowania Zalewskich i przy stawie! – Wskazała ręką najpierw w kierunku lasu, a potem doliny.

Zamyśliła się, jakby jeszcze coś chciała dopowiedzieć, ale po chwili dała znak Elizie, aby rozpoczęła czytać.

– Jak już mówiłam, napisałam sześć krótkich opowiadań – trochę jeszcze speszona Eliza raz po raz odgarniała z czoła wirtualny, ale widocznie przeszkadzający jej kosmyk włosów. – To tylko kilkanaście stron – pomachała rękopisem – a każda z nich to cztery, pięć minut. Jeśli wytrzymacie państwo, przeczytam dzisiaj wszystko, jeśli nie, dokończę kiedy indziej – dodała z uśmiechem. – Miałam łatwo, bo pomogli mi swoją pamięcią pani Felicja i pan Feliks Kiedrowski. Proszę tylko mnie nie pytać, czemu to napisałam tak, a nie inaczej. Taki miałam pomysł na zbeletryzowanie faktów i już! – uśmiechnęła się. – To się nazywa *licentia poetica*. – Skromnie spuściła oczy, kiedy usłyszała szmer podziwu.

– Mam nadzieję, że mnie nie obrażasz – Felcia roześmiała się perliście. – Jeszcze moment! – zerwała się raptownie. – Chodź, Kasiu, przyniesiemy coś z kuchni – puściła w jej kierunku szelmowskie oko.

Po chwili na stole pojawiła się karafka z żurawinową nalewką, kieliszeczki oraz duża butla lemoniady.

– To dla naszej literatki, żeby jej w gardle nie zaschło – wskazała na lemoniadę – a w karafeczce coś dla słuchaczy.

Eliza poprawiła się na krześle, jeszcze raz odgarnęła z czoła niewidoczny kosmyk włosów i ponownie odchrząknęła.

Rozpoczęła nieco zduszonym głosem, ale z każdą chwilą uspokajała emocje. Ukołysani jej dźwięcznym głosem, słuchacze zapewne widzieli siebie w roli bocianów szybujących pod parchowskim niebem, a potem podglądali z ukrycia, co się działo wśród zabudowań Zalewskich.

– Boże, jaka to piękna i wzruszająca historia, i do tego te bociany... – zakwiliła pani Ludka, gdy Eliza po skończeniu pierwszego rozdziału na chwilę przerwała, aby zwilżyć usta.

– Cicho! To ledwie początek – półgłosem odezwała się Felicja Skierka. – A te boćki to prawda, pokażę wam jutro potomków Lolka i Zuzy. Też ludzi się nie boją.

Pan Arturek wykorzystał moment i szybko nalał po naparstku nalewki. Eliza rozpoczęła następny rozdział.

Wzrok większości słuchaczy skierowany był na Annę. Ta zasłuchana przymknęła oczy, wsparła się na łokciach i pewnie wyobrażała sobie przedwojenną Gdynię. Płynęła historia kolejnych wizyt Krysi w gdyńskim szpitalu i opowieść o poznanej przez nią Józefie Kuszer, sprzedawczyni pączków.

Przeczytane kartki Eliza odkładała na stół, ale ciągle jeszcze sporo trzymała ich w dłoniach. Nikt nie proponował jednak przerwy. Od czasu do czasu zapieniła się tylko nowa porcja lemoniady w szklaneczce Elizy, albo bezszelestnie przewędrował wokół stołów Arturek z nalewką. Kiedy padły ostatnie zdania tej części i okazało się, że do Zalewskich uśmiechnęło się jednak szczęście, a Krysia mogła wrócić do Parchowa z córeczką, dało się słyszeć zbiorowe, głębokie, uspokajające westchnienie. Eliza spojrzała na słuchaczy, a ponieważ nic w ich twarzach jej nie zaniepokoiło, wróciła do czytania.

Większość słuchaczy natychmiast po usłyszeniu tytułu kolejnego rozdziału: „Felcia znad księżycowego stawu" przeniosła swój wzrok na gospodynię. Ta z melancholijnym uśmiechem patrzyła ponad głową Elizy w kierunku doliny. Dłonie Anny zaczęły gładzić jej dłonie, spoglądały raz po raz po sobie.

Felicja uspokoiła drobne dłonie Anny, zatrzymując je w swoich. Obie były jakby nieobecne, nie zwracały uwagi na pozostałych. Eliza siorbnęła kolejny łyk lemoniady i znowu poprawiła niewidoczny, ale ciągle spadający na czoło kosmyk.

Ostatnie słowa tego rozdziału, opisujące zachwyt Felci nad brunatną plamką na łopatce Basi, wywołały uśmiech na twarzach słuchaczy. Eliza zamilkła. Spoglądała pytająco na obecnych.

– Ty na nas nie patrz… My wytrzymamy – odpowiedziała za wszystkich Felicja, domyślając się powodu jej chwilowego milczenia. – Ale ty, dziecko, czy masz jeszcze siłę? – spytała cicho.

Eliza odpowiedziała skinieniem głowy.

Popłynęły słowa o Józefie Kuszer z „Villa Rosa". Felicja uśmiechała się w zadumie, słuchając ich, i spoglądała to na Annę, to w dolinę. Raz i drugi skinęła głową, jakby potwierdzając w ten sposób historię letniczki, która przyjechała do Zalewskich w lipcu 1938 roku.

Uśmiech zagościł na jej twarzy przy fragmencie opisującym każdorazową wesołość Krysi, gdy Felcia kazała jej powtarzać do znudzenia historię swojego życia albo historię losów Józefy Kuszerowej i jej dzieci.

Kartek w dłoniach Elizy ubywało. Wszyscy siedzieli spokojnie, zapieniła się znowu porcja lemoniady w szklaneczce Elizy, a Arturek bezszelestnie uzupełnił kieliszki nalewką.

W opowieści Elizy pojawiła się nagła, niszczycielska burza. Można było odnieść wrażenie, że błyskawice i grzmoty wstrząsały słuchaczami. Felicja poruszyła na boki głową, a spod jej zamkniętych powiek wypłynęły łzy. I ona, i Anna oddychały głęboko.

Płynęła opowieść o bohaterskiej walce Tadzia o dwie dziewczynki, o szaleńczej jeździe wózka w stronę stawu, o pożarze w gospodarstwie Zalewskich i śmierci Bronka. Dalej było o wyratowaniu z płonącej izby przez Anielę, matkę Felci, i Józefę Kuszerową, nieprzytomnej, poparzonej Krysi, trzymającej kurczowo w objęciach mały, wiśniowy kuferek.

Oddechy słuchających, przyspieszone w trakcie opisu dramatycznych zdarzeń, zwolniły wyraźnie, gdy Eliza odłożyła kolejną kartkę i rzuciła jakby przepraszającym tonem:

– Został jeszcze jeden rozdział, to tylko cztery strony...

Na wyciszonej, zasłuchanej werandzie nikt się nawet nie poruszył.

– Widzisz jeszcze cokolwiek, dziecko? – spytała cicho Felicja; dojrzała lekkie skinienie głowy.

– A dasz jeszcze radę? – dopytała Anna.

Eliza ponownie skinęła głową.

Gdy popłynęły słowa o Jutce i Janie z Poznania, którzy znaleźli koło stawu przewrócony, osmalony wózeczek z dziewczynką wewnątrz, Felicja głośno westchnęła, jakby kamień spadł jej z serca. Uśmiechnęły się z Anną do siebie.

Elizie pozostała w dłoniach już ostatnia kartka. Spojrzała przelotnie po wszystkich i uśmiechnęła się, jakby chciała powiedzieć: „Wytrzymaliście! Było chyba warto, co?"

Wkrótce odłożyła i tę kartkę na stół i odetchnęła głęboko. Na werandzie panowała całkowita cisza. Ze stawów i łąk dochodziły wieczorne koncerty żab i świerszczy. Słońce schowało się już za wzgórzami, a na werandę docierało nieco bardziej rześkie powietrze, pachnące kwiatami z gazonu. Słuchający utkwili wzrok w głównych bohaterkach opowieści – Annie i Felicji. One patrzyły na siebie wzruszone, trzymając się ciągle za dłonie. Eliza chrząknęła i przeczesała palcami rudą czuprynkę. Dolała do szklaneczki lemoniady, obserwując, jak podnosi się piana. Marysia włączyła lampę nad stołem. Na werandzie pojaśniało.

– Jeszcze nie! – fuknęła Felicja. – Zaraz zlecą się ćmy!

Znowu zrobiło się szaro. Arturek wlewał ostrożnie do kieliszków nalewkę żurawinową. Nikt się nie odzywał. Nagle pulchne rączki pani Ludki zaczęły klaskać, od czego rozfalowało się całe jej ciało. Pozostali bezwiednie przyłączyli się do owacji.

– Pięknie to opisałaś. Jakbyś tutaj była i wszystko widziała – odezwała się Felicja Skierka, wycierając wilgotne oczy. – Dobra ta twoja licencja... coś tam – jej twarz rozjaśnił uśmiech. – Wszystko było dokładnie tak, jak napisałaś. Dokładnie! Wszystko! – podkreśliła z naciskiem, kiwając głową.

Anna wpatrywała się w Felicję, ale widać było, że nie jest w stanie nic powiedzieć. Na jej twarzy błąkał się tylko uśmiech.

– Spłakałam się... jak bóbr – falując ciałem, wyjąkała pani Ludka. – Mam całą mokrą chusteczkę. Tyle wzruszeń. To trwało ponad godzinę – dodała z podziwem.

– Z tych kawałków, które do mnie wcześniej docierały, sam bym nie dał rady ułożyć całości – przemówił cicho Arturek. – Piękna, chociaż momentami bardzo smutna historia. Jesteście jak dwie siostry – rzekł, spoglądając na Felicję i Annę. – Odnalazłyście się i teraz trzeba się już tylko radować, a nie smucić. Ale muszę podkreślić, że gdyby nie Eliza, to ta historia ciągle byłaby w ukryciu. Bo wy wszystko już sobie opowiedziałyście, zrozumiałyście, nacieszyłyście sobą, wybaczyłyście to i owo. My dowiedzieliśmy się dopiero tego wieczoru, jak to wszystko naprawdę było... Trzeba mieć duży talent, żeby na podstawie strzępów informacji tak wszystko pięknie opisać. Czy ty dziecko nie nazywasz się czasem Orzeszkowa? Imię takie samo i masz jak ona sprawne pióro! Brawo Eliza! Gratuluję córki i wnuczki! – uniósł kieliszek wypełniony rubinową nalewką.

Felicja i za nią reszta przyłączyli się skwapliwie do toastu.

– No mała, ty to masz pióro, używaj go częściej! – dorzuciła Marysia Sołyga, ocierając koniuszkami palców zawilgocone oczy. – To, moim zdaniem, gotowy materiał na scenariusz filmowy. Czy tam w cieniu nie ukrywa się czasem jakiś reżyser? Coś tam słyszałam! – rzuciła zaczepnie w kierunku wejścia na werandę.

– To my… Ach, jakaż to piękna historia. – Z gęstniejącego mroku wkroczyła na werandę Stefcia Janikowa, a za nią człapał i sapał jej mąż Stach. – Zryczałam się okropnie. Spóźniliśmy się i usiedliśmy na ławeczce przy gazonie, bo nie chcieliśmy już wam przeszkadzać.

– Szkoda, że nie jestem reżyserem, no nie?! He, he, he! – odezwał się ze śmiechem jej mąż. – Ale jak chcesz, to wszystko się zrobi. Jutro mogę pojechać do Bytowa rozejrzeć się za jakąś kamerą i kręcimy. Ale, Eliza, ty naprawdę fajnie piszesz! Nawet mnie jakby coś się stało w oko! Żałuję tylko, że tak mało napisałaś o przedwojennych samochodach. He, he, he! Ty się na nich znasz?

– Igor mi podpowiedział…

Kasia podeszła do Elizy, żeby ją uścisnąć. Kręciła głową z niedowierzaniem, że to wszystko naprawdę napisała jej córka. Tylu nowych rzeczy dowiedziała się o niej w ciągu tak niewielu dni, a teraz jeszcze ta historia. Pochwyciła jej twarz w swoje dłonie. Patrzyły sobie głęboko w oczy, mrużąc po kociemu oczy. Ucałowały się serdecznie.

Anna wyczekała moment i przywołała do siebie Elizę, a już po chwili przytulała ją, dziękując za to, co usłyszała. Felicja delikatnie czochrała ją po ognistej, krótkiej czuprynce.

– Wiecie, kochani, jest jeszcze coś, o czym nie opowiedziałam nikomu... – odezwała się nagle Felicja. – Nikomu, nawet Ani. Chciałam... miałam to zostawić tylko dla siebie, bo o to prosiła mnie Krysia. Wahałam się, czy nie zdradzić tego czasem Elizie, ale ostatecznie zrezygnowałam, bo ta historia, którą nam przeczytała, byłaby jeszcze smutniejsza. Jednak dzisiaj mamy taki cudowny wieczór, wieczór prawdy, więc zdecydowałam, że złamię słowo i zdradzę tę tajemnicę. Myślę, że Krysia wybaczy mi, gdziekolwiek teraz jest.

Anna oparła się mocno o krzesło. Wszyscy pozostali ucichli. Felicja koncentrowała się.

– Ona miała dziwny głos... – zaczęła i natychmiast zrobiła przerwę.

Kątem oka dojrzała, że Annie rozszerzyły się oczy i wyprostowała się na krześle. Ich oczy spotkały się. Anna otworzyła usta, jakby chciała coś powiedzieć, ale Felicja pokręciła głową na boki i podniosła palec do ust.

– Kiedy Krysia pierwszy raz odezwała się do mnie, to aż ciarki mnie przeszły... – Przeniosła wzrok na dolinę. – Ten głos zupełnie nie pasował do jej drobnej postaci, ślicznej buzi i włosów w loczki. Głos miała taki... chropowaty, jak zdarta płyta. To mnie zawsze wzruszało, ale też nieustannie dziwiło. Kiedy przyjechała z tobą, Aniu, do Parchowa – znowu spojrzała na Annę – i zostałaś moim prezentem imieninowym, odważyłam się wreszcie spytać ją o to. Zamilkła i długo na mnie patrzyła. Zastanawiała się pewnie, co powiedzieć takiemu dziecku jak ja, albo czy w ogóle warto mówić cokolwiek. Kręciła na palcach te swoje śliczne loczki, bo tak robiła zawsze, gdy się nad czymś zastanawiała. Po dłuższej chwili wyszeptała wreszcie tym swoim chrapliwym głosem, że obiecała sobie nikomu oprócz Bronka nie zdradzić. Mnie wyznała to tylko dlatego, że pokochała mnie jak młodszą siostrę. Tak mi powiedziała i dodała, że jestem jednak ostatnią osobą, której to opowie. Musiałam jej tylko obiecać, że zachowam to w tajemnicy... Felicja głęboko westchnęła i na kilka chwil zamilkła.

– Opowiedziała mi, że mieszkała kiedyś w dużym domu wśród zielonych łąk i ogromnych drzew. Taki obraz zapisał się w jej wspomnieniach – widziała go jak przez mgłę. Pamiętała mamę, jak kręci się wesoła po domu w ślicznej kolorowej sukience z takich jakby tiulów, jak pachną pączki z nadzieniem różanym. Cieszyły się, bo miał przyjechać tatuś. Nie pamiętała go wtedy, ale cieszyła się razem z mamą. To było lato. Na powitanie tato podniósł ją do góry... Tylko ten jeden raz widziała go z bliska, twarzą w twarz. Miał blade policzki i cienie pod oczami. Zapamiętała jeszcze krótkie wąsiki. Mamusia powiedziała do niego, żeby się nie męczył... Krysi zapisał się w pamięci obraz, jak tato siedzi w fotelu w ogrodzie, w białym ubraniu i mocno kaszle. Zobaczyła czerwoną plamę na marynarce. Przestraszyła się i pobiegła po mamę. To już ostatni obrazek, jaki zapamiętała o nim. Później znowu wyjechał... Mama mówiła jej, że wyjechał na leczenie. Krysia miała wtedy nieco ponad trzy latka i uwierzyła w to. Przecież to mówiła mama, a ona by jej przecież nie okłamała. Tylko że mama za nieco ponad rok też zachorowała. Krysia pamiętała jej bladą twarz i kaszel. Po jej mamę przyjechała taka duża kolasa, a ona sama znalazła się nagle wśród zakonnic...

Felicja na chwilę przerwała i znowu głośno westchnęła.

– Krysia szalała, płakała, a raczej wyła za mamą, nie chciała jeść. Ze zmęczenia zasypiała na chwilę, ale po chwili znowu wyła. Nie pamiętała, ile to trwało. Kiedy się wreszcie ocknęła z jakiegoś dłuższego snu, leżała w dużym białym łóżku, a obok niej siedziała młoda zakonnica o twarzy anioła. Krysia już nie miała łez, ale wydawała cały czas z siebie jakieś dziwne dźwięki. Zakonnica patrzyła na nią z delikatnym uśmiechem. Powiedziała do niej cicho, że ma na imię Florentyna. Obiecała, że jeśli chce, to opowie jej całą prawdę o rodzicach. Krysia skinęła głową. Dopiero wtedy dowiedziała się, że tato umarł przed rokiem, a mama tydzień temu. Florentyna powiedziała jej, że oboje są w niebie i patrzą na nią. Zawsze będą na nią patrzeć i prowadzić przez życie. Trzymała obie jej rączki, a Krysia powoli się uspokajała. Florentyna powiedziała jej też, że może tego nie zrozumie, ale dom został sprzedany za długi. Wszystkie pożyczane przez mamę pieniądze poszły na leczenie taty. Dodała, że nikt z rodziny jej nie chciał, nie ma już nic, ale teraz ona będzie się nią opiekować. Od dzisiaj, a właściwie już od trzech dni, bo tyle przy niej siedzi. Będzie z nią zawsze, jak długo będzie chciała. Tylko ma zacząć jeść, bo było i ciągle jest z nią bardzo źle. Uśmiechała się do niej ślicznie i miała cudowny głos. Krysia nie mogła wypowiedzieć słowa. Bolała ją krtań. Kiwała tylko głową. Potem Florentyna, głaszcząc Krysię po rękach, powiedziała, że kiedy będą same, może mówić do niej Flora, ale przy ludziach – siostra Florentyna. Krysia jej zaufała. Polubiła ją i uwierzyła, że zawsze z nią będzie. Została jej matką. Florentyna dotrzymała słowa. Zabierała z sobą Krysię tam, gdzie sama była wysyłana. Krysia już nie odzyskała normalnego głosu… Coś się stało z jej strunami głosowymi, z krtanią. Wszyscy zawsze patrzyli na nią dziwnie, kiedy tylko się odezwała. W ostatniej ochronce, do której się przeniosły, Flora została mianowana przełożoną.

Tam Krysia poznała swojego kochanego Bronka. Gdy pierwszy raz go zobaczyła, wydało się jej, że to taki czarny lud. Trochę się go bała. A on był czarny, tyle że anioł. Zawsze się do niej uśmiechał. Gdy był w pobliżu, pomagał jej nosić ciężkie wiadra z wodą albo wynosić pranie na trawnik. Przestała się go bać. Przyzwyczajała się do niego i wkrótce już nie mogła się bez niego obejść. Kiedy go nie było w pobliżu – szukała go. Po jakimś czasie nie potrafili bez siebie wytrzymać. To była miłość... Gdy poprosił o jej rękę, Flora zgodziła się, żeby została jego żoną. On uwielbiał ten jej głos. Ciągle musiała mu coś opowiadać, czytać. Oprócz Flory, tylko z nim jednym dużo rozmawiała. Kochała go za wszystko, ale za to szczególnie. Inni, słysząc jej głos, na ogół milkli, myśląc, że jest chora, a ona z kolei nie chciała nikomu niczego tłumaczyć.

Na werandzie znowu zapadła cisza. Anna siedziała głęboko wciśnięta w krzesło, trzymając ręce przy skroniach.

– Taka była tajemnica Krysi! – po chwili odezwała się znowu Felicja. – Ale o tym już nie rozmawiajmy. To jest tylko do rozmyślania. Dobranoc wszystkim!– zakończyła.

Wszyscy zaczęli się cicho rozchodzić. Na werandzie została tylko Felicja z Anną i dziewczynami. Milczały.

– Chciałam ci tego oszczędzić, Aniu... – odezwała się Felicja po długiej chwili, ale przerwała i machnęła ręką – ... kiedyś jednak i tak bym ci przecież powiedziała, bo miałyśmy sobie mówić prawdę. Zdecydowałam, że lepszi kùńc z bólã, jak ból bez kùńca* – do-

---

* Lepszy koniec z bólu niż ból bez końca – powiedzenie w języku kaszubskim.

kończyła i spojrzała w oczy Anny, błyszczące mimo zapadających ciemności.

– Tak! Dziękuję ci, Felciu. Biedna i kochana ta moja mamusia... Dobrze, że to opowiedziałaś.

– Kiedyś może uzupełnię swoje dzieło i o tę historię... – powiedziała cicho Eliza. Odpowiedziało jej skinienie głów babci i Felci.

Anna czuła, że dzisiejsza noc będzie bezsenna. Przyjechała tutaj szukać swoich korzeni – nie spodziewała się jednak, że będzie ją to kosztowało tyle wzruszających przeżyć. Dotarła do źródła. Poznała się z Felcią, odnalazła grób ojca, a teraz jeszcze ta tajemnica mamy i zapowiadające się poszukiwania jej rodziny w Ameryce. A może mama jeszcze żyje?

Oddychała głęboko.

Kiedy znalazła się wreszcie w swoim pokoju, a sen nie chciał przyjść, wyszła na balkon, wciskając się jak tylko można najgłębiej w fotel. Patrzyła w niebo na coraz bardziej jaśniejące gwiazdy.

Anioł od św. Krzysztofa

– Córcia, wstawaj wreszcie, zaraz szósta! –powtórzyła kolejny raz głośnym szeptem Kaśka.

– Czy my... aaa... koniecznie musimy wstawać i podróżować... aaa, w środku nocy? – ziewająca Eliza nie kryła swojej dezaprobaty dla tak wczesnej pobudki.

– Zobacz, jaki dzisiaj śliczny ranek! – Uśmiechnięta od ucha do ucha, szczebiocząca jak szczygiełek Kaśka była istnym przeciwieństwem ledwie rozbudzonej córki.

– Mamo, nie krzycz tak głośno! Jeszcze śpię! Człowiek nie świnia, jak się obudzi, sam wstanie. Dziadek tak zawsze mówił. Aaa...! A w ogóle o której ty wstałaś, że już jesteś taka wysztafirowana?

– Chwilę po piątej. Ale nie marudź już, bo widzę, że chłopcy właśnie podjechali!

– Chłopcy-sropcy!

– Jak ty możesz! Bierz torby i schodzimy! – z lekkim wyrzutem powiedziała Kaśka.

– Bez prysznica nie pojadę! Za siedem i pół minuty jestem na dole, a ty już pędź z tym swoim wymalowanym dzióbkiem do Krzysia! – rzuciła Eliza i głośno zamknęła za sobą drzwi do łazienki.

– No wiesz! – odkrzyknęła Kaśka w kierunku zamkniętych drzwi, machnęła ręką, chwyciła torbę i ruszyła żwawo schodami w dół.

Wymalowany dzióbek! Ładnie to Elizka nazwała! No i miała rację – zaraz go właśnie podam Krzysiowi, uśmiechnęła się do własnych myśli.

Idąc przez sień w stronę werandy, usłyszała nieoczekiwanie, na wysokości otwartych drzwi do kuchni, ciche wołanie dobiegające z jej głębi:

– Kasiu! Chodź tu! Felcia przygotowała wam kanapki i lemoniadę!

Zamarła w bezruchu. To było chyba adresowane do niej. Innej Kasi nie znała, a głos był identyczny z głosem jej mamy. Nie odrywając stóp od podłogi, zaczęła powoli odchylać się do tyłu. Tułów, który minął wcześniej drzwi do kuchni, wyginał się w tył, aż wreszcie głowa znalazła się w takim miejscu, że oczy mogły wygodnie spenetrować jej wnętrze. Przy stole kuchennym, nad parującymi filiżankami z kawą, siedziała Felicja z mamą i uśmiechały się do niej.

– Mamuś, a co wy tutaj tak wcześnie robicie?

– Jakie wcześnie? Codziennie tak z Felcią wstajemy! To znaczy Felcia wstaje jeszcze wcześniej, bo kiedy ja schodzę na dół, to już pachnie kawka. Śpię tutaj doskonale i szybko się wysypiam!

– No, a ja muszę się przecie nacieszyć o świcie śpiewającymi ptaszkami i nawąchać kwiatów w ogródku. Potem na takie rzeczy już nie mam czasu! – dodała Felicja.

– I ty tak codziennie pijesz tę kawkę na czczo? – spytała zdziwiona i ciągle wygięta w dziwny łuk Kaśka.

– Jakie na czczo?! Felcia by nie pozwoliła! Malutka kawka na biało i kawałek chleba z miodem lipowym albo wrzosowym pozwalają wytrzymać do śniadania! Spróbuj! A tobie wygodnie w takiej pozycji? To chyba wbrew prawu ciążenia?!

Kaśka zaczęła ostrożnie prostować tułów – zrobiła

krok do tyłu, potem zwrot w prawo i z promiennym uśmiechem wkroczyła do kuchni. Postawiła torbę na podłodze i bezceremonialnie podniosła jedną ręką stojącą przed mamą filiżankę, a drugą – przygotowany na jej talerzyku kawałek chleba z miodem. Zdumiona Anna zaniemówiła i tylko wodziła wzrokiem za filiżanką i swoją znikającą w ustach Kaśki kanapką.

– Naprawdę pychota! – pochwaliła Kaśka, mlaszcząc głośno.

– Kasiu, powiedziałam spróbuj, to znaczy zaparz sobie kawę i przygotuj kawałek chlebka, a nie częstuj się moim! – niby z wyrzutem odezwała się wreszcie Anna.

– Nie mam czasu, a poza tym myślałam...

– No dobrze, żartowałam!

– Pyszna taka kawka w środku nocy...

– Tak?! Teraz środek nocy, a przed chwilą co mi mówiłaś? –odezwała się nagle od drzwi Eliza, przerywając Kaśce w pół zdania.

Wyglądała dosyć dziwnie z kropelkami wody spływającymi z mokrej rudej czupryny i w częściowo przyklejonej do wilgotnego ciała bluzeczce. Kaśka na widok córki aż przysiadła z wrażenia na krześle.

– Elizka, pobiłaś rekord. To dopiero dwie i pół minuty! – odezwała się po chwili pomiędzy łykami kawy. – Tak się śpieszyłaś zobaczyć Igora? A ręcznika to już nie używasz?

– Minęło dokładnie pięć minut! Ale to też niezły wynik! – uśmiechnęła się Eliza. – Skoro ty pijesz kawę, to ja w takim razie napiję się lemoniady! – Wyciągnęła rękę w stronę stojącej na stole butelki.

– Tej nie rusz! To jest dla was na drogę! – odezwała się stanowczo Felicja. – Weź tamtą, zaczętą, co stoi na parapecie.

Eliza błyskawicznie wchłonęła kanapeczkę przygotowaną naprędce przez babcię i popiła lemoniadą.

– Mamuś, nie rozsiadaj się, przecież mówiłaś, że chłopcy czekają! – wycedziła napchaną jeszcze buzią, mrużąc oczy.

Potrząsnęła kilkakrotnie głową na boki. Kropelki wody pofrunęły na wszystkie strony. Kaśka zerwała się jak oparzona, przesłała w powietrzu buziaki mamie i Felicji, po czym ruszyła pędem w kierunku sieni. Eliza podążyła za nią galopem.

Przywitanie i upychanie bagaży trwało kilka chwil. Gdy Anna z Felicją dotarły do bramy, zobaczyły tylko kurz po oplu Krzysztofa, który po kilku minutach pędził już kaszubskimi drogami.

Eliza, zgodnie ze swoim planem, siedziała lekko nadęta; na razie jej się to udawało. Kaśka dla odmiany coraz bardziej promieniała i gadała jak najęta. Krzysztof nie mógł się na nią napatrzyć i co chwilę zwracał głowę w jej kierunku. Igor spoglądał na ojca z dezaprobatą i raz po raz kręcił głową.

– Tata, czer! – rzucił w pewnym momencie jakby od niechcenia w jego stronę.

Eliza spojrzała na niego, nie rozumiejąc, o co mu chodzi. Kaśka nawet na chwilę nie przerwała tokowania. Po tym, jak po raz kolejny przyłapał ojca na gestykulacji oburącz połączonej z gapieniem się na Kaśkę, Igor wreszcie nie wytrzymał:

– Tata, nie jedziesz sam! Trzymaj w rękach fajerę i patrz przed siebie! Tutaj wszędzie są blisko drzewa!

Ręce Krzysztofa posłusznie złapały kierownicę, a głowa zwróciła się w kierunku jazdy. Kaśka zamilkła i spoglądała niepewnie raz na Krzysztofa, raz na Elizę. Ta, gdy zorientowała się, jaki efekt na przednich siedzeniach wywołał okrzyk Igora, zapomniała o swoim nadęciu i zarżała głośno.

– Fajera! Dawno tego słowa nie słyszałam! A co to było za słowo, które wcześniej powiedziałeś ojcu? – zaśmiewając się, dopytywała Igora.

– Czer po kaszubsku znaczy tyle samo co fajera!

– Ładnie i krótko!

– Igor, czy musisz mnie tak straszyć? – Krzysztof, strzygąc od kilku chwil uszami, uznał, że może się nieco rozluźnić. Niepewnym wzrokiem przyglądał się synowi w lusterku wstecznym.

– Bo wiesz, Eliza, niektórym wydaje się czasem, że posiadają nadprzyrodzone umiejętności kierowania samochodem za pomocą myśli.

Zapadło nieprzyjemne milczenie. Igor siedział z przyklejonym do ust ironicznym uśmiechem i wzrokiem utkwionym w dłoniach ojca. Ten z przesadną uwagą omiatał teraz szosę wzrokiem, cicho pochrząkiwał i próbował ustawić coś w radio. Kaśka też ucichła i patrzyła w dal, jakby chciała wzmocnić wzrok Krzysztofa. Tylko Eliza bawiła się setnie i spoglądała po wszystkich z rozbawieniem.

– Masz rację, Igor! Będę się pilnował! – speszony Krzysztof wydukał wreszcie na zgodę. – A ten idiota co? Śmierci szuka? – nagle krzyknął i przyhamował.

Obok nich śmignął motocykl, aż zadzwoniły szyby. Gdy ich wyprzedził, lekko położył się w prawo, potem w lewo, a kierowca dalej gnał przyciśnięty do kierownicy.

– Ale fajny motor. To chyba suzuki – powiedziała Kaśka.

– Dobrze, że jest sucho – dorzucił Krzysztof, odprowadzając go wzrokiem. Wreszcie znalazł jakąś muzykę, z której był zadowolony.

– To Koszalin. Rano grają jeszcze spokojnie.

Z głośników płynął śpiew Bon Joviego w piosence *Bed of roses*.

– To jeden z niewielu zespołów, na koncert którego może bym się wybrała – odezwała się Kaśka po kilku chwilach wsłuchiwania się w piosenkę.

– Kasiu, ty na taki koncert? – zdziwił się Krzysztof.

– A czy ja to już jakaś niedołężna staruszka? Przez dwa sezony jeździłam z kierowcą, który na jego punkcie miał hopla. Nasłuchałam się, ale też polubiłam...

– Ale w domu chyba nic Bon Joviego nie mamy?! – ni to pytaniem, ni to stwierdzeniem przerwała jej Eliza.

– Nie mamy, bo widocznie ty go nie odkryłaś, a ja miałam go wystarczająco w czasie wyjazdów. W domu wystarczał mi Olfield, a jak miałam siłę i czas to Pink Floyd albo podobne klimaty.

– Tato! Zatrzymaj się, tam chyba zdarzył się jakiś wypadek! – krzyknął raptem Igor.

Przed wiaduktem, do którego się zbliżali, stał w poprzek drogi zielony polonez z otwartymi drzwiami. Krzysztof podjechał blisko i zatrzymał się na poboczu. Igor wyskoczył i popędził w jego stronę.

– Tato, stawiaj trójkąt i przynieś mi szybko moją walizkę! Ja dzwonię po karetkę, a ty w międzyczasie zadzwoń na policję! – zdążył jeszcze rzucić w kierunku ojca. – Nie ruszać się! – do opla dotarł jego kolejny krzyk, skierowany do siedzących w polonezie. – Eliza, za rowem leży motocyklista! Idź do niego i nie pozwól mu się ruszać!

Igor wydawał polecenia zdecydowanym głosem. Kaśka i Eliza spoglądały po sobie zdziwione, że to on tutaj dowodzi. Krzysztof po ustawieniu trójkąta wracał już biegiem do bagażnika, a po chwili z trudem wyciągał spod bagaży sporej wielkości walizkę z czerwonym krzyżem. Igor nachylał się do siedzących w polonezie i coś do nich mówił. Eliza podbiegła do motocyklisty i uklękła koło niego.

– Proszę się nie ruszać – odezwała się cicho, patrząc z przestrachem na zakrwawiony policzek i dziwnie podgiętą nogę. – Zaraz będzie pomoc – dodała.

Spojrzała przed siebie – kilka metrów dalej leżał w zbożu zielony pokiereszowany suzuki, który niedawno mijał ich w szalonym tempie. Motocyklista zamrugał oczami i jęknął.

– Co się dzieje? – wyszeptał.

– Cicho! – Eliza położyła zdecydowanym ruchem dłoń na jego kasku. – Już jedzie pogotowie. Mam na imię Eliza – dodała.

– Ale...

– Cicho i bez żadnego ruchu... Proszę! – dodała stanowczym tonem.

– Ale ty jesteś śliczna... ja jestem Rafał.

– Nie mów na razie nic – przerwała mu i spojrzała przez gogle w jego oczy. – Masz coś z lewą nogą i trochę krwi na policzku. Tylko się nie ruszaj! – syknęła głośniej, gdy zauważyła, że motocyklista próbuje ruszyć ręką.

Kurczę, rozwalił się, a jeszcze świruje. Co za facet!? – pomyślała z miłym dreszczem. Brakowało tylko, żeby jeszcze w rękę cmoknął. Obejrzała się w kierunku poloneza, przy którym kręcił się Igor i mama. Krzysztof właśnie docierał tam z apteczką.

– Tato! Tutaj raczej jest wszystko dobrze, chociaż panowie są bardzo wczorajsi – dotarł do niej głos Igora.

Krzysztof spojrzał na syna, który zaczerpnął głęboko powietrza, gdy wyciągnął wreszcie głowę z wnętrza samochodu.

– Trochę ich karki bolą, ale raczej wszystko będzie dobrze. Pani Kasiu, da pani radę trochę im obmyć czoła wodą utlenioną? Obaj je sobie pokiereszowali. I proszę im cały czas przypominać, aby nie wykonywali żadnego ruchu!

Igor klęczał już po chwili obok Elizy. Miał na sobie kamizelkę z czerwonym krzyżem, którą nie wiadomo kiedy założył. Otworzył małą apteczkę.

– Co mu jest? Rozmawia? – spytał półgłosem.

– Nie pozwalałam mu się ruszyć. – Eliza cały czas trzymała dłoń na zielonym kasku, podobnym do koloru motocykla. – Spójrz, ma coś z nogą, jest nienaturalnie wygięta.

Motocyklista zajęczał i otworzył oczy.

– Czuję mocny ból w kolanie – wystękał.

Igor trącił go delikatnie w łydkę.

– Poczułeś?

– Tak.

– Tylko żadnego ruchu. Nie będzie tak źle, ale ten sezon masz już z głowy. Spróbuj najdelikatniej jak możesz ruszyć palcami od rąk.

– Czuję je, ale prawy obojczyk boli jak diabli.

– Może tylko wywichnięty, chociaż patrząc na wystającą gulę, przypuszczam, że może być niestety nawet złamany. Dobrze, że masz skórzane spodnie i kurtkę, które cię dobrze zabezpieczyły. A spróbuj poruszyć palcami prawej nogi.

– Pracują, jest okej.

– Super! Nie zmieniaj na razie położenia kończyn. Boli głowa? Nie mdli cię?

– Wydaje mi się, że jest dobrze, chociaż Eliza mówiła, że mam jeszcze krew na policzku.

– To wy się znacie? – Igor zaskoczony spojrzał na Elizę.

– No, już od około trzech minut – uśmiechnęła się. – On ma na imię Rafał.

– Moim zdaniem, będzie już ponad cztery... ojojoj! – jęknął motocyklista.

– A w klatce piersiowej, w brzuchu, czujesz jakieś bóle?

– Wydaje mi się, że tam też jest wszystko dobrze... – Usiłował się poruszyć.

– Nie ruszaj się! – odezwali się prawie jednocześnie Eliza i Igor.

Od Chojnic słychać było zbliżającą się syrenę samochodu.

– No nareszcie! Jak myślicie, kto dotrze pierwszy? Policja czy pogotowie? – Igor podniósł głowę i spoglądał w kierunku wiaduktu. – Ho, ho! Straż pożarna. A to niespodzianka!

Mały czerwony pojazd ze strażakami zatrzymał się po drugiej stronie zielonego poloneza. Syrena ucichła, ale niebieskie koguty pozostały włączone. W oddali słychać było kolejną zbliżającą się syrenę.

Dwóch strażaków zbliżało się do poloneza.

– Wydaje mi się, że nie trzeba będzie ich wycinać – odezwał się do nich Igor.

– Jakie wycinać? Nie pozwolę! – huknął kierowca poloneza.

– Nie ruszać się! – wrzasnęła Kaśka.

– A kto by się tam was pytał!? – krzyknął też jeden ze strażaków. – Ale chyba rzeczywiście nie trzeba będzie wycinać, energia ich rozpiera. Wylezą sami!

– Uuups! Czy wam się tu rozbiła jakaś butelka alkoholu? – Drugi strażak odezwał się zza tylnego siedzenia.

– Nie, my ze szwagrem po imieninach... – odezwał się pasażer poloneza.

– Wczoraj to były poprawiny, a imieniny były w środę – poprawił go kierowca.

Lekarz i sanitariusz z wielką torbą zbliżali się do poloneza szybkim krokiem. Obaj wpatrywali się z zaciekawieniem w Igora, ubranego w kamizelkę z czerwonym krzyżem.

– Sytuacja opanowana, panie doktorze – ten odezwał się w ich kierunku. – Tym w polonezie raczej nic się nie stało, chociaż czoła mają porysowane.

– A pan to kto? – przerwał mu lekarz nieco zdziwionym tonem i omiótł go znowu wzrokiem.

– Jestem instruktorem ratownictwa drogowego z Kartuz. Podróżuję z rodziną i znaleźliśmy się tutaj przypadkiem. – Lekarz spojrzał uważniej na Igora; nachylił się nad kierowcą i delikatnie macał po obandażowanej głowie.

– Wydaje się, że samochód się nie zatrzymał, wyjeżdżając z polnej drogi, i zajechał drogę motocykliście. Ten próbował się ratować, ale nie starczyło mu już miejsca na wyhamowanie. Dlatego jest z nim gorzej – kontynuował Igor. – Kolano ma dziwnie wykręcone, rzepka raczej cała, ale więzadła chyba poszły. Czegoś takiego nie widziałem jeszcze... Wszyscy jednak byli zdyscyplinowani i nie ruszali się, pilnowaliśmy ich.

– Znakomicie... – ożywił się nieco lekarz, poświecił latarką w oczy kierowcy, zadał mu jakieś pytanie i przeszedł na drugą stronę samochodu, gdzie szybko powtórzył te same czynności.

– Bardzo dobrze pan ich zabezpieczył. Gratuluję i dziękuję! – Prostując się, zatrzymał wzrok na Igorze, nie kryjąc życzliwości. – Nasi bohaterowie – mrugnął do Igora – mogą teraz chwilę poczekać. A panowie to dopiero wstali od stołu? – rzucił w stronę przedwczorajszych imprezowiczów.

– E tam! – mruknął już prawie trzeźwy kierowca i machnął z rezygnacją ręką. – Mamy, Rychu, przechlapane – zwrócił się nagle do kompana. – Słyszysz? Błękitni jadą!

W powietrzu wibrowała syrena zbliżającego się policyjnego samochodu.

– Idźmy w takim razie zobaczyć, co słychać u motocyklisty!

Lekarz, a za nim Igor i pielęgniarz, ruszyli w kierunku pobocza.

– ...Obojczyk ma pewnie złamany – Igor kontynuował wcześniejszą relację. – Usztywniłem mu ramię. Kręgosłup i pozostałe kości ma chyba całe, ale wolałem go jednak więcej nie ruszać, to przez to kolano. On prawdopodobnie koziołkował, ale wewnętrznych obrażeń też raczej nie ma. Przytomność stracił na moment, jednak mdłości ani wymiotów nie miał.

– Jak się pan czuje? – spytał lekarz motocyklistę i uklęknął obok niego. Pielęgniarz wprawnymi ruchami otwierał olbrzymią walizę.

– Chyba na moment zemdlałem, ale potem zobaczyłem czerwonego anioła, znaczy ją, Elizę.

– To państwo się znacie? – spytał lekarz.

– No nie... my nadjechaliśmy tutaj już po wypadku... – jąkała się zaskoczona pytaniem Eliza. – No i wtedy się poznaliśmy...

– Coraz mniej z życia rozumiem. Wypadek jako okazja do zawierania znajomości... – Lekarz polecił motocykliście wodzić wzrokiem za palcem, a potem poświecił mu w oczy latarką. – Dobry kask. Z głową raczej wszystko dobrze, to był tylko lekki nokaut. Ale w szpitalu przebadamy dokładnie. Dobra robota, panie Zdziśku, co? Szykuj pan szyny –rzucił półgłosem lekarz, delikatnie obmacując lewe kolano motocyklisty. – Wszystko będzie dobrze, ale na ten rok koniec jazdy. Troszeczkę pana zaboli – zwrócił się do Rafała i delikatnie wyprostował mu nogę.

*

Minęli Chojnice. Drzewa migały z obu stron samochodu. Kaśka z Krzysztofem gruchali. Eliza przyglądała się Igorowi, starając się nie zdradzić miną, jakie myśli kołaczą jej się po głowie. Ten milczał z przyklejonym do ust uśmiechem, jakby bawił się jej rozterkami.

Taki ścichapęk, ale kurczę, szacun! Jest naprawdę niezły! Te bubki, których znam, to przy nim mdłe mięczaki i tylko jedno we łbach im siedzi! Jak zobaczą kawałek kolana, już nawet nie mówiąc o cycku, to ślina im cieknie aż do pasa. A ten? Mógł zrobić ze mną na cyplu wszystko, ale nie skorzystał z okazji! I jeszcze się na mnie obraził! Kurczę, taki Igorek z Kartuz...!

– Wiecie, że Igor jest nie tylko ratownikiem drogowym, ale także dyplomowanym koordynatorem ratowniczym?! – niespodziewanie głośniej odezwał się Krzysztof, zakłócając Elizie walkę z kłębiącymi się pod rudą czupryną myślami. – Widzę po twojej minie, że jesteś zdziwiona – spojrzał w lusterko wsteczne. – Gdy miejskie centrum kryzysowe ma zgłoszenie z dużego wypadku, często tam jedzie i bywa, że kieruje całą akcją! Do Gdańska go nawet ściągali! – nadymał się po ojcowsku.

– Jestem pod wrażeniem – wypowiedziały wbrew Elizie jej usta.

– Wiesz, córcia, nigdy wśród twoich kolegów nie widziałam kogoś o tak szerokich zainteresowaniach. Igor to taki... taki... anioł od św. Krzysztofa!

– Uuups! – uradował się Krzysztof.

– Mamo! – jęknęła Eliza i spiorunowała matkę wzrokiem.

– Krzysiu, z twoim imieniem to tylko przypadkowa zbieżność – roześmiała się Kaśka.

Jeszcze ta dodaje swoje trzy grosze! Czy nie widzi, że ja i tak się męczę? No bo cóż to za problem nauczyć się tego ratownictwa? Każdy przecież może... Chociaż z drugiej strony naprawdę jest w tym dobry. Eliza zmrużyła oczy i przysunęła się bliżej Igora.

– Za niecałe trzydzieści kilometrów będzie ładny zajazd nad jeziorkiem. Zatrzymamy się tam, zjemy i odpoczniemy z godzinkę. – Krzysztof postanowił przejąć dowodzenie.

– Zrobiłam się głodna i czuję tutaj jakieś szmery – jęknęła teatralnym głosem Eliza, gładząc się po brzuchu.

– Moje ruszta też domagają się czegoś – dorzucił rozbawiony jej słowami Igor.

– Jak to niewiele trzeba, żeby u tak wielu wywołać dobry humor – zadeklamował podniośle Krzysztof.

– Coś mi tu, tato, zapachniało Churchillem...

– Bingo, synu! Tak właśnie kombinowałem.

– Ale co ma zapach Churchilla do mojego głodu i naszego dobrego humoru? – zdziwiła się Eliza.

– „Never in the field of human conflict was so much owed by so many to so few" – zarecytował Krzysztof.

– Co znaczy w moim wolnym tłumaczeniu: „Nigdy tak wielu nie zawdzięczało tak wiele tak niewielu" – uzupełnił Igor.

– Bożesz, ale wy jesteście oryginały!

– Mamuś, oni obaj są trochę jak te, no, te angielskie... Monty Pythony!

– Nakryłaś nas, Eliza – z grobową miną i takimż głosem rzekł Igor. – Niestety, my tak już mamy. Prawda, tato?!

– Tak, to prawda, synu. Niektóre kartuziaki są tym niestety poważnie obciążone i to genetycznie.

*

Z tarasu zajazdu przy jeziorze Sępoleńskim rozpościerał się widok na skrzące się w słońcu jego płytkie wody i lasy za jeziorem. Cała czwórka zajadała z apetytem śniadanie.

– To po co właściwie, Krzysiu, jedziesz do naszego Poznania? – oblizując się, spytała Kaśka i spojrzała na niego zalotnie.

– Dostałem propozycję fuzji z pewnym biurem podróży, chociaż myślę, że właścicielowi bardziej chodzi o jego sprzedaż... – rozpoczął tajemniczo Krzysztof.

Kaśka słuchała jego słów z rosnącym zdumieniem. Szybko zorientowała się, że chodzi o jej firmę, a Krzysztof był umówiony z Piotrem. Czemu jednak Piotr nic mi nie powiedział? Coś się musiało stać, ale nic nie dał znać po sobie, myślała intensywnie. Chociaż ostatnio był naprawdę trochę dziwny.

Kłębiące się myśli nie pozwalały jej się skupić na słowach Krzysztofa. Patrzyła na niego, ale zupełnie go nie słyszała. Ten mówił i gestykulował, ona zaś zastanawiała się, co też Piotrowi mogło się nagle stać. Wreszcie zorientowała się, że Krzysztof skończył, że siedzi i patrzy na nią z triumfującym spojrzeniem i wyszczerzonymi w uśmiechu zębami. Milczała, nie wiedząc, co powiedzieć, jak zareagować.

– I co powiesz na to? – spytał po chwili.

– To znaczy na co? – Kaśka wcale nie musiała udawać zdziwionej.

– Jak to na co? Na to, że Kartuzy podbijają Poznań!

– Czy będziesz brał jeńców w niewolę, kaszubski rycerzu, czy ich od razu zabijesz? – spytała, ale zaraz się roześmiała, widząc w jego oczach zakłopotanie. – Mówiąc na poważnie, Krzysiu, z tego wszystkiego, co usłyszałam, wynika jeden problem. I to właśnie ja mam ten problem... – zawiesiła głos.

Teraz z kolei on się zdziwił. Eliza i Igor kręcili głowami, niczym widzowie na meczu tenisowym, raz w lewo, raz w prawo. Po ostatnich słowach Kaśki nie mogli się zdecydować, w którą stronę patrzeć. Wiadomym było, że Kaśka zaraz wróci do przerwanej kwestii, ale zdziwienie rysujące się na twarzy Krzysztofa też było godne rejestrowania. Wybawiła ich Kaśka, kontynuując wcześniejszą myśl.

– Czy wiesz, że ja tam właśnie pracuję? I właśnie z Piotrem, moim szefem, a jednocześnie dobrym przyjacielem, z którym masz rozmawiać, jadę załatwić bezpłatny urlop?

Zdumiony Krzysztof całym sobą odchylił się do tyłu, aż zachrzęściło oparcie wiklinowego fotela.

– Chyba razem tam nie pójdziemy, co? – dodała Kaśka.

Wpatrywali się w siebie intensywnie, a Eliza i Igor znowu nie wiedzieli, gdzie skierować swoje głowy i oczy.

Po kilku chwilach Kaśka z Krzysztofem jak na komendę oderwali plecy od foteli i nachylili się nad stolikiem. Tym razem wymieniali myśli przyciszonym głosem. Eliza i Igor po wymianie spojrzeń też nachylili się w kierunku stolika. Chcieli wszystko dobrze słyszeć. Szybko pomiędzy ich rodzicami zapadło uzgodnienie, że Kaśka pierwsza wpadnie do firmy i załatwi urlop, a Krzysztof pójdzie tam dopiero po jej wyjściu.

– Zrobimy tak na wszelki wypadek, bo nie wiadomo, czy Piotr nie jest czasem w kiepskim stanie psychicznym – powiedziała już nieco głośniej Kaśka. – Po rozmowie z tobą może już być całkiem nie do życia... – Znowu na moment zamyśliła się. – Znam go! – dodała z naciskiem.

– Dobrze. Ponieważ mamy na dzisiaj sporo spraw, a trochę czasu już nam uciekło, więc ruszajmy. – Krzysztof uniósł się z fotela. – Proponuję teraz już bez zatrzymywania się... Ewentualnie tylko na siusiu – dodał, widząc we wzroku Kaśki i Elizy niedowierzanie.

Raz słodko, raz gorzko

Dalsza podróż do Poznania mijała szybko i w dobrym nastroju. Gdy Kaśka zobaczyła pierwsze zabudowania miasta, zanuciła cicho: „Poznań, kochany Poznań, największa z twierdz harcerskich serc..." – a Eliza szybko dołączyła do niej pełnym głosem.

Śpiewając, bawiły się znakomicie. Mężczyźni przysłuchiwali się im zaskoczeni.

– Ślicznie i głośno śpiewacie – pochwalił Krzysztof, gdy zakończyły.

– Wszyscy poznańscy harcerze ślicznie i głośno śpiewają. Tak musi być! – odparła zadowolona Kaśka.

Rozmowy o harcerstwie zajęły im resztę drogi do Sołacza.

– Córcia, wy chyba obiad zjecie na mieście!? – ni to spytała, ni to stwierdziła Kaśka, gdy Eliza i Igor wysiadali pod domem.

– Damy radę, nie martw się. Masz swoje klucze? – Kaśka twierdząco skinęła głową. – Pędźcie więc już! – Eliza pomachała jej, a Krzysztof natychmiast ruszył w kierunku centrum.

– Na którą jesteś umówiony w tej rozgłośni... na piętnastą? – Eliza powtórzyła głośno, gdy usłyszała odpowiedź. – Czyli zrobimy tak. Pół godziny na prysznicowanie, potem drugie pół godziny tramwaj, obiadek przy Parku Wilsona też pół godziny i mała rezerwa na dojście do budynku rozgłośni – mądrowała się, otwierając drzwi. – A po co tam w ogóle idziesz?

– Chcę zobaczyć, jak mają zorganizowaną fonotekę i jak nią zarządzają. Poznałem faceta stąd na spotkaniu przedstawicieli rozgłośni regionalnych w Gdańsku i zaprosił mnie. Fajny dom – rzucił z podziwem, gdy weszli do holu. – Jaki tu dziwny, ale miły zapach!

– Tak pachnie historia – odparła, siląc się na powagę, Eliza i postawiła torbę na podłodze w holu. – To przedwojenny dom, więc pachnie historią. Tak mówił zawsze dziadek Mikołaj. Mój jedyny i najukochańszy dziadziuś... – westchnęła i pociągnęła nosem.

Igor spojrzał na nią z zaciekawieniem. Coś takiego pierwszy raz u niej dojrzał. Dotąd widział ciągle jakąś pozę, a teraz zobaczył nieoczekiwanie prawdziwe, nie maskowane wzruszenie.

– Eliza... – Dotknął jej ramienia.

– To był taki dobry człowiek – szepnęła i obróciwszy się w jego stronę, położyła mu rękę na dłoni. – Byliśmy przyjaciółmi i mieliśmy tyle cudownych planów... Wybrał łąki niebieskie, a obiecał... zielone safari... Tak go kochałam... Takie to było dla mnie straszne...

Igor przytulił ją. Po kilku chwilach odsunęła się nieco, więc mógł zobaczyć jej twarz. Miała przymknięte oczy, a spod powiek wypływały łzy. Zapragnął osuszyć je wargami. Pochylił się w jej kierunku, ale w ostatniej chwili powstrzymał. Stali w bezruchu. Czuł jej głęboki i ciepły oddech. Uspokajała się.

– Pokażę ci mój pokój. – Nagle błyskawicznie się odwróciła i jakby nigdy nic złapała go za rękę i pociągnęła za sobą przez hol. – Tak ciekawie pachnie u nas drewniany wystrój holu, poza tym biblioteka w moim pokoju. Zobaczysz tutaj i cedr kanadyjski, i kamforowiec, i wstawki z cynamonowca. Są także zdobienia i figurki z drewna tujowego, hebanu i mahoniu. Spójrz, jak to wszystko cudownie komponuje się kolorystycznie. I właśnie to drewno tak tutaj pachnie. To wszystko udoskonalone przez dziadka Mikołaja pomysły jego taty. Patrz, a to jest ich księgozbiór. – Stali przed biblioteką w pokoju Elizy.

Igor w żadnym prywatnym mieszkaniu nie widział tylu książek. Cudownie oprawione stały na półkach z ciemnego drewna od podłogi do sufitu, wzdłuż trzech ścian wielkiego pokoju. Przy oknie rozparło się sporej wielkości biurko z wygodnym krzesłem z oparciami na łokcie, niedaleko dwa wygodne fotele z małym stoliczkiem pomiędzy nimi, po drugiej stronie pokoju sofa.

– Jakie duże biurko – wskazał Igor.

– Duże to było biurko dziadka ze skrytkami, w których znalezione zostały listy od prababci. To natomiast jest po prostu wygodne i odpowiednie do tego pokoju. Nie chciałam tu poza tym nic zmieniać. Przez ostatni rok prawie stąd nie wychodziłam...

Igor zauważył, że Elizie znowu zaszkliły się oczy – przyciągnął ją do siebie i tym razem pocałował. Po chwili oplotła go ramionami za szyję i mocno przywarła ustami do jego warg. Całowała zapamiętale, a on tym razem nie przerywał i poddawał się temu. Czuł jej gorący język i prężące się, ocierające o niego ciało. Niespodziewanie przerwała pocałunki, podniosła oczy i uśmiechnęła się promiennie.

– Jesteś taki... taki... po prostu fajny! – wypaliła, śmiejąc się, jakby nie chciała albo nie mogła przypomnieć sobie innego określenia.

– Za to ty jesteś cudowna i zupełnie cię nie poznaję, ale taką chcę cię znać – uśmiechnął się czule. – Przepraszam, że wykorzystałem twoją chwilę słabości.

– Tak, właśnie takie czyny nazywa się wykorzystywaniem – roześmiała się. – Igor, ty porządny kartuziaku. – Pocałowała go jeszcze raz i oderwała usta z głośnym cmoknięciem. – Kąpiemy się! – zawołała radośnie. – Najpierw ty, potem ja, tam jest łazienka. Ręczniki weźmiesz sobie z półki – komenderowała rozpromieniona. – Ja teraz podleję kwiaty i będę czekać w ogrodzie. No, idź już... – Popchnęła go lekko w kierunku holu. Obróciła się na pięcie i popędziła do kuchni.

*

Kaśka czekała w samochodzie na sygnał od Krzysztofa. Rozpamiętywała krótką rozmowę z Piotrem. Miał dziwnie smutne oczy, mówił cicho i nieco nerwowo. Zgodził się bez dyskusji na jej urlop.

– Po twoim urlopie będzie już w firmie inaczej. Chcę ją wprowadzić w fuzję z inną firmą albo nawet sprzedać. Właśnie czekam na gościa... Przed chwilą dzwonił, że jest już na terenie Poznania... – Unikał jej wzroku.

Kaśka udawała przejętą, ale nie mogła się zmusić, żeby coś rozsądnego powiedzieć. Nie miała zresztą zamiaru niczego mu ułatwiać.

– Piotruś, ułoży się... – wydukała w końcu kompromisowo. Spojrzał na nią, uśmiechając się niewyraźnie.

– Na pewno postawię mu jeden warunek personalny – powiedział silniejszym głosem. – Musi ci dać gwarancję pracy na kilka lat. Będę z nim tę sprawę negocjował.

Pogładziła go po dłoni.

– Nie mogę się ostatnio skupić na interesach, bo mam poważne problemy rodzinne... – Ostatnie zdanie wypowiedział bardzo służbowo, jakby nie znała jego żony i ich prawdziwych problemów.

Otwarte drzwi samochodu zasysały ciepłe powietrze. Wolała jednak to, niż gdyby były zamknięte i musiała być włączona klimatyzacja. Przyglądała się z zadowoleniem swoim opalonym rękom i nogom. Piotr przez cały czas, gdy była w biurze, omiatał ją wzrokiem, ale głośno nic na temat opalenizny nie powiedział.

– Służą ci Kaszuby – rzucił tylko.

– No wiesz, gdyby nie mama...

– No tak – przerwał jej.

Zadzwoniła komórka. Krzysztof.

– I jak? – spytała krótko.

– Idę. Wszystko dobrze.

Nie obchodziło jej, czy będzie miała gwarancję pracy u Piotra. Teraz cieszyła się na bezpłatny urlop.

Do samochodu zbliżał się Krzysztof; sądząc po minie był zadowolony.

– Wiesz, że on skończył nasz uniwerek trzy lata przed nami? Chwilę pogadaliśmy o tamtych czasach... – przerwał, widząc zdziwienie w oczach Kaśki. – Kasiu! W wiadomej sprawie mieliśmy w zasadzie wszystko uzgodnione, ale on chciał jeszcze spotkać się ze mną *face to face*... – znowu przerwał, widząc w jej oczach rosnące zdziwienie. – To był warunek dalszych rozmów! Musiał ten casting wypaść pozytywnie, bo teraz zostało tylko podszlifowanie niektórych zapisów umowy i niedługo ją pod-pi-sze-my! – ostatnie słowo mocno zaakcentował. – Ale jest jeden problem – zawiesił głos i wykonał serię nieokreślonych gestów. Kaśka spoglądała na niego zaniepokojona. – Mogę tego nie doczekać, bo jestem głodny jak wilk! – wykrzyknął dramatycznie i pokazał wszystkie zęby w uśmiechu.

*

W samochodzie pachniało pizzą i dobrym humorem.

– Dlaczego tam nie chciałaś jej zjeść? – Krzysztof któryś raz z rzędu powtórzył to samo pytanie. – Wykończę się tym zapachem, zanim dojedziemy do ciebie.

– Nie histeryzuj! Bądź mężczyzną! – zaśmiewała się Kaśka.

Krzysztof na przemian mdlał z głodu i przewracał oczami.

– O, spójrz! Już dojeżdżamy. Zaraz zjemy ją na luzie, potem odpoczniemy, ogarniemy się, a wieczorem zrobimy sobie kolacyjne wychodne. Ja zapraszam! Spodoba ci się.

Jedli w kuchni, spoglądając na ogród.

– Ślicznie utrzymany. – Krzysztof wskazał w kierunku okna ręką uzbrojoną trójkątem pizzy.

– To wszystko dzieło mamy. Mówi, że dzięki takiemu treningowi ma potem siłę, żeby nas utrzymywać w ryzach – uśmiechnęła się, ale po chwili spoważniała. – Jest kochana i bez niej nie wiem, jak bym sobie dała radę z Elizą. – Opuściła głowę. – Ja mam przecież jeszcze problemy sama z sobą – dokończyła i zamknęła oczy.

– Kasiu, ale teraz wszystko idzie już w dobrym kierunku.

Krzysztof pocałował ją w ramię i pogłaskał po włosach. Spojrzała na niego z wdzięcznością. Musnęła ustami jego policzek, a on przyciągnął ją do siebie. Całowali się z zapamiętaniem. Po kilku jednak chwilach odchyliła się nagle do tyłu, przyglądając mu się z udawanym obrzydzeniem.

– Czy ty musisz wycierać we mnie usta i ręce wysmarowane ketchupem? Co jeszcze masz nim upaprane?! – spojrzała na niego, mrużąc zalotnie oczy.

– Musiałbym sobie wszystko dokładnie obejrzeć!

– Ty świntuchu! O czym teraz pomyślałeś?

– No, jeśli ja teraz myślę o tym samym, o czym ty pomyślałaś, że niby ja o tym pomyślałem – to chyba z nas dwojga ty jesteś większą świntuchą!

Znowu połączył ich długi pocałunek.

– Proponuję cień pod świerkami, ale najpierw prysznic, co ty na to?

– Tak zaraz po pizzy? – droczył się Krzysztof.

– Myślisz o cieniu czy prysznicu?

– O prysznicu, bo cień jest okej!

– A całować po pizzy można? Idź, a ja tu trochę ogarnę – Kaśka wstała, pomogła podnieść się Krzysztofowi, obróciła go wokół osi i lekko popchnęła w kierunku holu. – Idź już i zajmij dobre miejsce – dodała szeptem.

Krzysztof z niedowierzaniem spojrzał za siebie. Nie wiedział, jak zrozumieć ostatnie słowa, które zabrzmiały dwuznacznie.

– No, idź, idź – powtórzyła, wskazując ręką. Ruszył w kierunku łazienki.

Letnia woda przyjemnie masowała ciało. Krzysztof skonstatował, że tak dużej kabiny prysznicowej jeszcze nie widział. Spoglądał z uznaniem na pokryte białymi kafelkami trzy ściany i posadzkę. Skropił powtórnie włosy odrobiną szamponu. Piana spływała z włosów na oczy...

Nagle poczuł napływ nieco chłodniejszego powietrza i dotyk rąk na plecach. W kabinie pojawił się niespodziewany gość – Kaśka. Odwrócił głowę. Wyglądała zjawiskowo w czerwonym malutkim bikini. Stanęła bokiem i delikatnie odepchnęła go biodrem spod natrysku. Rozpuszczone, zmoczone włosy przylgnęły jej do ramion.

– Namydlisz mi plecy? – podała mu płyn do kąpieli.

Masował je długo, aż powstała obfita piana. Przesuwał dłonie w górę do ramion i w dół do bioder. Rozwiązał delikatnie sznureczki staniczka, a po chwili to samo zrobił ze sznureczkami fig. Nie broniła się. Sięgał dłońmi do przodu, wyczuwając kształtne piersi, a potem przesuwał dłonie coraz niżej, dotykając zgrabnego brzucha i jędrnych pośladków. Obróciła się przodem do niego. Szukała z zamkniętymi oczami jego ust. Woda spływała po obu złączonych w uścisku i pocałunku ciałach. Wyczuwał jej dłonie na całym swoim ciele. Gdy dotarła do podbrzusza, poczuł dreszcz rozkoszy. Po chwili uniósł ją w górę i delikatnie opuszczał w dół, aż stali się jednym ciałem. Zbliżył się do ściany, szukając oparcia dla jej pleców. Oboje wibrowali szybciej, coraz szybciej…

*

Słońce wisiało już nad Rusałką. Cień pod świerkami pachniał. Pachniała też kawa w małych filiżankach. Smakowała gorzka czekolada połamana w małe kwadraciki. Od czasu do czasu ciszę w ogrodzie zakłócał klakson samochodu albo hałas wydawany przez tramwaje.

– Niby centrum, a jakby za miastem… – Krzysztof rozglądał się wokół. – Fajna ta wasza łazienka – zmienił temat i uśmiechnął się.

– Nie myślałam, że pod prysznicem też można...

– Wszędzie można – zaśmiał się, przerywając jej. – Z tobą oczywiście. Jesteś cudowna... Taka sama cudowna jak dwadzieścia lat temu.

– Też wróciłam trochę w tamte czasy, ale niestety wiem, że dzisiaj jest dzisiaj, a w życiu mam jak mam... – posmutniała.

– No tak, ale choćby dzisiaj możesz o tym nie myśleć.

– Dzisiaj mogę. A jutro, i w następne dni?

– Dlatego właśnie chcę coś wreszcie zmienić w swoim i twoim życiu. Po to ruszyłem się z interesami poza Kartuzy. Poczekaj trochę, daj mi szansę.

– Nie musisz mi nic obiecywać ani niczego deklarować. Masz rację, spędźmy weekend na luzie i bez trudnych rozmów.

*

– Lubię tutaj przyjeżdżać, bo dla mieszczuchów to za daleko i dzięki temu nie ma obawy, że spotka się jakichś znajomych. Śliczny widok na Maltę, muzyka z klimatem – perorowała dumna ze swojego wyboru Kaśka, gdy zaparkowali przed zajazdem.

Krzysztof taksował wzrokiem parterowy lokal o drewnianej konstrukcji, szutrowy podjazd, ludowy wystrój najbliższego otoczenia.

Okazało się, że Kaśka miała zarezerwowany trzyosobowy stolik przy oknie.

– Tutaj najczęściej siadam, znam szefa i niektórych kelnerów. Podobnie jak ty na Kaszubach.

Krzysztof spoglądał na trzecie puste krzesło.

– Nie, nikogo więcej z nami nie będzie – uspokoiła

go. – Na tym stole jest po prostu więcej miejsca. – Boże! – jęknęła po chwili – a to co?

W stronę pustego stolika tuż koło nich zbliżał się Piotr z jakimś mężczyzną. Gdy był już blisko, ich oczy spotkały się. Stanął jak wryty.

– To wy... wy jesteście razem? – spytał nieswoim głosem.

Kaśka zerwała się z krzesła. Czar wieczoru prysnął w jednej chwili.

– Piotr! To nie tak jak myślisz!

– A skąd ty wiesz, co i jak myślę?

Stali naprzeciw siebie i mimo mroku widać było, że obojgu krew napłynęła do twarzy. Oddychali głęboko, patrząc sobie twardo w oczy. Krzysztof postanowił na moment zostawić ich samych. Podszedł szybkim krokiem do kelnera, a po dobrych kilku chwilach wrócił do stolika. Trwała tam nerwowa wymiana zdań w tonie pełnym pretensji. Postanowił jakoś zareagować.

– Bardzo przepraszam, ale ja tu jestem najbardziej winny – przerwał ich rozmowę, zwracając się do Piotra. – Spotkaliśmy się oboje w Kartuzach przypadkiem, po dwudziestu latach... – zawiesił głos.

Piotr patrzył na niego, jakby miał ochotę rzucić się zaraz z pięściami. Otwierał już usta, żeby coś powiedzieć, ale Krzysztof go ubiegł.

– Na początku studiów byliśmy parą...

– Krzysiu, proszę, nie... – powiedziała cicho Kaśka. Spojrzał na nią i skinął głową.

– Dzisiaj dopiero w połowie drogi do Poznania powiedziałem Kasi, po co i do kogo jadę. Obydwoje byliśmy w szoku, ale stało się. Nic, zupełnie nic wcześniej nie wiedziała, a cała ta sytuacja to nieprawdopodobny zbieg okoliczności. Oddzwonię do ciebie po powrocie. Jeszcze raz przepraszam za wyrządzoną przykrość – stanowczym ruchem pociągnął Kaśkę w kierunku wyjścia.

Wsiedli do auta w milczeniu. Nad Poznaniem zapadała ciemność. Ulice prowadzące w kierunku centrum oświetlały światła latarni.

– Kasiu, przepraszam.

– Nic teraz nie mów – poprosiła łamiącym się głosem. Mimo ciemności dostrzegł oczy błyszczące od łez.

– Pojedź w stronę Starego Rynku.

Oddychała głęboko.

Przypatrywał się jej z boku, nie mając nawet odwagi dotknąć jej ręki.

– Byłam z Piotrem w związku-nie-związku od śmierci ojca Elizy. Nie potrafiłam, nie chciałam i nie potrzebowałam tego zmieniać – mówiła już opanowanym głosem. – Miałam małe wymagania wobec siebie, więc w zupełności to mi wystarczało. Sądzę niestety, że to ja, w jakiejś mierze, przyczyniłam się do jego kłopotów z żoną... – zamilkła. – Gdy spotkaliśmy się w Kartuzach, doznałam olśnienia. Na twój widok też – uśmiechnęła się i złapała go za rękę. – Te pierwsze kilka dni w Parchowie, gdy nie musiałam myśleć, jak zorganizować wycieczkę, co u Elizy, co u mamy w domu, mogłam poświęcić na inne przemyślenia. O sobie i swoim życiu! Zrozumiałam, że ono mi uciekało przez te wszystkie lata, a jestem przecież wciąż młoda, a świat jest piękny! Dopiero w Kartuzach zrozumiałam, że ciągle nie mam swojego mężczyzny, takiego prawdziwego, tylko tego jedynego. Dotarło do mnie, że z własnej winy przestałam też rozumieć i matkę, i córkę, że się od nich coraz bardziej oddalam. A one są takie kochane... – Zaszkliły jej się oczy.

Krzysztof gładził cierpliwie jej dłoń. Uspokajała się. Teraz poczuł, że na niego kolej.

– Wiesz, Kasiu, a ja musiałem na początku sam jeździć ze swoimi wycieczkami i rzadko bywałem w domu. Przez to też coraz bardziej oddalałem się od żony. Ona tu na miejscu miała rodzinę, przyjaciół. Nauczyła się organizować sobie życie beze mnie. Chyba kogoś miała, ale ja nawet nie próbowałem tego sprawdzać. Sam nie byłem święty. – Uderzyła go lekko w dłoń. – Potem, gdy firma się rozrastała, nie musiałem już wyjeżdżać, ale chciałem, bo polubiłem te eskapady. Wynajdywałem coraz to inne trasy, miejsca, żeby samemu coś ciekawego zobaczyć. Latem brałem na dwa albo trzy wyjazdy Igora, żeby i on coś zobaczył. Zuzanna też trochę jeździła, jednak uznała, że to są za duże wydatki, i wreszcie zrezygnowała. Jasne, że to kosztowało, ale to był tylko wykręt. Igor od matury zrezygnował całkowicie z naszych wyjazdów – widzisz, jaki jest samodzielny, a mnie z kolei już coraz mniej się chce. Nawet sporządniałem... – zaśmiał się i zaraz znowu poczuł klapsa.

– Ty niedobry... – pogroziła mu Kaśka. – Wiesz co! Puściło mi trochę. Wejdźmy tutaj. – Stali przed otwartymi drzwiami pubu, skąd dochodziły głośne rozmowy i muzyka. – Tu jest zawsze fajny klimat, no i widzę trochę wolnych miejsc.

– Tutaj jeszcze nigdy nie byłem. No i szefem nie jest żaden z moich przyjaciół. – Roześmiali się oboje.

Ona sączyła firebirda, on pił małą kawę z kieliszkiem likieru Irish Mist.

– Wiesz, od czasu do czasu myślę o twojej propozycji współpracy.

– Noo! – Z wrażenia poprawił się na krześle. – I jak o tym myślisz?

– Mogłabym, to znaczy moglibyśmy razem pracować...

– Super! Może wreszcie by się nam ułożyło!

– Krzysiu, spójrz prawdzie w oczy. Jeśli przez tyle lat niczego w swoim życiu nie zmieniłeś, nie zdecydowałeś się na zmiany, to teraz pod wpływem impulsu wynikającego z naszego spotkania... Tylko dlatego, że spotkaliśmy się... – zaczynała drugi raz podobną myśl i znowu jej nie kończyła.

– Ale to właśnie ty jesteś prawdziwym powodem, dla którego...

– Ja już nie chcę być żadnym powodem czegokolwiek, co może komukolwiek zrobić przykrość. Mało ci było dzisiaj?

– Przez te wszystkie lata wegetowałem, a teraz dzięki tobie otwiera się dla mnie, dla nas szansa...

– Krzysiu! Przecież na stałe nie możemy być razem, bo ty masz formalnie żonę. A ja już nie mam zamiaru się ukrywać – spojrzała na niego przeszywająco. – Spójrz tylko, jakie z tego powstają kłopoty. Mało ci było dzisiaj? – powtórzyła wcześniejsze pytanie. – Zostawmy więc już te smętne tematy i lepiej postaw jeszcze jednego firebirda swojej dziewczynie. Chyba nie chcesz, żeby wróciła do domu w złym humorze?!

– A to musisz się napić, żeby mieć dobry humor?

– Nie! Po prostu trochę mi ulżyło, bo wygadałam się – ty zresztą chyba też. Warto to więc uczcić!

Gdy wrócili do domu, Kasia pozwoliła Krzysztofowi tylko na delikatne karesy. Była trochę rozkojarzona i potrzebowała jeszcze sporo sobie przemyśleć.

– Wiesz, w każdej chwili dzieci mogą wrócić do domu – wyszeptała. Pocałowali się. Po kilku chwilach lekko go odepchnęła i wstała.

– Ty zostajesz tutaj, a ja idę obok do pokoju mamy. Śpij dobrze...

Gwiazda wieczoru

Eliza lubiła Park Wilsona ze względu na jego nazwę – pachniała jej dalekim, pięknym światem. Lubiła go też dlatego, że można było przyglądać się kolorowemu ptactwu pływającemu po stawie. Lubiła przenosić się z ławki na ławkę, uciekając przed słońcem. Kiedyś często tak robiła z koleżankami, czyniąc przy tym sporo zamieszania.

– A czemu ty tak biegłeś, Igorku? – spytała z nutą lekkiej ironii, kiedy stanął obok niej.

– Śpieszyłem się do ciebie. Pewnie jesteś zła. Jak długo mnie nie było? – Zdyszany spojrzał na zegarek.

– E tam! Nawet całej „Rozrywki" nie rozwiązałam!

– Dobra jesteś! – Igor przysiadł na ławce i przeglądał rozwiązane przez nią krzyżówki.

– Chyba nie będziesz sprawdzał, czy dobre hasła powpisywałam?

– Ale tutaj masz jeszcze...

– Chyba cię pogięło! Jesteśmy w Poznaniu, a nie w pustelni kartuskiej, i coś nam się należy lepszego niż rozwiązywanie krzyżówek.

– No, ale dzisiaj tyle było wrażeń, że może trochę odpoczniemy?! A co u rodziców słychać?

– A skąd mam wiedzieć? Odpoczniemy sobie w Parchowie albo w Kartuzach. Dzisiaj czekają nas wino i śpiew! No i koniecznie taniec! To ja tutaj imprezkę załatwiam, a ten zamiast dziękować i po rękach całować, jeszcze narzeka.

Igor rzucił się teatralnie do całowania rąk Elizy.

– Przestań mi tutaj robić przy ludziach obciach! – krzyknęła, co sprawiło, że kilka osób rzeczywiście zaczęło przyglądać się im z zaciekawieniem. – Widzisz, co narobiłeś?

– To dlatego, że wrzasnęłaś!

– Mamusiu! Ratuj! – znowu wrzasnęła.

Kilka kolejnych głów zwróciło się w ich kierunku.

– Zobacz, co narobiłaś! Ktoś już nawet wezwał policję konną! – W ich kierunku zbliżało się ulicą dwóch jeźdźców na koniach.

Eliza roześmiała się i cmoknęła go w policzek.

– Ledwie przyjechałeś do Poznania i już udało ci się ich zobaczyć. Ja tylko raz ich widziałam w Golęcinie, chociaż oddział powstał rok temu.

– No dobra, to co robimy? Oglądamy konie, rozwiązujemy krzyżówki czy?...

– Oczywiście, że to ostatnie! – roześmiała się. – Tutaj niedaleko dobrze i tanio karmią. Po jedzeniu w tramwaj i na imprezę. Moja paczka stęskniona za mną będzie czekać gdzieś na Placu Wolności. Tam zdecydujemy, dokąd pójść.

Gdy mijali Arkadię, Eliza nerwowymi ruchami poczęła pocierać swoją piąstką o wnętrze jego dłoni. Igor zorientował się szybko, o co chodzi. Po chwili trzymał jej dłoń w swojej. Kolorowa grupka osób machała do nich z daleka. Jedni stali, inni siedzieli na murkach okalających trawniczki albo kwiatowe rabatki.

Całuski z dziewczynami i piątki przybijane z chłopakami na powitanie. Wszyscy, nie kryjąc zaciekawienia, przyglądali się Igorowi.

– Gdzieś takie ciacho znalazła? – teatralnym szeptem spytała szczupła blondyneczka.

– Cicho, Zuzka! – zdążyła odszepnąć Eliza i natychmiast poczuła na sobie wzrok Igora. – Widzisz! – klepnęła blondyneczkę w ramię. – Słuchajcie! – odezwała się głośniej. – To jest Igor.

– Jam to jest! Eliza powiedziała prawdę! – wszedł jej w słowo i wyszczerzył zęby w uśmiechu. – A do tego Kaszub z Kartuz! – spojrzał po wszystkich. – No i studiuję na trzecim roku politechniki w Gdańsku.

Po kolei wykrzykiwali swoje imiona, a on zwracał każdorazowo głowę w kierunku głosu.

– No, ale jak się poznaliście? – próbowała dowiedzieć się wysoka czarnula z wpiętym w brwi niewielkim kolczykiem, zdobnym w krwisty kamyk.

– Oj, byłoby co opowiadać... – dźwięcznie roześmiała się Eliza i spojrzała na Igora. – Może o tym potem, a teraz, Oskarku, powiedz, co robimy – zwróciła się do rudego dredziarza.

– Są takie opcje: albo Dragon, albo?... – zawahał się, a Igor natychmiast wszedł mu w słowo.

– No, mnie w zasadzie już przekonałeś! – wyszczerzył się, a towarzystwo znowu gruchnęło śmiechem. Lody zostały przełamane.

– ...albo coś innego w pobliżu Starego Rynku! – dokończył swoją myśl Oskar, z trudnością tłumiąc śmiech. – Wiesz, w Dragonie jest większa sala... Ale jakby tam przypadkiem było niefajnie, to zawsze można spróbować jeszcze gdzieś na Taczaka, albo jak mówiłem gdzie indziej, ale bliżej Starego Rynku! – Oskar pokazał ręką najpierw przed siebie, co wypadło akurat na rząd budynków wzdłuż Placu Wolności, a potem w kierunku określonym przez niego dla Starego Rynku. – No bo w dół zawsze łatwiej! – dodał z uśmiechem, do którego czarująco zaangażował wszystkie swoje piegi.

Towarzystwo hałaśliwie ruszyło w drogę. Tłoku w klubie zbytniego nie było. Jedni na początek zaserwowali sobie piwo, inni coca-colę, ktoś zamówił lekkiego drinka, zaś Igor – sok pomarańczowy. Muzyka zapraszała do tańca. Większość natychmiast ruszyła na parkiet podrygiwać w jej takt. Igor pozostał na miejscu i przyglądał się niedawnym maturzystom – dziś już studentom. Dosiadł się do niego Oskar.

– Nie bujasz się?

Igor dopiero po chwili zrozumiał, że Oskarowi chodzi o taniec.

– Za szybkie toto – wyjaśnił. – Poczekam na coś bardziej ludzkiego. – Drobnymi łyczkami sączył sok, przyglądając się tańczącemu towarzystwu. – Zawsze tu przychodzicie?

– Jakby tu powiedzieć... – Zaskoczony dredziarz kręcił głową i przewracał oczami. – W takiej grupie to w sumie kilka razy i to dopiero w maturalnej! – postanowił wyjawić całą prawdę. – Może ktoś tu przychodził wcześniej sam, ale... ale wątpię – dokończył i łyknął piwo.

Potem zaczął nagle potrząsać dredami, ramionami, a po chwili zsunął się z fotela i w takim rozdygotaniu ruszył na parkiet.

Szybkie „toto" – jak nazwał poprzednią muzykę Igor – zmieniło się w milsze dla jego uszu reggae. Od czasu do czasu ktoś z towarzystwa podchodził do stolika, pociągał łyk swojego napoju i wracał na parkiet. Igor przyglądał się rozbawionej Elizie, która wyróżniała się wśród tańczących zarówno kolorem włosów, jak i ekspresją. Znowu zmiana rytmu. Tym razem soul. Poznał głos Arethy Franklin. Teraz ruchy Elizy stały się stonowane, prawie wężowe. Widać było, że muzyka i parkiet są jej pasją i na każdy rytm ma jakąś swoją receptę – odmienny repertuar ruchów, kroczków, piruetów. Pomachała w jego kierunku. Przesłał jej uśmiech i podniósł dłoń. Wykonała gest zapraszający na parkiet.

– Eliza cię zaprasza – rzuciła pomiędzy łykami Zuzka, która na moment pojawiła się przy stole. Przyglądała się Igorowi z filuternym uśmiechem znad szklanki.

– Wiesz... – usiłował coś powiedzieć.

– Tak?... – spojrzała na niego przenikliwie, podniosła brwi w górę i przyssała się do słomki. – Widzę, że moja przyjaciółka znowu zaprasza cię do siebie i chciałabym wiedzieć, co zrobisz. – Poruszyła na przemian brwiami i uśmiechnęła się.

Igor spojrzał na Zuzę, a potem na parkiet. Eliza wykonywała w rytm muzyki kocio-wężowe ruchy i zapraszała go, uginając palec wskazujący. Nie miał wyjścia. Ruszył w jej stronę. Starał się podrygiwać podobnie jak inni, ale nie czuł się w tej roli najlepiej, zwłaszcza że nagle znalazł się z Elizą w środku kółeczka utworzonego przez jej przyjaciół.

Schwycił ją za rękę i przyciągnął do siebie w dynamicznym rockandrollowym obrocie. Wybrał taniec – dreptanie w miejscu blisko siebie. Zobaczył jej zdziwiony wzrok, ale przywarła do niego. Oparła głowę o jego tors. Spoglądała w wolnym rytmie soulowym na swoich przyjaciół. Czuła, że szczególnie Zuza i Jolka jej zazdroszczą. Mrużąc oczy, potrząsała w rytm muzyki swoją kasztanoworudą czuprynką. Po chwili większość koleżeństwa połączyła się w pary, podobnie jak oni. Igor wytrzymał na parkiecie jeszcze jeden, tym razem rytmiczny kawałek, w którym Eliza cudownie wokół niego falowała. Była w swoim żywiole. Jemu pozostało tylko lekko podrygiwać i obracać się wokół osi. Gdy skończył się taniec, postanowił wrócić do stolika. Zobaczył lekki zawód w jej oczach, więc delikatnie pogłaskał ją po policzku. Uśmiechnęła się promiennie, jakby dając mu przyzwolenie. Oba gesty nie uszły uwadze jej przyjaciół.

– Super ten twój Igor! – pisnęła jej Zuza do ucha.

– Mój Igor?... Ach, Igor! – wykrzyknęła, udając, że nie zrozumiała początkowo pytania.

– Zazdroszczę ci go! – Zuza pisnęła w obrocie. – Fajnie razem wyglądacie. Fajnie tańczy, zupełnie inaczej niż nasi.

Eliza spoglądała to na Igora siedzącego przy stole, uśmiechającego się do niej od czasu do czasu, to na swoich licealnych kolegów. Widziała różnice – wszystkie na jego korzyść. Nawet w tańcu prawie wzbudził zachwyt. Pamiętała dancing we Wdzydzach i miała nieodparte wrażenie, że dla niego ta dzisiejsza zabawa także jest dosyć męcząca. Poświęcał się dla niej. Postanowiła trochę odpocząć i jakoś go dowartościować. Gdy ruszyła w jego stronę, pozostali jakby tylko na to czekali.

– Wiecie! Dzisiaj mieliśmy zdarzenie na trasie... To znaczy był wypadek i Igor kierował całą akcją ratowniczą – rzuciła niby od niechcenia, gdy wszyscy usadowili się przy stole.

Zaskoczenie było absolutne. Zapadło pełne oczekiwania milczenie.

– To znaczy... jak to kierował? – wyjąkał Oskar i z emocji zaczął rozplątywać dredy.

Igor czuł, że wzrok wbity w niego przez siedzących wokół lada chwila przeszyje go na wylot. Spojrzał na Elizę. Widział, że rozpiera ją duma.

– On jest dyplomowanym ratownikiem drogowym – dopowiedziała z emfazą i oparła się o siedzenie z triumfującą miną.

– Co? Jak? Igor, opowiedz! Nie daj się prosić!

Poprawił się na krześle, zmarszczył czoło, palce jego prawej dłoni wykonały widowiskowy marsz po stole w kierunku dłoni Elizy, zakończony efektownym połączeniem się obu. Eliza promieniała.

– Cztery lata temu był straszny wypadek pod Kartuzami... – rozpoczął z namysłem. – Dwóch braci zginęło, trzy inne osoby zostały ciężko ranne. Znalazłem się tam przypadkiem. Szybko zatrzymało się z obu stron kilkanaście samochodów. Ludzie wychodzili na szosę i przyglądali się z pewnej odległości w bezruchu i milczeniu. Po prostu stali i patrzyli. Ja też nie wiedziałem, co robić, jednak podbiegliśmy z kolegą do rozbitych samochodów... – zamilkł i spojrzał na didżeja, który zapowiadał coś, przekrzykując muzykę.

Siedzący przy stoliku wpatrywali się w Igora z napięciem. Nikomu nie przeszkadzała grająca muzyka. Eliza nie spodziewała się takiej opowieści, ale teraz nie chciała już czegokolwiek zmieniać.

– Zauważyłem wtedy, że mimo takiej masy ludzi, tylko dwie osoby wiedziały mniej więcej, jak się w tej sytuacji zachować. Coś tam z kolegą pod ich kierunkiem robiliśmy. Była krew, jęki, ale nie straciłem zimnej krwi. – Głowy z otwartymi ustami kręciły się z niedowierzaniem. – Sam się sobie dziwiłem... Dobrze, że dosyć szybko przyjechało pogotowie, potem straż i policja. – Podniósł szklankę do ust. – Później długo myślałem o tym wypadku... – zamyślił się. – Miałem już ukończony kurs ratownictwa wodnego, ale to są zupełnie nieporównywalne sprawy. Postanowiłem pójść na kurs ratownictwa drogowego tam u siebie, a po jakimś czasie zacząłem go w miejskiej organizacji.

– Jesteś wielki! – wykrzyknęła Zuza. – Igor Wielki z Kartuz! – dodała radośnie i spoglądała na boki zadowolona ze swoich słów.

– Fakt. Zuza ma rację! – Obie dłonie Oskara z wyprostowanymi kciukami pojawiły się nad stołem. Potrząsał nimi przez chwilę. – A czy jeszcze jakieś kursy robiłeś i gdzie są takie... no wiesz, takie trochę lepsze? – dopytywał się, wyraźnie wkręcony w opowieść Igora.

– Pojechałem potem na kurs do Miedzianej Góry koło Kielc. Tam był pierwszy w kraju ośrodek szkoleniowy ratownictwa drogowego z prawdziwego zdarzenia. Ukończyłem szkolenie i od ponad dwóch lat teraz ja mogę szkolić innych. Trochę w tym wszystkim przeszkadzają mi tylko studia – zaśmiał się.

– Zaliczyliśmy z Zygą – dredziarz wskazał ruchem głowy rzadko odzywającego się bruneta, na którym wisiała Jolka – szkołę przetrwania i tam poznaliśmy takiego jak ty instruktora, a potem też byliśmy na podobnym kursie.

– Aha! – przemówił Zyga. – Z tym, że mnie interesuje praca z psem ratownikiem. Będę miał takiego psa, ojciec powiedział, że za niego zapłaci.

– A ja teraz chodzę na kurs ratownictwa WOPR – krzyknęła Zuza. – Nie dało się zrobić kariery pływackiej, to chociaż będę ratować.

Dyskusja na tematy ratownictwa dopiero teraz rozgorzała na dobre. Szybko okazało się, że ratownictwem pod różnymi postaciami zajmowała się większość przyjaciół Elizy. To tylko ja jestem taka nieużyteczna ćućwa, pomyślała sobie. Tylko ja nie zajmowałam się takimi sprawami! Że też nikt mi wcześniej o czymś takim nie powiedział! –

Eliza była w szoku, że nieopatrznie wywołany temat stał się motywem wiodącym tego wieczoru.

Zabrzmiał dźwięk fanfar. DJ czasami używał tego sygnału, gdy miał ogłosić coś ważnego dla przebiegu imprezy.

– Moi drodzy! Wiecie, że życzenia czytam wyłącznie w soboty, ale na dzisiaj wyjątkowo zmieniam ten obyczaj, bo i sytuacja jest nadzwyczajna. Mamy tu na imprezie bohaterskiego ratownika drogowego z Kaszub – Igora! – Rozległa się mieszanina gwizdów, braw i buczenia. – Cicho! Tak tu mam napisane na kartce. Bawi się w towarzystwie dziewczyny z najbardziej ognistą czupryną w Polsce – znowu hałas. – Cicho! Tak tu jest napisane. O, zobaczcie! To tam! – skierował reflektor na ich stolik. – A ten obok niej to pewnie Igor, nasz bohater! – Znowu zabrzmiały fanfary, głośne brawa i gwizdy uznania. – A teraz już dedykacja:

Ratuj ludzkie dusze, ratuj,
ile tylko siły masz,
dla Elizy nie szczędź czasu,
bohaterze z Kaszub nasz!

Rozległy się oklaski i gwizdy.

– Poproszono mnie, żebym sam wybrał stosowny kawałek dla tej sympatycznej pary. Zdecydowałem, że najlepszy będzie jakiś utwór z tekstem po polsku – żebyście mogli sobie wszyscy trochę poryczeć ze zrozumieniem! – W odpowiedzi rozległy się znowu głośne gwizdy; podniósł rękę, uciszając salę. – A ponieważ przyszła mi na myśl piosenka wesoła, wakacyjna i z odpowiednim tytułem, więc już daję czadu. Moi drodzy: *Monika*... przepraszam... *Eliza, dziewczyna ratownika*!

Droga do domu mimo spaceru nie dłużyła im się. Eliza ciągle potrzebowała sprawdzać, jak silne są ramiona Igora oraz gdzie są i jak smakują jego usta. On poddawał się tym próbom, ułatwiał Elizie poszukiwania, a nawet sam w nich aktywnie uczestniczył. Było ciepło, spokojnie, a oni wytrwale zwalniali tempo marszu – o ile można było całe to bliskie już świtowi mizianie nazwać jeszcze marszem. Początkowy spacer z niewielkimi przystankami przerodził się w jeden wielki przystanek, przerywany od czasu do czasu kilkoma krokami w kierunku domu. Sołacz ich przywitał jaśniejącym niebem nad Cytadelą, a dom spokojnym oddechem Kaśki i Krzysztofa.

Igor usiłował zasnąć, ale jego oczy ciągle nie chciały się zamknąć. Błądził więc wzrokiem po bibliotece dziadka Elizy, licząc w coraz bardziej zanikającej szarości tomy na poszczególnych półkach. Nasłuchiwał ptaków w sołackich ogrodach. W tle ich treli i kwileń pojawiał się z rzadka szum przemykającego ulicą samochodu. Usłyszał jeszcze stukot kół na szynach.

Pociąg? Tutaj? – zdziwił się. Aha, to tramwaj, skonstatował resztką sił i odpłynął w objęcia Morfeusza.

Eliza, przemykając kilkanaście minut wcześniej przez hol na piętrze, zajrzała przez uchylone drzwi do sypialni mamy. Ciche pochrapywanie dobywające się stamtąd zupełnie nie kojarzyło jej się z mamą. Wyostrzyła wzrok. Krótko ostrzyżona głowa i ciemna od zarostu twarz. Krzysztof! Zajrzała z kolei przez uchylone drzwi do pokoju babci. Mama spała spokojnie, leżąc na wznak, głęboko oddychając, z odkrytą lewą nogą. O! To tak wykombinowała ze spaniem, spryciula! No, może tak i lepiej! – wpatrywała się w nią z czułością. Kaśka poruszyła się i otworzyła lekko oczy.

Eliza nie zdążyła się cofnąć. Ich wzrok spotkał się na chwilę. Mama uśmiechnęła się w jej kierunku, delikatnie pomachała dłonią i znowu zamknęła oczy.

Kilka susów i Eliza była w łóżku. Wyprężyła się jak kotka. Podobał jej się dzień, który minął, a w szczególności wieczór. Kokosiła się na wszystkie strony, chcąc znaleźć jak najlepszą pozycję do snu, ale ten jakoś nie chciał jej wziąć we władanie. Igor idolem i bohaterem wieczoru! Taki kartuziak! – w myślach kręciła głową z niedowierzaniem i podziwem. No i jak całuje!

*

Krzysztof na leżaku przy gazonie przeglądał gazety, Kaśka przemieszczała się pomiędzy nim a schodami w rzadko spotykanym skowronkowym humorze. Eliza przyglądała się temu obrazkowi z nieskrywaną przyjemnością, stojąc w drzwiach kuchennych na szczycie schodów.

– Co tak świrujesz, córcia? Słyszę, co myślisz!

Eliza znieruchomiała po usłyszeniu tych słów.

– Odlotowo, mała, wyglądasz! – Krzysztof pomachał w jej kierunku zza gazety.

Spojrzała na siebie. Musiała rzeczywiście odlotowo wyglądać z jedną z króciutkich nogawek wciśniętą głęboko w pachwinę i rozpiętymi prawie do pasa guziczkami bluzeczki. Ogarnęła się dwoma ruchami, odmachnęła uśmiechniętemu Krzysztofowi i przysiadła na schodkach. To było od zawsze jej ulubione letnie miejsce, żeby troszkę podojrzewać po nocy.

– A Igorio gdzie? – rzuciła, lecz Kaśka tylko się uśmiechnęła.

– Stoję za tobą, Heloizo! – usłyszała po chwili głos. Jego cudownie całuśne usta przemówiły, uśmiechnęła się do własnych myśli.

– Głodnam, mamuś! – jęknęła Elizka, spoglądając w kierunku gazonu wzrokiem wyrażającym ten stan.

– Bardziej nabiałowo-pomidorowo czy jakoś tak owocowo? – spłynęło na nią nieoczekiwanie kolejne pytanie Igora.

Krzysztof z wrażenia odłożył gazetę, a Kaśka opadła na leżak. Oboje spoglądali na schody jak widzowie w teatrze na scenę.

– Igorio! Czy będzie problemem mieszanka tego, co zaproponowałeś?

– Żadnego, Heloizo! A gdzież to podać, ach gdzież?

– Zjem, Igorio, na moim balkonie, tuż przy śliwkowym gaju!

– Już bieżę przygotować dla ciebie te rarytasy, Heloizo. Oczekuj mnie tedy lada chwila! – Igor odwrócił się i zniknął w kuchni.

Kaśka, a za nią Krzysztof, nieoczekiwanie zaczęli klaskać. Eliza spojrzała na nich zdziwiona, zaskoczony zaś Igor cofnął się i spoglądał przez ramię w kierunku rodziców.

– Scena balkonowa w Weronie to pryszcz, prawda, Krzysiu?

Coś musiało się pomiędzy nimi... pomyślała Kaśka i aż przymrużyła oczy.

– Popatrz, jakie głód wyzwala w młodych talenta aktorskie! – powiedziała.

– Igorio! Za pięć minut wracam! – Eliza krzyknęła niespodziewanie w kierunku całego Sołacza, poderwała się ze schodów i zniknęła w domu.

Gdy pojawiła się znowu po kilku minutach kolorowa, wypachniona i jeszcze bardziej radosna, czekało na nią na szerokich schodach prawdziwe przyjęcie. Z drugiej strony schodów siedział dumny z siebie Igor. Eliza czuła na sobie wzrok całej trójki, ale nie przeszkadzało jej to zupełnie. Śniadanie smakowało jak rzadko kiedy. Gdy zaspokoiła pierwszy głód, rzuciła od niechcenia w kierunku mamy:

– A co u babci?

– Wyrwała się wczoraj z Felcią do Bytowa, a potem ruszyła do Kartuz...

– Ale z niej powsinoga, no, no.

– Szukała jakiejś komórki Czerwonego Krzyża, a przy okazji zakupki zrobiła po swojemu. Wiesz, że ona tak lubi, sama. Powiedziała, że ten wyjazd ją wzmocnił. A Felcia tak była zachwycona wyprawą, że od porannej kawy nic tylko o tym gada.

– No to fajnie mają.

– Cieszę się, że mama trochę się uspokoiła.

Poznaj Poznań

– I postaraj się tam być krócej niż wczoraj! – krzyknęła Eliza za oddalającym się Igorem.

Na wszelki wypadek kupiła sobie nowe krzyżówki. Nie mogła się jednak skupić na zgadywaniu haseł. Byle dźwięk – blisko czy daleko, wszystko ją dzisiaj rozpraszało. Chmurki płynęły z wolna po niebie, łabędzie i kaczuszki po stawie, ale jej myśli szybowały wysoko jak skowronki. Ucieszyła się więc, gdy tym razem Igor nie kazał na siebie długo czekać.

– Już wracasz? Pysznie! – rzuciła radośnie do słuchawki.

Obserwowała, jak zbliża się sprężystym krokiem. Polubiła jego chód. Stanął obok ławki i podał jej dłoń. Wstając, wsparła się delikatnie na jego ramieniu. Malutkie kropelki potu perliły mu się na czole. Otarła je chusteczką. Podziękował roześmianymi oczami.

– Teraz pokażę ci mój Poznań. – Przymknęła oczy. – Mój to znaczy ten, który najbardziej kocham – ostatnie słowa powiedziała nadspodziewanie cicho. Spojrzał na nią zdziwiony, skinął głową, a po chwili wykonał szeroki ruch ręką w powietrzu. – Nie! Nie cały Poznań! – zaprzeczyła. – To będą tylko wybrane miejsca w śródmieściu, w których najbardziej czuję duszę mojego miasta.

Podjechali tramwajem do Kaponiery. Przeszli na jej drugą stronę.

– To jest filharmonia, a to są krzyże upamiętniające Poznański Czerwiec. To są krzyże babci – jej głos lekko się załamał.

Złapał ją za rękę. Chciał coś powiedzieć, ale powstrzymała go mocnym uściskiem dłoni. Stali w milczeniu.

– A tamten budynek za fontanną? – Wskazał po chwili.

– Opera. Tam zawsze babcia pracowała. Kiedy byłam dzieckiem i szliśmy do niej na jakiś spektakl albo tutaj na koncert – wskazała na filharmonię – to było dla mnie wielkie święto. Czułam, że wchodzę na jakąś górę, no wiesz... – zamilkła, bo nie była pewna, czy rozumie, ale on pokiwał głową. – To było jak pobyt w świątyni...

Przygarnął ją delikatnie i pocałował w policzek.

– Śliczne to miejsce. – Wykonał ręką gest obejmujący filharmonię, pomnik, park, fontannę i operę, po czym delikatnie dotknął policzka Elizy, który przed chwilą pocałował. Uśmiechnęła się, mrużąc oczy. – I to miejsce też – dotknął drugiego policzka. – I to miejsce też – nachylił się i pocałował ją delikatnie w usta.

– Potrafisz słuchać i pięknie reagujesz – powiedziała cicho.

– Bo cudownie opowiadasz.

– To jest Zamek Wilhelma Drugiego – zwróciła się w kierunku olbrzymiego kamiennego kompleksu z ogromniastą wieżą z zegarem; Igor uniósł brwi. – Kiedyś nazywano go pałacem kultury, teraz to centrum kultury, ale my w domu mówimy na niego niezmiennie po prostu Zamek – uzupełniła.

Opowiedziała mu pobieżnie jego historię. Wspomniała, że w jednej z sal Zamku była jako dziecko na pierwszej w życiu zabawie karnawałowej.

– Moim partnerem w tańcu otwierającym bal był chłopiec przebrany za kominiarza. Babcia powiedziała mi wtedy, że to dobra wróżba na całe życie – uśmiechnęła się.

– A jak ty byłaś przebrana?

– Za dobrą wróżkę. Podobałam się sobie. Błękitna długa sukienka w małe złote gwiazdki, a na głowie stożkowa tiara obszyta takim samym materiałem jak sukienka, z doszytym białym welonem.

– Na pewno słodko wyglądałaś – uśmiechnął się Igor.

– Zapamiętałam ten bal i może dlatego lubię ciągle tu bywać – skinęła głową w kierunku Zamku. Skierowali kroki w kierunku Fredry, mijając po drodze Collegium Maius i zabytkowy neogotycki kościół pod wezwaniem Najświętszego Zbawiciela.

– Tutaj przychodziliśmy z dziadkami na msze w Święta Bożego Narodzenia pośpiewać kolędy. – Wskazała ręką drzwi kościoła. – Zawsze na to czekałam.

Eliza wskazywała to w lewo, to w prawo, pokazując ważne gmachy i dołączając stosowny komentarz. Mówiła krótko i zwięźle, ale zawsze celnie.

– Okrąglak, kiedyś to był mój najulubieńszy dom towarowy. Taki z duszą. Zakupy w nim to też było święto. Osiem pięter, windy, na piętrach chodziło się dookoła, co chwila jakiś inny asortyment towarów. Jako dziecko wychodziłam stąd zawsze ubrana na nowo od stóp do głów – zaśmiała się. – Teraz już tutaj nie przychodzimy, ale ciągle lubię ten budynek. A to jest Teatr Polski. Spójrz na napis u góry.

– Naród sobie… – przeczytał.

– Mieszkańcy Poznania zbudowali go sobie pod zaborem pruskim, z własnych składek. W środku jest piękna sala. Zawsze bardzo lubiłam tutaj przychodzić na spektakle. A tutaj przychodziłam do Empiku – wskazała na mijany budynek Arkadii. – Spędziłam tu kiedyś trzy godziny wagarów.

– Ty, kujonie? – zaśmiał się niedowierzająco.

– Miałam wtedy dłuższy okres chandry po śmierci dziadka… trochę wagarowałam. Tak w ogóle to dobrze się uczyłam, ale nie musiałam kuć… Jakoś tak samo wchodziło.

– Tutaj wczoraj byliśmy – zauważył.

– Już rozpoznajesz.

– A tam czekała na nas twoja paczka. – Wskazał na znane mu już miejsce na Placu Wolności; potwierdziła skinięciem głowy.

– Fronton tamtego budynku wzorowany jest na Luwrze, to jest Biblioteka Raczyńskich. Podobno pierwotnie był to kolor miodowo-pomarańczowy, a teraz jest… taki nijaki – zaśmiała się. – Biblioteka to był pomysł hrabiego Edwarda zrealizowany za jego pieniądze.

– O tym się uczyłem…

– Po prawej stronie Muzeum Narodowe. Pierwszy raz byłam tutaj kiedyś po strasznej grypie w połowie podstawówki. Wyrywałam się na dwór, do koleżanek, ale nie pozwalano mi. I dziadek wymyślił wyjazd – spacer. Przyjechaliśmy Żabą, niedaleko stąd zaparkował, kawałek przeszliśmy się, bo musiałam się wreszcie trochę poruszać, potem dwie godziny zwiedzania. Ładnie i ciekawie opowiadał… – przymknęła oczy. – Tam też byłam potem na wagarach… – Jej twarz się rozjaśniła.

– To widzę, że większość tych budynków kojarzy ci się z wagarami.

– Najpierw przychodziłam do nich z dziadkiem, a potem wybierałam je na wagary. Proste... – zmrużyła oczy. – Jeśli wytrzymasz jeszcze trochę, to na Starym Rynku zjemy pyszne lody.

– Aha! To tam, gdzie zlatuje się w dół?! – wskazał przed siebie. Roześmieli się oboje.

– A to jest Hotel Bazar. Tutaj z okna w grudniu tysiąc dziewięćset osiemnastego roku przemawiał Paderewski, a potem wybuchło Powstanie Wielkopolskie. Jedyne udane w historii Polski. Tacy właśnie my jesteśmy! Poznaniacy! – spojrzała na niego zadziornie, a on poczochrał ją po rudej czuprynie.

Zrobiła swojej piąstce gniazdko w jego dłoni, a on zrozumiał, że chce, żeby ją trzymać tak jak wczoraj. Trzymał więc tę wiercącą się piąstkę w swojej dłoni i czuł, że dzięki temu wstąpiła w nią jakaś dodatkowa energia.

Igor już drugi dzień był zaskakiwany przez Elizę różnymi gestami, zachowaniami. Pokazywała nieznaną mu dotąd twarz. Przed chwilą również. Gdy choć na chwilę zrzucała maskę pozerstwa, natychmiast widział w niej wielkie pokłady wrażliwości, subtelność, czułość i delikatność.

Szli Paderewskiego w dół. Pokazała mu jeszcze pozostałości zamku króla Przemysła II i opowiedziała historię Ludgardy, jego żony, którą ponoć sam udusił.

– Łobuz! – wykrzyknął Igor.

– To jest Odwach, a tam Pałac Działyńskich – wskazała, kiedy dotarli do Starego Rynku. – Budynki wewnątrz rynku, łącznie z ratuszem, to w większości oddziały Muzeum Narodowego. – O każdym z nich miała coś ciekawego do powiedzenia. – Tam jest muzeum instrumentów muzycznych. To pręgierz, to studzienka Bamberki, a tam fontanna Prozerpiny – co chwilę padała jakaś nazwa i nowy komentarz.

– Nie zmęczyłaś się jeszcze, Elizka? – spytał i przyciągnął ją do siebie.

– Dobrze mi się z tobą łazi. Oprócz tego mogę mówić, co chcę, a ty nie przerywasz! – roześmiała się. Zakrył jej roześmiane usta swoimi.

Śmiała się i paplała dalej.

– Tam zaprosisz mnie na lody – wskazała.

– Jak tak można pokazywać paluchem!

– U siebie w domu mogę sobie na to pozwolić. Co innego na wyjeździe, tam musi być pełen Wersal! – zaśmiewała się.

Siedli pod parasolem. Gdzieś blisko zadzwonił telefon. Eliza najpierw rozejrzała się wokół, a potem spojrzała na torebkę. Machnęła ręką.

Szybko na stoliku przed nimi pojawiły się lody i zimna woda w oszronionej szklaneczce.

– Dlaczego chciałaś właśnie tutaj usiąść?

– A bo tutaj jeszcze nie byłam – zripostowała wesoło.

Zdziwił się.

– Testuję z koleżankami wszystkie te miejsca po kolei – odwróciła się i pokazywała kawiarenki i ogródki wzdłuż innych ścian rynku. – Na razie jeszcze nikt nie oblał takiego testu. Najważniejsza ocena zawsze dotyczy toalety – roześmiała się. – Idę na kontrolę.

Igor spoglądał na renesansową bryłę ratusza, omiatał wzrokiem ściany frontowe kamienic, przyglądał się spacerującym ludziom, zapełnionym ogródkom kawiarnianym. Wydało mu się, że jest gołębiem fruwającym to tu, to tam – wysoko.

– A ty? – Eliza już wróciła do stolika, zaskakując go pytaniem. Wylądował ostrożnie, żeby nie zauważyła, że był nieobecny, i popatrzył na nią z zakłopotaniem.

– No, do toalety!

– Aha! Dziękuję. To znaczy tak – lecę. A jak wypadła lustracja?

– Trzymają klasę! – Podniosła kciuk do góry.

Po kilku minutach kontynuowali spacer. Zbliżyli się do kolejnego narożnika rynku. Uwagę Igora przykuła elewacja kościoła stojącego na końcu uliczki, ale Eliza zatrzymała się właśnie pod bliższym gmachem.

– To jest szkoła baletowa! Babcia od czasu do czasu przyjeżdżała tu akompaniować uczennicom przed próbami, gdy miały tańczyć w spektaklu operowym.

Gdzieś blisko zadzwonił telefon.

– To chyba jednak mój – mrugnęła. – Ups! Mama! – Zerknąwszy na wyświetlacz, nacisnęła klawisz. – No, hej!... Przez przypadek ściszyłam... na Starym Rynku... za ile?... potrzebujemy co najmniej kwadransa... może na Placu Kolegiackim?... ale chciałam jeszcze Igorowi katedrę pokazać... okej! Za dwadzieścia minut! Pa!

Igor przyglądał się na przemian to elewacji kościoła, to Elizie. Kolorowa, w króciutkiej spódniczce, rozemocjonowana, prezentowała się szałowo.

– To jest fara! Mój ulubiony poznański kościół. Ta postać na frontonie to święty Ignacy Loyola.

Zbliżali się do kościoła wolnym krokiem. Wnętrze przywitało ich miłym chłodem. Dawno nie widział tak pięknego wnętrza. Eliza kontynuowała opowieść, pokazując mu spiralne kolumny, ołtarze, malowidła, obrazy i polichromie na sklepieniu nawy.

– Spójrz na te aniołki przy chórze. – Odwróciła się w kierunku wyjścia. – W czasie gry organów one się poruszają. Od dziecka to lubiłam. Och, zapomniałam, że teraz organy są w remoncie! – Na balkonie rozmawiali jacyś mężczyźni, którzy po chwili zniknęli. – Nie posłuchamy ich dzisiaj – zmarkotniała. – W soboty o tej porze jest zwykle koncert.

W tym momencie organy nieoczekiwanie się odezwały. Wibrujące dźwięki piszczałek o wysokich i niskich tonach, solo i w akordach wypełniły wnętrze świątyni.

Eliza z wrażenia opadła na ławkę, pociągając za sobą Igora.

– Wiesz, co to jest? – I nie czekając na odpowiedź, wyszeptała: – Bach. Toccata i fuga d-moll. Tylko pomyślałam, a oni zagrali. – Rozpromieniona wpatrywała się w Igora.

– Nie myślałem, że znasz się i na takiej muzyce?

– Słuchaj, a nie gadaj! – szepnęła rozkazująco.

Kilka chwil siedziała spokojnie. Potem zaczęła się kręcić, spoglądając to na boki, to na sufit, to na organy. Nagle organy zamilkły. Mężczyźni znowu stali przy balustradzie balkonu, cicho rozmawiając.

Odezwał się cichy dzwonek telefonu. Eliza spojrzała na wyświetlacz.

– Mama… – szepnęła. – Pokażę ci jeszcze tylko jedną kaplicę i pędzimy.

Wyszli z wąskiej uliczki na zalany słońcem plac okolony budynkami w kolorystyce podobnej do kościoła.

– To Plac Kolegiacki. O! Tam są nasi. – Pokazała na Krzysztofa stojącego przy samochodzie w głębi placu. – Spójrz jeszcze na chwilę w prawo – dorzuciła, wskazując na stojące w głębi zabudowania o podobnej elewacji jak okalające plac. – Tam było kiedyś, po wojnie, największe poznańskie przedszkole, a teraz to urząd miasta.

– Nie możemy was trzymać drugi dzień bez obiadu – odezwała się Kaśka, gdy samochód ruszył. – Tym bardziej, że Krzysio zaprasza – roześmiała się.

– Ty poznańska pyro! – wyszczerzył się.

– Teraz w lewo, a potem w prawo i prosto! – zakomenderowała Eliza.

– Ale... – Kaśka próbowała oponować.

– Mamo, to jakby być w Rzymie i nie zobaczyć...

– Jak mus to mus! – Krzysztof skręcił w prawo zgodnie z dyspozycją Elizy.

– Już widać katedrę! – Eliza wychyliła się, pokazując Igorowi palcem jej wieże, górujące pośród innych zabudowań. – To Ostrów Tumski! Dziadek mówił, że tu po prostu trzeba od czasu do czasu bywać!

– No tak. I jeszcze do tego dziadek! Ona na punkcie niektórych miejsc w Poznaniu ma całkiem hopla... – Kaśka kręciła głową.

– ....i jest wspaniałą przewodniczką. A jak opowiada! – komplementował Igor.

– E tam! – broniła się Eliza.

– Po kimś ma te zdolności – kontynuował poważnym tonem Igor.

– No, synu. Ostro dajesz czadu! Komplementy i dla matki, i dla córki – odezwał się Krzysztof, a zadowolona Kaśka klepnęła go w dłoń trzymającą kierownicę.

Wysiedli na tyłach katedry.

– Dawno tu nie byłam... – Kaśka przyglądała się zegarowi na wieży.

– A ja byłam w przeddzień wyjazdu z Poznania, kiedy mnie katowałaś swoim uporem!

– Eliza!

– A co, nie tak było?

– Dziecko, idź się pomódl, bo grzeszysz!

– Tobie, mamuś, też się przyda. Tylko nie rób tego za głośno, bo Krzysztof się przerazi, gdy usłyszy, jaka jesteś naprawdę! – roześmiała się, puściła oko do Krzysztofa i złapała Igora za rękę. Ruszyli żwawo w kierunku olbrzymich drzwi wejściowych.

Gotyckie, ceglane wnętrze katedry, w porównaniu z barokowym, pełnym finezji wnętrzem fary cechowała na pierwszy rzut oka surowość. Wystrój czynił ją jednak świątynią, w której chciało się przebywać. Złocisty ołtarz z otwartymi skrzydłami, kolorowe witraże w oknach prezbiterium, stalle z ciemnego drewna, olbrzymia piastowska flaga spływająca na ołtarz, proporce wiszące po bokach nawy głównej, ambona zdobiona złotymi i białymi sztukateriami, podkreślały piękno świątyni, nadawały jej wyraz powagi i dostojeństwa, jednocześnie nie onieśmielając.

– Piękny ołtarz. – Igor przyglądał mu się z zainteresowaniem. – Przypomina mi trochę ten z kościoła Mariackiego w Krakowie.

– Chyba będzie ślub! Zobacz, jak tu wszystko ślicznie udekorowane! – Eliza zachwyciła się głośno białymi kokardami przy ławkach i na fotelach. Zrobiła kilka kroków wzdłuż ławek.

Igor przyglądał jej się zaskoczony. Czegoś takiego się po niej nie spodziewał. Gdy wróciła, kontynuowała opowiadania dotyczące historii katedry. Przemierzali nawy boczne, przyglądając się kolejnym kaplicom. Przy każdej wygłaszała krótki komentarz. Znaleźli się wreszcie w łuku za ołtarzem głównym.

– A to jest Złota Kaplica. Spoczywają tutaj Mieszko Pierwszy i Bolesław Chrobry – Eliza, szepcząc, wskazywała grobowce przez kratę. Igor przyglądał się w skupieniu wnętrzu kaplicy i posągom pierwszych Piastów.

Wracali przez plac katedralny wolnym krokiem.

– Pokazałam ci mój Poznań. I jak ci się podoba? – spytała, wypowiadając z naciskiem słowa.

Zaskoczyła go. Zastanawiał się, co odpowiedzieć, a ona przynaglała go, potrząsając za rękę.

– No?! – zmrużyła oczy.

– Wiesz, najczęściej, gdy mowa o Poznaniu, pokazywane są tereny targowe, czasami Stary Rynek, koziołki, z rzadka katedra i zabudowa wokół Placu Wolności... – zawahał się. – Zastanawia mnie to...

– Czyli co?

– Obowiązuje chyba jakiś dziwny stereotyp dotyczący pokazywania naszych dużych miast. Tak chyba uczą dziennikarzy... wykuwają to jak wiersze, czy co? Na przykład: Kraków to Wawel, Skałka, Sukiennice, Kościół Mariacki, Łódź to miasto włókienniczo-robotnicze, miasto kobiet, Gdańsk – stocznie, strajki, „Solidarność"...

– Bingo! – przerwała mu. – I to mnie zawsze wkurza. Przecież wszystkie miasta mają własną historię, architekturę, duszę, no i poza tym wyróżniają się czymś jeszcze. I trzeba o wszystkim mówić...

– A co wy tak sobie mądrze gadacie? – Kaśka stała przy otwartych drzwiach samochodu. – Już z daleka was słychać, mądrale.

– Co, nie mamy racji? – spytała Eliza, moszcząc się na siedzeniu.

– Macie, macie! – Kaśka śmiała się. – A żołądki wam czegoś nie przypomniały czasem?

– Jakie żołądki, mamuś? – odpowiedziała pytaniem na pytanie Eliza, po czym wykrzyknęła: – Jasne! Obiadek. Głodna jestem. To już jest tak późno? – Spojrzała na zegar na wieży.

– No, przecież chciałaś jeszcze być i tutaj. Pojedziemy... – zmieniła temat. – No właśnie, gdzie?

– Tam, dokąd was zawiozę! – Krzysztof przerwał Kaśce z tajemniczą miną.

Gdy po kilkunastu minutach zaparkowali przed „Magnolią", Kaśka spojrzała na Krzysztofa z podziwem i radością. Tutaj bywali czasami za życia taty całą rodziną, gdy było coś wyjątkowego do uczczenia. Lubiła te wspólne uroczyste obiady z rodzicami i Elizą, i wspominała je z rozrzewnieniem. Nie spodziewała się, że dzisiaj właśnie tutaj się znajdzie, tym bardziej, że Krzysztof, celowo czy przypadkowo, dziwnie kluczył po mieście, aż trochę się nawet pogubiła.

Kelner poprowadził ich do wykwintnie nakrytego stolika na ocienionym tarasie restauracji.

– Dlaczego wybrałeś „Magnolię"? – spytała, gdy kelner zostawił ich samych.

– Dzięki twoim opowieściom... Mam dobrą pamięć, co?

Podziękowała skinieniem głowy i uścisnęła jego dłoń. Eliza i Igor spojrzeli po sobie i zaczęli dziobać widelcami po przystawkach.

– Kasiu – odezwał się poważnym tonem Krzysztof, podnosząc kieliszek z aperitifem. Spojrzał na nią błyszczącym wzrokiem, omiótł nim Elizę i Igora i zatrzymał ponownie na niej. – Proponuję ci... – zawiesił na chwilę głos – pracę i to od zaraz... – znowu zawiesił na chwilę głos – ...w charakterze mojego zastępcy oraz mianuję jednocześnie szefem biura w Kartuzach!

– Ależ Krzysiu... – tylko tyle dała radę z siebie wydusić.

Widelce Elizy i Igora nagle ucichły i zawisły w powietrzu.

– Będę kierował rozrastającą się firmą stąd, z Poznania, a tam potrzebuję kogoś, na kim mogę polegać. I tym kimś jesteś właśnie ty! – uzupełnił Krzysztof. – Więc jak, zgadzasz się? – wpatrywał się w nią zawzięcie.

Kaśka, ociągając się, zaczęła powoli unosić kieliszek, ale na jej twarzy ciągle widać było zaskoczenie.

– Czyli?... – naciskał Krzysztof.

– Krzysiu... – nachyliła się w jego stronę. – Biorę! – krzyknęła i parsknęła śmiechem.

Wszystkie kieliszki spotkały się w powietrzu. Kaśce z wrażenia i wzruszenia zaszkliły się oczy. Krzysztof, chcąc trochę spuścić powietrza z zaistniałej sytuacji, pocałował ją w rękę, a po chwili uzupełnił soczystym całusem w usta. Nie broniła się.

– Super! – pisnęła Eliza.

– Co super? – Kaśka i Krzysztof jak na komendę odwrócili głowy w jej stronę.

– No, wszystko! I praca mamy w Kartuzach, i jedzonko, i knajpa...

– Eliza ma rację! – Igor postanowił wzmocnić jej przekaz swoją opinią. – Wszystko jest tu ... – zatoczył ręką z kieliszkiem łuk ponad stołem – ... rzeczywiście fajne. W ogóle w Poznaniu jest super! Prawda, ojciec? – Spoglądał na niego, zadowolony z wygłoszonej opinii.

Po tych słowach Eliza zmrużyła oczy i zaczęła mu się badawczo przyglądać, zaś Kaśka uczyniła podobnie, spoglądając na Krzysztofa. Na kilka chwil przy stoliku zapadła cisza.

– Kasiu, mam tylko jeden warunek – przerwał ciszę Krzysztof, ale natychmiast zawiesił głos. Wpatrywał się w nagle zdziwioną twarz Kaśki. Z coraz większym trudem utrzymywał powagę. – Od chwili podpisania umowy zgadzasz się tylko na dwa tygodnie urlopu! Ostatecznie to ja jestem właścicielem! – dokończył i uśmiechnął się od ucha do ucha.

Kaśka chciała coś powiedzieć, ale zupełnie nie wiedziała co. Przez głowę przelatywały jej różne myśli, słowa, podziękowania. Miała zupełnie sparaliżowane organy generowania mowy i sterowania nią.

– Super, mamo! Będziemy blisko siebie. A jak babcia się ucieszy! – usłyszała słowa rozradowanej Elizy i zaraz poczuła jej całusy na swoim policzku.

– Gratuluję, tato! – zarejestrowała jak zwykle oszczędny komentarz Igora, po którym obaj panowie uścisnęli sobie dłonie.

Po chwili dojrzała, że również Eliza i Igor, nie wiedzieć czemu, padają sobie w ramiona, kończąc uścisk – tak jej się przynajmniej wydawało – soczystym całusem. Kręciła się na krześle, unosiła się, żeby wstać, i natychmiast znowu opadała na siedzenie, chciała coś powiedzieć, wygłosić jakąś mowę dziękczynną. Musiała mieć dziwną minę, bo widziała, że wszyscy jej się dziwnie przyglądają.

– Wiecie co? – przerwał tę scenę Krzysztof. – Zjedzmy teraz spokojnie obiad, a resztę radości wyrzucimy z siebie na Sołaczu.

*

– Jadę do domu na dalszy ciąg rodzinnej imprezki – Eliza śmiała się, rozmawiając przez telefon. – Zuza, dlaczego wczoraj mi nic nie powiedziałaś?... – zirytowała się. – O której się zaczyna?... ale dziewiętnasta to już zaraz! Gdzie?... no jasne, że pamiętam, Słoneczna. Dobra, czekajcie, okej!

– Co się dzieje, córcia?

– Jolka ma urodziny, a ja tego nie przepuszczę.

– Ale chcieliśmy przecież pojechać na zakupy, a potem zrobić wspólną kolację i pogadać...

– Mamuś, my z Igorem jesteśmy już najedzeni i wszystko wiemy, prawda, Igor?

Ten na wszelki wypadek, widząc lekkie mrugnięcie, powiedział zdecydowanie:

– Aha!

– Ale może chcielibyście się przebrać albo w ogóle ogarnąć...

– Jeśli byliśmy tak ubrani na ta-kiej im-pre-zie – podkreśliła mocno ostatnie słowa – to na urodziny Jolki też to wystarczy, co, Igorku?

– Aha! – Igor nie widział sensu dyskutować o ubiorach, tym bardziej że w słowach Elizy wyczuwał jakiś plan.

– To gdzie was podrzucić? – roztropnie spytał Krzysztof.

– Róg Grunwaldzkiej i Słonecznej.

Eliza obserwowała mamę. Wcale nie wyglądała na zmartwioną faktem, że jej córcia dokądś się urywa.

*

Potrafi się znaleźć! Eliza przyglądała się z podziwem Igorowi, który na ogrodowej imprezie Jolki szybko znajdował język z nowo poznawanymi osobami. Nie był typem człowieka chcącego narzucić swój styl, ale jednak wytwarzał wokół siebie tak przyjazną aurę, że wszyscy garnęli się do niego. Cholera, jakieś magnesy ma w kieszeniach, czy co?

– Teraz już wiem, dlaczego nie miałem u ciebie

szans! – rzucił do niej Zbynio, dawny adorator, a Eliza oniemiała z wrażenia.

Całkowicie zaś zdębiała, kiedy dodał:

– Igor zaprosił mnie na żagle w początku września na Wdzydze! Zawsze chciałem tam pojechać! Mogę wziąć ze sobą osobę towarzyszącą – puścił do niej oko.

Kurczę, ale ja mu nie dam się tak owinąć wokół palca, jak to robi z innymi. Niedoczekanie! Po moim trupie! – parsknęła głośnym śmiechem do własnych myśli. Igor odwrócił się w jej stronę i pomachał. Odpowiedziała mu w taki sam sposób. Po chwili porwała go do tańca, bo chciała być znowu blisko niego, jak najbliżej. Halsowała z nim w tańcu tak, by znaleźć się jak najdalej od jasno oświetlonego fragmentu trawnika. Omijali slalomem inne tańczące pary. Chciała ponownie poczuć jego silny tors i gorące, wilgotne usta. Już blisko płotu wpadli na Jolkę wiszącą w tańcu na Zydze.

– Elizka! W świetle lampionów lepiej się prezentujecie.

– Aha! A czemu pozawieszałaś je w takich ilościach tu, na tych krzakach?

– To nie ja, to Zyguś! Z tamtej strony ogrodu jest ich mniej, bo już nie starczyło – wskazała ręką i mrugnęła.

Kochana ta Jolka. I wszystko widzi, pomyślała Eliza i niezwłocznie poczęła halsować z Igorem tym razem we wskazanym przez Jolkę kierunku.

*

Kasia prezentowała się w krótkim błękitnym szlafroczku naprawdę szałowo. Krzysztof skradał się w jej kierunku jak kot. Prężyła się, robiąc uniki, a on udawał, że nie może jej złapać. Zagonili się wreszcie w pobliże łóżka.

Oparta o nie łydkami wykonywała podobne kocie ruchy jak on. Przysiadła w końcu na łóżku. Przesuwał dłonie po jej ramionach, plecach, talii. Sięgnął wreszcie do sznureczka. Rozwiązał go. Szlafroczek zsunął się z ramion. Nie miała pod nim nic. Pchnął ją lekko. Opadła na poduszki i uniosła stopy, opierając je na krawędzi łóżka. Wpatrywał się w nią jak urzeczony. Ukląkł przed nią, pieszcząc ją i całując. Przymknęła oczy z rozkoszy...

Zdyszani i rozpłomienieni pieścili się dłońmi. Krzysztof oparty na łokciu wpatrywał się w nią z czułością.

– Krzyś, ale pójdziesz dziś spać tam, gdzie wczoraj, dobrze? – Skinął głową. – Bo wiesz... – dodała, a on powtórnie skinął głową.

Połączył ich jeszcze jeden długi pocałunek.

– Dobranoc, Krzysiu... Ale wiesz, mam jeszcze jedną prośbę... Ureguluj, proszę, z żoną jak najszybciej wasze sprawy, bo nie chcę przy dzieciach stwarzać niezręcznych sytuacji... Zauważyłam, że pomiędzy nimi też coś się dzieje... – powiedziała już niewyraźnie, a on znowu skinął głową. – Oni są dorośli, ale wiesz, to są nasze dzieci...

Już nie doczekała odpowiedzi, jej oczy zamknęły się ze zmęczenia.

Wycieczka w nieznane

– Mam pomysł na dzisiejszy dzień – oznajmiła Kaśka podczas śniadania.

Krzysztof i Igor spojrzeli na nią z zainteresowaniem. Prychnięcie z miejsca, gdzie siedziała Eliza, świadczyło, że ona nie jest ani tym, ani być może żadnym innym pomysłem na niedzielę zbytnio zainteresowana.

– Jeszcze nie wie, o co chodzi, a już jej się nie podoba – obruszyła się Kaśka.

– Budzisz mnie w środku nocy, a potem chcesz, żebym akceptowała coś, czego nawet nie znam!

– No, jeśli dziesiąta to środek nocy...

Krzysztof i Igor z pełnymi ustami na przemian zwracali głowy to w jedną stronę, to w drugą.

– Obudziłaś się już?

– Opowiedz wreszcie, co wymyśliłaś na dzisiaj. Chłopcy czekają w napięciu. – Znowu prychnęła, ale tym razem radośniej, bo dojrzała w oczach „chłopców" rozbawienie. Drobinki szczypiorku pofrunęły z jej ust po ostatnich słowach wprost na Kaśkę.

– Przy jedzeniu nie jedz! – Kaśka pogroziła Elizie i jęła otrzepywać z twarzy szczypiorkowe drobinki.

– Nie mów!

– Co nie mów?

– Mówi się: nie mów! – Eliza zakwiczała ze śmiechu.

– Krzysiu, o co jej chodzi?

– Mówi się: Przy jedzeniu nie mów!

– No, tak się mówi. Ale co w tym śmiesznego? – Teraz cała trójka zanosiła się śmiechem, tylko Kaśka siedziała coraz bardziej poirytowana.

– Bo powiedziałaś: Przy jedzeniu nie jedz!

– Eee tam. Czepiacie się... Posłuchajcie! – Kaśka niespodziewanie się rozchmurzyła. – Dzisiaj ja będę pilotem i pojedziemy w miejsca, których może nawet Eliza nie zna... – Ta chciała zaprotestować, ale została uciszona gestem. – Nic wam jednak nie powiem, bo to będzie wycieczka w nieznane. Przez niepotrzebną dyskusję nie chcę się pozbawić przyjemności, jaką jest element zaskoczenia. Często stosuję ten wybieg – roześmiała się.

*

– Jedziemy poza Poznań, ale nie będziecie żałować! – zakomunikowała Kaśka, gdy ruszyli spod domu.

– To już w mieście niczego ciekawego nie ma? – Eliza nie wytrzymała.

– Ty już co lepsze Igorowi pokazałaś, Krzysztof w zasadzie centrum zna, więc jedziemy tam, gdzie powiedziałam.

Pierwszym przystankiem okazało się Puszczykowo i Muzeum Arkadego Fiedlera.

– Teść mojej mamy, Artur Prawosz, czyli mój dziadek... – zaczęła Kaśka – ...też prawnik jak mój tato...

– ...czyli mój dziadek Mikołaj – przerwała jej Eliza, zwracając się w kierunku Igora.

– ...więc ten Artur Prawosz był dobrym znajomym

Arkadego Fiedlera. Zamiłowanie Prawoszów do drewna, które pewnie zauważyliście w naszym domu, to właśnie owoc tej znajomości.

– Ooo!

– Opowiadał mamie, że ponoć kiedyś uczestniczył nawet we fragmencie jego kanadyjskiej wyprawy.

– Ooo! – Krzysztof i Igor ponownie nie potrafili ukryć zdziwienia.

– Tak naprawdę spotkali się pierwszy raz na prowincji kanadyjskiej i to właśnie przypadkiem. Zgadali się, że obaj są z Poznania, szybko polubili swoje towarzystwo i pan Fiedler zabrał go ze sobą w puszczę kanadyjską. Mój dziadek wytrzymał jednak w tych warunkach tylko kilka dni – Kaśka roześmiała się. – Tłumaczył się, że zabawa w harcerzy w kraju to i owszem, ale w takiej puszczy jest zbyt dziko. Zawsze mówił, że wystarczają mu opowieści pana Arkadego o dzikości po jego powrotach z wypraw, ale w wygodnym fotelu, przy dobrej kawie i lampce koniaku. Kiedy więc pan Fiedler wracał do kraju, poświęcali na takie spotkania naprawdę wiele czasu.

– Musisz mi, Kasiu, opowiedzieć trochę więcej o jego zamiłowaniu do drewna.

– W piwnicy – przerwała mu – jest taki mały warsztacik, gdzie kiedyś majsterkował, a mój tato odziedziczył tę pasję...

– Znaczy się, mój dziadek Mikołaj – wtrąciła Eliza, zwracając się znowu w kierunku Igora.

Weszli do pomieszczenia, w którym wyeksponowane były książki pana Arkadego.

– Teraz wreszcie wiem, dlaczego w centralnym miejscu biblioteczki twojego dziadka widziałem tyle książek Fiedlera – Igor uśmiechnął się do Elizy.

– Dziadek Prawosz dostał je wszystkie od autora. Tylko jednej oryginalnej tam nie ma. *Kanadę pachnącą żywicą* dostał mój tato na ostatnią swoją podróż...

– Czyli mój dziadek Mikołaj – znowu wtrąciła Eliza.

– Przed śmiercią nieustannie trzymał ją w rękach. Tęsknił za swoim ojcem i tak to wyrażał... – Kaśce zadrżał głos. – Teraz stoi tam egzemplarz kupiony w antykwariacie, ale też z pierwszego wydania.

Kolejny przystanek – Rogalin. Kaśka była w swoim żywiole. O pałacu opowiadała z pasją. Znała najdrobniejsze szczegóły z jego historii. Przechodzili przez kolejne sale, a ona cały czas mówiła i mówiła. Momentami zatrzymywali się obok inni zwiedzający i przysłuchiwali się, nawet Eliza słuchała wszystkiego z wyjątkowym zainteresowaniem. Igor i Krzysztof wyrywali sobie na przemian aparat fotograficzny.

– Kasiu, jesteś mistrzynią! Prawdziwą mistrzynią! – Krzysztof był pod wielkim wrażeniem. – Czy jest tutaj coś, o czymś nie potrafisz opowiedzieć ze smakiem i znawstwem? – spojrzał na nią pytająco, gdy schodzili pięknymi schodami w dół.

Wyszli przed pałac. Trawniki pełne kwiatów były zalane słońcem. Kaśka przystanęła. Spoglądała powoli wokół, jakby zastanawiała się, co odpowiedzieć. Coś nagle przykuło jej uwagę. Wpatrywała się uparcie w jedno miejsce, podnosząc dłoń do czoła, jakby chciała wyostrzyć wzrok.

– No nie! – powiedziała nagle głosem pełnym irytacji. – Jakiś idiota postawił tam idiotyczny piwny parasol, bo jakiś inny idiota nie miał gustu ani wyobraźni... – zawiesiła głos. – I to jest, Krzysiu, odpowiedź na twoje pytanie.

– Jesteś boska! – Krzysztof wyszczerzył się, a po chwili nieoczekiwanie pocałował ją. Igor i Eliza stanęli jak wryci.

– Jedziecie dalej z nami czy zostajecie tutaj? – rzuciła w ich kierunku ze śmiechem Eliza.

– Kórnik... To było dla mnie zawsze szczególne miejsce – odezwała się Kaśka z nutką sentymentu w głosie, gdy ruszyli. – Tylko tam rozmawiałam z tatą szczerze aż do bólu. – Eliza wyprężyła się. – Jako nastolatka byłam hippisko-bananówą...

Eliza podskoczyła na siedzeniu.

– Ty?...

– Taka była moda, a ja byłam przecież młodą i modną dziewczyną... – zaśmiała się jej mama. – Długie kolorowe spódnice i batystowe suknie, przewiewne bluzki, kolorowe paciorki na rzemykach i łańcuszkach na szyi, nadgarstkach oraz plakietki, pacyfki, kolorowe chustki, duże okulary, opaski we włosach z kwiatami i wisiorkami, sandały na koturnach...

Elizie po każdym wymienionym elemencie rozszerzały się oczy, Krzysiek spoglądał z niedowierzaniem na Kaśkę.

– Tata, czer...! – wrzasnął Igor, który jako jedyny nie poddał się tym emocjom. Krzysztof potulnie skierował wzrok na szosę.

– Inni nosili rozszerzane spodnie dzwony i odjechane buty, ale ja w tym zbytnio nie gustowałam – odwróciła się do Elizy i mrugnęła. – To znaczy miałam taki roboczy zestaw, ale nakładałam go tylko wtedy, kiedy już inaczej ze względów towarzyskich się nie dało. Żałowałam tylko, że spóźniłam się na cudownie pachnące plasteliną ortaliony i duże, kolorowe drewniane kulki noszone na szyjach i nadgarstkach.

– No co ty?... – jęknęła Eliza. – Taka wiocha...

– Wąchania ortalionów nigdy nie miałam dosyć w tramwajach, a korale pasjami lubiłam oglądać na straganach na Rynku Jeżyckim, kiedy szliśmy odwiedzić babcię Jutkę na Szamarzewskiego.

– Ale ortaliony i ten zapach plasteliny?

– Wierz mi, cudowny... Kiedyś, właśnie w Kórniku, wyjaśniłam tacie różnice pomiędzy dziećmi-kwiatami z Woodstock a polską hippiso-bananówą. Zabrał mnie tam na wycieczkę, czyli rozmowę wychowawczą, bo byli z mamą zaniepokojeni. Tatusiu, ty czasami też zakładasz smoking, chociaż niezbyt go lubisz, a ja czasami ubieram się kolorowo, bo inaczej nie mogę! No, może nadmiernie kolorowo. Ale to tylko po szkole. Przecież to są tylko ubrania! – powiedziałam mu, a on spojrzał na mnie przenikliwie, nie do końca przekonany, czułam, że czeka na jeszcze inne wyjaśnienie. Więc mu wyjaśniłam, że żadnej innej reszty, jeśli o to idzie, nie ma! A on po chwili odpowiedział: Już dobrze, Kasiu. Wierzę ci! Chyba właśnie to chciał usłyszeć i już o nic więcej mnie nie pytał.

Krzysiek co i rusz zerkał na Kaśkę, która nagle poczuła potrzebę opowiadania o sobie. Eliza była zdumiona, że takie sekrety rodzinne wyjawia przy obcych. Przecież Krzysiek nie był jej mężem... tylko się całowali... A może też co innego robili? – pomyślała. Ale nawet gdyby, to i tak nie jest rodziną... Pokręciła głową, sądząc, że mama odbierze ten sygnał jako jej okrzyk: „Milcz, kobieto!". Ale Kaśka ani myślała przerwać. Mrugnęła, uśmiechnęła się do niej i dalej ciągnęła opowiadanie ze swojej przeszłości.

– Rozumieliśmy się z tatą często w pół słowa. Tym razem było tak samo. Przytulił mnie, kolorową bananową nastolatkę, brzęczącą koralikami, a ja gorąco odwzajemniłam ten uścisk. I nawet go pocałowałam w oba policzki, co mi się wtedy już bardzo rzadko zdarzało. Oczy mu się śmiały zza ciemnych oprawek okularów. Polubił wtedy nawet Janis Joplin; potem słuchał jej czasami razem ze mną, aż do jej śmierci. Widzisz, czego ja się kiedyś bałem? – spytał mnie wówczas. Ale teraz chyba widzisz różnice, o jakich ci mówiłam – odpowiedziałam mu poważnie. Pokiwał ze zrozumieniem głową.

W samochodzie panowała absolutna cisza, nawet Igor wciągnął się w opowiadanie Kaśki. Eliza miała kłopot z wyobrażeniem sobie dziadka Mikołaja, słuchającego Janis Joplin. Jak on musiał tę swoją Kasieńkę kochać... pomyślała ze wzruszeniem.

– Pierwszy raz przyjechałam tutaj z tatą naszą pierwszą Żabą. – Kaśka sięgała coraz głębiej w przeszłość i ani myślała przerywać, więc Elizie nie pozostało nic innego, jak tylko machnąć ręką w myślach. – Wtedy miał bardzo ciężki okres w życiu. To była wiosna sześćdziesiątego szóstego roku. Ciągle gdzieś do kogoś pędził albo u nas w domu odbywały się jakieś dziwne spotkania. Wtedy żyli jeszcze rodzice taty, a dziadek Prawosz wciąż udzielał się prawniczo. Angażował się mocno w ówczesne sprawy, a był to czas konfliktu pomiędzy władzą a Kościołem. Chodziło o zorganizowane przez Kościół, z inicjatywy prymasa, kardynała Stefana Wyszyńskiego, obchody Millenium Chrztu Polski – zmieniła ton i odwróciła się w kierunku tylnego siedzenia. – Tata mi opowiadał, że w Poznaniu siedemnastego kwietnia sześćdziesiątego szóstego roku, w dniu, w którym miała przybyć z Gniezna peregrynująca po Polsce wierna kopia cudownego obrazu Matki Boskiej Częstochowskiej, władze zorganizowały na placu

Mickiewicza, w ramach obchodów Tysiąclecia Państwa Polskiego, proklamowanych przez Sejm PRL, wielką manifestację. W całej Polsce organizowano podobne wielkie manifestacje, parady, pochody i to na ogół wówczas, gdy przybywał tam obraz jasnogórski. Po prostu na złość – mogli to przecież zrobić każdego innego dnia. W Poznaniu przemawiał Gomułka. Obrażał prymasa, powiedział jakoś tak... – zmarszczyła czoło – ... „wojujący, nieodpowiedzialny pasterz pasterzy ...” – wyrecytowała sztucznym głosem, zerknęła na Krzysztofa i wróciła wzrokiem do tyłu. – Babcia to lepiej pamięta i możesz ją dopytać – wykonała gest głową w stronę córki. – Pół godziny przed przybyciem do fary obrazu z Gniezna i rozpoczęciem w niej mszy, ludzie obecni na manifestacji zaczęli zwijać flagi, szturmówki, transparenty, odwrócili się i ruszyli w tamtym kierunku. To było nieprawdopodobne. Ludzie zrobili to po prostu bez słów – uśmiechnęła się. – W farze kazania głosili prymas Wyszyński i arcybiskup Baraniak, a wokół na okolicznych ulicach, placu Kolegiackim, nawet Starym Rynku, morze ludzi ...

Przyglądała się Krzyśkowi i młodym, którzy z niedowierzania kręcili głowami.

– Potem zabroniono przejścia procesji z obrazem z fary do katedry. Zgodzono się, podobnie jak w innych miejscach kraju, tylko na przewiezienie obrazu w zamkniętym aucie. Ponieważ nasz lud obejdzie każdy zakaz, a poznaniacy w tej dziedzinie to wybitni specjaliści – uśmiechnęła się – więc mężczyźni najpierw nieśli na własnych ramionach samochód z obrazem, a potem wyciągnęli obraz z samochodu i dopiero wtedy olbrzymia procesja wśród szpalerów wiernych ruszyła z obrazem pod katedrę – umilkła, poprawiła się na siedzeniu, odetchnęła głęboko i potarła ręką czoło.

– Niesamowite... dużo zapamiętałaś... – rzucił Krzysztof z podziwem w głosie.

– Mamo, ale dlaczego nigdy mi tego nie opowiedziałaś? – tonem zawodu odezwała się z tyłu Eliza.

– Tato był tam i wszystko widział, a wiesz, jak on plastycznie umiał opowiadać... Ja tylko powtórzyłam i mam nadzieję, że nic mi się nie pokręciło. Porozmawiamy jeszcze o tym z mamą.

Eliza skinęła głową.

– Właśnie obchody Tysiąclecia Chrztu Polski były także dobrą okazją do wprowadzania taty w palestrę – wróciła do wcześniejszego tematu Kaśka. – Ciągle ktoś bywał u dziadka i taty, ale nie tylko prawnicy. Pamiętam ten ciągły dym z fajek i papierosów wdzierający się w każde miejsce w domu. Mama od nieustannego wietrzenia przeziębiła się i straciła głos.

– Zabieram cię na wycieczkę do Kórnika – zakomunikował wówczas tato, ale bez uśmiechu i przekonania. Wtedy, jak to dziecko, ciągle czegoś chciałam od mamy, wchodziłam więc do jej pokoju, bo mi jej brakowało, ale mama i tak nie mogła mówić. Widocznie postanowili, że tata musi mnie chociaż na parę godzin gdzieś wywieźć, aby dać jej odrobinę wytchnienia.

– Poznam domek kurek, poznam domek kurek! – Podskakiwałam z radości po słowach taty, pokazując w uśmiechu braki po mlecznych zębach.

Bardzo go ten mój szczerbaty wygląd wzruszał. Przytulił mnie mocno.

– Kasiula, ten Kórnik, do którego pojedziemy, to stary zamek, no i pisze się trochę inaczej niż twój kurnik, czyli domek kurek.

– Ale mówi się tak samo! – ripostowałam, znowu pokazując braki w uzębieniu.

– Też masz rację!

Położył obok mnie na siedzeniu torbę pełną kanapek i ciasteczek, no i termos z herbatą z cytryną. Już byłam zadowolona. Nawet jechaliśmy wtedy trochę „galopem". Tata nazywał tak jazdę na nisko opuszczonym nadwoziu, bo tamta Żaba coś takiego miała. No i pokazał mi ten swój Kórnik. Zapamiętałam z tego wyjazdu cudowne drewniane posadzki, po których starałam się chodzić na paluszkach, olbrzymie drewniane drzwi, dużo obrazów, jakieś zbroje, spiralne schody i Białą Damę. Tłumaczył mi, że to jedna z dawnych właścicielek, która teraz jest duchem i straszy tutaj nocami.

– Taka ona brzydka, że tylko to jej pozostało – odpowiedziałam wtedy z przekonaniem.

Z wrażenia prawie usiadł na podłodze i śmiał się do rozpuku. Rzadko go widywałam tak rozbawionego.

– No i znowu, Kasiula, masz rację! – wydusił, gdy się nieco uspokoił.

– Teraz chcę zobaczyć ten mój kurnik. Obiecałeś! – Nie dałam się zagłaskać tacie pięknymi słowami. No bo jak to? Jego Kórnik obejrzeliśmy, a mój?

– Obiecuję, ale najpierw zjemy harcerski posiłek!

Zjedliśmy w parku trochę kanapek z ciepłymi jeszcze jajkami, bo były zawinięte w grube wełniane skarpety, potem na deser kruche ciasteczka. Popiliśmy ten obiado-podwieczorek herbatą z pianką. Do dzisiaj taką najlepiej lubię. Wiesz, córcia, jaką...

– Wiem, wiem, przelewaną z kubka do kubka. Najlepszą dziadek robił – Eliza uśmiechnęła się melancholijnie.

– Poklepał się po brzuchu, kiwnął głową i spytał, czy mój brzuszek też jest najedzony. Potwierdziłam. Byliśmy gotowi do dalszych wyzwań.

– Teraz poszukamy twojego kurnika – uśmiechnął się, gdy ruszyliśmy spod zamku.

Jechaliśmy powolutku, już bez galopu. Przyglądał się mijanym domostwom. Wreszcie wybrał. Weszliśmy na podwórze. Starsza pani, wyglądająca jak jakaś postać z bajki – kolorowa niczym Pyza na polskich dróżkach, zaprowadziła nas do kurnika. Niektóre kury siedziały na grzędach, głośno gdacząc, inne spacerowały po podwórzu, dziobiąc trawę, groźny kogut na naszych oczach wskoczył na płot i rozdarł się wniebogłosy: „kukuryku, kukuryku!"

Byłam pod wrażeniem i bardzo, bardzo szczęśliwa.

– Teraz już wiem, jaka to różnica pomiędzy kurnikiem a Kórnicy. I tylko jedna literka różnicy?! Dasz wiarę?... Kto by to pomyślał?

Uściskał mnie, a pani tak miło się uśmiechała, patrząc na nas. Wtedy tatuś zapytał ją o jajka na sprzedaż, bo żona chora i mógłby jej zrobić kogel-mogel. Pani się wzruszyła i mną, i mamą, i dobrym tatą, dała pięć jajek od siebie na lekarstwo, a tata musiał zapłacić tylko za pozostałych piętnaście.

Szczęśliwi wróciliśmy do domu. Tata zrobił kogel-mogel z czosnkiem i już następnego dnia mama odzyskała głos.

Po ostatnich słowach Kaśka nagle odwróciła głowę w bok, chcąc ukryć wzruszenie. Reszta milczała. Kapuśniaczek, który towarzyszył im przez cały czas, ustał jak nożem uciął, kiedy tylko minęli rogatki miasta.

– Zamek został dla nas umyty, powietrze odświeżone. Cudownie! – Kaśka powiedziała to takim tonem, jakby to właśnie z jej polecenia przed chwilą padało.

– Ty to potrafisz załatwić naprawdę wszystko! – Krzysztof wykonał nieokreślony gest ręką.

– Ty za to masz na Kaszubach prawie w każdym miejscu znajomych i też potrafisz załatwić wszystko.

– A wiesz, Kasiu, że Kórnik to był mój pierwszy pomysł na wczorajszy obiad...

– Nie daj bóg! – przerwała mu ze śmiechem.

No i potem było zwiedzanie magicznego Kasinego Kórnika. O każdym szczególe potrafiła coś interesującego powiedzieć. I były to rzeczy niebanalne, takie, których pewnie długo by szukać w popularnych bedekerach.

Z ogromu zabytków potrafiła wyłapać mahoniowe empirowe biurko w Pokoju Władysława Zamojskiego, herby Ogończyk i Jelita wykonane w drewnianej posadzce, francuski zegar, harfę oraz fortepian, na którym ponoć grywał Fryderyk Chopin w Salonie, stare wyposażenie Czarnej Sali, potem Sali Jadalnej zwanej Herbową, Zakątka Myśliwskiego i wreszcie Sali Mauretańskiej.

– Skąd ty to wszystko wiesz? – Krzysztof z wrażenia aż przysiadł na ławie w kąciku pod schodami.

– Proszę pana, tutaj nie wolno siadać! To wszystko są eksponaty! – odezwała się głośno i dość szorstko pani z obsługi.

– Mężowi zrobiło się słabo – wypaliła Kaśka.

– To może przynieść szklaneczkę wody? – Pani raptem zmieniła ton. – Duszno jest dzisiaj... – dodała jeszcze łagodniej.

– Dziękujemy. Jeszcze chwila i pójdziemy do parku. On czasami tak miewa, a tu tyle doznań! – Kaśka zatrzepotała rzęsami.

Pani ze zrozumieniem pokiwała głową i odpłynęła w głąb. Krzysztof trzymał się jedną ręką za czoło, drugą za usta, żeby nie parsknąć. Eliza i Igor spoglądali raz na „żonę", raz na „męża" oczami wielkimi jak telewizory.

– Co to było? – spytał zemdlony mąż, gdy nieco odzyskał władzę nad organem mowy.

– A co, chciałeś zapłacić karę? – odparła niespeszona Kaśka. – Tę panią już znam; kiedyś miałam z nią trudną rozmowę. Na pewno by nie ustąpiła! Tyle się dzisiaj naoglądaliśmy rycerskości pod każdą postacią, rozmawialiśmy o dzielnych mężach – rycerzach, szlachcicach, więc chyba utrzymałam się w stylu, przynajmniej językowo. Nieprawdaż?

– Prawdaż – Krzysztof pokazał zęby w uśmiechu.

Uśmiechnięci, wychodzili wolnym krokiem przez sień na zewnątrz zamku. Dojrzała ich wiadoma pani z obsługi.

– Dobrze już mężowi? – spytała.

– Już się uśmiecha i dzieci też. – Kaśka skinęła głową.

– I chwała Bogu! Ale pić trzeba dużo! – krzyknęła jeszcze za nimi.

– Nie mogę zapomnieć twojego występu z panią z obsługi – odezwał się Krzysztof, gdy mościli się w aucie przed powrotną drogą.

Kaśka spojrzała na niego pytająco.

– Wiem, że jesteś nadzwyczaj inteligentna, a także błyskotliwa! Błyskotliwa i bywa, że szalona jak spadająca gwiazda. Tylko, że taka gwiazda nie wie, gdzie upadnie, a ty jakbyś miała wszystko przewidziane, obliczone. Bo ta riposta z mężem, niby nieadekwatna, była skuteczna super.

– Tato, ale Eliza też jest niezłą bystrzachą... – wtrącił Igor.

– Synu! Dobry jesteś!

Kaśka i Eliza poderwały się na siedzeniach, pobudzone niespodziewanymi komplementami panów. Wyglądały tak, jakby rozpostarły im się wielkie pawie ogony. Radośnie mierzyły ich wzrokiem.

– A wracając jeszcze do tego męża... – Tym razem, nie wiedzieć czemu, Igor pociągnął temat. – Z taką szybką i nieprawdopodobnie tupeciarską odzywką dałaby pani radę wyprowadzić nas z więzienia albo przeprowadzić przez strzeżoną granicę, albo wprowadzić do takiego zamku jak na filmie *Tylko dla orłów*!

– Koniec już słodzenia, bo opony tak się posklejają od waszego miodu, że nie da rady jechać – Kaśka przebiegła wzrokiem po ich twarzach. – Chociaż jedno trzeba powiedzieć wprost i to będzie najprawdziwsza prawda! – rozbawiona wpatrywała się w córkę. – My obie... – zaczęła – ...po prostu tak mamy! – dokończyły chórem.

*

– Dziewczyny! Spakujcie się już dzisiaj! – rzucił po powrocie do domu Krzysztof. – Dzięki temu jutrzejszy poranek będziecie miały spokojniejszy.

– Masz rację! Tego rzeczywiście będzie sporo. Ja przecież jadę na dwa tygodnie urlopu, Eliza na miesiąc na Hel, a potem też przecież zostanie z nami w Parchowie, no i coś muszę wziąć dla mamusi – odparła po namyśle Kaśka.

Poszły się więc pakować, a Krzysztof i Igor zajęli się sobą. Coś czytali, od czasu do czasu zamieniali jakieś zdania, na chwilę wyszli nawet do ogrodu, ale wygoniła ich stamtąd mżawka. Z salonu mogli kątem oka podziwiać krzątające się dziewczyny i obserwować rosnącą stertę bagaży. W holu pojawiła się najpierw jedna, potem druga i trzecia torba podróżna, wszystkie pękate, następnie wypchany do granic możliwości plecak i wreszcie kilka wypełnionych czymś reklamówek, które wyglądały tak, jakby w każdej chwili mogły pęknąć. Kiedy dziewczyny zadowolone z siebie zeszły ostatni raz z góry, Krzysztof nie wytrzymał.

– Czy to wszystko macie zamiar wziąć ze sobą, czy – taką mam nadzieję –będziecie jeszcze jakoś to sortować?

– Co sortować? – obruszyła się Kaśka. – Przecież spakowałyśmy tylko to, czego będziemy naprawdę potrzebować, prawda, Elizka? – Ta twierdząco pokiwała głową. – Tutaj jest raczej ciepło, ale skąd mamy wiedzieć, jaka tam u nas będzie pogoda?

– No właśnie! – doprecyzowała Eliza z naciskiem.

Panowie spoglądali po sobie bezradnie. Krzysztof wzruszył ramionami, a Igor przykrył twarz dłońmi. Po chwili obaj parsknęli śmiechem, a one przyglądały im się poirytowane.

– Ależ, Kasiu... – Krzysztof tłumiąc śmiech, wydusił po chwili. – Rozumiem wasze potrzeby, ale mój samochód to nie jest... – z twarzy łatwo było wyczytać, że przeczesuje pamięć w poszukiwaniu stosownego wyrażenia – ...tir z kontenerem – wyrzucił z siebie wreszcie z ulgą. – Poza tym o jakim „u nas" mówiłaś?

Zapadło milczenie. Dziewczyny spoglądały to na bagaże, to na siebie, to na mężczyzn.

– A czyje co jest? – odezwał się jak zwykle rozsądnie Igor, wskazując na bagaże.

Teraz obie oburzone wpatrzyły się w niego.

– Kasieńko droga... – zaczął pojednawczo Krzysztof.

– A o co tobie chodziło z tym „u nas"? – przerwała mu.

– Ja tylko ciebie zacytowałem, tak właśnie powiedziałaś!

– Ja tak naprawdę powiedziałam? – Trzy głowy skinęły potakująco.

Kaśka zastanawiała się.

– U nas, to znaczy w Parchowie – zaczęła powoli – u was to byłoby w Kartuzach, a tutaj, znaczy w Poznaniu! – Wyglądała na zadowoloną z podanych definicji.

– Spodobało mi się to „u nas"! – Eliza zmrużyła oczy.

– Tak mi się jakoś powiedziało! – zaśmiała się Kaśka, ale po chwili widać było, że nad czymś się zastanawia.

– No więc czyje co jest?

– Mój jest plecak i te dwie reklamówki! – wystrzeliła szybko Eliza.

– Czyli wychodzi, Kasiu, że reszta jest twoja – logicznie stwierdził Krzysztof.

– No nie, ta mała torba jest mamy, a reszta... niby czyja miałaby być? – nie mniej rezolutnie odparła Kaśka.

– Czyli jadą tylko bagaże Elizy i torba mamy, a dla siebie zabierz jedynie rzeczy na najbliższy tydzień, bo przecież i tak przyjeżdżamy podpisać umowę. Za drugim razem bagażnik i tylne siedzenia będą wyłącznie na twoje bagaże.

– Teraz sobie przypomniałam! Faktycznie coś mówiłeś, że mamy jeszcze przyjechać, ale jakoś tak strasznie cicho! – przerwała mu roześmiana i już nieco rozluźniona.

– Ukrywaliście przed nami taką straszną rzecz! – Eliza wzięła się pod boki.

– Koniec tego tematu! Robimy kolację. Chłopcy, nakryjecie stół, a my zrobimy resztę. – Krzysztof i Igor spojrzeli na nią zdumieni. – W bufecie są talerze, sztućce i tak dalej. Tam są obrusiki, serwetki, a tam barek – wskazywała. – Pokombinujcie trochę!

Kaśka i Eliza spojrzały na siebie, uśmiechnęły się i jak na komendę obróciły się wokół własnych osi i ruszyły do kuchni.

Tajemnice rycerzy

Ruszyli po wczesnym, lekkim obiedzie. W samochodzie panowała leniwa atmosfera. Silnik cicho mruczał, radiowa Trójka nadawała spokojną muzykę, przerywaną krótkimi newsami. Krzysztof od czasu do czasu komentował to, co usłyszał albo zobaczył na drodze. Kaśka patrzyła na niego, uśmiechała się doń, maskując tym myśli, które ją zaprzątały.

Kocham go chyba tak samo mocno jak kiedyś. Charakter mu się nic nie zmienił. Prawy człowiek – jak wtedy. Tylko że on ma żonę... więc ten nasz związek upodobni się szybko do mojego układu z Piotrem. Piotra tylko lubię – bardzo lubię. Za wszystko go lubię. Jest dobry w pracy – zresztą dla wszystkich, jest dobry w łóżku – przecież inaczej bym z nim nie była. Chyba... A czy ja w ogóle z Piotrem jeszcze jestem?! No, bo teraz jest przecież Krzysztof. Boże, co ja tutaj wygaduję? Nie, to tylko myśli! I całe szczęście! A może ktoś je dosłyszał?

Kaśka na wszelki wypadek obejrzała się na Elizę, mrugnęły do siebie i uśmiechnęły się, spojrzała na Igora, ten też przesłał jej uśmiech. Skierowała wzrok na Krzysztofa. Patrzył przed siebie – na szosę.

Słodką ciszę w samochodzie zakłóciło kilka głośnych taktów melodii z *Mostu na rzece Kwai*. Kaśka próbowała wrócić do swoich przemyśleń, jednak daremnie, gdyż przeszkodziła jej Eliza, radośnie rozmawiająca z kimś przez komórkę.

– Jestem studentką! Hurra! Jestem studentką! – wrzasnęła raptem, zaczęła machać rękoma i podskakiwać na siedzeniu.

Krzysztof spojrzał w lusterko, potem na Kaśkę i na wszelki wypadek zatrzymał się na poboczu.

Eliza wyskoczyła z samochodu i zaczęła wściekle ganiać wzdłuż łanów zbóż. Po kilku chwilach uspokoiła się i znów podniosła telefon do ucha. Kaśka, Krzysztof i Igor wysiedli także z samochodu i przyglądali się jej z uśmiechem. Do ich uszu dochodziły strzępy rozmowy.

– Wika, a skąd znałaś mój numer? W dziekanacie?... Kiedy ogłosili wyniki? Ojej, ciebie nie ma na liście?!... Aha! Jeszcze nie ma!... Jesteś pewna, że będziesz!... Ty też baw się dobrze... Okej! Widzimy się na rozpoczęciu roku.

Rozpromieniona podbiegła do Kaśki.

– Dostałam się! I to tam, gdzie chciałam! – z emocji i wzruszenia zatrząsł się jej głos.

Kaśka przytuliła córkę.

– Gratuluję, Elizka. – Ucałowała ją w policzki. – A teraz popatrz mi w oczy. – Odsunęła ją od siebie i położyła dłonie na jej ramionach, mrużąc oczy. – Zacytuję teraz klasyka... To jest twoje życie i ty wybierasz drogi, po których będziesz chadzać! Idziesz na takie studia, na jakie chcesz! I kropka!

– Mamuś, jesteś kochana! – Teraz Eliza wyściskała matkę.

– A z kim rozmawiałaś?

– Z Wiką, poznałam ją na egzaminach...

– A ona się nie dostała?

– Mówi, że będzie na liście, jak jeszcze siedmiu kandydatów wycofa papiery, ale jest pewna, że dostanie się, chociaż nerwa ma. Wczoraj wycofało dokumenty już piętnaście osób. Tak to jest, jak rodzice każą dzieciom składać papiery na kilka uczelni... – Spojrzała wymownie na matkę, która śmiejąc się, tylko jej pogroziła.

Do gratulacji dołączyli się Krzysztof i Igor. Eliza była w siódmym niebie.

– To co, możemy ruszać? – spytał Krzysztof, kiedy już wszyscy pogratulowali szczęśliwej Elizie.

– Jak najbardziej – odparła.

– Tylko obiecaj, że już nie będziesz wrzeszczeć – uśmiechnął się do lusterka Krzysztof.

– Dobrze! Komórkę też ściszyłam, bo przecież już wszystko wiem. – Eliza pomachała do Krzysztofa i nachyliła się do Igora. Coś tam zaczęli sobie szeptać.

W samochodzie na powrót zrobiło się spokojnie. Kaśka, tak jak uprzednio, skierowała wzrok na Krzysztofa. Poczuł jej spojrzenie.

– Jak wyglądamy z czasem? – zapytał.

– Jedziesz zgodnie z planem!

– A na którą przewidziałaś przyjazd do Parchowa, planistko?

– Koło dziewiętnastej, jeśli zatrzymamy się tylko raz za potrzebą.

– Kawę piliśmy, kolację mamy zjeść na miejscu, więc ten plan może się powieść.

Skinęła głową i spróbowała skupić się na słowach i muzyce z radia, ale natrętne myśli znowu nią zawładnęły. Przeniosły ją tym razem do 1981 roku. Przypomniał jej się zapach kawy z „Tureckiej". Nigdy więcej żadna kawa już tak nie pachniała. Widziała znowu rumieńce jej Piotra, gdy wyznawał zduszonym głosem ponad parującymi filiżankami „kocham cię, Kasiu". Gdyby nie stan wojenny, na pewno by wzięła z nim ślub na wiosnę! No chyba, że rodzice wcześniej by ją zabili, jako że zaszła w ciążę przed ślubem! Co ja znowu wymyślam? Ponownie spojrzała na Krzysztofa i na tylne siedzenie. Wszyscy byli zajęci swoimi sprawami.

Rodzice Kaśki byli wtedy tacy kochani! Mówili, że rozumieją młodość, wiedzą, co to są porywy miłości, uznają ich prawo do szczęścia. Sami też poznali się przecież w tragicznych okolicznościach. Przekonywali ją, że Piotra zwolnią szybko z internowania i wszystko się ułoży. Pocieszali ją, jak mogli.

Poczuła wzruszenie. Przymknęła oczy.

Niedługo potem przyszła wiadomość, że umarł... Dobrze, że rodzice byli wówczas przy niej przez cały czas! Pilnowali jej, chodzili za nią krok w krok, wyczuwali jej myśli.

Czuła, że się zaraz rozpłacze. Bezwiednie pokręciła głową.

– Z czym się nie zgadzasz? – dotarły do niej słowa Krzysztofa.

– Spostrzegłeś?... – Jeszcze bardziej się wzruszyła. – Chyba zawiałam sobie oczy, bo mnie swędzą!

Jaki ten Krzysio troskliwy – spojrzała na niego z wdzięcznością. I Elizka go polubiła. Ale ja przecież nie chcę żyć z nim tak jak z Piotrem, znowu się ukrywać. Dobrze chociaż, że Elizka się usamodzielnia i nie będzie oglądała tych moich kolejnych głupot... – Odwróciła się w jej stronę, puściły do siebie oko.

Drzewa za oknem migały jak szalone, asfalt ginął pod samochodem, szum silnika usypiał ją. Przymknęła oczy. Zamiast snu znowu pojawiły się myśli, tym razem o pierwszych dniach macierzyństwa.

Rodzice opiekowali się nią przez całą ciążę, dogadzali jej, a ona była jakby nieobecna. Egzaminy tego roku zdawała z wysiłkiem. Kiedy po porodzie poczuła Elizkę przy piersi, na trochę oprzytomniała, ale znowu wpadła w apatię na wiele miesięcy. O wszystkim musieli jej przypominać. O karmieniu, o przebraniu, o pójściu z nią na spacer, o wizycie u lekarza. Oni Elizkę bawili, zagadywali, próbowali uczyć pierwszych słów. Pokazywali na Kasię, mówiąc „ma-ma". Mała coraz więcej i coraz chętniej gulgotała. Któregoś dnia padło z jej ust niespodziewanie „ma-ma". Spojrzała na nią, a ona znowu: „ma-ma". Krzyknęła z radości. Przybiegli rodzice. Ona do niej „Elizka", a córcia „ma-ma". I tak sobie gaworzyły. Popłakała się ze szczęścia. Wreszcie oprzytomniała. Skończyła studia, potem związała się z tym drugim Piotrem...

*

– Co to za cuda? – Kaśka pożerała wzrokiem specjały na kuchennym stole. – Pani Felicjo kochana, stęskniłam się już za pani kuchnią.

– Ja też! – dodała Eliza i wycelowała palec jak strzałę w kierunku jednego z półmisków.

– Ani mi się waż tymi brudnymi paluchami! – syknęła babcia Anna. – Najpierw tam! – wskazała umywalkę. – Cała czwórka! – dodała ze śmiechem, omiatając ich wzrokiem.

Felicja poczekała, aż wszyscy wygodnie usiądą. Kiedy Eliza i Kaśka uniosły ręce w kierunku środka stołu, pokręciła głową z dezaprobatą. Mimo iż widziały chochliki w jej oczach, wstrzymały się.

– Ania ma rację! Czyste ręce, a potem spojrzenie na stół, aby zobaczyć, co się będzie jeść, to podstawa! –

Anna pokiwała twierdząco głową. – Bez toastu też się nie pije, no nie? Panie Krzysiu, proszę nam nalać! To przypalanka kaszubska! I sobie też! – dodała, gdy ten ominął swój kieliszek. – Najwyżej posiedzi pan godzinę dłużej... – puściła do niego oko. – Na honorowym miejscu pośrodku stołu jest rolada serowa Ani! Pychota! Wy dziewczynki to znacie, ale chłopcy jeszcze nie! Wczoraj poznałam, jak się ją robi i jak ona smakuje.

– Felcia, to przecież nic takiego! – próbowała bagatelizować Anna.

– Nie kryguj się, to jest prawdziwe arcydzieło! Dlatego właśnie tam ją postawiłam. Czego tam nie ma! Szyneczka konserwowa, papryka czerwona, dużo zielonej drobno posiekanej pietruszki, masło i najzwyklejsze serki topione. To wszystko miesza się, a potem zawija w roztopiony i rozwałkowany żółty ser gouda. Cała sztuka go roztopić i rozwałkować! A potem rolada tężeje w lodówce. Ra-ry-tas! A teraz za wasz szczęśliwy powrót! – Wszyscy ochoczo spełnili toast. – Gdzie te łapska już pchacie? Poczekajcie jeszcze momencik, bo nie skończyłam! – krzyknęła.

Felicja bawiła się wspaniale. Cała czwórka po jej słowach wycofała posłusznie ręce, które już się kierowały z czterech stron w kierunku półmisków.

– Wszystko pozostałe na stole to nasze tutejsze jedzonko. Tam jest kaszubska kiszka. Ania mówiła, że jadłyście w Bytowie, ale dopiero teraz poznacie jej prawdziwy smak. Tam kaczka nadziewana z żurawiną, pierogi z kapustą i grzybami, a na deser nasze ruchancie – placuszki z ciasta chlebowego. Dobrze, teraz już koniec gadania! Czas na jedzenie. Cofnijcie jeszcze te łapska, najpierw toast! – Wszyscy okazywali już lekką nerwowość. – Za dobry apetyt! – wygłosiła krótki toast

Felicja i zaraz wszystkie ręce skierowały się do półmisków. Przez moment nad stołem panowało zamieszanie, jak, nie przymierzając, podczas wyłączonych świateł na Kaponierze.

Po kilku minutach koncertu noży oraz widelców brzęczących i skrobiących o półmiski i talerze, wspomaganych mlaskaniem, siorbaniem oraz ochami i achami nad cudownym smakiem potraw, Kaśka uznała, że ma już dość siły, aby rozpocząć zdawanie relacji z wyjazdu.

– W domu wszystko w porządku – zaczęła pomiędzy kęsami kiszki.

– Kasiu, wiadomo, że… – przerwała jej Anna, odstawiając półmisek, zaś Felicja skinęła głową.

Kaśka popiła kompotem i przez kilka chwil w milczeniu przyglądała się śmiejącym oczom mamy i Felicji. Postanowiła zawistować ostrzej.

– Zmieniłam pracę! Podoba wam się?

Obie zastygły z widelcami i nożami uniesionymi w powietrzu.

Krzysztof na potwierdzenie słów Kaśki kilka razy skinął głową, ale nikt nawet nie zwrócił na to uwagi.

– Dlaczego? – pełnymi ustami spytała Anna.

– No i gdzie ta nowa praca? – uzupełniła Felicja.

– Miałam dosyć pracy w Poznaniu, no i nieoczekiwanie pojawiła się atrakcyjna propozycja… – zawiesiła głos.

Krzysztof znowu skinął głową, ale w oczach Anny i Felicji nadal był powietrzem.

– No i… – niecierpliwiła się Anna.

– No i… – jak echo powtórzyła Felicja.

Obie odłożyły sztućce i obie – jedna ciszej, druga głośniej, siorbnęły ze szklaneczek.

Kaśce nie pozostało nic innego, jak opowiedzieć całą historię, począwszy od rozmowy z Krzysztofem na trasie do Poznania, aż po lunch w „Magnolii". Anna spoglądała z niedowierzaniem to na nią, to na Krzysztofa, który wreszcie zaistniał. Dla podkreślenia prawdziwości słów Kaśki od czasu do czasu potwierdzał je skinieniem głowy. Annę uprzedziła jednak Felicja.

– Podoba mi się! Pachnie mi to rodzinną firmą!

Oczy Anny powiększone po opowieści Kaśki, po słowach Felicji omal nie wyskoczyły z orbit. Felcia niezrażona wzięła się pod boki.

– Ponieważ, Aniu, jesteś moją rodziną, Kasiu, ty jesteś jej córką, a Eliza twoją córką, Kasia zna się z Krzysztofem od ho, ho, a teraz mają jeszcze razem kierować firmą, no to jak to nazwać? Dla mnie więc wy wszyscy jesteście moją jedną wielką rodziną! – tokowała zupełnie niespeszona spojrzeniem Anny. – Od tej pory każdy... – spoglądała kolejno na Kasię, Elizę, Krzysztofa i Igora. – ...każdy, zrozumiano? Zrozumiano? – powtarzała, wymuszając, aż wszyscy skinieniem głowy zgodzą się z nią *in blanco*. – ...Więc każdy ma mi mówić Felcia, Felicja, jak tam chcecie! Cicho! – spacyfikowała gestem próby protestu. – Nie jestem żadną babcią, ciocią ani ciocią-babcią, a już na pewno nie panią! Nigdy panią! Co to, to nie! – Wodziła wokół błyszczącymi z emocji oczami. – Skoro wszyscy się ze mną zgodzili, to w takim razie moje zdrowie! Krzysiu, jeszcze nie nalałeś? Nadążaj! – rozkołysała się od śmiechu, co udzieliło się wszystkim przy stole.

– A wiedziałaś, babciu, że Igor jest ratownikiem drogowym i że kierował akcją ratowniczą podczas wypadku niedaleko stąd? – Eliza postanowiła zmienić temat.

– Kasia coś mi tam zdawkowo opowiedziała, ale szczegółów żadnych nie znam.

Teraz Eliza trajkotała jak najęta, a Anna i Felicja patrzyły na przemian na Igora i opowiadającą. Chyba musiały dojść do podobnych wniosków, gdyż spojrzały w pewnej chwili po sobie i prawie jednocześnie powiedziały:

– No, no!

Wypadło to akurat w chwili, gdy Eliza opisywała, jak to Igor stał się bohaterem wieczoru na dwóch kolejnych koleżeńskich imprezach, i niby to przypadkiem pogłaskała go po dłoni.

Felicja natychmiast złapała za kieliszek, podniosła go w górę i uroczystym głosem wygłosiła toast:

– Zdrowie wszystkich młodych!

Anna ponownie wlepiła wzrok w Felicję.

– Nie przyglądaj mi się tak dziwnie, przecież nic takiego nie powiedziałam – zareagowała Felicja. – Wypijmy za zdrowie wszystkich młodych. Należy im się!

Anna też miała coś do obwieszczenia i zastanawiała się, jak to zrobić. Dotknęła obu skroni palcami. Koncentrowała się.

– Od soboty jest już internet w gminie! – wystrzeliła niespodziewanie.

– Ooo! – zdziwiły się prawie jednocześnie Eliza i Kaśka.

– W gminie, znaczy w szkole też. No i napisałam list do Czerwonego Krzyża! Teraz zostaje tylko czekać na odpowiedź.

– Wysłałaś maila? – dociekała Eliza.

– Nie, klasyczny list! Zaczęłam też współpracę z Marysią, to znaczy z gminą, przy organizacji Poboczy Folku. Zredagowałyśmy już kilka pism za granicę. Teraz ona poszukuje adresów mailowych do zespołów, chce bardziej nowocześnie się z nimi komunikować.

– Słuchajcie, zupełnie zapomniałem! – wyrwał się nieoczekiwanie Igor. – Kiedy byłem w tym poznańskim radio, rozmowa zeszła na poszukiwania rodzin za granicą. I ten kolega mi powiedział, że poszukiwał rodziny swojego stryja. Pamiętał, że według rodzinnej legendy, jego tato, który już nie żyje, w tysiąc dziewięćset dwudziestym siódmym roku nie chciał popłynąć do Ameryki, chociaż mieli przez tego stryja opłacony rejs. Stryj tam wyjechał wcześniej, miał dużo szczęścia, dobrze się urządził i było go na taki luksus stać. Znalazł więc ten kolega najpierw na NetMeetingu kogoś w USA o takim samym jak on nazwisku, potem potwierdziło to się na ICQ, umówił się z nim na czat, pogadali, ale okazało się, że rodziną niestety nie są. Od niego dowiedział się jednak, że jest w internecie taka strona Ancestry i na niej można dużo ciekawych rzeczy znaleźć o przybywających do Ameryki emigrantach z innych krajów. Jest tam na przykład dostępna baza danych wszystkich rejsów statków z Europy do Ameryki, chyba począwszy od połowy dziewiętnastego wieku, z listami pasażerów...

– Nic mi nie mówiłeś. Dzwonię do Marysi! Muszę dzisiaj jeszcze dostać się do internetu! – Eliza poderwała się.

– To już wieczór, daj dzisiaj spokój, Elizka –machnęła ręką Anna, chociaż błysk w oczach wskazywał na zainteresowanie.

– Jaki wieczór, babciu, dopiero dziewiąta. Zresztą Marysia się ucieszy.

Szybko uzgodniła z Marysią co trzeba, przy okazji skracając wizytę kartuziaków w „Iskierce". Kaśka przysłuchiwała się wszystkiemu i nie wyglądała wcale na szczęśliwą, że wizyta Krzysia skończy się szybciej.

– Mamo! Oni i tak muszą wracać do Kartuz, a dzięki temu zajadą jeszcze na resztkach szarówki – perorowała Eliza.

Krzysztof i Igor śmiali się, ale nie mieli siły oponować.

– Krzysiu, przecież piłeś! – przypomniała sobie rzutem na taśmę Kaśka.

– Ja tak, ale Igor tylko pierwszego i może jechać. A gdyby co, to mam tutaj...

– Wiem, kolegów! Nawet w drogówce? – Kaśka z niedowierzaniem pokręciła głową.

– Tak, to też prawda, ale nie będzie potrzeby. Zresztą akurat o takich sprawach myślę jak najgorzej.

– „Piłeś – nie jedź, nie piłeś – wypij!" – zarechotała Eliza.

– To jest właśnie hasło, które zawsze mi przyświeca. No dobra, Igor, widzisz, jak dymią sandały Elizy? Lecimy!

*

Marysia jak zwykle zaznaczała coś tam jeszcze w swoich krzyżówkach planistycznych, ale ucieszyła się z przyjazdu Elizy.

– Potem cię odprowadzę, a wrócę rowerem! – rzuciła na powitanie. – Zostawiłam go wczoraj w „Iskierce"– dodała. – Jeśli szukasz tego, o czym ja myślę, to na razie stoi w pokoju nauczycielskim – odpowiedziała, nie słysząc pytania o internet, ale widząc rozbiegane oczy Elizy. – Godzinka ci na pewno wystarczy, a ja w tym czasie skończę swoje...

Eliza miała trudności z okiełznaniem komputera i internetu. Tutaj wszystko chodziło zupełnie inaczej niż w domu. Ale tam miała Oskarka, który na każde żądanie coś zmieniał, instalował, konfigurował, czyścił, przyśpieszał. A tu była niestety sama.

Nie widzę NetMeetingu, denerwowała się. Jest! – ucieszyła się po kilku chwilach. Ale jak on chodzi?! Ogarnęła ją irytacja, że wolno pracuje. To w takim razie spróbuję jeszcze na tej stronie... An-ce-stry.com. O, jest!

Patrzyła, kombinowała, wreszcie znalazła łącze do bazy rejsów i pasażerów. Klik. Wyświetliła się informacja po angielsku: „Zaloguj, albo zarejestruj. Jeśli nie masz konta, wpłać na rachunek odpowiednią do wybranej opcji kwotę. Prześlij informację o wpłacie do Administratora. Po wpłynięciu kwoty na nasze konto prześlemy mailem ID i tymczasowe hasło, które potem będziesz mógł zmienić. Zapraszamy ponownie". Zapisała sobie opcje z kwotami, nazwę banku i numer konta.

– Udało się? – odezwała się niespodziewanie zza jej plecami Marysia.

– Trzeba najpierw zapłacić w banku, żeby aktywować konto.

– Uppss! Coś takiego!

– No! – odparła rzeczowo Eliza. – Na dzisiaj finito, więc możemy już iść!

Marysia ucieszyła się.

– Ale świetnie, że wreszcie pogadam sobie z Kasieńką – zaszczebiotała. – No, a jak tam w Poznaniu? – spytała, gdy wyszły przed szkołę.

– Fajnie, ale tutaj lepiej!

– No nie opowiadaj!

– Do tego stopnia mamie się pomieszało, co jest gdzie, albo skąd jesteśmy, że przed powrotem na pytanie Krzyśka, po co tyle rzeczy spakowałyśmy, odpowiedziała, że przydadzą się, bo nie wiadomo, jaka będzie *u nas* pogoda!

– No nie opowiadaj! – Marysia miała teraz oczy wielkie jak pięć złotych. – I co dalej?

– Wszyscy się zdziwili, a mama zaczęła jakieś definicje wymyślać, co to znaczy u nas, albo co to znaczy w Poznaniu. Mnie się spodobało to przejęzyczenie, o ile to było przejęzyczenie. Zresztą chłopcom też. Nawet mamie samej to się spodobało!

– Ale numer!

Szły przez chwilę w milczeniu. Marysia drapała się po czole.

– Elizka! Wy po prostu tutaj pasujecie! Tak widzę i czuję!

– Przecież jesteśmy tutaj ledwie dwa tygodnie...

– Poczekaj! – przerwała jej. – Coś ci opowiem. – Poprawiła koński ogon i znowu podrapała się po czole. – Ja stąd kiedyś chciałam uciekać, bo wydawało mi się, że nie pasuję do Parchowa; nie mogłam się przyzwyczaić. Z nikim o tym nie rozmawiałam, biłam się z myślami sama... Przygotowałam z dziećmi na dożynki śpiewogrę o Kaszubach. Jak zeszliśmy ze sceny, podeszła do mnie Felicja i złożyła gratulacje. Wtedy jeszcze jej nie znałam. „Ty, córcia, tutaj młoda jesteś – powiedziała. – Dobrze wyszkoliłaś te dzieciaki. Lubią cię. To widać! Pasujesz tutaj! Przyjdź do «Iskierki», to ci powiem, co, z kim i gdzie! Nie patrz na mnie jak na jakieś dziwadło! Ktoś ci to wszystko musi wreszcie powiedzieć, bo widziałam na zakończeniu roku szkolnego, że ty nawet nie gadasz z innymi nauczycielami. Stałaś z nimi niby razem, ale tak jakoś obok... Więc tego wszystkiego, co potrzeba, nie wiesz i dlatego myślisz, że nie pasujesz. A ja tu wszystkich i wszystko znam" – powiedziała mi. Felcia jest dobrym psychologiem, chociaż tego tak nie nazywa. Podszkoliła mnie. I ja cały czas wykorzystuję to, co mi wtedy powiedziała. Potem wzięłam się sama do studiowania psychologii, dydaktyki i takich tam. Teraz bardzo szybko idzie mi rozpracowywanie najdziwniejszych charakterów. Dlatego Felcia powiedziała wam, że mam dar przewidywania. Ona pewne rzeczy nazywa po swojemu. Kocham ją – matkuje mi tutaj. Dzięki jej naukom, ale także własnej pracy, awansowałam i nie mam zamiaru stąd się ruszać! Wpasowałam się po prostu! – roześmiała się srebrzyście.

– Ale moje plany dotyczą Gdyni i tam chcę się wpasować!

– Okej! Mówię, że tak w ogóle pasujecie tutaj. – Potrząsnęła dłonią Elizy. – Przecież możesz się uczyć i mieszkać w Gdyni, a tutaj mieć swój rodzinny dom, no nie?

– Chciałabym! – rozmarzonym głosem odpowiedziała Eliza.

– Chciałabym! – nieco ironicznie powtórzyła Marysia. – Chciałabym! – spojrzała na Elizę z ukosa. – Chciałabym, chciałabym! Chciałabym, chciała!

Po chwili maszerowały, zgodnie śpiewając z całych sił: „Chciałabym, chciałabym! Chciałabym, chciała! Jak dobrze być krogulcem...".

– A co pani dyrektor o tej porze robi?

Nagle tuż przed nimi na szosę wybiegła mała dziewczynka.

– Ludwisiu, trenuję z panią maszerowanie.

– A ja już myślałam, że pani dyrektor...

Mała zakryła pociesznie usta.

– Ludwisiu! O tej porze nie powinnaś już zbyt dużo myśleć! – rzekła surowo Marysia. – Czas iść spać! A wiesz, że już niedługo też będziesz mogła trenować takie marsze?! – zmieniła nagle ton.

– Naprawdę?

– Naprawdę! I to już za kilka lat! – odparła, śmiejąc się Marysia. Ludwisia po tych słowach puściła się biegiem w kierunku domu.

– Mamusiu, już niedługo będę mogła... – dało się jeszcze usłyszeć, reszta wołania nie przebiła się przez donośny śpiew Marysi i Elizy.

*

– Dostałam maila od administratora Ancestry, że jak tylko wpłynie kwota na ich konto, wyślą mi ID! – wykrzyknęła Eliza po powrocie z gminy. – Patrzcie, dzisiaj rano wpłaciłyśmy pieniądze, przed południem wysłałam maila z tą informacją, a teraz już jest odpowiedź!

– A ja, ciemna masa, miałam wątpliwości. Myślałam, że dałaś się naciągnąć.

– Polegałam na Igorze, że jakoś to zweryfikował, i dlatego się nie bałam. Pożycz mi na chwilę komórkę – zwróciła się do Kaśki, która jednak nie chciała wypuścić telefonu z rąk. – Oj dawaj, mamuś, bo to będzie rozmowa służbowa.

– Ty mi zawsze tyle nabijesz...

– Igor?! Nie Kasia, a Eliza! Słuchaj! Gdzie można skorzystać z jakiegoś szybszego internetu? Dopiero na Helu? Jakie łącze? TASK? Trzeba wczesną nocą?... Jutro po południu! Super! Trzymaj się!

Anna siedziała w fotelu na werandzie. Czytała książkę.

– Co wyście tak się wydzierały na siebie?

– Dyskutowałyśmy w słusznej sprawie – uśmiechnęła się Kaśka.

– Jak babcię kocham! – dodała Eliza.

– I co ustaliłyście?

– Czekamy na ID od administratora z Ancestry! Dostałam maila!

– Nie rozumiem...

– ID do tego portalu, przez który będzie można szukać prababci Krysi!

– Czyli te pieniądze to było na poważnie?

– Następna podejrzliwa...

– Jak wpłacam w banku albo na poczcie i dostaję stempel, a wiem wcześniej, do kogo idą pieniądze, to mam pewność. A tutaj? Dałam ci je, ale bez przekonania.

– Babciu, cała masa ludzi płaci już rachunki przez internet!

– Ważne, że się udało... – Anna wachlowała się książką. – Duszno jakoś, nie?

Na werandę wkroczyła z tacą Felcia. Anna spojrzała na nią z wdzięcznością.

– Ty chyba mnie wyczułaś. Cudowne *entrée*!

– Czy ty, Aniu, możesz mówić po ludzku? Chyba że chciałaś powiedzieć coś specjalnie, żebym nie zrozumiała?

– Felciu kochana, a jak ty szwargolisz czasem ze Stachem przy mnie, to też nie wiem, o co chodzi.

– Ale jest różnica... – Felcia, siadając, odetchnęła głęboko.

– A jaka?

– A taka, że ja go na przykład wtedy opierniczam, więc muszę mu powiedzieć coś w sposób dosadny, tak żeby on zrozumiał, bez narażania twoich uszu, boś ty dama – roześmiała się Felcia.

– *Entrée* to po prostu wejście!

– Nie mogłaś tak po prostu powiedzieć?

– To jest takie powiedzenie, które stosuje się, jak chce się kogoś docenić, że wiedział na przykład kiedy, po co, albo z czymś wejść. To taka pochwała.

– Bożesz! Tyle komentarza dla jednego antre! – roześmiała się Felcia. – Dobrze mówię, że ty dama. I patrzcie, a przecież tak naprawdę pochodzisz z Parchowa!

– A z waszym *jo* jest odwrotnie. Króciutkie, a da się nim skomentować wszystko.

– Jo! – roześmiała się Felcia. – Tylko nie z waszym, ale z naszym *jo*!

– Sama nie wiem, czy powinnam szukać tych Zalewskich, przecież ja jestem formalnie Anna, córka Jutki Nagengast. To samo dotyczy majątku – przecież nie jestem formalnie Basią Zalewską. Szkoda, że Mikołaja nie ma! Szkoda, że nie jesteśmy w Poznaniu, bo tam bym poszła do któregoś z jego znajomych!

– Szkoda to jest wtedy, jak krowa do studni naszcza! – odezwała się filozoficznie Felicja. – Ty znowuż swoje! Trza szukać rozwiązania, a nie narzekać!

– Dla ciebie wszystko jest proste.

– Wszystko nie! To wszystko z tobą też nie było proste, ale już jest!

– Zaraz, zaraz, babciu! – krzyknęła Eliza. – Kiedy byłam w dziewięćdziesiątym czwartym roku z dziadkiem w Bytowie, poznałam jego serdecznego przyjaciela. On był szefem tych bytowskich rycerzy... – Podrapała się po czuprynie. – Pamiętam! Ryszard i jakieś zwierzę... Oo! To był Lew... jakiś tam! Dziadek wtedy powiedział do mnie przy nim tak strasznie poważnie:

„Elizko, zapamiętaj sobie tego pana! Gdybyś kiedykolwiek miała jakiekolwiek problemy natury prawniczej, zwróć się, proszę, do niego – pomoże, a ty się nie zawiedziesz!". A tamten odpowiedział jeszcze poważniej: „Panno Elizo, zawsze i w każdej sprawie!". Dziadek i ten pan uścisnęli sobie prawice po rycersku! Popijali wtedy piwo z dużych kufli. Babciu, pojedźmy jutro do Bytowa, może go znajdziemy!

– Sama już nie wiem – odparła Anna. – Prześpijmy się z tym! A jaki związek z tym, co powiedziałaś, miało to, że popijali z dużych kufli?

– A widziałaś kiedyś, jak dziadek pije z takiego dużego kufla?

– Nie!

– No właśnie. A ja widziałam i dlatego powiedziałam.

– Tylko dlaczego dopiero dzisiaj, a nie wtedy?

– Właśnie dlatego! Wtedy byłam jednym z nich, dopuszczona do tajemnicy, a ty byś mu to pewnie wygarnęła! Teraz jestem zwolniona z tej tajemnicy... Bo tajemnica, babciu, to... to... święta rzecz! On mi nigdy nie zabraniał czegokolwiek mówić, opowiadać z naszych wyjazdów. Kiedyś, gdy pojechałam z nim pierwszy raz, powiedział, patrząc mi prosto w oczy: „Zapamiętaj dwie zasady, bo od dzisiaj one ciebie też dotyczą. Pierwsza: ci, co tutaj przyjeżdżają, to nie są zwykli ludzie, oni tylko tak wyglądają. Druga: tym, co tutaj robimy i o czym mówimy, przed nikim się nie chwalimy. Niczym! Jesteś od dzisiaj jednym z nas! Zapamiętaj!". Najpierw zdębiałam. On na mnie popatrzył z takim spokojem i zaraz przypomniały mi się zabawy w szarady słowne. Aha, pomyślałam, tu chodzi o jakieś słowo klucz. Od razu wyczuł, że kombinuję w dobrą stronę.

Dalej patrzył w moje oczy, złapał mnie za rękę i kiwał głową, zachęcając mnie do szukaniu tego słowa klucza w zwojach.

– Gdzie? W jakich zwojach? –zdziwiła się Anna.

– No w pamięci, babciu! – Eliza przewróciła oczami.

– Ja wtedy zrozumiałam tak, jak on chciał. Tym słowem była TAJEMNICA! I to dotyczy wszystkiego: rzeczy małych i ważnych. O rycerzach, zamkach, zachowaniu się na co dzień. Wszystkiego! Mamy swoje tajemnice i potrafimy ich dochować! I już! Tak myślałam wtedy. I dzisiaj też tak myślę! Dziadek nawet nie użył słowa tajemnica. I ja też! Kiwnęłam głową, że znalazłam. I on był pewien, że ja już wiem, o jakie słowo chodzi.

– Powiedział mi kiedyś, że masz wielki potencjał i kiedyś jeszcze wszystkich zaskoczysz!

– A coś więcej powiedział?

– No wiesz, TA-JE-MNI-CA!

– Babciu, nie staluj się*! – jęknęła Eliza, aż Anna zatrzęsła się od śmiechu.

– Powiem ci tylko, że mówił o jakimś konkursie szaradowo-historycznym, i to było chyba, chyba... zaraz, chyba po waszym powrocie z Gniewa.

– A to już wiem!

– Opowiedz!

– TA-JE-MNI-CA! – tym razem Eliza trzęsła się od śmiechu.

– No opowiedz! – dołączyła się Kaśka, a zaraz to samo powtórzyła Felicja.

– Babciu, musisz zapłacić okup!

– Co? – Anna wytrzeszczyła oczy.

---

* Stalować się – w gwarze poznańskiej: popisywać się, chwalić, chełpić.

– Lody na zamku w Bytowie! Wtedy opowiem.

– No, to jutro z rana jedziemy do Bytowa szukać tego Ryszarda Lwa... i coś tam jeszcze – uśmiechnęła się Anna.

*

– O, pani profesor! Dzień dobry, dzień dobry! – Wysoka pani z kiosku z pamiątkami z bytowskiego zamku okazywała całą swoją postacią zadowolenie z ponownego spotkania się z takim gościem.

– Dzień dobry, pani Zosiu!

– Czy może panie chcą jeszcze raz obejrzeć nasze muzeum? Dzisiaj jest już szefowa. Ta prawdziwa.

– Nie dzisiaj... Pani Zosiu, czy jest teraz na zamku ktoś, kto może nam opowiedzieć o tutejszych rycerzach, ale tych współczesnych?

– Znakomicie pani trafiła. Właśnie na placu ćwiczą nasi zamkowi rycerze. Niedługo mamy turniej, o, tam jest nawet plakat! – wskazała na drzwi. – Oni najlepiej wszystko paniom opowiedzą. Dzisiaj jest tu nawet ich szef! – dodała z emfazą.

Rzeczywiście na zamkowym dziedzińcu grupka młodzieży strzelała do tarcz z łuków i kusz. Rej wśród nich wodził szczupły młodzieniec z małym wąsikiem i w zielonej koszulce. Zapisywał wyniki po każdym strzelaniu i zawsze coś komentował. Anna poczekała, aż wrócą od tarcz na linię strzelania.

– Przepraszam, czy jest wśród państwa tutejszy... szef rycerzy? – spytała.

– Babciu! Kasztelan zamku! – wycedziła przez zęby Eliza.

– Tak, ja jestem tutejszym szefem... znaczy kasztelanem zamku w Bytowie – mrugnął do Elizy. – Nazywam się Paweł Dzieżba. A to są tutejsi rycerze! Czym mogę paniom służyć?

Anna wyłożyła kasztelanowi, w czym rzecz. Ten słuchał i kiwał głową.

– Na pewno chodzi o prekursora wszystkich naszych tutejszych działań. To wielce zasłużona dla bytowskiej kasztelanii postać, pan Ryszard Lew-Szczodrowicz.

– No przecież mówiłam, że Lew jakiś tam! – wyrwało się Elizie.

– On jest nie tylko jakiś tam, ale ogromne coś tam! Wielka chodząca siła charakteru, wielkie serce i szczodrość, tak jak jego nazwisko! – z uznaniem zaakcentował kasztelan Paweł i znowu mrugnął do Elizy. – Od czasu do czasu bywa tu i zawsze coś podpowie. Za dziesięć dni będzie jak zwykle wśród nas. W swoim stroju wygląda jak hetman!

– A czy może pan wie?...

– Tak, wiem! On jest notariuszem. Ma biuro w rynku naprzeciw banku. Każdy miejscowy wskaże!

– Ja tutaj byłam ostatni raz w dziewięćdziesiątym czwartym roku razem z dziadkiem i wtedy poznałam pana Ryszarda. – Eliza czuła potrzebę podzielenia się tą informacją.

– Poważnie? Ja wtedy byłem giermkiem zastępcy kasztelana. A dziadek był widzem czy?...

– On był przedstawicielem ogólnopolskiej rady turniejów – wtrąciła się Kaśka. – Był chyba szefem tej rady – dodała.

– Czy to taki wysoki, mocno szpakowaty mężczyzna, w długim wiśniowym kontuszu i złotym łańcuchu z orłem w koronie? – dopytywał kasztelan Paweł, kierując wzrok na Elizę.

– Tak!

– To pamiętam go! Ale dawno go już nie widziałem.

– My też, bo od dziewięćdziesiątego piątego roku bierze udział już tylko w niebiańskich turniejach – powiedziała ciszej Anna.

– Szczere wyrazy współczucia...

– Bawcie się dobrze, chociaż Mikołaj – mój mąż – mówił, że to misja, a nie tylko zabawa. Dziękujemy bardzo za pomoc.

– Wie pani, że to ciekawe. Pan Lew, bo tak o nim mówimy na co dzień, to samo nam mówi...

– Bo to ta sama szkoła! – z nutą przechwałki uzupełniła Anna.

Trzy gracje oddaliły się w stronę restauracyjnych parasoli. Eliza droczyła się na wesoło z babcią o „okup" lodowy i za nic nie chciała tego przełożyć na nie wiadomo jakie potem.

– Miałam coś przecież opowiedzieć, prawda? – Eliza upierała się. – I to przy lodach, prawda?

– Prawda! – machnęła wreszcie ręką Anna.

Eliza natychmiast popędziła szukać kelnerki, aby złożyć zamówienie. Niedługo pojawiły się na stole trzy olbrzymie puchary lodowe pokryte śmietaną, orzechami i wiórkami czekoladowymi.

– O Boże! Coś ty wybrała!? – zatrwożyła się Anna.

– No pięknie! – skwitowała Kaśka, kręcąc głową.

– Wiedziałam, że będzie wam się podobać – zarechotała Eliza.

– Więc co to była, Elizko, za historia, którą tak dzielnie skrywałaś?

– Babciu, nie zaczyna się zdania od więc!

Anna machnęła w jej kierunku.

– Więc to było w Gniewie w dziewięćdziesiątym trzecim roku... – zaczęła Eliza. – Kasztelan gniewski z dziadkiem przygotowali konkurs historyczny dla rycerstwa, z szaradami i zagadkami. Nie był chyba zbyt łatwy, bo dziadek, zapowiadając konkurs, powiedział nawet, że w stosunku do poprzednich lat podniesiono poprzeczkę...

*

Zeszły z zamkowego wzgórza krętymi schodami, potem poprzez zaułek i wąską uliczkę wkroczyły wprost na ryneczek. Przecięły go na skos. Na ławkach, w pełnym słońcu albo w cieniu drzew siedzieli mieszkańcy lub turyści. Nie trzeba było nikogo pytać, gdzie jest kancelaria notariusza, bo na budynku stojącym naprzeciw banku z daleka zapraszała zielona tablica z napisem „Notariusz".

– Pan Ryszard Lew-Szczodrowicz jest na spotkaniu wyjazdowym z klientami. Proszę zostawić telefon, to pan notariusz oddzwoni, jak tylko będzie mógł – poinformowała je uśmiechnięta sekretarka.

*

Igor przyjechał po południu i zmienił konfigurację komputera. Wreszcie komunikator NetMeeting zaczął pracować jak należy. Na skrzynce pocztowej czekała wiadomość od administratora Ancestry z numerem ID do portalu i wyjaśnieniem, że czynią to w ramach promocji. Jeśli nie otrzymają jednak potwierdzenia z banku w ciągu tygodnia, zablokują konto.

– Fajni są – ucieszyła się Eliza.

Pierwsze logowanie i po chwili surfowali już po portalu. Dotarli do bazy rejsów i znaleźli wykaz rejsów Batorego z Gdyni w 1938 roku. Na liście pasażerów rejsu z 18 września znaleźli Krystynę Zalewską, Mateusza Zalewskiego i Leokadię Zalewską. Eliza z emocji dostała wypieków.

– Babcia będzie zdumiona – wyszeptała przez zaschnięte wargi. – Krystyna to jej mama, a tamci to pewnie brat jej taty Bronka z żoną.

– Wiesz, zainstaluję jeszcze ICQ. To taki globalny komunikator, w którym można filtrować osoby po numerach, nickach, a nawet nazwiskach.

Eliza tylko skinęła głową.

Instalacja i konfiguracja znowu zabrały trochę czasu. Eliza zagryzała z emocji wargi. Kiedy Igor wpisał do wyszukiwarki nazwisko Zalewski, wyświetliła się lista kilkunastu osób. Kilka z USA, kilka z Polski, jedno z Brazylii. Eliza skopiowała zagraniczne adresy mailowe. Zredagowali jeden list z opisem historii i prośbą o odpowiedź. Na wszelki wypadek wysłali je na wszystkie znalezione adresy, a nie tylko te z USA.

– No, wykończona jestem! Dziękuję ci, Igor. Ja bym z tym pier… o, przepraszam – zakryła usta – bawiła się ze dwa dni.

– Drobiazg. Dla ciebie wszystko. – Pocałował ją w policzek, a ona poczochrała go po czuprynie. – Zawiozę cię i wracam migiem do domu. Tata chciał mieć auto o osiemnastej, a już dochodzi siódma.

Ledwie Eliza zdała krótką relację z poszukiwań na Ancestry, a już pod bramą „Iskierki" zaparkował jakiś nieznany samochód. Wysiadł z niego wysoki, postawny mężczyzna o mocno szpakowatych włosach, z krótko przyciętym wąsikiem. Zbliżał się do werandy sprężystym krokiem.

– Ryszard Lew-Szczodrowicz – przedstawił się i utkwił wzrok w Annie.

– Chyba pamiętam pana z pogrzebu Mikołaja – odezwała się cicho. – Mówił pan w imieniu palestry i jego kolegów.

– To już ponad pięć lat... – trochę się zmieszał przybyły.

Wyciągnęła w jego kierunku dłoń. Skłonił się i z elegancją złożył na niej pocałunek. Przyglądała się notariuszowi z zainteresowaniem, gdy witał się z pozostałymi kobietami.

– To ja przypomniałam sobie pana nazwisko – pochwaliła się Eliza, kiedy jej podał rękę. Przyglądał się jej chwilę, przechylając głowę na boki.

– Eliza! Poznaję po oczach – odparł po chwili zastanowienia. – Towarzyszka Mikołaja z lata dziewięćdziesiątego czwartego roku! – uśmiechnął się.

– Ta sama! – odwzajemniła uśmiech, mrużąc oczy. Triumfalnie spoglądała na babcię i mamę. – A gdzie pan był w dziewięćdziesiątym trzecim roku? Też tam byliśmy!

– Jaka śliczna i mądra panna z ciebie wyrosła! W tamtym roku miałem operację na... migdałki! Późno dojrzewałem – roześmiał się. – A zajmujesz się jeszcze rycerskością? – spojrzał znowu na Elizę.

– Samej jakoś nie wychodzi... – odezwała się markotno.

– Porozmawiamy o tym przy okazji.. Obiecuję! – Podniósł dwa palce do góry, co Eliza skwitowała skinięciem głowy. – Dzisiaj jednak przyjechałem tutaj w innej sprawie... – zawiesił głos i spojrzał pytająco na Annę.

Zapadła cisza. Anna koncentrowała się, aby zacząć, ale Ryszard ją ubiegł.

– Od czasu studiów w zasadzie nie bywałem w Poznaniu, omijałem go. Byłem tylko raz na krótkim prawniczym spotkaniu i to właśnie z Mikołajem. – Anna spojrzała na niego z lekkim niedowierzaniem. – To znaczy my spotykaliśmy się po kilka razy w roku, ale nie w Poznaniu. U was przecież nie ma turniejów rycerskich – uśmiechnął się. – Pamiętam za to panią doskonale z balu młodych prawników, dwa lata po Mikołaja i moim dyplomie... – zamilkł na chwilę. – Może na ulicy nie poznałbym pani, ale teraz, gdy mogłem przyjrzeć się z bliska, widzę ten sam uśmiech i te same oczy... Mikołaj wyznał mi na tym balu, że zamierza się z panią ożenić...

– Mikołaj? Wtedy? Przecież myśmy w tamtym czasie o małżeństwie jeszcze w ogóle nie rozmawiali! – przerwała mu zdziwiona.

– On to musiał zrobić, bo był dobrym szachistą i psychologiem.

– Nie rozumiem... To znaczy wiem, że był dobrym szachistą, a nawet psychologiem, ale...

– Zobaczył, że pani godzi się na trzeci taniec ze mną i po prostu musiał mnie czymś zaszachować.

– Ja w ogóle nie pamiętam, żebym wtedy z panem tańczyła dwa razy!

– Pewnie dlatego, że ulotniłem się zaraz po rozmowie z nim. Nie zapisałem się w pani pamięci. Niestety!

Mimo iż Ryszard starał się o żartobliwy ton, Anna wyczuła w jego głosie także inną nutę. Zaczęła przyglądać mu się uważniej. Zmrużyła oczy.

– Coś sobie przypominam. Czy to nie pan zaczął w tańcu mówić wierszem właśnie coś o oczach?

– O pani oczach. Jam to był! I dlatego po krótkiej i szczerej rozmowie z Mikołajem postanowiłem natychmiast opuścić bal.

Anna zamrugała oczami, tymi samymi, o których Ryszard niegdyś mówił wierszem. Intrygował ją ten mężczyzna coraz bardziej. Podobała jej się także wymiana zdań zawierająca – tak jej się przynajmniej początkowo wydawało – jakieś szarady. Szkoda tylko, że to wszystko dotyczyło jej samej. Pocierała czoło dłonią. Kaśka i Eliza z wrażenia przysiadły na ławce i spoglądały raz na Annę, raz na Ryszarda. Tylko Felicja zachowała zimną krew.

– Tak mi się widzi, Aniu, że powinniście pójść sobie pogadać nad stawem, bo nic nam do waszych spraw. Musicie przy tym mieć spokój. To są ważne sprawy. – Anna spojrzała w oczy Felicji, ale ta niespeszona dodała szybko: – Myślę oczywiście o sprawach spadkowych.

Po chwili zastanowienia Anna kiwnęła głową i przeniosła wzrok na Ryszarda.

– To jest całkiem dobry pomysł. Na pewno pan nie odmówi mi spaceru.

Ruszyła wolno w kierunku schodów, a on bez słowa podążył za nią.

Eliza i Kaśka siedziały oniemiałe. Odprowadzały wzrokiem Annę i Ryszarda aż do bramy.

– Felciu, dlaczego to zrobiłaś? Ta rozmowa i nas przecież dotyczyła – syknęła Kaśka.

– To ja go babci wymyśliłam, a teraz... – zaczęła jękliwie Eliza.

– A widziałyście, jak on na Annę patrzył?! – odezwała się Felicja rozmarzonym głosem. – Może to przeznaczenie?

Kaśka i Eliza wlepiły w nią wzrok. Miała na twarzy melancholijny uśmiech, a oczy utkwione w jakimś nieokreślonym punkcie doliny. Wszystkie milczały.

– O sprawach spadkowych dowiecie się na pewno w swoim czasie, a reszta ich rozmowy nie na wasze uszy! – odezwała się raptem przytomnie Felicja, ucinając dalszą dyskusję. Wstała, otrzepała niewidoczne pyłki ze spódnicy, zakręciła nią i zniknęła w sieni.

*

W świątyni dumania spędzili prawie dwie godziny. Kiedy wrócili pod bramę „Iskierki", Anna poczekała, aż samochód Ryszarda zniknie z pola widzenia. Jej spojrzenie pobiegło w kierunku doliny. Już nie pamiętała, kiedy tak bardzo jak dzisiaj zafascynowała ją rozmowa z kimś wcześniej nie znanym. Czuła radość, że jutro znowu się z nim spotka. Ryszard stwarzał aurę, w której mogła wyrzucić z siebie wszystko. Rozmawiało im się lekko i z przyjemnością, mimo poważnych przecież tematów. Pierwsze rozmowy z Felcią też były bardzo szczere i pełne emocji, ale wtedy chodziło o dotarcie do prawdy, faktów z historii... Dzisiaj też czuła szybsze bicie serca, ale miała świadomość, że to nie wynika wyłącznie z emocji związanych z tematem dziedziczenia. To było coś innego, czego na razie nawet sama przed sobą nie chciała zdefiniować.

Ryszard opowiadał wiele o sobie, ona więc też mówiła mu bez oporów o rzeczach, o których nikomu od śmierci Mikołaja nie miała możliwości powiedzieć. Wylewała z siebie potoki słów, a on słuchał, kiwał ze zrozumieniem głową, dopytywał. Felcia ma rację. Tam, w jej świątyni dumania, człowiek jest w stanie zupełnie się otworzyć.

Omiotła jeszcze raz wzrokiem dolinę, wzięła głęboki oddech i ruszyła wolno w kierunku werandy. Chłonęła zapach gazonu, leniwą, przedwieczorną ciszę. Na werandzie, tak jak się spodziewała, czekały Kaśka i Eliza. Wodziły za nią wzrokiem.

– Jutro wczesnym popołudniem muszę być w Bytowie, zawieziesz mnie, Kasiu? – wyrzuciła z siebie jakby od niechcenia, siadając w wiklinowym fotelu.

– Dobrze, ale teraz opowiadaj.

– A o czym? – Anna spojrzała na nią z udawanym zdziwieniem.

– Babciu, chyba nam się też coś należy...– zakwiliła Eliza.

Na werandę wkroczyła Felicja. Gdy ujrzała Annę, szeroko się uśmiechnęła.

– I jak, Aniu, miałam rację? – spytała, siadając u szczytu stołu.

– Miałaś.

– Masz pewnie o czym myśleć...

Anna pokiwała głową.

– Mam... – Odchyliła się do tyłu i przymknęła oczy. Zbierała myśli. – On od trzydziestu lat jest wdowcem! Nawet Mikołajowi nic o tym nie mówił, bo nie chciał narażać na szwank ich przyjaźni. To jest niepojęte! – ostatnie słowa wypowiedziała głośniej i otworzyła oczy.

– Cały czas w rozmowach z nim zmyślał, a w tych zmyśleniach miał tutaj niedaleko szczęśliwy dom. Nigdy tego nie ustalali, ale też żaden nie zaproponował wspólnych spotkań naszych rodzin, nie widzieli takiej potrzeby. Nawet o tym nie rozmawiali.

– Czy możesz, mamo, jaśniej?

– Już jaśniej się nie da. Elizie się nie dziwię...

– Babciu, jak możesz! – wybuchła Eliza, ale została uciszona gestem.

– ...ale ty przecież jesteś dużą dziewczynką – Anna dokończyła myśl, patrząc córce prosto w oczy. – Czy naprawdę nie zrozumiałaś tego, co Ryszard opowiadał, zanim wyszliśmy?

– Mamo, on mówił takim szyfrem, że pogubiłam się, ale… – zaczęła Kaśka.

– Widzę – Anna wzięła oddech. – Dzisiaj kilka słów musi wam wystarczyć. Sama muszę sobie jeszcze wszystko poukładać… – zamyśliła się. – On przy was powiedział tymi swoimi szaradami, że wtedy, na tym balu, zakochał się we mnie od pierwszego wejrzenia. Ustąpił Mikołajowi, ponieważ byli przyjaciółmi. Komu innemu by nie ustąpił! Wyjechał z Poznania natychmiast po rozmowie z nim. Niedługo potem ożenił się, a właściwie został przez rodzinę ożeniony z kobietą, której wcześniej prawie nie znał. Zrobił tak, bo myślał, że przy niej zapomni o mnie. Chciał zapomnieć. Ona bardzo młodo umarła i czuje się z tego powodu winny – westchnęła głęboko. – Powiedział, że opowie o tym przy innej okazji. Przez całe swoje dotychczasowe życie starannie omijał nasze miasto. Wyjaśniliśmy sobie, że śmierć Mikołaja zwolniła go z tej przysięgi, danej tylko sobie – zamilkła i skierowała wzrok poza werandę.

– I co dalej? – prawie jednocześnie krzyknęły Kaśka i Eliza.

– A któż to wie…

– Jak to? – zirytowała się Kaśka.

– Tak to – uśmiechnęła się blado Anna.

– Tak to! – jak echo powtórzyła z naciskiem Felicja i pogłaskała Annę po dłoni. – Biednaś ty… A on taki rycerski i takie to wszystko filmowe – pociągnęła nosem.

– Dziewczynki, dajcie wy jej dzisiaj spokój, a ty, Aniu, odpocznij, bo widzę, że jak to mówi Elizka, zwoje ci się przegrzały – roześmiała się.

– Ależ… – zaczęła Kaśka.

– Mam tylko do ciebie pretensję, że nie przyprowadziłaś go na kawę. Przecież wszystko czekało!

– Powiedział, że musi sobie jeszcze wiele spraw poukładać – z dziedziczeniem i spadkiem głównie, a poza tym to jego pierwsza wizyta, za długo być na niej nie wypada.

– Czyli do tego dobrze ułożony, szczery i mądry...

– Słodzisz, Felciu, słodzisz, ale masz rację, ze wszystkim! – westchnęła głęboko Anna. – Idę do siebie! – Odwróciła się raptownie i szybkim krokiem poszła w kierunku sieni.

Felicja otrzepała ze stołu i spódnicy niewidoczne okruchy, a potem złożyła dłonie na kolanach. Była rada zarówno z tego, że Anna poznała kogoś takiego jak Ryszard, jak i z siebie, że przeczuła, iż oni powinni porozmawiać na osobności. Patrzyła z melancholijnym uśmiechem w kierunku doliny. Kaśka i Eliza, zaskoczone przerwaną nieoczekiwanie rozmową, siedziały z otwartymi ustami jak dwa młode, głodne pelikany...

Amerykański ślad

– Babciu, znalazłam! – Zdyszana Eliza wpadła na werandę i osunęła się na krzesło.

– Co znalazłaś? – Anna tylko podniosła oczy znad okularów.

– Nie co, a kogo! – Eliza sięgnęła po butelkę lemoniady i napełniła szklaneczkę.

– No to kogo? – spytała Anna bez zainteresowania, nieco zła, że przerwano jej czytanie.

– Jak to kogo? Przecież szukamy Krystyny Zalewskiej albo kogoś z jej rodziny, tak czy nie?!

– Aha! – jeszcze mało przytomnie odezwała się Anna, ale na wszelki przypadek zamknęła książkę.

– Babciu, wracaj stamtąd, gdzie teraz jesteś, na ziemię!

– A bo zaczytałam się.

– To ja zabijam się na rowerze, pędzę na nim jak głupia, ledwie żyję, a osobista babcia na orbicie walencyjnej. Internet, babciu, kojarzysz?

– Aaa! Dobrze, już wiem! – Anna spojrzała z zainteresowaniem na Elizę. – No to mów wreszcie, nie przeciągaj, dziecko! – Odłożyła z rozmachem książkę na wiklinowy stolik.

– Ja?... Przeciągam? – Eliza z wrażenia wychyliła pełną szklaneczkę lemoniady.

– Mów wreszcie! – Teraz Anna złapała wnuczkę za dłoń i z błyskiem w oczach czekała na odpowiedź.

– Przyszedł mail od jakiegoś Maxa Bonko. Pisze, że dostał naszego maila na stary adres, którego już teraz nie używa. To był przypadek, że wszedł na to stare konto, bo chciał je właśnie zlikwidować! Rozumiesz, przy-pa-dek! – wrzasnęła. – Kiedyś nazywał się Julian Zalewski i na to nazwisko miał numer ICQ, na którym z Igorem go znaleźliśmy.

Anna kręciła głową, że nie rozumie.

– Babciu, nieważne! Napisał, że jest wnukiem Krystyny Zalewskiej!

– Ooo! – Anna aż podskoczyła na foteliku i wlepiła oczy we wnuczkę.

– No! Max niedawno skończył studia biznesowe i zmienił sobie imię i nazwisko, bo stwierdził, że w biznesie łamaliby sobie język na tych starych. Napisał też, że Krystyna nie była zamężna, miała tylko jednego syna Władysława, czyli jego ojca. Długie lata prowadziła sierociniec–ochronkę, a umarła w osiemdziesiątym dziewiątym roku. Teraz prowadzą go jego rodzice: Władysław z żoną Betty – ona jest Amerykanką.

– Czyli jeśli to była moja mama – to nie żyje! Nie poznam jej! – zasmuciła się. – Ale za to chyba mam brata! – rozchmurzyła się.

– To jeszcze nie do końca pewne… – pokręciła głową Eliza. – Poprosił, żebym mu napisała trochę więcej o tobie i zdarzeniach stąd, bo musi sobie wszystko z ojcem wyjaśnić. Teraz jest na Zachodnim Wybrzeżu, ale lada dzień, jak tylko wróci do domu, napisze znowu.

– Co za wiadomości! – Anna klasnęła w dłonie. – I popatrzcie, to wszystko dzięki internetowi…

Anna w samochodzie kręciła się niespokojnie, nie chciała nawet słuchać ulubionej muzyki. Kaśka obserwowała ją kątem oka, zagadywała, ale każda próba rozmowy kończyła się fiaskiem. Anna odpowiadała zdawkowo i zaraz milkła. Za Pomyskiem zadzwonił jej telefon.

– Tak, Anna… dobrze… na zamku… wiem, gdzie to jest… będę z córką… a pan będzie z siostrą… dobrze… do zobaczenia.

– Obiad w restauracji zamkowej?! – ni to spytała, ni to stwierdziła Kaśka.

– Aha! – Anna po rozmowie z Ryszardem siedziała już spokojniej.

– Halo! Pani Anno! – dobiegł je okrzyk, kiedy weszły na dziedziniec zamku.

Spod parasola wychylał się notariusz Ryszard i machał ręką. Wyszedł im naprzeciw, przywitał i wprowadził do lokalu. Przy stoliku siedziała kobieta w okularach i blond koku.

– A więc to pani?… – na widok zbliżającej się Anny zareagowała radośnie.

– A to pani?! – odpowiedziała jej tym samym Anna.

– To wy się, panie, znacie? – Ryszard nie krył zdumienia.

– Później ci opowiem, dobrze? – zaszczebiotała Elżbieta Lew-Szczodrowicz. – Nasi rodzice byli tacy sami – mówiła pogodnie dalej, moszcząc się na krześle. – Tata wielki jak Rysio, mama śliczna jak ja! – roześmiała się, a brat pogłaskał ją po policzku.

– Zanim zacznę opowiadać, proponuję, byśmy mówili sobie wszyscy po imieniu. Dobrze? – Notariusz

Ryszard przechylał śmiesznie głowę, zaglądając kobietom w oczy.

– Tak, chcę, chcę! – klasnęła Elżbieta w dłonie.

– Ale mnie trochę nie wypada! – żachnęła się teatralnie Kaśka.

– Przecież nie jesteś dzieckiem... – Anna przerwała jej tym samym tonem.

Po chwili rozległ się dźwięk kieliszków, które spotkały się w powietrzu. Ryszard, odstawiwszy pusty kielich, przyjął nieco poważniejszy wyraz twarzy.

– Anno, mogą być problemy z przywróceniem ci nazwiska Zalewska. Nie jest to niemożliwe, ale na pewno czasochłonne!

– Przepraszam, że przerywam, ale nie miałam kiedy o tym opowiedzieć! – odezwała się przytłumionym głosem Anna. – Mam bardzo świeżą i niezwykłą informację. Dowiedziałam się dzisiaj, że ponoć mam w Ameryce brata Władysława.

– Ooo! – zareagowało jednakowo rodzeństwo.

– To interesująca wiadomość! – ucieszył się Ryszard. – Brat po ujawnieniu się w Polsce, to znaczy po złożeniu stosownych dokumentów, mógłby szybciej przejąć wasze gospodarstwo – uśmiechnął się, ale po chwili znowu spoważniał. – Ale nam przecież chodziło o ciebie, Anno! – zamyślił się. – Wtedy trzeba by przeprowadzać współwłasność, podziały i tak dalej, a to zawsze trwa.

– Tyle się wydarzyło w tak krótkim czasie, że na wszystko, co się wokół mnie dzieje, patrzę jak na film w kinie! – zawiesiła głos Anna. – Muszę zwrócić uwagę Elizie na to, o czym mówisz. Ona ma napisać do Maxa bardziej szczegółowego maila... Ale wiecie co? Mnie się naprawdę nie spieszy. Mam czas, dużo czasu i obiecuję, że nikogo w niczym nie będę popędzać. Zamierzam przeżywać to wszystko jak najpiękniejszą przygodę w życiu.

Dalsza część obiadu upłynęła na rozmowach przerywanych wybuchami śmiechu. Było tam i o Poznaniu, i o Kaszubach, i o zdarzeniach rodzinnych, i zawodowych. Cała czwórka świetnie się bawiła. Komuś, kto by ich obserwował z boku i przysłuchiwał się toczonym rozmowom, mogłoby się wydawać, że spotkali się starzy dobrzy znajomi albo po prostu rodzina. Po obiedzie Ryszard zaproponował kawę na dziedzińcu.

– Ja podziękuję. Innym razem. Muszę niestety zrobić zakupy, bo Eliza wyjeżdża na miesiąc na Hel – wymówiła się Kaśka. – Zdzwonimy się, mamo! Pędzę!

– Rysiu, ja wracam do roboty, bo… nie chcę jej stracić. – Elżbieta też pożegnała się i drobiąc kroczki, wybiegła z restauracji w ślad za Kaśką.

*

Wieczorem na werandzie spotkali się w komplecie goście „Iskierki". Ostatnio wszyscy realizowali swoje wakacyjne plany, bywali często w rozjazdach, a Annę i jej dziewczyny też ciągle coś absorbowało. Widywali się tylko przelotnie, więc Anna postanowiła teraz wyczerpująco ich poinformować o ostatnich zdarzeniach dotyczących poszukiwań swojej matki. Miała też powiedzieć kilka słów o prawniku, który ją wspomaga. W ostatniej chwili doszlusowała Marysia i Krzysztof z Igorem.

– Najbardziej mnie ujmuje w Ryszardzie to, że jest taki miły i elegancki, kulturalny i szarmancki, konkretny, a jednocześnie nienarzucający się. Tyle przeszedł w życiu, a jednak potrafi zachować dystans do wszystkiego, co robi.

– Takich rycerskich ludzi jest teraz coraz mniej. – Ludka Gulewska rozfalowała się z emocji. – Arturku, nie patrz tak na mnie, ty też się zaliczasz do tej grupy – zaczęła bić sobie i Arturkowi brawo.

– Nie osądzajcie mnie źle – odezwała się ponownie Anna. – Wiem, że o takich sprawach na głos się nie mówi, ale mimo wszystko chcę wam coś powiedzieć. Może usłyszę od kogoś coś mądrego, co będę mogła wykorzystać w swoim życiu... – Przy stole zapadła cisza. – Nie spodziewałam się, że w moim wieku będę mogła przeżywać takie ekscytacje związane z uczuciami mężczyzny. I do tego w zasadzie nieznanego mi dotąd mężczyzny. Ja go dopiero poznaję, a on, wyobraźcie sobie, że nosił mnie w sercu od pięćdziesiątego ósmego roku! Tak mi powiedział. Znamy się drugi dzień, to znaczy ja go poznaję drugi dzień, a już mnie fascynuje!

W tym momencie poczuła, że zagalopowała się. Nie miała zamiaru opowiadać o tych przemyśleniach nikomu oprócz Felci. Widziała uśmiechnięte twarze, po oczach poznawała, że wszyscy czekają na jakiś dalszy ciąg. Słowa wypłynęły z niej bezwiednie, ale nie chciała, nie powinna kontynuować. Spojrzała na Kaśkę. Ta właściwie odczytała zakłopotanie i prośbę o pomoc w jej wzroku.

– Mamuś, jak na razie mówisz o Ryszardzie, więc pozwól, że ja cię wyręczę i opowiem z nieco większym dystansem o tym, co się wydarzyło w sprawach poszukiwań mamy oraz dziedziczenia. Bo jeśli idzie o tak zwane sprawy osobiste, sercowe, to jak mówią niektórzy klasycy: „Któż to wie, co dalej się wydarzy!" – co powiedziawszy, spojrzała wymownie kolejno na mamę i Felicję. Obie spuściły wzrok.

Popłynęła opowieść o poszukiwaniach w internecie, o dotarciu do listy gości Batorego z 1938 roku z Krystyną Zalewską, o wysłanym mailu do wielu adresatów noszących nazwisko Zalewski, nie tylko w Ameryce, z opisem historii Anny, wreszcie o liście Maxa Bonko. Ochy i achy oraz toasty wielokrotnie przerywały jej opowieść.

– A resztę już znacie, albo poznacie. Bo któż to wie, co dalej się wydarzy...

Tym razem i mama, i Felicja uśmiechnęły się.

Goście pensjonatu rozchodzili się z wolna, dziękując za miły wieczór.

– Zapomniałam wam, dziewczyny, powiedzieć, że Ryszard zaprosił mnie na weekend do dóbr rodzinnych gdzieś za Bytów! –oznajmiła nagle Anna, kiedy już zostali we własnym gronie.

– Może w takim razie ja w sobotę odwiozę Elizę na Hel – zaproponował Igor już przy pożegnaniu. – Macie tutaj tyle emocji, a i samochód przyda się wam na miejscu. Rozmawiałem o tym z tatą – tu spojrzał wymownie na ojca. – On w sobotę na pewno poradzi sobie bez pojazdu.

– Synu...! – karcąco rzucił zaskoczony Krzysztof.

– Jesteś kochany, Igorku! – Kaśka uścisnęła jego dłoń. – Krzysiu, ty też jesteś kochany! – Jego też uścisnęła, nadstawiając dodatkowo usta do pocałunku.

Eliza skrzywiła się, słuchając wymiany zdań w istotny sposób jej dotyczących i obserwując dziwne dla niej reakcje mamy. Mimo wszystko wolałabym jechać z mamą, a ta mnie sprzedała za jednego całusa! – pomyślała.

Łuk Amora

Eliza wyczuła przy śniadaniu, że mama niekoniecznie chce dzisiejszy dzień spędzić razem z nią. Kaśka miała chyba jakiś ukryty plan, bo na proste pytanie: co dzisiaj robimy, odwróciła oczy i burknęła: jeszcze nie wiem! Właśnie po tym Eliza poznała, że dokładnie wie, co chce robić. A tego było Elizie za wiele. Postanowiła więc ściągnąć Igora, aby pokazać mamie, że po pierwsze – może się bez niej obejść, a po drugie – żeby ją troszkę podrażnić. Igor przyjechał błyskawicznie, w dodatku samochodem. Ponoć ojciec, usłyszawszy, że Igor chce jechać do Parchowa – z dobrego serca dał mu kluczyki.

Eliza zrobiła trochę przedstawienia z pakowaniem, a gdy schodziła ostatni raz z werandy, wykrzyczała nie wiadomo do kogo:

– Jedziemy na cypel! Nie wiem, kiedy wrócimy!

Dostrzegła tylko kątem oka, że mama aż podskoczyła na fotelu.

Cypel przywitał ich gromadą plażowiczów, wiaterkiem i lekką falą. Ulokowali się za niewielkim wzgórkiem chroniącym przed podmuchami. Rozpoczęli tradycyjnie od kąpieli, zakończonej serią skoków Elizy, które stanowiły nie lada atrakcję dla plażujących dzieci.

Odpoczywając potem na ręcznikach, leniwie gawędzili o ostatnich wydarzeniach.

– Ten Max to niezły oryginał – rzuciła Eliza.

– Myślisz o jego zmianie nazwiska? – spytał Igor, a Eliza twierdząco skinęła głową. – Chociaż myślę, że poza osobistą fobią, może to jednak u nich ma jakieś znaczenie.

– Też tak sądzę. U nas tak trudno przebić się nowym i młodym w biznesie, że tego typu dodatkowe sztuczki pijarowe, bo tak to należy traktować, nie miałyby i tak większego znaczenia.

– Oo! Nie podejrzewałem cię o taką znajomość tych zagadnień. – Spojrzał na nią z uznaniem. – Tak naprawdę to jest przykre, no nie? – Eliza skinęła głową, a on się zadumał. – Na Helu będziesz mogła sobie z nim pogadać – zmienił temat. – Stąd byłoby ciężko, a tam mają TASK, to takie szybkie międzyuczelniane łącze internetowe..

– Aha! Uważasz, że dopiero ten TASK da mi taką możliwość?

– Mhm! Tylko nie zapomnij o przesunięciu czasu... Będziesz miała noce z głowy, gdybyś chciała z nim rozmawiać – uśmiechnął się.

– Fajnie, że mam kuzyna w Ameryce, no nie?!

– Ale to jeszcze nie do końca pewne... – zamruczał niewyraźnie.

– Nie śpij, kartuziaku... – Połaskotała go po plecach łabędzim piórkiem.

– Tylko nie łaskotki! – wrzasnął, stając prawie na równe nogi.

– Co robiłeś w nocy? – roześmiała się.

– Siedziałem nad projektem systemu obsługi informatycznej dla naszego radia.

– Oo! Mądryś taki...!

– Trochę się na tym znam.

– No, to jak już się obudziłeś, to posmaruj mi plecy. Tam w torbie jest olejek... Co, już bierzesz się do kanapek? Daj mi też!

– My tutejsi mówimy, że to takie typowe mauszowskie chmury – pełnymi ustami rzucił Igor, pokazując na niebo. – Pamiętam, że kiedyś, gdy bywaliśmy tutaj częściej, zawsze takie były.

– A wiesz, że to ciekawe. My zauważyłyśmy to samo już po paru dniach.

Dzieci piszczały, owady brzęczały, fale chlupotały o brzeg. Leniwe chmurki zasłaniały od czasu do czasu słońce, a wtedy wiaterek przyjemnie chłodził. Raz po raz wskakiwali do wody, rozmawiali o wszystkim i o niczym, pysznie im się leniuchowało. Godziny płynęły szybko.

– Igorku, głodna jestem! – jęknęła Eliza. – Myślałam, że posiedzimy do wieczora, ale głód raczej nie pozwoli. Wzięłam jednak za mało kanapek.

– To skoczmy może do Sulęczyna. Tam są dwie restauracje i jeszcze jakieś sezonowe knajpki.

– Ale to kosztuje, a w „Iskierce" mamy wszystko za free.

– Ty pyrko! Szkoda ci paru moich groszy na obiad? – roześmiał się.

– Zawsze oglądam pieniądze z trzech stron. Dzięki temu starcza mi kieszonkowego na cały miesiąc!

– Dzisiaj ja stawiam! Zarobiłem uczciwie, więc mam z czego wydawać. Zbierałem na wyjazd, ale zmieniłem plany.

– No, jeśli tak, to muszę ci ulec! – roześmiała się, a po chwili spojrzała na niego zalotnie. – A cóż to zmieniło ci plany?

– Obiecałem zespołowi organizacyjnemu radia, że w lipcu porobię te projekty, a poza tym... – zamilkł.

– A poza tym...

– No... inne sprawy też mnie tu trzymają...

W czasie jazdy do Sulęczyna znowu rozmawiali o poszukiwaniach korzeni.

– Wiesz, wyjeżdżając z Poznania, nie myślałam, że czegokolwiek się dowiemy, a tu patrz. Babcia ma ciągle czym się zajmować... – zadumała się. – W pierwsze dni byłyśmy z mamą przerażone jej huśtawkami nastrojów. Potem ochłonęła i zaczynała się już tym wszystkim bawić, ale w tej chwili znowu ma głowę zajętą poszukiwaniami rodziny w Ameryce i myślami o Ryszardzie. A do tego mail od Maxa Bonko. Ciekawe, co on mi jeszcze powie przez NetMeeting.

– No, ciekawe! Przed wojną Ameryka była daleko. Teraz takie odległości to betka. Jeśli ten Władysław jest młodszy od twojej babci o kilka lat, to są duże szanse, że się jeszcze zobaczą. Na pewno się zobaczą! Na pewno!

– Sądzisz?... Fajne to Sulęczyno. Sporo ludzi!

– Też się zdziwiłem, ale przypomniałem sobie, że dzisiaj w Leśnym Dworze rozpoczynają się wieczory jazzowe. Pewnie dlatego trochę ich tu najechało. Tutaj przyjeżdżają najlepsi polscy jazzmani i grają super jazz – spojrzał na Elizę. – Byłem z ojcem dwa razy. Podjedźmy więc najpierw tam, a jak nie będzie miejsca, to zjemy choćby tutaj. – Wskazał na stoliki letniego baru ustawione nad ulicą, na skarpie wzmocnionej głazami.

Znajomości ojca Igora i tutaj dały znać o sobie. Na parkingu pod Leśnym Dworem podszedł do nich mężczyzna z kitką na łysiejącej głowie.

– Igor? Cześć! A gdzie ojciec?

– O, pan Janusz! On dzisiaj nie mógł, może jutro. Jesteśmy w jego zastępstwie – Igor łgał zupełnie jak nie Igor. – Moja dziewczyna przyjechała specjalnie z Poznania!

Eliza z wrażenia trąciła go łokciem pod żebro.

– Mówisz aż z Poznania! – zastanowił się Janusz. – Musisz lubić jazz! – spojrzał na Elizę z uznaniem. – Postaram się znaleźć dla was jakieś miejsce.

– Lubię każdą dobrą muzykę, a wiem, że tu się gra tylko dobrze – Eliza poczuła się w obowiązku coś powiedzieć.

– Oo! Za taką pozytywną opinię i to udzieloną a konto teraz już muszę znaleźć te miejsca – mrugnął do niej.

– Dobra jesteś. Nie myślałem, że lubisz jazz! – szepnął Igor, gdy zostali sami.

– Dzisiaj się dowiem, czy lubię – roześmiała się. – Ty nałgałeś, to co mnie szkodziło?

Po obiedzie poszli na długi spacer po wsi. Ledwo zdążyli na otwarcie pierwszego koncertu. Pan Janusz stał przed wejściem.

– Myślałem, żeście zrezygnowali. Tam w głębi jest dwuosobowy stolik, fajnie wam będzie – tym razem mrugnął do Igora.

Było już dobrze po drugiej w nocy, kiedy postanowili wracać. W holu natknęli się na pana Janusza.

– Co tak wcześnie? – spytał.

– Jutro, a właściwie dzisiaj koło południa, zawożę Elizę do Helu – odparł Igor. – Przed trasą trzeba się wyspać.

– Podoba mi się wasz rozsądek. Muzyka nie ucieknie, zresztą ojciec dostanie płyty. A jak się podobał wieczór otwarcia? – spojrzał na Elizę.

Eliza cmoknęła, podniosła dwa palce w górę i dodała:

– Będę już każdego roku!

Po wyjściu na zewnątrz przywitał ich kapuśniaczek.

– Ta pogoda współgra z *Kołysanką Rosemary*, którą grali w jam session, kiedy wychodziliśmy. Wiesz, nie myślałam, że polubię jazz.

Wąska, kręta szosa i coraz mocniej padający deszcz.

– Czy możesz się tutaj gdzieś na chwilę zatrzymać? – spytała Eliza znienacka.

– Nie wytrzymasz? To tylko pięć minut.

Pokręciła przecząco głową.

– Zaraz będzie parking przy tartaku. A coś się stało? – spytał powtórnie.

– Mam potrzebę!

– Aha!

Gdy samochód stanął, Eliza odwróciła się bokiem do Igora, przytuliła do jego ramienia i zaczęła go całować.

– Ale przecież mówiłaś, że za potrzebą – wyrwał się jej na chwilę.

– Powiedziałam, że mam potrzebę. Właśnie taką.

Całowali się zapamiętale. Jego ręce błądziły po niej, jej ręce po nim. Eliza ocknęła się pierwsza. Odchyliła się do tyłu. Widział jej błyszczące oczy i wilgotne usta.

– Dziękuję za piękny wieczór. – Złożyła na jego ustach jeszcze jednego, tym razem siarczystego całusa. – Wracajmy! – poprosiła.

*

Kaśka od rana próbowała porozmawiać z Anną, ale ciągle ktoś jej przeszkadzał. Najpierw zadzwoniła przyjaciółka z Poznania, potem Ludka Gulewska koniecznie musiała podzielić się swoimi planami na weekend, wreszcie Felicja wyciągnęła Annę na gazon, aby jej pokazać, jak śliczne zakwitły cynie. Kiedy już wreszcie zostały same i zbierała się do rozmowy, tym razem po nią przyjechał Krzysztof i z rozmowy z matką wyszły nici. Podczas pakowania pojawiła się jeszcze niespodziewanie Marysia, żeby zaprosić ją na spotkanie z Maciejem.

– Zgodził się przyjechać pod wieczór, ale na noc musi wyjechać, bo jutro w południe ma samolot do Londynu – wyjaśniła. – Musisz przyjść!

Kiedy ruszyli spod „Iskierki", Krzysztof sprawiał wrażenie podenerwowanego.

– Kto to jest ten Maciej? – spytał bez ogródek.

– Maciej to jest profesor na Uniwersytecie Gdańskim, z którym chce mnie koniecznie poznać Marysia – cedziła wolno, obserwując jego spłoszony wzrok.

– Ale po co masz go poznawać?

– Marysia mówi, że to przysięgły kawaler...

– I ty mi tak to spokojnie mówisz?! – wykrzyknął. Zjechał na pobocze.

– Krzysiu, nie poznaję cię. Czym ty się denerwujesz?

– Pożyczyłem na dzisiaj specjalnie samochód od kolegi...

– A twoim rozbija się Igor z Elizą!

– Nie wiesz czasem, gdzie oni się wybrali? – Na chwilę oprzytomniał.

– Na cypel, gdzieżby indziej!

– No to my nie możemy tam pojechać!

– To pojedźmy gdzie indziej...

– Chciałem cię potem porwać gdzieś na Kaszuby, ale nie wiedziałem, że ważniejsze okaże się spotkanie z Maciejem...

– Krzysiu! Maciej to jest syn Felicji. Zresztą dlaczego ja się tobie tłumaczę? Człowiek chce zrobić przysługę Marysi, która chce pomóc Felicji, a wychodzi na podejrzanego! O kurczę! A poza tym jeszcze nigdzie stąd nie wyjeżdżam.

Mile połechtany, już bez złości na twarzy, zaczął drapać się po skroniach.

– Przepraszam, Kasiu! Poczekaj, niech się skupię. Czy wolisz do ludzi, czy od ludzi?

– Chcę być z tobą...

– Okej! – nagle odzyskał wigor. – W takim razie w tył zwrot i jedziemy pod Bytów. Tam mam...

– Kolegę, który udostępni nam...

– Skąd wiedziałaś? – roześmiał się wreszcie. – Tak, udostępni nam małą żaglówkę albo weźmiemy łódź wiosłową i popłyniemy na odludzie.

– Wolę to drugie, bo nie wzięłam dużego kapelusza – roześmiała się.

*

Wracali zrelaksowani i zadowoleni z pięknego sam na sam. Rozanielona Kaśka podśpiewywała i podrygiwała w takt piosenek Czerwonych Gitar. Krzysztof momentami wtórował jej, kręcąc pociesznie głową.

– Piękny dzień mieliśmy, prawda?

– Dawno tak nie leniuchowałem. Zapomniałem, że na łodzi też może być fajnie.

– Tak, ale tylko wówczas, gdy są na niej dwie osoby, a wokół nikogo... – przewróciła oczami. – Od tego odpoczynku z tobą bolą mnie usta i mam podrapane policzki – dodała niby zbolałym głosem, ale z radosnym błyskiem w oczach.

– Przepraszam, następny raz już się ogolę – uśmiechnął się.

Kaśka żałowała, że dała się namówić Marysi na spotkanie z Maciejem akurat dzisiejszego wieczoru. Z przyjemnością spoglądała na zadowolonego i wyluzowanego Krzysztofa.

Właśnie podśpiewywał razem z Klenczonem „... wrócisz nad jeziora...", i przewracał zabawnie oczami. Takim jak w tej chwili chciałaby go widzieć zawsze, takim jak rano – nigdy.

Wysiadając przy szkole, pocałowała go w policzek.

– Krzysiu, jedź do domu spokojnie – poprosiła. – Zdzwonimy się w tygodniu – dodała, przesyłając mu powłóczyste spojrzenie.

Wolnym krokiem przeszła przez pustą o tej porze szosę i skierowała się w kierunku wejścia do szkoły. Nie zdążyła nacisnąć klamki, gdy drzwi otwarły się niespodziewanie. Pojawiła się w nich roześmiana jak zwykle twarz Marysi Sołygi. Tuż za nią stał postawny, szpakowaty mężczyzna z dobrotliwym uśmiechem przyklejonym do ust. Zarejestrowała, że przygląda się jej badawczo. Cmoknęły się z Marysią, wymieniając uśmiechy. Przeniosła wzrok na mężczyznę. Milczał i ciągle się uśmiechał. Ich oczy spotkały się. Było w jego spojrzeniu coś hipnotyzującego. Stała jak zamurowana, nie mogąc oderwać od niego wzroku. Uśmiech powoli zniknął z jego twarzy, ale także nie spuszczał z niej oczu. Dopiero kiedy zobaczyła wyciągającą się w jej kierunku rękę, nieco oprzytomniała.

– Maciej. Maciej Skierka – przedstawił się i pocałował jej dłoń.

– Kasia... to znaczy... Katarzyna Prawosz – wyjąkała.

– Jestem zaszczycony, mogąc panią poznać. Marysia tyle mi o pani opowiadała dobrego... – usłyszała słowa wypowiedziane głębokim barytonem o niezwykle ciepłej barwie.

– Marysia to anioł – przerwała mu – pewnie dodała zbyt dużo kolorów.

– Co do tego, że Marysia jest aniołem, zgadzam się z panią absolutnie. Jest także dobrym duchem Parchowa. Co do kolorów natomiast... – zawiesił głos – ... wiem, że zna się na nich dobrze i nie sądzę, aby w pani przypadku ich nadużyła – dokończył.

Kaśka nie mogła oderwać oczu od jego znów uśmiechniętej twarzy, wsłuchana w głęboki, zachwycający głos. Marysia przyglądała im się chwilę spokojnie, wreszcie nie wytrzymała.

– Może się wreszcie ruszycie – zatrajkotała. – I przestańcie z tymi aniołami i kolorami, bo załopoczę skrzydłami i odfrunę na tęczę, a mamy przecież tyle do obgadania.

Ruszyła korytarzem, jak zwykle kręcąc kuperkiem i strzelając klapkami. Oni szli krok za nią, spoglądając po sobie kątem oka.

– Siadajcie. Kawy nie odmówicie, prawda? – zapytała Marysia, gdy dotarli do pokoju nauczycielskiego.

Kiedy odwróciła się, nie słysząc żadnej odpowiedzi, dostrzegła, że Kaśka i Maciej nadal wpatrują się w siebie, milcząc.

Co tu się dzieje, ludzie? Czegoś takiego dawno nie widziałam! Gdyby byli młodsi, to bym zrozumiała, ale w ich wieku... myślała Marysia, wysypując ciasteczka na talerzyk.

Filiżanki z kawą parowały. Kaśka przyglądała się roześmianej jak nigdy Marysi.

– Widzę, że miałaś fajny dzień!

– Aha! Przed obiadem skończyłam ostatecznie planowanie, a potem cieszyłam się, że spędzę fajny wieczór – uśmiechnęła się Marysia.– Tacy goście jak wy i to na raz, to się u mnie rzadko zdarza – wdzięczyła się, podrygując na krześle.

– Czyli, Marysieńko, wracając do twoich wcześniejszych słów, myślisz w tym roku przyjechać z dzieciaczkami do Gdyni – ni to zapytał, ni to oznajmił swoim ujmującym barytonem Maciej. Kaśka jak urzeczona wpatrywała się głównie w niego, tylko czasami zerkając na Marysię.

– Tak. Dzieci o tym marzą. – Oczy Marysi zabłysły. – Bo wiesz, zawsze przyjeżdżał tutaj ktoś... – podkreśliła ostatnie słowa. – To znaczy kogoś przysyłałeś, było fajnie i profesjonalnie. Ale one chcą koniecznie pojechać wreszcie do ciebie. Kiedyś obiecałeś, więc ciągle dopytują. Chcą zobaczyć uczelnię, laboratoria i żeby ten wyjazd trwał co najmniej dwa dni. W ciągu dnia sprawy naukowe, a wieczorem jakiś teatr albo kino, a potem obowiązkowo dyskoteka... – rozmarzyła się, jakby to sama miała na niej pląsać. – Rodzice już się zgadzają... Noclegi też załatwiłam.

– Czyli masz, co trzeba, Marysieńko! Bo pod względem naukowym wszystko wam zapewnię! – klasnął w dłonie. – Zadowolona? Musimy tylko ustalić szczegółowy zakres programu wizyty na uczelni i termin. Ale jak już macie internet, to możemy to zrobić mailowo. Wspaniała ta nasza Marysieńka, nie sądzi pani? – spojrzał na Kaśkę, ciągle z uśmiechem przyklejonym do ust.

– Jest świetna. Tytan pracy! Dla dzieci zrobi wszystko. Marysia nagle spoważniała i zamachała rękoma.

– Transportu nie mamy! Gmina nie da rady pożyczyć autobusu, a wynajęcie sporo kosztuje – powiedziała smutnym głosem. – Gdyby to była wycieczka ze zwiedzaniem jakichś zabytków, to rodzice by dołożyli, ale na taki kaprys dzieci trudno ich namówić.

Maciej żachnął się.

– Nie dziw się. Tacy tutaj są ludzie. To musi być praktyczne... – dodała Marysia.

– Mam pomysł! – wykrzyknęła Kaśka, prawie zrywając się z miejsca. – Muszę tylko pogadać z Krzysztofem. On ma serce dla dzieci i może się zgodzi zasponsorować.

– Ooo! – ucieszyła się Marysia, ale po chwili sposępniała. – Ciebie on zna, a Parchowo i marzenia tutejszych dzieci niekoniecznie. Może go to przerosnąć...

– Ale jeśli z nim porozmawiam. Mnie przecież nie odmówi – Kaśka zarumieniła się i spojrzała na Macieja.

Ten ciągle był tajemniczo uśmiechnięty, jakby tocząca się wymiana zdań wcale go nie interesowała. Przenosił wzrok z jednej na drugą.

– Kiedy z nim porozmawiasz?

– A choćby i dzisiaj!

– Daj spokój. To ważne, ale lepiej poczekaj, aż się spotkacie w pracy – podkreśliła ostatnie słowa. – Bo jak ci mówiłam, Maćku, oni spotkali się przypadkiem w Kartuzach po dwudziestu latach od czasów studiów, a teraz niedługo Kaśka rozpoczyna u niego pracę jako szefowa kartuskiego oddziału. Krzysztof będzie szefował całej firmie z Poznania.

Maciej wbił oczy w Kaśkę. Ciągle się uśmiechał.

– O tym ostatnim elemencie nie mówiłaś, Marysiu. To bardzo interesujące. – Wpatrywał się przenikliwie w twarz Kaśki. Ich oczy spotkały się znowu. Kaśka poczuła gęsią skórkę na ramionach.

– Zaproponował mi pracę, a ja ją przyjęłam... – wydukała, bo poczuła się w obowiązku cokolwiek powiedzieć, i zamilkła.

Widać było po niej, że chciała coś jeszcze dorzucić, ale chyba nie do końca wiedziała co. Spojrzała w kierunku okna i zmarszczyła czoło, jakby tam szukała pomocy, natchnienia. Maciek i Marysia też milczeli, przypatrując jej się z zaciekawieniem.

– Sama nie wiem, po co i dlaczego to robię, bo do niedawna nie wyobrażałam sobie życia poza Poznaniem – odezwała się po dłuższej chwili. – A teraz niekoniecznie chcę tam wracać – dokończyła cicho.

– To jest naprawdę bardzo interesujące... – Maciej wciąż się uśmiechał, nie spuszczając z niej wzroku. – Jest pani bardzo odważną i mądrą kobietą. – Kaśka znowu poczuła dreszcz i jednocześnie ucisk w żołądku. – Wygląda na to, że wybrała pani wolność – rzekł trochę patetycznie. – Ja bym chyba tak nie potrafił. Zresztą mało ludzi jest w stanie podjąć taką radykalną decyzję – pokiwał głową z uznaniem. – Miałem rację, broniąc Marysieńki, że nie przesadziła w stosunku do pani z kolorami.

Gdyby nie opalenizna, pewnie by dojrzał, jak się rumienię, pomyślała.

– Miałeś opowiedzieć, jak to było z tą mączniarką. – Marysia zmieniła temat, wybawiając Kaśkę z kłopotliwej sytuacji.

– O czym mówisz, Marysieńko?

– Opowiadałeś niedawno, że masz kłopot z jakimś projektem...

– Moczarka, a nie mączniarka! – roześmiał się głośno. –

Elodea canadensis, znaczy moczarka kanadyjska, była przedmiotem badań w pewnym projekcie...

– Tak, tak! Właśnie o nią mi chodziło! – Marysia zaśmiała się srebrzyście.

– Miałem problem, bo jacyś mądrale chcieli z moczarki uczynić chwast wodny, który trzeba wyplenić wszelkimi dostępnymi metodami. Niegdyś przez fantasmagorie innych mądrali wytrałowano z dna Zatoki Puckiej morszczyn, *fucus vesiculosus,* i trawę morską, *zostera marina* – rozemocjonowany podniósł na chwilę głos. – Wówczas chodziło o opracowanie technologii pozyskiwania agar agar, substancji żelującej do produkcji galaretek. To miała być działalność antyimportowa i ogłoszono to jako zwycięstwo myśli socjalistycznej. Do dzisiaj walczy z tym zwycięstwem doktor Siwek na Helu...

– Czy to może jakaś rodzina doktora Siwka od fok? – przerwała mu Kaśka.

– To jest jedna i ta sama osoba! A pani go zna?

– Jeszcze nie! – Kaśka zaśmiała się. – Ale jutro jedzie tam córka na miesięczny wolontariat przy fokach.

– A jak ona się o tym dowiedziała, mieszkając w Poznaniu?! No bo tak sobie myślę, że jeśli córka jedzie tam na miesiąc, w czasie swoich wakacji, to jakąż miłośniczką przyrody musi być matka?!

– Może kiedyś i o tym porozmawiamy, ale chciałabym usłyszeć, o co chodziło z tą...

– Mączniarką! – wrzasnęła roześmiana Marysia.

– Tak! Właśnie! – uzupełniła Kaśka i cała trójka poczęła się głośno śmiać. Maciej powrócił do swojej opowieści.

– Nie chcieliśmy więc dopuścić, żeby przez jakichś hochsztaplerów zaczęto tępić piękną moczarkę jak chwast wodny. Już się przecież pojawili jacyś szemrani naukowcy, gotowi wymyślać środki powodujące jej obumieranie. I to ponoć bez szkody dla pozostałego środowiska wodnego...

Kaśka czuła się jak zakręcona. Słuchała jego słów, nie była jednak w stanie ich analizować. Rozumiała, co mówi, ale zachwycała się głównie barwą głosu, intonacją i mową ciała Macieja. Patrzyła na niego jak oczarowana, z maślanymi oczami, co nie uszło uwadze Marysi.

– A po co lecisz do Londynu i kiedy stamtąd wracasz? – spróbowała sprowadzić tych dwoje na ziemię.

– Będzie tam konferencja, na której kolega z naszego zespołu wygłosi referat omawiający takie zagrożenia w skali globalnej. Teza ma być taka: walka z *inviderami* tak, ale za pomocą metod zróżnicowanych, nie zagrażających lokalnemu środowisku naturalnemu.

Zasłuchana Kaśka znowu zbaraniała. Zastanawiała się, czy coś nie uszło jej uwadze. Pachniało jej to bardziej jakąś kryminalistyką niż geografią, biologią lub czymś takim. Zobaczyła, że Maciej wpatruje się w nią ze szczególną uwagą. Boże! Zobaczył moją głupią minę i teraz wyjdzie na jaw moja całkowita ignorancja! – pomyślała zrozpaczona, zauważając, jak mu nagle spoważniała twarz.

– Pani Kasiu, ma pani rację, przejmując się tym problemem. Widzę to po minie i nie trzeba doprawdy żadnych słów – powiedział prawdziwie poważnym tonem.

Marysia ze zdziwienia zatrzepotała rzęsami, co Kasi wydało się głośnym chrzęstem czegoś, czego nie potrafiła określić. Łamany chrust albo gąsienice czołgów, albo... cokolwiek innego. Chrzęst. Już nie wiedziała, jak dalej się zachować i co powiedzieć, bo jakoś odezwać się musiała. Po prostu wypadało, tym bardziej, że słowa były zaadresowane bezpośrednio do niej.

– Czyli precyzyjne rozpoznanie terenu, wizja lokalna, dokładne określenie sił i środków, jakich należy użyć, i dopiero wtedy atak – powiedziała coś, co wydało jej się uniwersalne, co pasowało do każdej sytuacji, a co przypomniała sobie w ostatniej chwili z zajęć wojskowych w 1981 roku.

– Pani Kasiu! Jestem pod wrażeniem precyzji pani myśli. Tak właśnie trzeba to definiować. Mój młodszy kolega jest już wybitnym fachowcem limnologii, hydrologii jezior, ale brakuje mu zdolności takiej błyskawicznej syntezy, z adekwatnym doborem słów – pokiwał głową z uznaniem.

Kaśka otworzyła szeroko oczy, a Marysia wyglądała, jakby ktoś jej wylał kubeł zimnej wody na kark. Z niedowierzaniem potrząsnęła głową, jakby strzepywała nadmiar wody z włosów.

– Marysieńko! – zwrócił się do niej Maciej. – Też pewnie jesteś zdziwiona trafnością sądów pani Kasi oraz wiedzą, bo jak sądzę, do tej pory takich biologicznych dyskusji nie prowadziłyście? – Marysia zatrzepotała rzęsami, aż Kasi zrobiło się jej żal. – A wie pani, pani Kasiu – teraz zwrócił się w jej kierunku – że podobne definicje pamiętam z zajęć przysposobienia wojskowego jeszcze na studiach? A pani tak lekko, bez wysiłku zagregowała swoje wnioski w postaci jednej syntetycznej opinii. Trafnej absolutnie. Gdyby coś takiego usłyszał któryś z naszych interlokutorów w resorcie, musiałby wywiesić białą flagę! – Teatralnym gestem podniósł rękę w górę i załopotał nią jak flagą.

Marysia i Kaśka spoglądały po sobie szeroko otwartymi ze zdziwienia oczami. Maciej zerknął na zegarek i poderwał się.

– Dziewczęta! Na mnie już czas!

Kaśce znowu wydawało się, że musi coś powiedzieć na pożegnanie, aby zatrzeć ewentualne złe wrażenie.

– Panie Macieju, tak przyjemnie się z panem rozmawiało, że chciałam spytać, czy po powrocie nie znalazłby pan trochę czasu, aby znowu przyjechać? – uśmiechnęła się słodziutko.

Maciej pierwszy raz tego wieczoru spuścił skromnie oczy.

– Przyszło mi to do głowy, ale nie miałem odwagi zaproponować... Przyjadę natychmiast po powrocie z Londynu. Marysieńko, ugościsz nas?

Oczy Marysi wyglądały już nie jak duże głębokie talerze, ale jak olbrzymie wojskowe wazy. Znowu trzepotała rzęsami. Kasię zatkało. Ta sytuacja ją zupełnie przerosła. Uśmiechała się i milczała. Gdyby miała na sobie spódniczkę, pewnie by teraz skubała jej rąbek, jak wtedy gdy miała kilka lat.

– Maćku, czekam więc na sygnał! – Marysia nie była w stanie niczego innego wydukać.

– Widzi pani, jakim aniołem jest moja Marysieńka? Zgodziła się bez zastanowienia. Czyli jesteśmy umówieni... Wracam i natychmiast dzwonię. Do widzenia! Ach, doprawdy, jaki miły wieczór! – Podekscytowany Maciej wycałował w policzki najpierw Marysię, potem Kaśkę i wybiegł na korytarz. – Do zobaczenia, dziewczęta! – usłyszały jeszcze jego radosny okrzyk, a potem trzaśnięcie drzwiami wejściowymi.

Zapadła cisza, że aż dzwoniło w uszach. Obie kobiety opadły na krzesła, wyczerpane jak bokserzy po długiej walce w ringu. Spoglądały po sobie. Kaśce znowu się wydało, że to ona musi pierwsza coś powiedzieć.

– Fajny jest ten twój Maciej! Ja właściwie tylko niepotrzebnie wam przeszkadzałam...

Po tych słowach Marysia niespodzianie zaczęła drżeć, a po chwili jęły nią wstrząsać istne spazmy. Kaśka obawiała się, że to jej głupie zachowanie mogło wywołać ten dziwny stan. Już chciała ją przytulić i przeprosić, kiedy ta przeraźliwie zarżała ze śmiechu. Skakała po pokoju, trzymając się za brzuch.

– Myślałaś, że jesteśmy parą? To ja ci z kolei powiem, że dawno nie widziałam Macieja tak rozruszanego jak dzisiaj! A zakończenie spotkania i potem pożegnanie to było coś, czego nie zapomnę przez lata! Tylko proszę cię – poskromiwszy po chwili wesołość, spojrzała na Kaśkę poważnie – ty masz swojego Krzysztofa, więc nie zrób żadnego gestu, ani nie powiedz Maciejowi czegoś, czym mogłabyś go skrzywdzić. Widziałaś przecież, jaki on jest ufny i łatwowierny!

– Widziałam, ale oprócz tego jest cudowny. To prawdziwy dżentelmen i światowy człowiek.

Marysia spoglądała na nią z fluternym uśmiechem.

– Jak was obserwowałam, to Amor miał dzisiaj z tym swoim łukiem sporo roboty. Ale wyście mu pomogli, bo strzały leciały z obu kierunków i trafiały do celu. No, takiej iskry wysokiego napięcia przeskakującej w obie strony jednocześnie w życiu nie widziałam i już pewnie nie zobaczę! – cmoknęła Kaśkę w policzek i pogroziła jej palcem.

Drogę do „Iskierki" Kaśka pokonała na skrzydłach, ale za to noc była nadspodziewanie długa i bezsenna.

Marzenia się spełniają

Na ten dzień Eliza czekała długo. Poprzedniego wieczoru pakowała do późna bagaże, więc teraz leniwie przeciągała się, opóźniając moment wstania z łóżka. Ziewając, zerkała na niebo za oknem, gdzie królował błękit z rzadkimi dodatkami puchowych cumulusów, które przypominały jej kleksiki ubitej pianki na zupie nic. Sama się zdziwiła tym nieoczekiwanym skojarzeniem. Starała się przypomnieć, kiedy ostatni raz jadła tę zupę. Pachniała wanilią i pojawiała się na ogół w niedzielne letnie dni w czasach, gdy nosiła jeszcze kolorowe chińskie sukienki. Nie, nie! – skorygowała w myślach. To było znacznie później! Ostatni raz jadłam ją przecież, kiedy nałożyłam pierwsze wymarzone, prawdziwe dżinsy z Pewexu, no i to była sobota. Zaraz po obiedzie ruszyliśmy z dziadkiem do Gniewu, na turniej rycerski. Po jego śmierci te zupki zniknęły z domowego menu.

Przecierała oczy, spoglądając na torbę i plecak i zastanawiając się, czy jeszcze czegoś nie musi do nich dopakować. Wyszło jej, że tylko szczoteczkę do zębów i codzienne kosmetyki. Uśmiechnęła się zadowolona sama z siebie. Wczoraj przekomarzała się z mamą, że na pewno nie będzie robiła z pakowaniem takiego zamieszania jak ona. Jak daleko sięgała pamięcią, mama zawsze do ostatniej chwili czegoś jeszcze szukała i zadawała nerwowo głośne pytania: „czy ja na pewno spakowałam to a to?", albo: „czy ktoś może schował to albo tamto, bo nie mogę znaleźć?". Postanowiła więc niedawno, że jej pierwszy samodzielny, dorosły wyjazd będzie inny.

Prysznic, lekki makijaż i już była gotowa. Zbiegła po schodach i zasiadła do stołu. Była pierwsza. Na widok Felcinych specjałów poczuła wzbierający apetyt. Już miała sięgnąć do półmiska, kiedy od drzwi usłyszała mamę.

– Hej, córcia! A bagaże jeszcze u góry? Przyniosłam ci klapki, które zostawiłaś u mnie. Wyszorowałam je. Zobacz, jakie czyściutkie.

Klapki rzeczywiście odzyskały swoje kolory, ale dobry poranny humor Elizy prysł jak za dotknięciem czarodziejskiej różdżki. Podniosła wzrok i zauważyła dziwny błysk zadowolenia w oczach mamy.

– Elizka! Tutaj jesteś! – od drzwi usłyszała radosny, choć lekko zdziwiony głos babci.

– Tak, babciu, jestem tutaj, bo tutaj jest śniadanie! – Sama czuła, że to burknięcie, chociaż logicznie poprawne, było nie bardzo na miejscu.

Babcia jednak uśmiechała się promiennie, jakby nie dosłyszała tych słów.

– Położyłam ci na łóżku te krótkie dżinsy i koszulki, które przedwczoraj powiesiłaś u mnie na tarasiku. Są wyprasowane i w foliowych woreczkach. Musisz i na to znaleźć miejsce w bagażu! – zmrużyła oczy.

– Jak zjesz, to zrób jeszcze raz rachunek sumienia, czy wszystko masz – dodała mama pomiędzy kęsami.

– Na mnie czekałyście? – Do kuchni wkroczyła

Felicja, przynosząc zapach kwiatów z ogrodu. – Co tak przyglądacie się sobie zamiast jeść? Coś nie tak? Jak tam pakowanie? Czy te majteczki też zabierasz? – Podała jej ponad stołem zawiniątko w kolorowej torebce foliowej.

Eliza spoglądała ze zdziwieniem raz na nią, raz na zawiniątko. To, że mama i babcia ją upokorzyły, jakoś rozumiała, ale teraz dołączyła do nich jeszcze Felcia. Tego było już decydowanie za dużo.

– Jedzcie, jedzcie, dziewczynki! – zachęcała Felicja. – To te majtki, które wczoraj rano powiesiłaś na podwórku, bo tam było słońce. I rzeczywiście, nie ma to jak białe suszyć na słońcu... No, sięgaj po jedzenie. Musisz się najeść przed drogą! – dodała, pokazując głową na jej ciągle pusty talerz.

Babcia i mama zajęte jedzeniem zgodnie pokiwały głowami. Eliza była zdruzgotana. Zmarszczyła czoło. W jej głowie trwała galopada myśli. Nie będę się zamartwiać, przecież to i tak jest mój dzień, zdecydowała po chwili i aż podskoczyła z odzyskanej radości na krześle. Natychmiast poczuła na sobie trzy pary oczu.

– Coś się stało? – Kaśka była zaskoczona tą niespodziewaną zmianą nastroju córki.

– Tak! Cieszę się, że jadę na Hel... – Eliza zawiesiła głos, z satysfakcją obserwując, że całą trójkę pali ciekawość, co powie dalej – ...a ponieważ mam już pewność co do zawartości bagaży, bo wszystkie trzy pomagałyście mi się spakować, mogę teraz naprawdę spokojnie zająć się jedzonkiem! – parsknęła śmiechem. Omiotła wzrokiem stół i zaatakowała salaterkę z sałatką jarzynową. Nałożyła na talerz dwie spore kopystki, obok plaster szynki, dwie połówki jajka i zrobiła na nich efektowne kleksy z majonezu.

– Teraz chyba wszystko mam, jeśli jednak czegokolwiek mi zabraknie, to... – zawiesiła głos – ...odpowiedzialność rozłoży się na cztery osoby!

Babcia i Felcia uśmiechnęły się szeroko, zaś Kaśka wzięła się pod boki i wycedziła:

– Ty przebiegła, mała ruda lisico! – i sama parsknęła śmiechem.

Tak rozbawione zastał je Igor.

– Dzień dobry paniom! Jeszcze śniadanko? – Rozejrzał się po kuchni, jakby czegoś szukał.

– Dobry, dobry! A co ty tak lustrujesz moją kuchnię? – zdziwiła się Felcia.

– Szukam bagaży Elizy.

– Lepiej dosiądź się do nas, a spakować zawsze się zdążycie – odparła Felcia.

– Przecież ja niczego nie muszę pakować! – zdziwił się. – Jeszcześ nie spakowana? – usiadł koło Elizy i cmoknął ją w policzek.

– Spakowana? W zasadzie tak, ale muszę jeszcze to i tamto dołożyć! – uśmiechnęła się do niego. – Bo wiesz, trzy starsze dziewczynki zwróciły mi uwagę, że jeszcze tego i owego nie mam.

– Aha! – przerwał jej. – Rozumiem. Nie ma to jak kolegialne pakowanie! – puścił do niej oko. – Jeśli tak, to zjem coś, bo od Kartuz już zdążyłem zgłodnieć, a tu takie pychoty... – Zasiadł do stołu. – Przecież tak naprawdę nigdzie się nie śpieszymy, co? – roześmiał się.

– No co ty? Przecież ja tam muszę być przed piętnastą, bo wtedy zaczyna się zebranie organizacyjne wolontariuszy z szefem stacji.

– Mhm! – odpowiedział z pełnymi ustami. – Więc daj teraz to, co już masz, pozanoszę do samochodu...

– Kiedy ja muszę się generalnie przepakować! – jęknęła. – Mamuś, pomożesz? – spojrzała na nią błagalnie.
– Nie mam wyjścia – odparła pogodnie Kaśka.

*

Samochód przemierzał kaszubskie drogi w kierunku Helu. Eliza przyglądała się prowadzącemu Igorowi spod oka. Prowadził zupełnie inaczej niż jego ojciec. Tamten zawsze musiał być pierwszy, Igor zaś był prawdziwym dżentelmenem jezdni. Jeśli trzeba, wyprzedzał szybko, ale nie szarżował, albo zwalniał, przepuszczając szybsze auta. Piesi i rowerzyści zawsze mieli u niego pierwszeństwo. W jego zachowaniu na szosie dostrzegała wiele podobieństw do swego dziadka.
– Wiesz, babcia zmieniła się... – w pewnej chwili rzuciła Eliza. – Odżyła, gdy poznała tego Ryszarda z Bytowa.
– Przecież to jeszcze całkiem młoda i atrakcyjna kobieta, a on to widzi. Z tego, co opowiadałaś, z niego też niezły przystojniak! – Igor podniósł z uśmiechem brew.
Elizę zatkało. Znała i kochała babcię, ale szczególnie w ostatnich latach widziała w niej tylko – babcię! Była zbyt zajęta sobą, żeby dostrzec w niej kogoś więcej. Nie mogła zrozumieć, jakim cudem uszło jej uwadze, że babcia to wciąż atrakcyjna kobieta. Ciągle dobra figura, ubiorem zawsze potrafiła zadać szyku, a już makijaż i różne cuda z włosami – to istne mistrzostwo świata! Prawdziwa dama. Takich się już dzisiaj nie produkuje!
– Wiesz, kto pochodzi z Gowidlina? – spytał Igor, gdy minęli tablicę z nazwą tej miejscowości.
– Sporo ludzi – rzuciła Eliza i zaśmiała się.
– Aleś ty bystra! Chodzi mi o aktorów.

– Aha! No nie wiem.

– Danuta…

– ?

– Danuta Stenka! – wyrzucił z siebie.

– Ta Stenka?

– A jakaż by inna! Nasza Danusia Stenka. Nie wstydzi się swojego Gowidlina. Tata mocniej to śledzi, bo to bardziej jego rocznik…

– Aleś ty dżentelmen, no, no!

– Ona też się tego nie wstydzi, tak mówi tata.

– Tata, tata. A ty nie masz swojego zdania?

– Mam. Widziałem ją w jakiejś sztuce i bardzo mi się podobała.

– Aha! A gdzie mieszka?

– Nie powiem, bo zaraz będziesz chciała lecieć do niej po autograf.

– Autografy zbierają tylko podlotki, prawda? – rzuciła z ironią.

Igor jakby tego nie dosłyszał.

– Może mieszka tam w głębi, gdzie jest tak dużo kwiatów na tarasiku? – dodał po chwili milczenia, wskazując ręką.

– Fajny dom! A to nie wiesz, gdzie mieszka?

– Tutaj ładnych domków dużo… Nie wiem, nie śledziłem jej – dodał.

– Zdążyłam dojrzeć, że mieszkańcy tamtego domu mają artystyczne dusze…

– Kiedy? – przerwał jej.

– Wiesz, co to jest harmonia? – spytała, nie zauważając jego pytania.

– A co to ma do rzeczy?

– Tak myślałam, że nie zrozumiesz. Ja tę harmonię przez moment właśnie tam dostrzegłam. Drobne szczegóły

wystroju, kolorystyka, no wiesz, ogólne wrażenie artystyczne. To się da zauważyć! – roześmiała się. – Pilnuj fajery! – krzyknęła rozbawiona, gdy Igor z wrażenia na
chwilę oderwał dłonie od kierownicy.

Najpierw przestraszył się jej krzyku, ale po chwili
śmiał się razem z nią.

– Ładniusio tutaj – rzekła, gdy się już naśmiali.

– Wiadomo, Szwajcaria...

– Ty snobie kaszubsko-kartuski! – odparła, a Igor
tylko przewrócił oczami. – Ale wiesz, prawda jest taka,
że dopiero od dwóch tygodni zwracam większą uwagę
na to, co widać za oknami samochodu. Jak jeszcze żył
dziadek, to cieszyłam się z każdej chwili z nim spędzonej i kiedy gdzieś jechaliśmy, byłam ciągle wpatrzona
w niego i zasłuchana. Zamki zwiedzałam chętnie, to
prawda, ale tylko dlatego, że on cudownie opowiadał.
Ale podziwiać krajobrazy? Później z babcią czy mamą
już tyle nie jeździłam, więc nie było okazji... – zamilkła, a on w milczeniu skinął głową.

Wpatrywała się w jezioro Gowidlińskie, wzgórza
i doliny wokół niego. Dostrzegł to, więc zwolnił, aby
mogła nacieszyć oczy.

– Wydawało mi się, że widoki, krajobrazy to banał.
Dopiero babcia jakoś poruszyła we mnie tę strunę, którą przecież mam jak inni – potrząsnęła głową. – Oczywiście, wy dwaj też macie w tym swój znaczny udział –
spojrzała na niego filuternie.

– Oo!

– Tylko nie wpadnij z tego powodu w samouwielbie-
nie. Bo wiesz, gdyby babcia szukała tych korzeni gdzie
indziej, to być może inne miejsca teraz by mi się podobały.

– Być może...

– Kurczę! Czyż te zabudowania z czerwonymi dachami, o tam na wzgórzu, krowy czarno-białe, o... i czerwone... na zielonym zboczach, złote łany zbóż, a poniżej błękitny staw, czyż to wszystko nie jest cudowne? – odwróciła się za siebie.

– Trudno się z tobą nie zgodzić – Igor skomentował jej słowa poważnym tonem. – Wiesz, że wymieniłaś wszystkie charakterystyczne kaszubskie kolory? – uśmiechnął się. – To taki kaszubski wzór w naturze.

– Ładnie powiedziałeś – wydęła z podziwu wargi i kilkakrotnie potrząsnęła głową.

Podziękował jej uśmiechem i muśnięciem dłoni po policzku.

Sierakowice, Wejherowo, a potem Karwia i Jastrzębia Góra, wszystkie te miejsca wzbudzały w niej zachwyt. Igor z początku myślał, że to jakaś jej gra, ale poznał na twarzy dziewczyny prawdziwe zainteresowanie. Opowiadał więc chętnie i dużo o mijanych miejscach. Sam się sobie dziwił, że tyle wie o Kaszubach. Uzmysłowiła mu to dopiero Eliza.

– Czy ty na dzisiejszą drogę jakoś specjalnie się przygotowałeś? – przyglądała mu się zza zmrużonych oczu.

– Sam jestem zaskoczony, że tyle potrafię opowiedzieć. Czuję, że to zasługa ojca – zaśmiał się.

– Mam podobne odczucie, jeśli idzie o mamę. Przecież ja w tak niewielu miejscach byłam. Kiedy ona po powrocie z jakiejś wycieczki opowiada o cudach, które widziała, to czuję, że nie muszę tam specjalnie jechać.

– Tutaj po lewej jest Ośrodek Przygotowań Olimpijskich – rzucił nagle.

Spojrzała na niego zdziwiona.

– Nie słyszałaś o Cetniewie? – Teraz on wyglądał na zaskoczonego.

– Trzeba było od razu tak mówić. Mój kolega był tutaj na zgrupowaniu.

– A co on trenuje?

– Oj, nie wiem! To znaczy... on nie jest sportowcem. Był tutaj na międzyszkolnym zgrupowaniu zorganizowanym przez kuratorium, przed ogólnopolskimi finałami olimpiad naukowych. Opowiadał o fajnych dyskotekach – uśmiechnęła się.

– A lubisz jakiś sport?

– No, rower, pływanie, teraz żagle...

– Chodzi mi o to, czy chodzisz jako kibic na jakieś mecze, zawody, czy lubisz oglądać jakieś transmisje?

– Otwarcie olimpiady albo jakieś bardzo ważne mecze reprezentacji oglądam, bo inni też oglądają. Trzeba być na bieżąco – odparła, zupełnie niespeszona jego dociekliwością.

Igor analizował jej i swoje reakcje. Zaciekawiała go, momentami wzruszała, a niekiedy irytowała aż do imentu. Właśnie, do imentu! Tak jeszcze babcia mówiła. Uśmiechnął się do własnych myśli.

– Z czego się śmiejesz? Że nie chodzę oglądać czegoś, czego nie rozumiem? Przecież tam często bez powodu wrzeszczą, klną, a niekiedy się biją. Wolę w tym czasie zrobić coś ciekawszego. Ale dlaczego ja się w ogóle tłumaczę? – poirytowana potrząsała rękoma. – A tamci kibole chodzą do opery albo filharmonii, albo do teatru? Bo ja chodzę!

– Zapewniam cię, że niektórzy chodzą i tu, i tu. Gdybyś chodziła na imprezy sportowe, to może niektórzy by tak nie robili, jak mówisz...

– A to ja mam robić na tych meczach za wzorzec pozytywnych zachowań, być psychoterapeutką podczas seansów zbiorowej reedukacji?

– Aleś ty mądra, Elizko! Tylko że twoje słowa trochę przeczą czynom. Ostatnio przecież polubiłaś i żagle, i jazz, a ja przy tobie brukselkę i muzykę włoską – złapał ją za rękę. – Nie irytuj się tak, proszę.

– Jakiś ty mądry, Igorku! A w ogóle to pilnuj fajery! – roześmieli się oboje.

Zrobiło się gęsto od samochodów jadących przed nimi i za nimi. Czekali już kilka minut w korku przed rondem. Eliza zaczynała się wiercić.

– Co tu się dzieje? – nie wytrzymała wreszcie.

– Ci z prawej, jadący od strony Gdyni, walą na Hel, ci z naprzeciwka – wracają stamtąd, no i nasz sznureczek od Rozewia – pokazywał na kolumny samochodów z trzech kierunków. – To rondo jest, jak widzisz, newralgicznym punktem. Jak chce się jechać podczas wakacji w którymś z tych trzech kierunków, to trzeba pocierpieć.

– Nie pomyślałam.

Gdy przejechali wreszcie przez rondo, Igor zakomunikował:

– Jesteśmy na Półwyspie Helskim. Tam po prawej Zatoka Pucka, po lewej port, a za nim pełne morze. W Chałupach coś zjemy. Głodna jesteś?

– Podoba mi się tutaj – spoglądała w kierunku zatoki. – A dlaczego w Chałupach?

– Bo tam jest...

– Nie mów! Niech zgadnę. Tam kolega taty prowadzi knajpkę! – wykrzyknęła.

– Knajpkę rybną... – śmiesznie poruszył ustami.

Rybka była pyszna. Eliza zajadała ją z apetytem, nawet podpieczonej skórce nie odpuściła. Z lubością gryzła też złociste frytki i wysysała sok ze świeżej surówki. Przymykała oczy, czasem podnosiła je w górę i od czasu do czasu oblizywała paluszki. Igor lubił przyglądać się jedzącej Elizie, ale dzisiejsze przedstawienie było wyjątkowe. Nie przeszkadzał jej żadnym gestem, nie rozpraszał rozmową, sam jadł wolno i czekał, aż ona skończy. Odłożyła sztućce na talerz i głęboko odetchnęła.

– Py-cho-ta! – wyskandowała i wytarła usta koniuszkiem serwetki. Nagle zaczęła się dziwnie nerwowo kręcić na krześle i spoglądać to przez jedno, to przez drugie okno. – A gdzie są ci?... – mrugnęła do niego.

– Kto? – Igor nie potrafił się nijak domyślić, o kogo jej chodzi, chociaż też rozglądał się wokół.

– No, wiesz... nudyści!

– Proszę?

– Jesteśmy w Chałupach?

– Tak.

– No to tu powinni być nudyści. Czy nie tak?

Igorowi wydawało się, że większej niedorzeczności nie mógł się od Elizy spodziewać, ale ona zadała mu to pytanie naprawdę poważnie i teraz wpatrywała się w niego, czekając na odpowiedź. Zupełnie nie wiedział, jak zareagować.

– Wydaje mi się, że są na plaży... – wydukał niepewnie. – My jesteśmy w strefie dla tekstylnych – dodał już nieco swobodniejszym tonem.

– To oni tutaj – wskazała ręką na ulicę – nie spacerują?

– Sądzę, że nie – wydukał Igor.

– To po co się robi z tego takie halo?!

– Czy dopuszczasz jakieś odwiedziny? – spytał, gdy siedzieli znów w samochodzie.

– Nie rozumiem – odparła szybko, chociaż wyglądała, jakby dokładnie zrozumiała pytanie.

– Nie miałem żadnego złego zamiaru – mitygował się, czując, że kolejny raz nie przewidział jej reakcji. – Po prostu myślałem, że może zrobię ci przyjemność, jak kiedyś wpadnę.

– Ale po co? – wypaliła, zaraz jednak pożałowała, ujrzawszy jego minę.

Zamilkli.

Chyba trochę się zagalopowałam, pomyślała, ale on też sobie na zbyt dużo pozwolił! Przecież to mój pierwszy dorosły wyjazd, a on chce mnie odwiedzać? Jak to będzie wyglądać? Niby studentka, a tutaj odwiedziny jak do jakiejś licealistki. Przecież on nawet nie jest rodziną! No właśnie! W jakiej roli chciałby mnie tam odwiedzać? Spoglądała spod oka na twarz lekko speszonego Igora, czując, że musi natychmiast coś powiedzieć.

– To znaczy źle się wyraziłam. Szkoda by mi ciebie było, gdybyś musiał się niepotrzebnie męczyć. Tutaj są takie straszne korki latem. Poza tym to też kosztuje…

Igor rozchmurzył się.

– Lubię jeździć, nawet w korkach! – zapewnił ją. – A o pieniądze się nie martw, mówiłem ci, że zarobiłem uczciwie.

Czuła potrzebę natychmiastowej zmiany tematu, bo ten stał się niebezpieczny.

– Igor, a powiedz mi… – gorączkowo szukała w myślach, co właściwie chciałaby od niego usłyszeć.

Zauważyła, że ściągnął brwi i w skupieniu przygotowywał się do odbioru pytania, które miało paść lada chwila.

– …powiedz mi, czy ty dobrze pamiętasz z filmu tę Scarlett O'Hara? – wystrzeliła i podniosła brew w górę.

Igor z wrażenia aż przyhamował. Spostrzegła na jego twarzy zmieszanie.

– Patrz na szosę i pilnuj fajery – rzuciła z ironią w głosie.

– Ale co ty tak nagle o tej Scarlett? – wyjąkał.

– Jak to nagle? Przecież ty z nią zacząłeś, a ja tylko chcę się dowiedzieć dlaczego. – Jej prawa brew znowu bezwiednie uniosła się w górę.

– Bo jesteś trochę do niej podobna, przynajmniej tak mi się wydaje, i podnosisz brew jak ona – wykrztusił.

– To aż tyle zapamiętałeś z filmu, który trwa, zdaje się, ze cztery godziny, jak nie lepiej?

– Tak... – spojrzał na nią przepraszającym wzrokiem.

– A według ciebie, jakie miała włosy? Na ognisku, zdaje się, głównie o nich mówiłeś.

– Długie i ciemne – wyjąkał.

– A jakie to są ciemne włosy? – dociekała.

Zaczynała się już bawić tą rozmową.

– Ciemne to... ciemne. – Spojrzał na nią, a ona dojrzała w jego oczach jakieś chochliki.

– Albo ściemniasz, albo się ze mnie nabijasz...

– Powiem, ale obiecaj, że mi wybaczysz – uśmiechnął się.

– No dobrze, obiecuję. – Ciekawość wzięła górę nad chęcią dalszego droczenia się z nim.

– Kiedy cię zobaczyłem, wydawało mi się, że już gdzieś widziałem podobną twarz, tę podniesioną brew... Dobrze, że tak długo mnie taksowałaś wzrokiem, bo miałem czas, żeby sobie przypomnieć, gdzie to było, no i wymyślić coś efektownego na powitanie – roześmiał się.

– Nie rozumiem...

– No, bo tak naprawdę nie oglądałem *Przeminęło z wiatrem*, a zdjęcie Vivien Leigh widziałem tylko raz w gazecie. Ale zapamiętałem ją! Piękna kobieta, a ty jesteś do niej podobna.

– Jak mogłeś?! – krzyknęła.

– Obiecałaś, że wybaczysz!

– Jak mogłeś tego filmu nie obejrzeć? – roześmiała się.

– Szczerze?

Eliza skinęła głową, ledwie powstrzymując śmiech.

– Bo to straszna ramota… – zarżał i zjechał na pobocze, żeby ochłonąć.

– Ja go też nie oglądałam i to z tego samego powodu – teraz ona rżała wniebogłosy.

Trochę potrwało, aż się uspokoili.

– Ale ty jesteś naprawdę do niej podobna! Szkoda tylko, że to zdjęcie było czarno-białe.

– Wiesz co? Musimy razem obejrzeć ten film. – Spojrzała na zegarek. – Igor! – wrzasnęła. – Jest już po czternastej!

– Spokojnie, zostało tylko parę kilometrów. – Pocałował ją w policzek.

*

Kiedy weszła do świetlicy stacji morskiej, wśród niewielkiej grupy czekającej już tam młodzieży ku swojemu zdumieniu zobaczyła Wikę.

– Cześć, Eliza! – zawołała tamta i ruszyła w jej kierunku.

– Cześć, Wiczka. Nie wiedziałam, że tu będziesz… Rozumiem, że dostałaś się na studia.

– Trzy dni po naszej rozmowie byłam już na liście, a potem tyle się działo… – mrugnęła. – Fajnie, że się spotkałyśmy, bo możemy być w jednej trójce – powiedziała

Wika półgłosem. – Nikogo więcej tutaj nie znam – dodała.

– Przy okazji będę mogła odpowiedzieć ci wreszcie na pytanie o moim poznańskim tacie, bo po egzaminach nie zdążyłam... – uśmiechnęła się. – Aha, nie gniewaj się, ale wolałabym, abyś mówiła mi Wika, bo tamto zdrobnienie dziwnie mi się kojarzy – rzuciła jakby od niechcenia i mrugnęła. Eliza już chciała jej coś odpowiedzieć, kiedy przy wejściu zrobił się szum.

– To szef stacji, doktor Siwek – zdążyła szepnąć Wika.

Ten przedstawił współpracowników, opowiedział o historii stacji oraz obecnie realizowanych przez nią zadaniach.

– Foka szara, morświny, morszczyn zostały przez ludzi mieszkających nad Bałtykiem wytępione. To nie my, tutaj obecni, dokonaliśmy tego fizycznie – zatoczył ręką łuk w powietrzu – ale w jakimś sensie wszyscy jesteśmy za to odpowiedzialni. Teraz musimy to odbudować dla przyszłych pokoleń. Przynajmniej trzeba takie próby podejmować! Od lat realizujemy więc najróżniejsze działania, o niektórych się dowiecie, czegoś tam domyślicie się sami, choć niektóre są tajne. – Położył palec na ustach i uśmiechnął się. – Bardzo mocno od początku postawiliśmy na edukację, a wy będziecie nam tego lata w tym pomagać.

Elizie podobało się jego wystąpienie. Żadnego zbędnego nadęcia. Była pod wrażeniem jego pasji wyrażanej emocjami, których nawet nie próbował skrywać.

– Waszą rolą – wskazał na wolontariuszy – jest pomoc w karmieniu fok i monitoring wybrzeża. To bardzo ważna misja, dla nas obecnie najważniejsza, którą przez miesiąc przyjdzie nam wspólnie realizować.

Wybraliśmy was, bo właśnie wasze ankiety spodobały nam się najbardziej. Uwierzyliśmy w deklarowane w nich poglądy na temat biologii. Nie zawiedźcie nas. Liczę na sumienność i zaangażowanie – podkreślił gestem. – Miejcie cały czas na uwadze, żeby robić tylko i wyłącznie to, co pokażą instruktorzy, oraz w sposób, jaki oni zademonstrują. Tu chodzi o wasze bezpieczeństwo! – podkreślił z naciskiem. – Nasze foczki, tak o nich mówimy, faktycznie ważą od kilkudziesięciu do kilkuset kilogramów! Trudno przewidzieć ich reakcje. Pamiętajcie o tym cały czas!

Każdy z wolontariuszy musiał następnie powiedzieć kilka słów o sobie, a potem nastąpił podział na grupy. Wika wyrwała się i wskazała na Elizę, a uśmiechnięty szef stacji przydzielił im do trójki chłopaka, który swoim niespodziewanym, dodatkowym wystąpieniem wzbudził wesołość wszystkich obecnych.

– Oczywiście, że mam imię i nazwisko, przedstawiałem się już. Jest ono też zapisane w moim dowodzie osobistym – podniósł go w górę. – Chcę jednak, żeby wszyscy i to bez wyjątku, zwracali się do mnie... – spojrzał w stronę szefa stacji i towarzyszących mu instruktorów, a następnie skierował wzrok na wolontariuszy – ...po prostu Mrozu. Chcę się tutaj dobrze bawić, a to jest mi do tego potrzebne.

– Co do ksywy zgoda, co do drugiego nie ma zgody! – Szef stacji pogroził mu żartobliwie palcem. – Teraz zapraszam was na zwiedzanie stacji – dodał.

Wika nie wiadomo kiedy zdążyła załatwić wspólny pokój z Elizą, bo według pierwotnego planu każda z nich miała mieszkać z inną dziewczyną. Gdy przeniosły tam swoje bagaże, zamiast zacząć się zaraz instalować, zasiadła do studiowania otrzymanych materiałów.

– Jutro o dwunastej mamy pierwsze karmienie fok, a w poniedziałek o ósmej ruszamy na monitoring wybrzeża wokół cypla – zakomunikowała.

– Na czym polega ten monitoring, bo jakoś nie było o tym mowy? – Eliza spojrzała na nią pytająco.

– W materiałach jest instrukcja, a przed wyjściem w teren ma być jeszcze instruktaż – wskazała na kartkę z harmonogramem. – Poczekaj z tym układaniem rzeczy w szafie! – zawołała nagle.

Eliza zaskoczona odwróciła się w jej kierunku. Wika kucnęła przy swoich bagażach i po chwili trzymała w ręku jakieś pudełko.

– Skorzystaj z wilgotnych chusteczek odkażających – podała je z uśmiechem.

Eliza z chusteczkami w jednym ręku i naręczem koszulek w drugim wykonała dwa półobroty, zastanawiając się, co i jak ma teraz zrobić.

– Fajnie tańczysz – zaśmiała się Wika, naśladując ruchy Elizy. – Wiesz, ja w liceum dużo jeździłam na tak zwane lekcje w terenie i to należy do akcesoriów, które zawsze ze sobą zabieram! Wolę to niż szmatkę zmoczoną w wodzie.

Musiała dojrzeć w oczach Elizy niezrozumienie, bo dodała:

– Tutaj nam nic nie grozi, ale kiedyś dzięki takim chusteczkom odzyskałam śpiwór.

Eliza zrobiła jeszcze większe oczy i przysiadła na łóżku.

– Czyściłam go godzinę tymi chusteczkami, po nocy spędzonej na zapluskwionej podłodze.

– Boże! – Eliza wstrząsnęła się.

– Mieliśmy spać w dresach i pod kocami na karimatach – ciągnęła Wika, dosiadając się do Elizy. – Nikomu nie chciało się brać więcej rzeczy niż trzeba z autokaru, który pojechał potem na drugi koniec miasta. Wiesz, tak robią wszyscy. No, prawie! – roześmiała się. – Ja wzięłam na wszelki wypadek śpiwór i te chusteczki. Często mam takie pomysły, ale tak naprawdę to się nazywa przeczucie! – mrugnęła. – Pomyślałam sobie, że przetrę nimi podłogę pod swoją karimatą... Po zgaszeniu światła szybko zasnęłam. Za jakiś czas obudziły mnie głośne stękania. Ktoś zapalił światło. Ja wkurzona, że ktoś głupio się bawi, patrzę, a tu powiadam ci: Sodoma i Gomora. Wszyscy się drapią albo walą papciami po podłodze, krzyki. Wpatruję się w podłogę... pluskwy! – Eliza podskoczyła. – Wcześniej widywałam tylko takie zielone na porzeczkach. Też obrzydliwe... – Obie się wzdrygnęły. – No, a tam coraz większy jazgot. Przestraszona też zaczęłam krzyczeć, ale potem zauważyłam, że to wszystko jakby mnie nie dotyczy. Nie wlazły do mnie, chociaż na śpiworze jedną taką szarą cholerę znalazłam. Przetrzepałam więc jeszcze tylko włosy, nałożyłam na nie chustkę, przetarłam kawałek podłogi pod ścianą, przesunęłam się tam w tym swoim śpiworowym pancerzu, zajęłam pozycję siedzącą i mimo wszystko jakoś drzemałam. A reszta bractwa dalej polowała na zwierzątka. Rano nasza dyrekcja zrobiła gospodarzom niezłą awanturę, ale ci, co zostali pokąsani, to mieli pamiątkę.

Eliza odruchowo zaczęła się drapać po plecach.

– Nie żartuj! – jęknęła.

Wika znowu się roześmiała.

– To było dawno i daleko stąd. Tutaj pod tym względem jest naprawdę poziom światowy! Uwierz mi. Rozpakujmy się, to ci pokażę trochę Hel. Pamiętasz, że o dziewiętnastej grillujemy?

– Nie! A skąd ty to wiesz?

– Wyleciałaś na chwilę do toalety i wtedy była o tym mowa. No, to do roboty – poderwała się.

Rozległo się pukanie do drzwi i jednocześnie ktoś nacisnął klamkę. Drzwi uchyliły się, a w szparze pojawiła się uśmiechnięta twarz Mroza.

– Dziewczyny, zapraszam na piwo. Ja stawiam!

– Orze-eł! Puka się i czeka na proszę, tak? – odezwała się przytomnie Wika.

– Miałyście mówić mi Mrozu. Ja nie jestem orzeł!

– No właśnie to chciałam ci powiedzieć. A gdybyśmy były rozebrane?

– Szkoda, że tak nie było... – Omiótł je wzrokiem i uśmiechnął się czarująco. – Może kiedyś będę miał więcej szczęścia!

– Mrozu! – wykrzyknęła Eliza.

– A czy wy, dziewczyny, wracając do tego rozebrania, czy wy może?... – Wykonał dziwne ruchy palcami obu rąk.

Jeszcze nie wybrzmiało ostatnie słowo, kiedy tuż przy jego głowie wylądował najpierw kapeć Elizy, a potem opakowanie z chusteczkami. Drzwi zatrzasnęły się, ale po chwili znowu lekko uchyliły.

– Zaproszenie na piwo jest dalej aktualne!

– No, to będziemy miały z nim wesoło! – skwitowała Wika.

– Aha! Dowcipny! Lubię takich! – potwierdziła Eliza.

– Ale ja to powiedziałam z ironią! Czuję, że mogą być z nim różne kłopoty!

– Poważnie?! Chyba trochę przesadzasz.

– Chciałabym się mylić! – W oczach Wiki pojawiły się iskry.

Kurczę, to ja z tobą będę miała kłopoty, przemknęła Elizie myśl. Ona to taka... Wiczka-zasasadniczka!

– A ty z tego jeszcze się śmiejesz! – odezwała się Wika z wyrzutem.

– Coś mi się nagle przypomniało i jak skończymy, to ci opowiem.

Wika skinęła głową, ale sądząc po spojrzeniu, jakim obrzuciła Elizę, chyba nie do końca jej uwierzyła.

Godzinę później szły główną ulicą Helu.

– Czy to przypadkiem nie był kiedyś kościół? – Eliza wskazała na zabudowania z czerwonej cegły.

– Zaraz ci powiem, ale najpierw ty opowiedz, co cię tak przedtem rozbawiło – odparła Wika.

– Więc… – Eliza zawiesiła głos i oparła się plecami o mur okalający kościół-nie-kościół. Zobaczyła w oczach Wiki dezaprobatę.

Na pewno chodzi ci, Wiczko-piczko, o… – odgadła w myślach, ale zdecydowała się postawić na swoim.

– *Więc* mam takiego przemiłego kolegę Oskara – wznowiła opowiadanie, nie zważając na ciągle dziwny wyraz twarzy Wiki – …i ten Oskar, artystycznie niespełniona dusza, a do tego facet mały, rudy i piegowaty, zamarzył sobie, żeby mieć dredy. Nie wiedział zupełnie, jak się do tego zabrać. Bał się, że jak je sobie zaaplikuje ot tak, po prostu, z dnia na dzień, narazi się natychmiast na żarty i kpiny całej klasy. Wyjawił mi to w zaufaniu, i możesz mi wierzyć, że sporo go to kosztowało – i mnie też! Bo najpierw chodził za mną, a ja już myślałam, że on za mną chodzi, no wiesz…– zawiesiła głos, bo zauważyła, że Wice pojawiły się wesołe chochliki w oczach, a kąciki ust ruszyły wyraźnie w stronę uśmiechu.

– Więc kiedy on tak za mną chodził, to go najpierw apriorycznie opierniczyłam, tak że prawie się spłakał. – Wice śmiała się już cała twarz. – Bo skąd ja miałam wiedzieć, że on chodzi za mną w innej sprawie!? A to jest artystyczna dusza o dużym poziomie kiczowatych uczuć. Jak ma łzy w oczach, a zdarza mu się naprawdę często, to sam się tak definiuje. – Eliza roześmiała się na wspomnienie tej sytuacji. – Są też i tacy faceci...

Wika skinęła głową i powtórzyła za Elizą:

– Są...!

– Ale jak się już uspokoił – i ja też, wyjawił mi tę swoją tajemnicę. – Eliza znowu się uśmiechnęła. – Wymyśliliśmy wspólnie, że w klasie sprzeda najpierw informację o jakichś problemach ze skórą na głowie i że lekarz dermatolog polecił mu dredy jako alternatywną terapię w stosunku do ogolenia na łyso. A ogolenie na łyso nie wchodziło w ogóle w rachubę. Tylko że on następnego dnia postanowił zwiększyć dramaturgię tego przekazu. Dodał od siebie w pięknej mowie okraszonej łzami, że lęgną mu się zwierzątka. Wszyscy byli przerażeni i zaczęli się od niego odsuwać i drapać – i ja też. Kiedy już wszyscy odsunęli się na pewną odległość, on do mnie za jakiś czas się przedarł. Ja, rozumiesz przerażona, a on mówi: Ja tylko zażartowałem, bo chciałem wywołać większy efekt! No i ci się udało! – wykrzyknęłam wkurzona. I o to właśnie chodziło! – odparł. Teraz brzydzą się mną, ale się nie śmieją. Trzy dni nie było go w szkole, a potem przyszedł z pięknymi dredami. Jakoś wszyscy się przyzwyczaili... i ja też, do tego jego nowego imidżu, jak to sam złotoúste nazywa. Bo oprócz dredów wprowadził również zmiany w ubiorze. Zaczął na przykład nosić przydługie spodnie ciągnące się za nim po chodnikach, luźne blezery albo dla kontrastu przyciasne koszule noszone na wierzch, koraliki i skórzane rzemyki na szyi i przegubach i takie tam inne ozdóbki. To było pod koniec trzeciej klasy, a w maturalnej żadna impreza bez niego nie mogła się już odbyć. Został szefem imprez i kreatorem mody. I popatrz, wszystko przez małe zwierzątka. W jego przypadku wirtualne! – Eliza roześmiała się pełną piersią.

Wika śmiała się do rozpuku razem z nią. Po chwili stłumiła śmiech i spoważniała.

– Z twoich zwierzątek coś przynajmniej wynikło, a z moich tylko bąble i zadrapania u niektórych.

– Ale ty przynajmniej zyskałaś dobry nawyk przy pakowaniu.

Wika przyglądała jej się badawczo.

– Nie śmiejesz się ze mnie? Powiedziałaś to poważnie?

– Oczywiście! – Eliza podniosła dwa palce w górę i uśmiechnęła się do niej. – Teraz dawaj o tym kościele-nie-kościele! Zapomniałaś? – dodała po chwili.

– Nie, nie zapomniałam! Więc... – teraz obie wybuchły głośnym śmiechem, wzbudzając zainteresowanie przechodniów na tłocznej jeszcze o tej porze helskiej ulicy.

– Więc – podjęła powtórnie opowieść Wika, ale zaraz spoważniała – moja opowieść nie będzie taka wesoła jak twoja. To faktycznie był kiedyś kościół...

– No mów, mów.

– ...protestancki kościół, który powstał już w czternastym wieku. To jest najstarsza zachowana budowla Helu.

– No, ciekawe...

– Kościół spełniał swoją funkcję od tysiąc pięćset dwudziestego piątego do tysiąc dziewięćset czterdziestego piątego roku, do kiedy istniała gmina ewangelicka na Helu. – Wyciągnęła z kieszeni spodni jakąś małą kartkę i zerknęła na nią. Eliza podążyła za jej wzrokiem i uśmiechnęła się.

– Patrz, podobnie jak w Kartuzach... – zauważyła.

– Tak? – Wika zrobiła duże oczy. – W kolejnych wiekach dokonywano tutaj różnych zmian, ale na szczegóły nie licz, bo nie znam się na architekturze sakralnej – uśmiechnęła się i znowu zerknęła na kartkę. – W czasie wojny szwedzkiej kościół zastał zburzony, ale potem znowu odbudowany. Wieża drewniana powstała w tysiąc sześćset siedemdziesiątym roku. Po pierwszym rozbiorze Polski kościół popadł w ruinę i został odbudowany dopiero w latach tysiąc dziewięćset dziewiętnaście-dwadzieścia. Wieżę też odbudowano. Ponieważ w tysiąc dziewięćset trzydziestym dziewiątym roku wieża kościoła była doskonałym punktem namiarowym dla niemieckiej artylerii i lotnictwa, została wysadzona przez polskie wojsko.

Eliza oparła się o ceglany mur łokciami, obejmując dłońmi twarz. Słuchała słów Wiki, wpatrując się w ceglaną bryłę kościoła.

– Po zakończeniu drugiej wojny światowej i opuszczeniu Helu przez ewangelików kościół zamieniono na magazyn. Zdewastowany budynek przeznaczono do rozbiórki, jednak wojewódzki konserwator zabytków zadecydował o przekazaniu go na potrzeby muzealne – kontynuowała Wika. – Od sześćdziesiątego pierwszego roku działa w nim Muzeum Rybołówstwa, o, to są jego eksponaty – wskazała na drewniane łodzie.

Eliza wyprostowała się i wodziła wzrokiem po terenie ogrodzonym ceglanym murem.

– A czy zostało coś z wyposażenia dawnego kościoła?

– Jedynym zabytkiem jest dzwon z tysiąc siedemset czterdziestego dziewiątego roku odlany dla tego kościoła, ustawiony w przedsionku. Na jednej ze ścian zachowało się epitafium z istniejącego tu dawniej cmentarza. Poświęcone jest ono młodzieńcowi, który utonął, usiłując zepchnąć swój statek z mielizny. Musisz mi uwierzyć na słowo, co tam jest napisane – uśmiechnęła się i rozprostowała karteczkę, którą międliła w ręku i od czasu do czasu na nią zerkała. – Posłuchaj: „Wy próżni śmiertelnicy, cieszący się młodością i zdrowiem, przystańcie i zastanówcie się, albowiem pod tym kamieniem spoczywa ten, którego śmierć w jednej chwili pozbawiła owych błogosławieństw Opatrzności".

– Skąd to wszystko wiesz? – uśmiechnęła się Eliza

– Tylko się nie śmiej. Musiałam się jakoś przygotować na przyjazd kogoś z głębi kraju, no nie? – Wika roześmiała się perliście.

– Poważnie?

– Tak!

– Jesteś super... – teraz obie śmiały się głośno.

– Aha! Na wieży dzwonnicy jest teraz punkt widokowy.

– Wejdziemy na nią kiedyś i przyjdziemy przeczytać to epitafium? – spytała Eliza.

– Mhm! I jeszcze jedno. Tata mi powiedział, bo gdzieś się doszperał, że ponoć władze diecezji ewangelicko-augsburskiej mają zażądać zwrotu tego kościoła.

– A wiesz, że mnie też zaintrygowała historia dawnego luterańskiego kościoła w Kartuzach? I mam zamiar to zgłębić.

Po chwili ruszyły w kierunku dworca kolejowego, skąd wróciły do centrum miasta inną drogą. Kiedy wskazówki na zegarach niepostrzeżenie dotarły w okolice godziny dziewiętnastej, pierwsza zorientowała się Wika.

– Jeśli chcemy zdążyć na grilla, to musimy wracać – powiedziała.

– Upss! Przecież dopiero co wyszłyśmy – zdziwiła się Eliza i wydłużyła krok.

– Ale nie musimy aż tak pędzić – uspokoiła ją Wika.

– Spójrz, to już promenada; zostało nam kilka minut do bazy.

– To czemu mnie straszyłaś?

– Chciałam sprawdzić, czy pamiętasz o grillu, a przy okazji przekonać się, jaki z ciebie głodomorek – roześmiała się Wika.

– No i przekonałaś się! Lubię smacznie pojeść, grillowanie też lubię. Warunek jeden – miłe towarzystwo i żadnych upierdliwych tematów.

– Wiesz, że ja mam tak samo?! – Wika zdziwiona uniosła okulary na czubek głowy.

– No, to już coś nas łączy, poza przydziałem do jednej foczej trójki – przewróciła oczami Eliza.

– I jeszcze wspólny pokój przez miesiąc! Fajna jesteś! – odparła Wika, uśmiechając się. – Mam nadzieję, że będzie nam się dobrze mieszkało i pracowało..

Tylko fakt, że właśnie dotarły do furtki stacji, umożliwił Elizie pozostawienie ostatniej kwestii bez odpowiedzi.

*

Impreza grillowa okazała się udana, karkówka smaczna, a atmosfera prawdziwie rodzinna. Duża była w tym zasługa szefa stacji, który przyszedł na rozpoczęcie i potem jeszcze raz odwiedził młodzież, gdy się ściemniło. Czuł się wśród nich dobrze, potrafił nawiązywać ze wszystkimi dobry kontakt. Elizie i Wice, tak jak pozostałym, humor dopisywał. Tylko jeden Mrozu wałęsał się z nosem spuszczonym na kwintę.

– Tyle zakąski się marnuje! – smęcił. – Czy wy wiecie, ile by można wypić piwa do tego mięska?

Usłyszał wówczas od jednego z instruktorów, że foki nie lubią zapachu piwa.

– A czy już ktoś próbował je poczęstować? Smakowałoby im do śledzików – roześmiał się. – Będę musiał spróbować.

– Przejrzałam go! On to powiedział jak najbardziej poważnie – szepnęła Wika Elizie.

– Daj spokój. Czy ty nie masz na jego punkcie obsesji?

– Widzę, że mi nie wierzysz, ale jesteś w błędzie! – Dwoje błyszczących czarnych oczu przeszywało Elizę.

– Zobaczyłaś to po ciemku?

– Nie! Sama się właśnie wygadałaś.

Eliza tylko pokiwała głową.

*

Focza trójka, czyli Eliza, Wika i Mrozu, ubrani w nieprzemakalne kombinezony maszerowali za instruktorem, taszcząc wiadra z rybami. Turyści zwiedzający fokarium przypatrywali im się z zainteresowaniem. Pewnie czuli, że za chwilę rozpocznie się karmienie fok. A niektóre z nich potrafiły zachowywać się jak gwiazdy cyrkowe, wzbudzając zachwyt, szczególnie u najmłodszych.

– Słuchajcie i patrzcie – odezwał się instruktor do trójki wolontariuszy, kierując się w stronę jednego z baseników bez fok. – Zanim zaczniemy karmić foki, jeszcze raz przypominam: nie trzymać wiadra z rybami w powietrzu, a stawiać je na ziemi. Przy wyciąganiu ryb z wiadra stać mocno na nogach i obserwować karmione foki. Pod żadnym pozorem nie stawiać żadnej z nóg na kamieniach, którymi wyłożony jest basen, są one bardzo śliskie, a tam jest głęboko.

Postawił jedną ze stóp na kamieniu nieco poniżej górnej krawędzi basenu, tuż nad lustrem wody. Spojrzał na trójkę wolontariuszy.

– O czymś takim mówię. Tak nie wolno robić!

W tym samym momencie stopa mu się ześlizgnęła. Zamachał rękoma, poderwał je w górę, ale środek ciężkości ciała zdążył się przesunąć w dół, i młócące ruchy ramion już nie mogły pomóc. Mrozu podskoczył do krawędzi basenu i błyskawicznie podał mu rękę. Ciało instruktora na moment się zatrzymało, ale po chwili znowu zaczęło się zsuwać wprost do basenika. Mrozu przechylał się razem z nim w kierunku wody, nie mając siły utrzymać mężczyzny.

– Puszczaj mnie! – wrzasnął do instruktora, ale tamten ani myślał.

Wszystko odbywało się jak na zwolnionym filmie.

– Puszczaj! – Mrozu ponowił okrzyk.

– Widzicie! Tak nie należy robić! – zdążył jeszcze wrzasnąć instruktor, nim chlupnął w wodę, ciągnąc za sobą Mroza.

– Dziewczyny! Co stoicie! Ratujcie! – rozdarł się jeszcze raz Mrozu i obaj, jeden po drugim, zniknęli na moment pod wodą.

Ze wszystkich stron fokarium rozległy się oklaski. Dziewczyny spojrzały po sobie, potem zajrzały do basenika, gdzie zakończył się właśnie efektowny pokaz, jak nie należy postępować przy karmieniu fok, i prawie jednocześnie dygnęły. Nachyliły się ku sobie i coś poszeptały. Zupełnie nie zwracały uwagi na instruktora i Mroza, którzy ociekając wodą, gramolili się kolejno z basenu po szczeblach stalowej drabinki.

– Występ dwóch naszych kolegów, który państwo mieli zaszczyt obejrzeć, odbył się na specjalne zamówienie pewnej damy – zawołała Eliza.

Widzowie rozglądali się wokół. Rozległy się ponowne oklaski i buczenie.

– A teraz zapraszamy państwa do obejrzenia pokazu karmienia fok. Proszę wycofać się na miejsca dla publiczności – krzyknęła Wika.

Ponieważ obie przyglądały się rano, jak powinno przebiegać karmienie, dawały sobie świetnie radę. Sztuczki pokazywane przez foki oraz rzucające im ryby wolontariuszki raz po raz były nagradzane oklaskami.

– Dobre jesteście – mrugnął do nich instruktor, kiedy wróciły z pustymi wiadrami. – Dawno zwiedzający nie oglądali karmienia fok z takim zainteresowaniem.

– To był nasz pierwszy i zarazem ostatni występ tutaj – wyrecytowała bez zmrużenia oka Wika. – Transmisja szła na żywo do USA. Dostałyśmy przed chwilą telefon, że nasz agent zgłosi się jutro do szefa z kontraktem. Do końca sezonu chce nas wypożyczyć największe delfinarium w Houston.

– Co?... Nie rozumiem? – wyjąkał zaskoczony instruktor.

*

W poniedziałek rano trójka wolontariuszy ruszyła na swój pierwszy monitoring. Tuż za bramą stacji Mrozu zaczął rozglądać się na lewo i prawo.

– Co ty tak kręcisz głową? – spytała Eliza.

– Szukam jakiegoś sklepu. O, jest! Zaraz wracam!

Po kilku chwilach wyszedł na ulicę, trzymając w ręku plastikową siatkę. Dojrzeć w niej można było trzy puszki piwa.

– Mrozu, przecież wiesz, że nie wolno... – Wika prawie tupnęła nogą.

– Wiczka! – jęknął Mrozu. – Nie bądź taka zasadniczka!

– Słuchaj, orzeł! Jesteś dużym... Co ja gadam? Ty jesteś takim wyrośniętym pętakiem! Rób jak chcesz. Aha! Jak jeszcze raz powiesz do mnie Wiczka, to ci jedną z tych puszek wcisnę w twoją pustą głowę. Przynajmniej coś tam wreszcie będzie! Słyszałaś, co mu zrobię? – popatrzyła rozemocjonowana na Elizę.

– Widzę, że zrozumieliście oboje! Idziemy! – Wika ruszyła przed siebie.

Dwa kroki z tyłu szli Eliza i Mrozu, spoglądając po sobie.

– Wicz...! – krzyknął Mrozu i zasłonił usta. Wika odwróciła głowę. – Oj, Wika! Przepraszam! To było już ostatni raz! – jęknął.

– No myślę! – odkrzyknęła.

– Wiecie co, dziewczyny... Ja nie miałem nic złego na myśli, kupując piwo. Przecież trzy piwa na trzy głowy to jest ch...! – zasłonił usta dłonią.

Elizą wstrząsnął śmiech, a Wika tylko machnęła ręką.

– No i nie wyrażaj się przy mnie! – syknęła.

– Piwo – nie! Wyrażać się – nie! Czy w ogóle coś mi wolno?! – dramatycznie jęknął Mrozu. – Słuchajcie, dziewczyny, muszę wam coś wyznać. Wika, możesz ciut zwolnić? O, dziękuję! Ja jestem laik! E tam, laik. Ja jestem abnegat biologiczny! Cał-ko-wi-ty!

Przystanęli. Wika przyglądała mu się zza zmrużonych oczu.

– ...I przyznaję się do tego bez bicia. Usiłowałem to w sobotę jakoś zasygnalizować, ale nawet szef nie chciał podjąć tego tematu. Wy jesteście zakręcone biologiczki... Obie! Patrzycie na mnie tak groźnie, że już się boję dalej mówić. Ale ponieważ powiedziałem *a*, to powiem i *b*. – Mrozu zamilkł i wpatrywał się na przemian to w Elizę, to w Wikę. – Wiem, co myślicie! Powinniśmy iść, a ja zabieram wam czas. Dobra, no to maszerujmy. Chyba jakoś dam radę opowiedzieć wam to po drodze.

Ruszyli. Mrozu chwilę jeszcze milczał, jakby zbierał myśli.

– W tej ankiecie trochę podkolorowałem. Złożyłem papiery na biologię morza, bo tu nie było egzaminów, a tylko rozmowa, no i przyjęli. – Eliza i Wika spojrzały na niego z wyrzutem. – Przecież ankieta na wolontariat była wcześniej i gdyby mnie nie przyjęli na studia, to bym tutaj nie przyjechał! To chyba oczywiste. Skoro mnie jednak przyjęli, to jestem, ale liczyłem na przygodę. Na zabawę. Wszystko za darmo, a na piwo zawsze się jakoś wydrapie. No nie?! I to wszystko! – Dziewczyny spojrzały na niego z jeszcze głębszym wyrzutem. – A właściwie nie wszystko! To piwo jest tym, na które nie chciałyście dać się zaprosić w sobotę. I już. A teraz możecie dokonać linczu. Chyba że jednak wypijecie je ze mną i trochę przybliżycie mi tę biologię – spojrzał z uśmiechem na obie.

Eliza zaśmiała się. Wika wzruszyła ramionami.

– Byłem szczery! Czy to naprawdę ciągle za mało? – znowu jęknął dramatycznie.

Teraz obie się zaśmiały. Weszli na plażę.

– Fajna plaża, fajna pogoda, fajne zadanie przed nami – napawała się Wika. – Można zdjąć buty! Każdy kolejno po dziesięć minut lornetuje, pozostali w tym czasie też uważnie patrzą na wody zatoki.

– Przecież to morze! – rezolutnie odezwał się Mrozu.

– Ale z tej strony to zatoka – spokojnie skontrowała Wika.

– Na biologii się nie znam, ale na geografii tak. Te wszystkie wody tutaj – zatoczył ramieniem łuk – to jest Morze Bałtyckie, a zgodnie z zasadą naczyń połączonych, to już zasada fizyki, zatoka to też morze! O! Nawet tutaj występują elementy logiki. Okazuje się, że z niej też jestem dobry. Tego, kurczę, nie wiedziałem!

– Jesteś czubek! – skwitowała Wika, lornetując wody zatoki, która jest jednocześnie morzem.

– I co widać? – spytał Mrozu.

– Nic!

– Nic? A osłony z okularów zdjęłaś?

Wika odsunęła od siebie lornetkę.

– Nic, to znaczy nie widać żadnej foki!

Elizie podobało się wszystko. I pogoda, i piękne wody zatoki albo morza; w tej chwili było jej wszystko jedno, jak się to aktualnie nazywa. Radowały ją zadania, jakie mieli wykonywać podczas monitoringu, ciepły piasek, to, że ludzi jak na lekarstwo, a wokół spokój i cisza. Nie przeszkadzały jej nawet przekomarzania Wiki i Mroza. Właściwie one były dzisiaj ozdobą tego premierowego monitoringu i bez nich trudno było jej go sobie wyobrazić. Przysiadła na piasku i spoglądała na Wikę lornetującą wodę. Od strony Mroza doszło ją trzykrotne psyknięcie.

– Dziewczyny, proszę, częstujcie się. – Mrozu wyciągnął w ich stronę otwarte puszki z piwem.

Eliza bezwiednie schwyciła podaną jej puszkę. Mrozu uniósł swoją, zachęcając do picia, po czym zbliżył do ust i lekko przechylił. Eliza uczyniła podobnie. Poczuła ciepłą gorycz, której nigdy nie lubiła. Dzisiaj chciała się przemóc, zrobić trochę na złość Wice, ale nie smakowało jej. Spróbowała jeszcze raz. To samo. Mrozu delektował się, wywracając pociesznie oczy.

– Wika, trzymaj! – krzyknął w jej kierunku.

Ta ciągle udawała, że nie słyszy.

– Wika, czy ty jak patrzysz przez lornetkę, to słuch ci nie funkcjonuje?

Wika odwróciła się w jego stronę i wbiła w niego kamienne spojrzenie. Eliza po raz trzeci spróbowała łyknąć z puszki, ale smak się, niestety, nie zmieniał. Nie smakowało jej dzisiaj. Wstrząsnęła się i oddała puszkę chłopakowi.

– Chyba sam dokończysz. Jednak mi nie smakuje.

– To przecież Warka! No co ty?

– Warka-srarka… – uśmiechnęła się. – Możesz wylać albo sam dokończyć. – Ponownie się otrząsnęła.

– No to musisz wypić także moje! – Wika triumfowała. – Mówiłam, nie kupuj!

– Tego nie mówiłaś, bo nie wiedziałaś, że chcę kupić.

– Orzeł! Tak się tylko mówi… Pij, tylko się nie schlej! I trzymaj się daleko od wody! Popatrz – zwróciła się do Elizy. – Teraz będziemy musiały tego nielota jeszcze pilnować, żeby się nie skąpał.

– Po trzech piweczkach? – obraził się Mrozu i odrzucił pierwszą pustą puszkę za siebie.

– Mrozu! – krzyknęła Eliza. – Zabieraj tę puszkę ze sobą!

– No bez jaj! A tamte? – Wskazał w jedną i drugą stronę na leżące w piasku puste puszki.

– Tamtych nie każemy ci sprzątać. Na razie! – Eliza zaśmiała się zgryźliwie.

– I ty Brutusso?! – dramatycznie jęknął Mrozu. – Czy ja mam cierpieć za narody?

– Tak! Za takie głupie narody jak ty, które chleją te śmierduchy i rzucają później puszki, gdzie tylko popadnie – wykrzyknęła Wika. – Dobrze mu, Elizka, powiedziałaś!

Wika przesłała Elizie uśmiech.

– Trzymaj, Elizka! Teraz ty. – Podała jej lornetkę.

Mrozu przyglądał im się przez chwilę, potem odwrócił się, ukląkł i na kolanach dotarł do wyrzuconej przed chwilą puszki.

– Dziewczyny, już ją przechwyciłem! O! – Podniósł ją w górę i zarżał, po czym schował do torby foliowej. – Dobra ta Warka! Czy ktoś mi tego tutaj nie podpija? – Obejrzał się na boki i znowu zarżał. – Jakoś szybko znika... – Wypił duszkiem pozostałość drugiej puszki, schował ją do torby i zamyślił się. – To może być parowanie! Czyste niebo, pełne słońce, więc chyba tak się dzieje. Mówiłem, że jestem dobry z fizyki... – Pociągnął haust z trzeciej puszki i znowu zamyślił się. – Ale, ale! Tutaj zaczyna się także chemia!

Wika weszła śladem Elizy do wody i stanęła tuż obok niej.

– Kurczę, jak tu jest bosko! – zachwyciła się.

Eliza potwierdziła skinięciem głowy.

– Lepiej niż myślałam!

Uśmiechnęły się do siebie.

– I co zrobimy z tym czubkiem?! – rzuciła Wika umyślnie głośniej. – Chyba rozum zgubił podczas monitoringu!

Nagle doszło do nich przytłumione wołanie Mroza:

– Dziewczyny! Coś mi się stało! Pomóżcie!

Odwróciły się jak na komendę. Mrozu chodził na

kolanach po piasku zalewanym przez niewielki przybój i nie podnosił głowy w górę.

– Pomóżcie! – powtórzył okrzyk.

Spojrzały po sobie i ruszyły w jego kierunku. Gdy usłyszał w wodzie plusk ich kroków, poderwał się i z dzikim wrzaskiem czymś w nie rzucił. Dopiero gdy to coś wylądowało na nich, zorientowały się, że to meduza. Obie ze wstrętem zrzucały jej galaretowate kawałki, które przykleiły się do koszulek i spodenek.

– Znalazłem swój mózg! Dużo go wszędzie! Już mi się nie mieści w głowie! O patrzcie! – Kolejną meduzę położył sobie na głowie.

– Idioto, chcesz mieć poparzoną twarz albo stracić wzrok?! – wrzasnęła Wika.

Zerwał się na równe nogi. Gdyby nie to, że lekko chwiał się, stanąłby jak wryty. Patrzył na Wikę.

– Spłucz to natychmiast! Chyba że wolisz zostać idiotą już na zawsze.

Eliza spoglądała na nią z podziwem. Wiedziała, że meduzy oceaniczne są żrące, ale dotąd nie myślała, że i bałtyckie mogą takie być. Mrozu jeszcze przez chwilę się pokiwał i nagle ruszył z pochyloną głową do wody. Zniknął na chwilę.

– Umiesz pływać? – Wika spytała Elizę, która potwierdziła skinięciem głowy. – To pilnujmy, gdzie ten cały Mrozu wypłynie.

Za chwilę siedział w wodzie po kolana i płukał włosy oraz twarz.

– Bałtycka nie jest żrąca – Wika rzuciła cicho do Elizy. – Może szybciej wytrzeźwieje – dodała i uśmiechnęła się. – Może to go czegoś nauczy.

Eliza skinęła głową. Wiedziała, że w tej sytuacji to

był dobry sposób na Mroza, ale sama pewnie zastosowałaby coś łagodniejszego.

– Mrozu! – krzyknęła Wika. – Idziemy dalej! Susz się szybko, bo do stacji zostało już tylko około dwóch godzin! – uśmiechnęła się do Elizy i obie, nie oglądając się, ruszyły plażą w kierunku wierzchołka cypla, stanowiącego granicę pełnego morza.

Żadnej foki, niestety, nie wypatrzyły. Chłonęły cudowny zapach pełnego morza, od czasu do czasu zamieniały się lornetką i raz po raz oglądały za Mrozem. Szedł potulnie kilkanaście kroków za nimi i nie odzywał się.

Nabrał ponownie wigoru, dopiero kiedy weszli na teren stacji i trzeba było zdawać relację instruktorowi. Wika i Eliza rzeczowo opowiadały przebieg monitoringu, a Mrozu cały czas wyrywał się, koniecznie chcąc coś dopowiedzieć. Uciszały go jak mogły, a instruktor tylko się temu przyglądał. Gdy wreszcie udało mu się wstrzelić w jakąś przerwę, wyrzucił z siebie, lekko się jąkając:

– Nie było żadnej foczki, nawet tyciej – pokazał palcami. – Gdyby była, to przecież byśmy ją przynieśli. Wierzysz mi?

Instruktor popatrzył na niego chłodno.

– Mrozu! Masz wspaniałe koleżanki, które starały się ukryć twój stan. Mogłeś od razu zmyć się do pokoju, ale wówczas bym nie poznał, jaki z ciebie orzeł! Masz szczęście, że nie widzi cię szef, bo już byś musiał się pakować! Idź odpocząć – foki nie lubią pijaków. Potraktuj to jako pierwsze, a zarazem ostatnie chińskie ostrzeżenie!

„Przecież to tylko wakacje…"

Kaśce znowu nie było dane porozmawiać z mamą. Tym razem przeszkodą stał się przyjazd notariusza Ryszarda z Bytowa.

Wkroczył sprężyście na werandę, ubrany na sportowo. Jasne bawełniane spodnie, modne sandały, luźna koszula w biało-błękitną kratę z naszywanymi kieszeniami, wyłożona na wierzch. Gdy witał się z Kaśką, wyczuła zapach dobrej wody kolońskiej. Spytał o jej plany, a sam pochwalił się, że porywa mamę na rodzinny obiad do rodowych włości.

– Trochę tylko się boję, czy mama i siostra nie przesłodzą, ale chyba jakoś damy sobie radę – mrugnął.

Anna musiała go dojrzeć ze swojego tarasiku nad werandą, bo pojawiła się jak na skrzydłach, już z daleka wyciągając dłoń na powitanie. W zwiewnej sukience w kolorze jasnego kakao, z rubinowymi dodatkami i w delikatnym letnim makijażu prezentowała się znakomicie. Po przywitaniu oboje prawie nie spuszczali z siebie wzroku. Felicja oparta o framugę drzwi przyglądała im się z upodobaniem. Coś tam do siebie mówili półgłosem, ale nawet Kaśka nie zdołała tego dosłyszeć.

– Jedźcie już, spóźnicie się – Felicja rzuciła w ich kierunku ponaglenie, w taki sposób, jak się mówi do dzieci.

Anna spojrzała na nią zaskoczona. Ryszard uśmiechnął się szeroko i podał Annie ramię. Ona jednak zatrzymała się na moment przy floksach i obejrzała w kierunku werandy.

– A bawcie się dobrze...! – Felcia wykrzyknęła za nimi i pomachała dłonią.

Anna ruszyła wolno w stronę bramy, kręcąc głową. Ryszard czekał przy otwartej furtce, przepuścił ją i podniósł rękę na pożegnanie.

– Pasują do siebie... – powiedziała Felicja. – Tak w ogóle też... – dodała.

Kaśka spojrzała na nią, jakby oczekiwała rozwinięcia tych słów. Felicja usiadła i skrzyżowała ręce na piersiach. Zamyśliła się. Kaśka odprowadzała wzrokiem samochód, aż zniknął za krawędzią wzgórza.

Z jednej strony cieszyła się, że mama wreszcie była wyluzowana, na wszystko miała czas i ochotę, nie narzekała nawet na duszności. Z drugiej strony, czuła się poirytowana, bo chciała wreszcie wyciągnąć od niej, czego spodziewa się po tej znajomości.

*

– To już za tym zagajnikiem – oznajmił Ryszard, gdy zjechali z szosy na polną drogę.

Po kilkudziesięciu metrach oczom Anny ukazała się szeroka aleja wysadzana drzewami.

– To czereśnie! – krzyknęła zaskoczona. – Jak cudownie! Raz w życiu spotkałam kilkukilometrową szosę z czereśniami pod Pleszewem. Zrywaliśmy owoce z wozu drabiniastego.

– No popatrz. A ja tutaj tak robiłem przez kilkanaście lat...– roześmiał się.

Pomiędzy czereśniowymi drzewami dojrzeć już można było spore zabudowania okolone koronami wysokich drzew.

Zajechali pod drewniany, pokaźnej wielkości parterowy dom, stojący na fundamencie z dużych polnych kamieni. Jego ozdobą był obszerny ganek z dwuspadowym daszkiem. Anna przyglądała mu się z zachwytem. Na najwyższym schodku ganku nerwowo podrygiwała siostra Ryszarda. Nieco w głębi domu można było dojrzeć drobną, siwiuteńką starszą panią w złotych okularach, siedzącą w fotelu na kółkach. Anna odniosła wrażenie, że Ryszard przygląda się jej z pewnym zaskoczeniem.

– Nareszcie jesteście! – zawołała radośnie Elżbieta. – Jeszcze trochę, a trzeba by podgrzewać rosół – dodała z lekkim wyrzutem i rzuciła się do wyściskania Anny.

Ryszard nachylił się do mamy, czule ją ucałował i gestem wskazał ręką w kierunku zbliżającej się Anny.

– Mamo, pozwól, że ci przedstawię moją... – zawiesił głos i zmarszczył czoło. Mocował się z myślami. – To jest pani Anna Nagengast-Prawosz, wdowa po moim serdecznym przyjacielu z poznańskich studiów, Mikołaju Prawoszu.

– No przecież, Rysiu, wiem. Opowiadałeś już... – Starsza pani złapała oburącz podaną przez Annę dłoń i spoglądała z filuternym błyskiem na jej nieco spiętą twarz.

– Jestem Stefania Lew-Szczodrowicz. Witam panią serdecznie! Bardzo lubię wypowiadać swoje długie nazwisko – uśmiechnęła się – ale dla pani... dla ciebie, dziecko, chcę być po prostu Stefcią!

Ryszard i Ela, zaskoczeni usłyszanymi słowami, wlepili w matkę rozszerzone do granic możliwości oczy.

A starsza pani niespodziewanie odrzuciła pled z kolan, wstała i przytuliła się do zaskoczonej Anny.

– Tak się cieszę, że wreszcie mogłam cię poznać – powiedziała.

Anna poczuła piękny zapach, mocno bijące serce i ciepło drobnego ciała. Pani Stefania cofnęła się o pół kroku, chwyciła Annę za obie dłonie i przyglądała jej się z uśmiechem.

Ryszard tymczasem stał jak wryty. Anna czuła, że o coś tutaj chodzi, ale nie bardzo rozumiała, o co. Tylko Elżbieta, jakby nic się nie stało, dalej podrygiwała radośnie, co rusz poprawiając rogowe okulary.

– Mamo, co ty mówisz... i co robisz... na tym wózku? – wyjąkał Ryszard.

– No, przymierzam się! Wiesz, że mam problemy z biodrem i kolanami, a tak będę samodzielna, szczególnie kiedy Ela wyjeżdża do pracy. Wczoraj przywieźli mi ten wózek, więc go testuję.

– Chodźmy wreszcie do środka – zapiszczała Elżbieta, ruszając raźno przodem.

Orszak bez słowa skierował się w głąb domu. Pani Stefania drobiła kroki, postukując laseczką, kurczowo trzymając Annę za rękę. Ta czuła, jak od tej niecodziennej sytuacji pąsowieje jej twarz. Ryszard, przyglądając się temu, nerwowo pocierał czoło.

Przez ciemną sień weszli do wielkiego salonu. Anna miała wrażenie, że niektóre elementy jego wystroju pamięta z powojennych czasów, gdy bywała z mamą u jej sióstr. Duży owalny stół z wysokimi krzesłami, długi bufet stojący wzdłuż jednej ze ścian, przeszklony kredens pełen kieliszków, szklanic i szklaneczek, ponad stołem wielka lampa z okrągłym abażurem z pomarańczowej tkaniny wykończonym żółtymi frędzlami, a w półokrągłej wnęce z oknami wychodzącymi na ogród – monstrualnych rozmiarów sofa, dwa fotele i stolik pomiędzy nimi. Masa obrazów i fotografii na ścianach. Podeszli do stołu.

– Oo, Maria Sommerstrauss! – wykrzyknęła z zachwytem, unosząc dłonie do ciągle rozpalonych policzków i nie mogąc oderwać oczu od rozstawionej na nim zastawy.

– To mój prezent ślubny... Uświetnia tylko naprawdę nadzwyczajne okazje! – powiedziała podniosłym tonem Stefania.

– Mamo! – jęknął Ryszard.

– Przecież to prawda – skwitowała zupełnie niespeszona matka.

– Mamo...

Stefania pokazała Annie miejsce obok siebie, omiotła stół wzrokiem i zmarszczyła czoło.

– Rysiu! Zejdź, proszę, jeszcze do piwniczki i przynieś coś stosownego – zaordynowała władczym tonem, wskazując na puste, mocno rzeźbione, kryształowe kielichy. – A ty, Elu, możesz już podawać rosół – dodała.

Zostały same. Stefania zerkała na Annę zza złotych oprawek, podczas gdy ta wpatrywała się w stół i zbierała myśli.

– Czy mogę obejrzeć? – odważyła się wreszcie, wskazując na stojące przed nią talerze. Pani Stefcia skinęła głową.

Anna uniosła delikatnie jeden z nich i z lubością podziwiała kolorowe kwiaty: róż, fiolet, pomarańcz, zieleń, błękit i żółć. Pogładziła pod dnem napis Rosenthal. Miała chwilę na zebranie myśli.

– Czy ty masz pojęcie, jak on cię wtedy kochał? – nagle doszły do niej ciche słowa Stefanii.

Anna z wrażenia głośno odstawiła talerz. Spojrzała na matkę Ryszarda. Ta jak gdyby nigdy nic wpatrywała się w stół, a po jej twarzy błąkał się delikatny uśmiech.

– On ciebie nigdy nie przestał kochać, a dzisiaj kocha chyba jeszcze bardziej niż wtedy. Matka to czuje...

Annie pulsowało w skroniach. Spojrzała powtórnie na Stefanię. Ich wzrok się spotkał. Anna odczytała w jej spojrzeniu głęboką tkliwość. Nie była jednak w stanie wykrztusić ani słowa.

– Co tu taka cisza? – nagle od progu salonu, z nutą niepokoju w głosie, odezwał się Ryszard.

– Ania zachwyca się moim Rosenthalem. Ja się jej nie dziwię, bo to jest istne cudo...

– Aha! – uspokoił się.

Kobiety spojrzały na siebie i uśmiechnęły się.

– Wesele miałam pięknego lata tysiąc dziewięćset trzydziestego czwartego roku, a odbyło się właśnie tutaj. – Stefcia pogładziła Annę po dłoni. – No i dlatego zastawa musiała być odpowiednia, letni bukiet... czyli Maria Sommerstrauss – dokończyły zgodnie razem.

Stefania wyglądała na bardzo szczęśliwą.

– Ale, ale! Ty się na tym doskonale znasz! – rzekła z zaciekawieniem.

– Po pierwsze dlatego, że mama miała serwis kawowy Rosenthala, co prawda mały, a po drugie, i to jest ważniejsze, mieliśmy w domu duży przedwojenny katalog tej firmy – Anna roześmiała się. – Jako dziecko uwielbiałam go oglądać. Po wojnie stare albumy i katalogi pozwalały mi oderwać się od strasznych widoków ruin i okaleczonych ludzi... Zwiedzałam dzięki nim świat, a mama spokojnie odpowiadała mi na każde pytanie... – jakby czymś spłoszona, przerwała opowieść. – Potem po teściach odziedziczyłam zastawę Maria blue Garland – wróciła do porcelanowego wątku. – Cudowna, ale nie tak radosna jak ta! – ostatnie słowa wypowiedziała już na bezdechu i spuściła oczy niczym speszona pensjonarka.

– Ta zastawa i tak przy tobie blednie – wesołym głosem odezwała się mama Ryszarda. – Śliczna i cudowna to jesteś ty, a one są zwyczajnie ładne.

Anna czuła, że jej serce łomocze jak oszalałe. Bała się trochę tej wizyty, ale to, co ją do tej pory spotkało, przerosło jej oczekiwania. Ryszard zastygł po drugiej stronie stołu z butelką białego wina w jednej dłoni, a korkociągiem w drugiej i spoglądał raz na matkę, raz na Annę.

– Dziękuję, pani Stefanio, za te wszystkie słowa, ale... – Anna starała się mówić normalnym tonem.

– Nie pani, a Stefciu, i nie masz mi, dziecko, za co dziękować, tylko ja dziękuję, że po prostu jesteś. Panie Boże, Tobie też! – podniosła wzrok w górę. Do stołu bezszelestnie zbliżyła się Elżbieta z wazą. Anna spojrzała na podłogę, nie słysząc charakterystycznego stukotu jej szpilek.

– Jesteśmy sami swoi, więc mogę tak chodzić, co?

Anna uśmiechnęła się na widok jej bosych stóp i skinęła głową. Pani Stefania machnęła dłonią, a Ryszard zacisnął mocno powieki.

– Boże! – jęknął.

– A nie tak dawno mówiłeś, że Boga nie ma – roześmiała się pani Stefania.

– Mamo, to nie tak było. Powiedziałem, że każdy ma takiego boga, na jakiego sobie zasłużył, a ja chyba na żadnego sobie nie zasłużyłem.

– Czyli przywołując dzisiaj Boga, stwierdziłeś, że jednak Go odnalazłeś. No nic, jedzmy, jedzmy i dajmy już spokój tej filozofii! – Stefania podniosła łyżkę do ust, przymknęła oczy i smakowała.

– Tylko, mamo... – Ryszard próbował coś jeszcze wtrącić, ale matka nie otwierając oczu, uniosła drugą rękę w górę, dając mu znak, by nie kończył.

– Przywołałeś Boga i wszyscy to słyszeli, a teraz nie próbuj wmawiać nam, że się przejęzyczyłeś. Dobrze mówię, dziewczynki? – spojrzała zadowolona z siebie na Annę i Elę. Obie skinęły głowami.

Ryszard, patrząc na rozpogodzoną twarz Anny, postanowił przejąć wreszcie inicjatywę. Przesadnie celebrował wyciąganie korka z butelki, z przyjemnością obserwując, jak wszystkie damy wodzą wzrokiem za jego ruchami. Uśmiechał się do nich. Milczenie nikomu nie przeszkadzało, dało się nawet zauważyć ogólną poprawę nastroju. Kiedy dojrzał, że ostatnia łyżka spoczęła w pustym talerzu, z wprawą napełnił zabytkowe kielichy.

– Mamo – uniósł swój kieliszek. – Bosonoga contesso – mrugnął do siostry. – Droga Anno – obdarzył ją powłóczystym spojrzeniem – cieszę się, że jest nam dane spotkać się w pięknych rodowych włościach Lew-Szczodrowiczów. Wypijmy więc za przemiłe spotkanie z okazji pierwszej wizyty Anny – skłonił się w jej kierunku – za znakomity jak zwykle maminy rosół z pulchniutkim makaronikiem ugniecionym pulchniutkimi paluszkami Eli... – Ta machnęła w jego stronę serwetką. – ...oraz za to, co nas jeszcze spotka przy tym stole podczas obiadu, a potem w ogrodzie podczas deseru.

Wszystkie damy ochoczo podniosły kielichy i delikatnie smakowały wino.

– Twoje toasty, Rysiu, są niezrównane – powiedziała pani Stefania. – A co to za wino wybrałeś, bo nie dojrzałam? Czy to nie jakieś reńskie czasem? – wzięła powtórnie drobny łyk, przymykając oczy.

– Wiesz, Anno, mama kiedyś zupełnie nie potrafiła odgadnąć smaku wina.

– Przy tacie nie musiałam, bo on niby pytał, ale i tak nie czekał na odpowiedź, tylko zaraz robił wykład, skąd, z jakich owoców, jaki smak, jak się leżakuje, no i tak powoli się edukowałam. A ty zadajesz zagadki i wtedy muszę kombinować, szukając w pamięci smaków i opowieści taty.

– No i dobrze zgadłaś, mamo – znad Renu! A z której jego strony? – chytrze zmrużył oczy.

– Albo jestem przepita – roześmiała się – albo wydaje mi się ono dosyć delikatne, takie miękkie w smaku...

– Czyli?... – dopytywał Ryszard.

Pani Stefania ujęła kielich oburącz, zakręciła delikatnie zawartością, potem uniosła do nosa i pociągnęła malutki łyk. Znowu smakowała z przymkniętymi oczami.

– Chyba ze stoków zachodniego brzegu...

– Rewelacyjnie, mamo! Alzacja! Francuskie!

– Dla mnie wino to wino – wtrąciła niby nadąsana Elżbieta. – Wiesz, oni tak zawsze dyskutują, a potem prawie się nabijają, że ze mnie to taka „bum, bum, bum"... – zwróciła się w kierunku Anny, jednocześnie mrugając.

– A drugie danie to dzisiaj będzie? – Stefania roześmiała się, Elżbieta zaś tylko krzyknęła: „Ojej!" – zakręciła się i migiem popędziła do kuchni.

– Rysiu, zbierz talerze! – krzyknęła jeszcze, znikając w drzwiach do sieni.

Anna poderwała się, chcąc mu pomóc.

– W żadnym wypadku! – powstrzymał ją Ryszard. – Słyszałaś? To moja robota, potem wycieranie statków też – roześmiał się.

– W Poznaniu tak samo mówimy – zdziwiła się.

– No wiesz, ostatecznie Poznań położony jest niedaleko Gochów – zażartował i cała trójka parsknęła śmiechem.

– Mój mąż był „smakołykiem" wina – powiedziała pani Stefania, wskazując zdjęcie nad bufetem. – Tak sam mówił o sobie, wiedząc, że nas to śmieszy. Był w zakresie winnego hobby pod przemożnym wpływem stryja. Księdza zresztą. „Jestem święty człowiek z jedną ziemską wadą" – tak o sobie mawiał jego stryj i było to bliskie prawdy. Mąż potrafił w ciągu miesiąca kupić nawet kilka butelek drogiego wina i tak powoli zapełniała się piwniczka, a teraz uzupełnia ją Ryszard. Moim zdaniem, potrzebne są wesela, chrzciny, zjazdy rodzinne, bo inaczej trzeba będzie drugą piwnicę kopać – roześmiała się. – No, bo popatrz, Aniu! Ela – panna, Rysio – wdowiec, czyli powtórny kawaler, żadnych potomków, a wina w nadmiarze... – znowu się roześmiała, ale jakoś tak gorzko.

– Pani Stefanio – odezwała się Anna. – Stefciu... – zawiesiła głos.

– Śmiało! – zachęciła starsza pani, głaszcząc Annę po policzku.

Ta znowu poczuła ciepło rozlewające się wokół serca.

– Stefciu... Przypominasz mi moją mamę, która, co okazało się zupełnie niedawno, nie była moją biologiczną mamą, ale była... – urwała, bo zadrżały jej usta.

– Mów, dziecko, mów.

– ...ale była moją prawdziwą mamą – dokończyła. Stefania pogładziła ją po dłoni. – No i ona... była podobna do ciebie – dodała już z uśmiechem. – Chyba dlatego tak dobrze się u was czuję. Rysy twojej twarzy są nieco bardziej zdecydowane, bo ty miałaś, przepraszam, ciągle masz, taką charakterystyczną urodę. Silniej zarysowany nos, ostre oko, wydatne usta...

Stefania przyglądała się Annie badawczo. Uśmiech błąkał się po jej twarzy.

– Spojrzałaś na zdjęcie – domyśliła się, wskazując w kierunku bufetu.

– Aha! Jutka, moja mama, była filigranową laleczką. Delikatna jak z porcelany, ale to tylko taki pozór. Miała dużo siły i olbrzymie serce dla każdego, a dla mnie o każdej porze i w każdej sytuacji. Zawsze żaboty, ozdobna zapinka w bluzeczce, jakaś narzutka na plecy albo szal lub lekki sweterek, zawsze nienagannie uczesane włosy. Przypominasz mi ją. Zawsze spokojna. Nie podnosiła głosu, też tak masz?

– W domu tak, ale poza domem byłam przecież nauczycielką języka polskiego. A w szkole, jak wiesz, różnie bywa. Po wojnie uczyłam w Bytowie. Przed wojną i w czasie wojny było to bardzo niebezpieczne zajęcie. Tajne nauczanie. Albo mnie gdzieś zawożono, albo dzieci się do nas schodziły, zjeżdżały, pod przykrywką jakichś prac, zabaw... Ciężko było... dużo by opowiadać – westchnęła i zamilkła. Patrzyła na Annę badawczo, pociesznie marszcząc nos i poprawiając okulary.

– Zaraz, zaraz. A jakie jest twoje panieńskie nazwisko? – padło nieoczekiwane pytanie.

– Nagengast... – odpowiedziała Anna z pewnym ociąganiem.

Starsza pani zmarszczyła czoło.

– A w którym roku kończyłaś liceum?

– W pięćdziesiątym szóstym. – Anna zaczynała powoli orientować się w zaistniałej sytuacji.

Wybawiły ją z nieoczekiwanej opresji głośne kroki i śmiechy dochodzące z sieni. Ryszard i Elżbieta wmaszerowali do salonu, dźwigając tace z drugim daniem. Na przedramionach mieli przewieszone białe ściereczki, na głowach budyniówki.

– Przypominasz mi trochę moją uczennicę – kontynuowała Stefania, zupełnie nie zauważając wejścia swoich dorosłych dzieci.

– Mamo, już o tym rozmawialiśmy – włączył się Ryszard. – Ta uczennica to była Alina i nazywała się Ladmann, a Anna kończyła przecież liceum w Poznaniu.

– To trzeba było tak od razu powiedzieć – rzekła Stefania z wyrzutem.

– Mamo, czy sądzisz, że wszyscy poznani ludzie to twoi uczniowie? – spytał żartobliwie Ryszard.

– Wszyscy nie, ale prawie – z niezmąconym spokojem odparła starsza pani i jak gdyby nic machnęła ręką.

Spojrzała na przyniesione przez Elę i Ryszarda półmiski, wdychając unoszące się z nich aromaty. Uśmiech rozjaśnił jej twarz.

– Co wyście tutaj za cuda naznosili? Zdolne i dobre te moje dzieci, Aniu, prawda?

– Są cudowni, a ja czuję się tutaj jak w rodzinnym domu – odpowiedziała z przekonaniem. – A ty, Stefciu, jesteś jego ozdobą, największą gwiazdą! – Podniosła się i nachyliwszy lekko, ucałowała ją w policzek.

– Co do gwiazd... – Ryszard teatralnie machnął ręką, jakby znudziła go sentymentalna scena.

Poczuł na sobie zaniepokojony wzrok mamy, siostry i Anny.

– Widzę – mówił z wolna, rozbawiony – widzę trzy gwiazdy, ale jak nie zaczniemy natychmiast jeść, to chyba zobaczę w oczach jeszcze inne gwiazdy, takie z głodu! – wykrzyknął i parsknął głośno. – Kocham was wszystkie, moje gwiazdy, ale jedzmy już!

– Ty łobuzie! – Stefania machnęła w jego kierunku ręką. – Ale cieszę się, że kochasz nas... wszystkie. – Spojrzała na Annę, poprawiając okulary. – Jedzmy! – dodała głośno.

Gdy wstali po obiedzie od stołu, Anna podeszła do sofy we wnęce.

– Cudowny mebel. – Pogładziła oparcie.

Kątem oka dostrzegła, że Ryszard uniósł brwi.

– Tak, to nasz prawdziwy zabytek – cicho, ale dobitnie powiedziała Stefania. – Rodzice zrobili sobie prezent na mój ślub... – pokiwała smutno głową.

– Mamo, mamo... – odezwali się prawie jednocześnie Ela i Ryszard.

– Pod tym kilimem, którym przykryte jest oparcie...

– Mamo!

– Dobrze, już dobrze... Kiedyś ci, Aniu, opowiem o tej naszej sofie... relikwii – Stefania złapała Annę za dłoń i pociągnęła w kierunku drzwi do ogrodu.

Anna dojrzała, że Ela i Ryszard odetchnęli z ulgą. Czuła, że sofa kryje jakąś tajemnicę, do wyjawienia której, w dniu dzisiejszym, rodzeństwo nie chciało dopuścić.

*

Kaśka usłyszała klakson.

– Kasiuuu! Kasiuuu! – od bramy śpiewnie nawoływał Krzysztof.

– Auuu! Jestem tu! – odpowiedziała mu podobnym tonem z werandy.

Po chwili ściskali się, nie zważając na to, czy ktoś ich zobaczy, czy nie.

– Aleś ty mięciutka, taka aksamitna – szeptał, przmilając się Krzysztof, gładząc ją po ramionach, łopatkach i plecach. Coraz odważniej przesuwał dłonie w dół.

– A ty zamiast policzków masz papier ścierny – roześmiała się, odchylając głowę do tyłu.

– Powitać, Krzysiu! – Felicja nie wiadomo kiedy znalazła się na werandzie i teraz przypatrywała im się oparta o futrynę drzwi.

– Felciu kochana, dzień dobry! – odpowiedział lekko zażenowany.

– Toż to już zaraz południe – zmrużyła oczy.

– Dopiero trochę po dziesiątej.

– No to bliżej południa czy szóstej rano? – przekomarzała się Felcia.

– Kawa, lemoniada czy ruszamy? Jakie masz propozycje? – spytała Kaśka.

Spojrzał na zegarek.

– Jeśli piłaś kawkę, to ja nie muszę, ale łyk lemoniady byłby super – uśmiechnął się, rozsiadając na ławie.

Felicja dała znak Kaśce, żeby została, a sama ruszyła do kuchni. Po kilku chwilach stawiała na stole zamgloną butelkę i szklaneczki. Była ciekawa ich rozmowy.

– Do Gdyni przypłynęło kilka dużych żaglowców. Warto obejrzeć i porobić fotki. A potem zobaczymy – uśmiechnął się do Kaśki.

– Masz rację, Krzysiu, potem zobaczycie – powtórzyła za nim jak echo Felicja.

*

Gdynia przywitała ich lekką bryzą. Skwer Kościuszki i Bulwar Nadmorski świątecznie udekorowane, pełne słońca i ludzi, no i do tego te wielkie żaglowce w zachwycającej gali banderowej. Przyciągały wzrok, wywołując uśmiechy na twarzach spacerujących. Na niektórych żaglowcach widać było marynarzy na rejach, jakby pozujących do zdjęć, więc kto żyw, to uwieczniał. Dziewczynom, które odważyły się w wietrzną pogodę włożyć spódniczki albo sukienki, wiatr co chwila robił psikusa, podwiewając je. Rozbawione, usiłowały okiełznać fruwające szatki, przytrzymując je za rąbki. Niby się broniły, jednak cieszyło je, że wszyscy mężczyźni zwracają na nie uwagę.

Dobrze, że przynajmniej Krzysiek wziął aparat, myślała Kaśka, przemieszczając się po skwerze, podobnie jak inni, w poszukiwaniu dobrych ujęć. Kiedy Krzysztof uznał, że obfotografowała już wszystko, zaproponował jej małą sesję zdjęciową na tle żaglowców. Ucieszyła się. Komenderowała nim, z którego miejsca i pod jakim kątem ma je robić. Dziwiło go to trochę, ale nie protestował, bo Kaśka w dobrym humorze był to widok bezcenny.

– Potrafisz super pozować! – krzyknął po wykonaniu kolejnego ujęcia.

– A mówiłam ci, że kiedyś chodziłam do szkoły modelek? – odkrzyknęła.

– Nie.

– No widzisz.

– I co z tą szkołą?

– Żeby zostać modelką, trzeba mieć odpowiedni charakter, a ja widocznie nie potrafiłam wykształcić w sobie jakichś niezbędnych cech... – Podeszła do niego kocimi ruchami.

– Zasłużyliśmy sobie na przerwę na lody... – Pociągnął ją w kierunku kawiarni.

Było ciasno, ale po chwili zwolniły się miejsca przy stoliku z parasolem. Wiatr łopotał nim głośno, raz wypełniając go powietrzem, innym razem wysysając je spod niego. Kaśka błądziła wokół wzrokiem, jakby zapomniała o siedzącym obok Krzysztofie. Zamachał jej przed oczami kartą.

– Wezmę to, co i ty, Krzysiu, a dodatkowo małą wodę.

Wróciła do podziwiania zabudowań jachtklubów, dworca morskiego i innych budynków stojących wokół skweru oraz przyglądania się tłumom zmierzającym w kierunku żaglowców. Urzekał ją dochodzący z każdej strony łopot kolorowych flag, proporców, bander, chorągiewek sygnałowych, okazjonalnych banerów i kawiarnianych parasoli.

Powoli zlizywała z łyżeczki zimną lodową masę, spoglądając na fontannę wyrzucającą wysoko wodne pióropusze. W głowie miała przyjemną pustkę, nie musiała się o nikogo, ani o nic martwić.

Kontemplowała powoli to, na czym akurat zatrzymał się jej wzrok. Teatr Muzyczny u stóp Kamiennej Góry, olbrzymi krzyż na jej szczycie, Riviera i muzeum miasta Gdyni, hotel i inne gmachy o ciekawej architekturze.

– To jest budynek Admiralicji – przebiły się do niej, nie bez trudu, słowa Krzysztofa.

– Czego?... Co?... – dopiero po chwili zrozumiała, co powiedział.

– Widziałem, że przypatrujesz się temu budynkowi, więc chciałem go jak najlepiej nazwać – uśmiechnął się, rad, że wróciła.

– Czyli co tam jest? – postanowiła się upewnić.

– Tam mają swoje gabinety admirałowie Marynarki Wojennej.

– Aha! Myślałam, że tak się faktycznie nazywa!

– Dziwię się, że tak go nie nazwali...

Oczy Kasi dalej błądziły wokół. Po chwili kolejny raz zatrzymała wzrok na Kamiennej Górze. Tam, pewnej cudownej nocy, był przy mnie herkulesowy Adam o gorących i wilgotnych ustach, pomyślała i spłoszona własnymi myślami, spojrzała na Krzysztofa.

– Jestem gotowa wracać na naszą wieś! – rzuciła prawie bez zastanowienia, natychmiast zdziwiona własnymi słowami.

Krzysztofa wcisnęło w fotel. Mrugał oczami i pocierał czoło.

– Właśnie widzę, że Gdynia cię dzisiaj męczy, ale gdzieś na Kaszubach...

Skinęła głową, a on nie widział potrzeby, żeby dalej swoją myśl rozwijać.

Kasia zobaczyła już wszystko, na co miała ochotę, i była z tego zadowolona. Teraz chciała po prostu wyjechać stąd przynajmniej w kierunku, gdzie jest zdecydowanie mniej ludzi. Tym bardziej, że na skwer, wcześniej już mocno zapchany, nieustannie docierały kolejne tłumy. Każdy chciał przecież zobaczyć żaglowce. Opodal stali chętni, by zasiąść tak jak oni pod parasolem. Niektórzy przypatrywali im się „sępliwie". Tak zawsze nazywała podobnie natarczywe spojrzenia. Czuła wzrok oczekujących na ich pustych już lodowych pucharach i filiżankach.

– Idź zapłacić, ja pospaceruję. – Kaśka zerwała się niespodziewanie z krzesła, a w kierunku zwolnionego przez nią miejsca już pędziła ubrana na biało para, udekorowana wieloma złoceniami.

– Kurczę, ale ich poniosło! – nie mogła się powstrzymać od głośnego komentarza.

Gdy stanęła opodal w cieniu drzew, zobaczyła, że wodzą za nią wzrokiem.

– Dobry słuch mieli! Kurczę, ale to prawda... Tyle złota!

– Proszę? – pytanie to skierował w jej stronę starszy pan, przechodzący akurat obok.

– A, tak tylko sobie coś głośno pomyślałam... – odparła zupełnie niespeszona i uśmiechnęła się do niego słodko.

– Wie pani, że ja też tak miewam! Coś czasami głośno powiem, chociaż to nie jest do kogokolwiek adresowane. Ale jak pani widzi, słuch mi jeszcze dopisuje! – odpowiedział, uśmiechając się do niej z wdziękiem, prezentując przy tym bielutką klawiaturę; skłonił się i ruszył jak inni w kierunku żaglowców.

– Kto to był? – zapytał Krzysiek, który właśnie do niej dotarł.

– Miły starszy pan, wymieniliśmy krótkie uwagi na temat dobrego słuchu i mówienia głośno czegoś, co niekoniecznie inni powinni słyszeć...

– Aha! – mruknął Krzysiek, ale widać było, że zupełnie nie wiedział, o co tak naprawdę chodzi. Złapała go za rękę i to mu zupełnie wystarczyło.

W okolicach Złotej Góry zaproponował miejsce, którego jeszcze jej nie pokazywał.

– I możemy tam zjeść obiadek, a może nawet, Kasieńko, zostalibyśmy na noc... – Czekał na reakcję, zerkając na jej twarz.

– Krzysieńku, nie czuję się dzisiaj najlepiej, więc może lepiej będzie, jak mnie odwieziesz po prostu do nas, do Parchowa – wysiliła się na miły ton.

– No, ale... – jąkał się Krzysztof. – Przecież gdybyś powiedziała to przed wyjazdem, to...

– To byśmy nie pojechali do Gdyni?...

– Nie, nie to chciałem powiedzieć!

– Ale powiedziałeś! – rzuciła ostrzej, bo coś niemiłego dojrzała w jego postawie.

Gdybym była w formie, to byś się puszył tutaj jak cietrzew na tańcach godowych, a tak patrzcie go, myślała, przyglądając się, jak wyciera krople potu, które nagle pojawiły mu się na czole. Nie żałowała go.

– Przepraszam! A może po prostu to miejsce ci nie odpowiada? Możemy przecież pojechać gdzie indziej – brnął dalej.

– Krzysiu! – rzuciła, siląc się jeszcze na miły ton. – I tak dzisiaj nici z tego czegoś... – zmrużyła oczy, wpatrując się w niego – ...jeśli to jest to, o czym ja myślę, że ty pomyślałeś – uśmiechnęła się, chociaż to był już sztuczny uśmiech.

– No trudno, ale pamiętasz, że we wtorek jedziemy do Poznania? – Teraz ton jego głosu ochłódł, był bardziej oficjalny.

Kaśka nie chciała już dolewać oliwy do ognia. Postanowiła nie okazać irytacji, która ją ogarnęła. Dlatego zwlekała z odpowiedzią, bawiąc się jego mimiką i co rusz pojawiającymi się kropelkami potu na czole.

– Jutro pod wieczór mam spotkanie z Marysią i mamą w sprawie organizacji imprez gminnych, a one chciały, żebym im przedstawiła kalkulację wynajęcia autobusu albo mikrobusów. Chcą gdzieś przemieszczać gości, a nie mają doświadczenia, jak się do takiego liczenia zabrać.

– To może ja ci pomogę?... – spytał niepewnie.

– Wiem, jak to policzyć, więc robienie przez dwie osoby tego, co i tak może zrobić jedna, pracy nie przyspieszy. Pomyślałam od razu o twojej... – uśmiechnęła się – naszej rodzinnej firmie – dodała, wyraźnie akcentując ostatnie słowa.

– Poważnie? – uśmiechnął się po raz pierwszy od wielu kilometrów, chociaż ciągle jeszcze niepewnie.

– Jesteśmy… – szukała odpowiedniego słowa – … duetem, tak czy nie?

– Jesteśmy, Kasiu! – odetchnął pełną piersią i zaczął grzebać przy odtwarzaczu. – To sobie odpocznij, policz, co tam uważasz, a jakby co – to możesz się ze mną telefonicznie skonsultować. Nie powinniśmy się na siebie boczyć, a to, co ma się udać, na pewno się spieprzy. Tako rzecze jedno z praw Murphy'ego… – Zadowolony z siebie uśmiechnął się szeroko. Zabrzmiała muzyka Abby.

– Powiadasz, że według prawa Murphy'ego, „to, co ma się udać, na pewno się spieprzy"? – spojrzała na niego badawczo.

– Coś źle powiedziałem? – zaczął się skrobać po czole. – Zaraz… W oryginale jest tak: „Nie uda się nawet wtedy, gdy właściwie nie powinno się nie udać". A ja chciałem to sparafrazować pozytywnie i wyszło odwrotnie! Przepraszam, Kasiu. Już poprawiam: „to, co ma się udać, na pewno uda się po wielokroć!" – zadowolony, że znalazł błąd, uśmiechnął się znów szeroko.

– Aha! – mruknęła.

– Kasiu! Nie napinajmy się, przecież to tylko wakacje! Łatwiej wtedy o głupie błędy, bo włącza się automatycznie trochę luzu – dalej się uśmiechał. – Ty tak nie masz? A poza tym, no wiesz… nastawiłem się, a tu – bęc!

– No tak, bęc! – powtórzyła z bladym uśmiechem.

– To sztama? – rzucił nagle.

– Aha! – burknęła, ale zaraz zmarszczyła czoło. – Krzysieńku, pytam teraz poważnie! – Spojrzał na nią z uwagą. – Czy ty kiedykolwiek sprawdzasz swój biorytm?

– Co takiego? Biorytm? – zerkał na nią podejrzliwie.

– Tak! Biorytm. Można w to wierzyć, albo i nie, ale

tam są takie wykresy, które pokazują, jak nasz organizm zachowuje się każdego dnia pod względem emocjonalnym, fizycznym i intelektualnym... – Kiwał głową, że rozumie. – Wiesz, ja jako kobieta nowoczesna zasadniczo w to nie wierzę, ale co ciekawe, kiedy sprawdzam biorytm po jakimś wydarzeniu, jestem zawsze w stanie sobie wytłumaczyć, dlaczego poszło źle, dobrze lub tak sobie.

– Czyli jednak trochę w to wierzysz?

– Ponoć to ma jakąś podbudowę naukową. Sprawdź swój biorytm! Ocenisz wtedy, czy dzisiaj powinieneś w ogóle ruszać tyłek spod kołdry! – uśmiechała się nieco ironicznie. – A nawet jak wyjdzie źle, to się nie przejmuj, to przecież tylko wakacje – podkreśliła sarkastycznym tonem. – Jakieś błędy zawsze są dozwolone!

*

– No tak! Intelektualnie mam siedemdziesiąt pięć procent, emocjonalnie plus dziewięćdziesiąt procent, ale fizycznie minus dziewięćdziesiąt pięć. To i nie dziwota, że tak mu się oberwało – mruczała Kaśka sama do siebie, siedząc w cieniu na werandzie z laptopem i spoglądając na biorytmy. – A teraz sprawdźmy naszego Casanowę z Kartuz! Cyk, cyk, ale miesiąc urodzenia nie marzec, a sierpień, ciotko. I co mu wychodzi? Cyk, cyk! O kurczę! – wrzasnęła. – O kurczę...! – powtórnie wrzasnęła, aż na chwilę obudziła z genetycznego snu trzeci migdał. – Hr, hm, hr, hm – chrząkała, ratując krtań podrażnioną indiańskim okrzykiem.

– Na Boga! Coś ci się stało? – Na werandę wbiegła z przerażeniem w oczach Felcia.

– Dasz wiarę, Felciu?! Krzysiek ma w tych dniach najgorszy w tym roku biorytm. Potrójne zero! – śmiała się donośnie, szarpiąc Felcię za rękę. – ZERO!

Uspokoiła się nieco, przestraszona wykrzyczanym podsumowaniem.

– O czym ty do mnie rozmawiasz?! Co to za krzywe kreski tutaj cię bawią albo straszą, że wrzeszczysz, jakby kosmici wylądowali? Wycisz się, do kościoła pójdź, przeproś za grzechy i proś o wybaczenie. Już wołają! Słyszysz? – Dała Kaśce posłuchać dzwonów kościelnych. – A jak wrócisz, opowiesz przy kawie, o co chodziło z tym wrzaskiem. No, jestem ciekawa!

Kaśka spoglądała na Felcię z niedowierzaniem, ale zamknęła laptopa i potulnie ruszyła na górkę.

Za pięć minut, ubrana w jasną sukienkę i kolorowe sandały, przemierzała werandę w kierunku schodów.

– A weź ze sobą to! – Felcia podała jej grubą książeczkę do nabożeństwa. – Jak nie znajdziesz w niej dla siebie żadnej odpowiedniej modlitwy, to przynajmniej podczas eucharystii pooglądasz obrazki. To też pozwala się skupić. Mam ich chyba najwięcej we wsi. Tylko żadnego nie zgub! – krzyknęła za znikającą Kaśką.

Dochodząc do cmentarza, Kaśka miała wrażenie, że skądś dochodzi do niej jakiś dziwny dźwięk. Obejrzała się wokół, ale niczego nie zauważyła. Na cmentarzu usłyszała ten dźwięk jeszcze raz, a do tego poczuła na lewym boku jakąś wibrację.

A może to telefon? – pomyślała.

Przystanęła, żeby sprawdzić. W torebce jej komórka leżała spokojnie, za to podskakiwał owinięty w apaszkę telefon Krzyśka. O kurczę! Zapomniał wziąć!

Zerknęła na ekran. To Piotr. Może odebrać?

– Piotr... tu Kaśka... – zgłosiła się po chwili. Nie usłyszała odpowiedzi. Dochodziły za to głosy przytłumionej rozmowy prowadzonej przez Piotra z jakąś kobietą.

– Krzysztof, nie rozłączaj się... zaraz... – usłyszała raptownie głośne słowa wypowiedziane przez Piotra.

– To ja, Kaśka... – ponownie rzuciła w słuchawkę. Piotr nie odpowiedział, ale za to słyszała wyraźniej wymianę zdań.

– Urszulka, tak jak ci obiecałem. Wszystko jej powiem. Mam się spotkać w nowym tygodniu z Krzysztofem, a sądzę, że ona razem z nim przyjedzie. Będzie dobra okazja.

– Pamiętaj, to jest mój warunek. Tyle lat, więc tę sprawę musisz zamknąć raz na zawsze... – usłyszała kobiecy głos.

– Urszulka, ona jest dużą dziewczynką... – usłyszała głos Piotra i zaraz po tym jakieś niezrozumiałe słowa odpowiedzi. – Przecież mówiłem ci, że dlatego sprzedaję firmę, żeby zamknąć wreszcie tę historię... – to znowu Piotr.

Boże, to ja jestem ta duża dziewczynka i jakaś historia!? Kaśka zatrzęsła się z wściekłości.

– Dobrze, Urszulka... uwierz mi wreszcie... – znowu głos Piotra.

– Wszystko w twoich rękach... – usłyszała początek odpowiedzi, a po chwili po drugiej stronie rozmowa ucichła. Słyszała głębokie oddechy Piotra. Zawsze tak robił, kiedy się uspokajał.

– Krzysztof! Halo, Krzysztof! –usłyszała po chwili jego wołanie do słuchawki. – Przepraszam cię, chłopie.

Kaśka oderwała słuchawkę od ucha. Chciała krzyknąć. Nie mogła opanować kłębiących się myśli. Poczuła wilgoć w kącikach oczu. Z opuszczonej słuchawki dochodziło słabe: „Krzysztof?! Jesteś tam?".

Wyłączyła telefon.

Jak on mógł, takie słowa o mnie... myślała bliska płaczu. Jak on mógł... – przetarła oczy. Nie, nie będę się denerwować... Ale jak tak można! Teraz sama zaczęła głęboko oddychać. Pomagało. Potarła czoło. Idę do kościoła. Dobrze, pójdę tam i przemyślę sobie wszystko.

Wnętrze kościoła przywitało ją cichym szmerem głosów. Wypatrzyła dla siebie miejsce. Siedząc w ławce, przyglądała się sąsiadkom. Wszystkie były ubrane po niedzielnemu, chociaż i jej kolorowa sukienka, a szczególnie tęczowe wzorki, mogły się podobać. Zresztą gdyby coś było nie tak, na pewno by ją Felcia zawróciła.

Spostrzegła, że najpierw jedna sąsiadka z ławki, a potem druga, ukłoniły się jej. Odniosła jednak wrażenie, że wcześniej przyjrzały się uważnie książeczce, którą trzymała kurczowo w rękach. Odkłoniła się każdej z nich z uśmiechem.

– Ach! Tak to działa! Felcia to prawdziwa szelma.

Później wydało jej się, że nawet ksiądz proboszcz jakby delikatnie skłonił się w jej kierunku. Chyba mi całkiem odbiło, pomyślała wtedy. Muszę się skupić.

Czytała modlitwy, przerzucając co jakiś czas po kilka kartek. Niektórych nie znała, inne przypominała sobie z trudem. Wracała do usłyszanej kilkanaście minut temu rozmowy Piotra z żoną. Miejsce, w którym była, miało chyba wpływ na to, że szybko minęła jej złość. Ze zdumieniem zauważyła, że górę bierze myśl, iż lepiej się stać nie mogło. Teraz przynajmniej wiem, jak to jest z żonatymi mężczyznami...

Była zdziwiona, że tak lekko o tej sprawie myśli, ale jeszcze bardziej zaskakiwało ją, jak dzisiaj przeżywa eucharystię. Potrafiła się skupić, nawet samo kazanie wydało jej się jakby do niej adresowane. Ostatnimi laty chodziła do kościoła bardziej z poczucia tradycji – na ogół w święta Bożego Narodzenia i Wielkiejnocy. Ale kiedy tutaj padły słowa: „Przekażcie sobie znak pokoju", poczuła, co to znaczy naprawdę. W Poznaniu to na ogół tylko lekkie skinienie głowy albo delikatny uścisk dłoni, a tutaj widziała szczere uśmiechy, mocne uściski – najczęściej oburącz. Sąsiedzi z tej samej ławki, z ławki z przodu, z tyłu, wszyscy chcieli podać jej ręce. Miała wrażenie, że ustawiła się do niej kolejka fanów.

Żeby ochłonąć, do końca mszy oglądała już tylko obrazki.

Felcia miała rację... Trochę odpoczęłam, pomyślała, kiedy razem z innymi wychodziła ze świątyni z pieśnią na ustach „Króluj nam, Chryste". Szło jej się jakoś lekko.

*

– I jak? Wyciszyłaś się? Odetchnęłaś? – Felcia już czekała na nią z kawą.

– Tak! – odparła Kaśka, siadając przy stole. – Dziękuję za książeczkę. Sporo sobie przypomniałam i przemyślałam – dodała już ciszej, spuszczając oczy.

– Rachunek sumienia to ważna rzecz. To dlatego tak długo trwało!

– Nie, to nie to, Felciu – uśmiechnęła się Kaśka. – Poszłam po mszy jeszcze do kwiaciarni, a potem do dziadka Bronka.

Felcia pogłaskała Kaśkę po dłoni i skinęła głową.

– Pierwszy raz tak ładnie powiedziałaś, ale to przecież prawda. On był twoim dziadkiem. Widać, że ty już też swojaczka – zamyśliła się. – A książeczkę zawsze możesz wziąć, leży w szafce nad kawiarką w kuchni. Żadnego obrazka nie zgubiłaś?

– Nie, ale niektóre są jak prawdziwe dzieła sztuki – cudowne!

– Tam są jeszcze takie z przedwojnia. Uskładane przeze mnie podczas kolęd, odpustów, uroczystości rodzinnych, ale też z książeczki po mamie.

– Piękne! Można na nie patrzeć i patrzeć. Przypomina się Stary Testament i można sobie samemu niektóre historie lepiej wyobrazić.

– Ty jesteś prawdziwa chrześcijanka, Kasiu. Jak mam zły dzień i nie mogę się skupić na eucharystii, to je tylko oglądam, a w tle organy i śpiewy. Ale wracajmy na naszą werandę – uśmiechnęła się.

– Niektóre kobiety mi się kłaniały. Najpierw się zdziwiłam, ale potem zorientowałam się, że to przez twoją książeczkę.

– Zazdroszczą mi tych obrazków. To wszystko koleżanki i dobre znajome. A że mają szacunek dla ciebie, to chyba nie jest źle, co? – zmrużyła oczy.

– Trochę się tylko krępowałam, bo przecież one starsze...

– Nie podpuszczaj mnie więcej, przecież dzisiaj niedziela i trzeba dzień Pański chwalić i święcić – Felcia uśmiechnęła się. – A miałaś mi powiedzieć, jak to z tym Krzysiowym zerem.

– No popatrz, jakie to ciekawe – skomentowała, mrużąc oczy, kiedy Kaśka jeszcze raz na spokojnie opowiedziała o biorytmach i wczorajszych wynikach Krzysia. – A czy do tego laptoka mnie też możesz wpisać i sprawdzić, co mi tam na dziś wypada?

Kaśka tylko kiwnęła głową i już pędziła na górkę. Migiem była z powrotem.

– To teraz, Felciu, podaj datę swoich urodzin.

– Piąty listopada tysiąc dziewięćset trzydziesty rok.

– Cyk, cyk, cyk i mamy wy-nik! Ale powiedz mi najpierw, jak się dzisiaj czujesz?

– A mówiłaś, że laptok sam powie... Chcesz mnie chyba oszukać i coś jeszcze tam dopisać?!

– Chcę skomentować to, co on wyświetlił, zanim powiesz mi, że ze zdrowiem jest tak a tak, kiedy usłyszysz wynik. Bo kto wie, czy nie będziesz chciała sama się dopasować?

– A niby po co?

– A choćby po to, żeby mi zrobić przyjemność!

– Aleś ty kuta na cztery nogi jak czart – zaśmiała się Felcia. – No poczekaj. Tak od czterech, pięciu dni coś mnie biodro rwie i nad lewą skronią czuję kowaliki...

– Jakie kowaliki? Co to takiego? – przerwała jej zdziwiona Kaśka.

– A to takie inne dzięcioły.

– A co one mają do twojej skroni?

– Oj ty Kasiu, Kasiu! – znowu zaśmiała się Felcia. – U nas tak się mówi, kiedy głowa boli, tak wiesz, takimi: łup, łup, łup, jakby w głowie zalęgły się kowaliki. No, ale to mi jakoś nie pasuje, bo pogoda ma być przecież przez ten tydzień całkiem niezła. A ten laptok co o mnie powiada? – Dotknęła palcem wykresu.

– Ten żółty pas pokazuje biorytm na dzisiaj. Zielona kreska to zdrowie. I jest, tak jak mówisz, nieciekawie, ale potrzyma cię jeszcze tak tylko ze cztery dni, a potem powinno się z wolna poprawiać.

– Mądra bestia! Prawdę pokazuje.

– Ta czerwona kreska to psychika – jak widać, nikt ci nie podskoczy.

– Nie ma szans! – rozbawiona Felcia z emocji zatarła dłonie. – A dalej?

– Ta niebieska to stan intelektualny i jest fajnie.

Felcia aż klasnęła w dłonie.

– Taki kawałek plastiku, a prawdę powie. To jeszcze zobacz, jak mama dzisiaj.

– Cyk, cyk, cyk! Uppss! Słabo! Wszystko za wyjątkiem zdrowia pod kreską – zmartwionym głosem powiedziała Kaśka.

– Ale jest zdrowa i silna, więc co by się nie wydarzyło, to wszystkiemu da radę. Zresztą co ma być, to będzie. Co ma się ułożyć, to się ułoży – westchnęła Felcia. – Tak dobrze jej życzyłam, a tu klops!

– Dlatego, Felciu, staram się sprawdzać biorytm dopiero, jak się coś wydarzy! To jest tylko zabawa.

– Ale pokazuje prawdę. A zobacz jeszcze te kreski takiej jednej wścibskiej Zochy.

– A jaka data urodzin?

– Pierwszy kwietnia trzydziesty rok.

– Cyk, cyk, cyk, i mamy wy-nik! Ho, ho, ho!

– Co tam wyszło? Widzę! Wszystkie kolorowe krechy pod kreską, czyli do dupy?! Ha, ha, ha – rechotała wniebogłosy Felcia.

– Tak jakby!

– Dam ja jej jutro popalić! Pójdę do wsi, chociaż biodro rwie.

– Felciu, a może sprawdzimy biorytm jakiejś dobrej koleżanki?

– A po co? Teraz się martwię o Anię – spoważniała i spojrzała melancholijnie w stronę doliny.

Kaśka popatrzyła w tę samą stronę. Złote łany zbóż, zielone pola z ziemniakami i burakami, stalowoniebieski staw i kępy drzew. Śliczny widok. Jak zawsze.

– Felciu, musi być dobrze! – zaśmiała się, chcąc zmienić nastrój Felci.

– Masz rację, Kasiu. A jakby co, nie daj Bóg, to zawsze można powiedzieć: przecież to tylko wakacje! No nie?

– Wiesz, że wczoraj tak samo powiedział do mnie Krzysiek? Najpierw byłam zła, ale potem pomyślałam sobie: koniec napinania, co ma być, to będzie, byle z rozwagą!

– No i świetnie, Kasiula!

Kasia zamilkła i przymknęła oczy. Piotr z Poznania, Adam z Gdyni, Krzysio z Kartuz... Co ja głupia robię? A teraz jeszcze poznałam Macieja, syna Felci. Czterdzieści lat skończone, a nie potrafię sobie normalnie życia ułożyć! – Zaczęła trzeć czoło, zapominając, że nie jest sama.

– Cóż to, też kowaliki?

– Nie, Felciu! Sprawdźmy jeszcze jedną osobę – poprosiła, spoglądając na nią poważnie.

– A co ty z taką miną? Kogóż to chcesz sprawdzić?

– Macieja! – odpowiedziała Kaśka cicho, ale dobitnie.

Zapadła cisza. Felicja szklanym wzrokiem znowu wpatrywała się w swoją dolinę.

– Po co ci to? – spytała suchymi ustami.

– Jestem ciekawa. Miałam okazję niedawno go poznać – wyszeptała Kaśka. – On jest taki... dobry.

– Uciekł i zostawił mnie samą. Nie chciał mnie wtedy zrozumieć, a życie mogło być zupełnie inne. – Znowu zamilkła. Oblizała spieczone wargi.

Kaśka oparta na łokciach patrzyła prosto w jej twarz.

– Daj mi z nim spokój... zostawił matkę!

– Ależ...

– Kasiu, Kasiu...

Teraz Felcia wpatrywała się uważnie w twarz Kaśki. Zobaczyła w jej oczach przestrach i smutek.

– Kasiu, Kasiu… – powtórzyła, zastanawiając się, jakie mają być następne słowa. – Ty sobie tutaj posiedź z tym plastikowym głupkiem – wskazała na laptopa i sztucznie się uśmiechnęła. – Ja idę gotować obiad. Może Ania wróci wcześniej i będzie głodna? – dodała tonem martwiącej się o dziecko matki.

– Zapomniałam ci powiedzieć, Felciu… Wróci dopiero jutro, przysłała sms-a…

*

Słońce zbliżało się do linii drzew.

– Halo, dziewczynki! Halo! Już jestem! – od furtki niosło się radosne wołanie Anny.

Felcia wybiegła jej na spotkanie aż pod gazon. Padły sobie w ramiona, jakby miesiąc się nie widziały. Kaśka patrzyła na tę scenę z kwaśną miną. Mało od wczoraj rozmawiała z Felicją i teraz zastanawiała się, czy to Felcia ma tak wiele twarzy, czy też ona ma kłopoty z właściwym zrozumieniem jej słów i reakcji.

– Opowiadaj! – podskakiwała Felcia, mimo bolącego biodra i kolana.

– A ty, córcia, coś taka? – Anna spojrzała na Kaśkę.

– Wszystko jest okej! Opowiadaj, mamo!

– Aha! – Anna jeszcze raz czujnie spojrzała na Felcię i na już uśmiechniętą Kaśkę. – No bo… – chciała zacząć jakąś myśl, ale widząc już zdecydowanie uśmiechnięte twarze obu, raptownie odstąpiła od tego pomysłu. – Ryszard jest cudowny!

– Aniu kochana! Głodnaś ty?

– Najedzona, napita i zrelaksowana. Miałam dużo

emocji i czasami nie wszystko łapałam... – Felcia i Kasia spojrzały na siebie porozumiewawczo – ale czułam się fizycznie silna, więc jakoś wszystko wytrzymałam.

– Myśmy to wiedziały, myśmy to wiedziały! – z radosnym dziecięcym przyśpiewem powtórzyła Felcia.

Teraz Anna spoglądała to na jedną, to na drugą ze zdziwieniem na twarzy.

– Co wyście wiedziały?

– A bo Kasia pokazała mi wczoraj te, no, już wiem, te biorytmy na laptoku i wszystko się pokrywało z tym, co mówisz!

– Kasiu! Mówiłam ci, nie wierz w to, to tylko zabawa. Taka wróżba....

– Oj, Aniu! – przerwała jej Felcia. – Przepraszam cię, ale wróżba to poważna sprawa, a nie żadna zabawa.

– Bożesz! – jęknęła Anna i machnęła zrezygnowana ręką. – No dobrze, słuchajcie! Stefcia, mama Ryszarda, to cudowna kobieta. A jaka mądra! Polonistka – dodała z naciskiem. – Dobrze się trzyma, chociaż od czasu do czasu troszeczkę odpływa, ale tak nieszkodliwie. Kazała sobie mówić po imieniu! Ela też przekochana! – opowiadała z ożywieniem. – Czułam się tam jak w prawdziwym ciepłym, rodzinnym domu – roześmiała się perliście. – Wiesz, że one chcą koniecznie ciebie poznać? – spojrzała na Felcię.

– Może kiedyś, nie mówię nie... – Felcia klasnęła w dłonie. – Najważniejsze, że pasujecie do siebie z Ryszardem! Ciesz się chwilą, łap ją, korzystaj z życia i trafiającego ci się szczęścia pełnymi garściami... No i pamiętaj, że przecież to tylko wakacje! – Felcia znowu klasnęła w dłonie.

Kaśka uśmiechała się, prawdziwie uradowana z nastroju mamy. Trochę jej nawet zazdrościła. Felcia i Anna znowu uściskały się mocno, a potem ruszyły do szalonego tańca. Gdy po kilku dobrych chwilach opadły na krzesła, Anna odezwała się:

– A ja wczoraj też usłyszałam od Ryszarda takie same słowa, tylko nie pamiętam zupełnie okoliczności, w jakich padły. Na pewno było to w jakimś miłym kontekście, bo śmiałam się... – Pocierała skroń, starając się przypomnieć.

– Inteligencja ZERO! – prawie równocześnie krzyknęły Felcia i Kaśka.

– No co wy? – patrzyła na nie z niepewną miną, ciągle trąc się po skroniach.

– Mnie też wczoraj Krzysztof powiedział identyczne słowa, ale trochę mnie wkurzyły, bo to nie było zupełnie adekwatne do sytuacji. – Kaśka nie miała jednak zamiaru zazdrościć mamie. – Dlatego kiedy wróciłam do domu, sprawdziłam jego biorytm. I dasz, mamuś, wiarę? Potrójne zero! Potrójne! – zaśmiała się.

Po chwili cała trójka zanosiła się śmiechem.

– Kaśka, pani Anno, Kaśka...! – przez ich śmiech ledwie przebił się krzyk sunącej przez gazon Marysi, machającej kartką papieru.

– Co się stało? – odkrzyknęła Kaśka.

Marysia opadła na krzesło i porwała ze stołu szklaneczkę Kaśki. Gdy wychyliła duszkiem jej zawartość, wskazała na trzymaną w ręku kartkę.

– Eliza zadzwoniła do mnie, bo żadna z was nie odbierała telefonu ani sms-ów... – mówiła emocjonalnie, cały czas posapując. – Przysłała mi maila. Wydrukowałam go, bo wszystkiego bym przecież nie zapamiętała.

Anna sięgnęła do torebki.

– Ojej...– jęknęła – chyba mi się bateria rozładowała...

– U mnie też cały czas była cisza... – Teraz Kaśka spojrzała na swój telefon. – No tak, cisza, bo wyciszyłam.

– A co jest w tym mailu? – Anna wskazała na kartkę.

– Informacje od Maxa Bonko o Krystynie Zalewskiej... – Marysia napełniła lemoniadą szklaneczkę Kasi, którą znowu opróżniła duszkiem. – Potwierdził ostatecznie, że ona była jego babcią! – wykrzyknęła.

– Niesamowite! – Anna złapała się za serce. – Czytaj wreszcie, bo ja bez okularów i tak nie dam rady. No już, już – popędzała córkę.

Kaśka porwała ze stołu kartkę przyniesioną przez Marysię i zaczęła czytać:

– Babciu, Mamo! Ostatniej nocy dostałam list od Maxa Bonko, który w całości poniżej kopiuję:

Witaj Eliza! Dziękuję za obszerny list, który pomógł ojcu w rozwikłaniu wszystkich jego wątpliwości. Moja babcia Krystyna Zalewska przybyła do Ameryki 17 września 1938 roku statkiem Batory. Osiadła w Chicago i mieszkała tam cały czas aż do śmierci 1 września 1981 roku. W 1950 roku usynowiła sierotę Władysława Bielskiego, dając mu swoje nazwisko. Władysław ożenił się z Betty Wilson w 1973 roku, a ja jestem ich jedynym synem. Ojciec sprawdził wszystkie dane i fakty podane przez ciebie, więc musiało to trochę potrwać. Krystyna Zalewska w dokumentach imigracyjnych podała, że ostatnim miejscem zamieszkania w Polsce była wieś Parchowo, stąd w tej kwestii nie może być żadnej pomyłki. Znaleźliśmy dokumenty potwierdzające, że przybyła tutaj z bratem i jego żoną. Nazwisko i ich imiona są identyczne z podanymi przez Ciebie. Oni przenieśli się jeszcze w latach czterdziestych na Zachodnie Wybrzeże i zrobili jakiś dobry biznes, ale od śmierci babci kontakty z nimi się urwały.

Anna przyłożyła dłonie do gorących policzków, Felcia zaś wcisnęła się z całych sił w swoje krzesło. Kaśka łyknęła lemoniady ze swojej, chociaż już wspólnej z Marysią szklanki i wróciła do czytania.

W pamiętnikach babci Krystyny znalazły się w wielu miejscach zapisy o ciemnej plamce w kształcie serduszka na plecach Basi. Taką samą plamkę miała, jak piszesz, mała dziewczynka znaleziona w okolicach Parchowa przez twoją prababcię Jutkę Nagengast. To nie może być przypadek. W pamiętnikach przewija się także imię dziewczynki z sąsiedztwa, Felci Skierki, z którą babcia Krystyna była bardzo zżyta. Nazywała ją w pamiętnikach swoją kochaną małą przyjaciółką.

Felcia głęboko westchnęła.

Burzę, pożar i tragiczną śmierć męża i córki babcia Krystyna opisała w pamiętnikach ze szczegółami i zgadza się to z opisem twojej prababci Jutki Nagengast. Naszym więc zdaniem, cudownie ocalała dziewczynka nie może być nikim innym niż Basią Zalewską. Mój tato poprosił mnie, abyśmy pilnie ze sobą porozmawiali o naszej wspólnej rodzinie. Cieszę się, że mam białą kuzynkę, Polkę. Tutaj też mam kuzynki, ale wszystkie są kolorowe. Czekam pilnie na odpowiedź, a potem na rozmowę. Serdecznie Cię pozdrawiam i do usłyszenia. Twój kuzyn Max Bonko – Julian Zalewski.

Zapadło milczenie. Felcia i Anna trzymały się za ręce i wpatrywały w siebie.

– No, to chyba teraz już nie masz żadnych wątpliwości – odezwała się po dłuższej chwili Felcia przez zaschnięte usta.

– Tak. Teraz już nie mam. Odnalazłam rodzinę... Boże, jak ja się cieszę... – wyszeptała uśmiechnięta Anna.

Znowu zapadła cisza.

– A co tu tak dziwnie... pachnie? – odezwała się niespodziewanie Felcia. Rozglądała się wokół, zaglądając również pod stół. Zabawnie wciągała nosem powietrze, robiąc przy tym dziwne miny.

Anna i Kaśka spoglądały po sobie, nie rozumiejąc ani jej pytania, ani dziwnego zachowania. Marysia parsknęła śmiechem.

– Tak się śpieszyłam do was, że na łące poślizgnęłam się i wpadłam w krowi placek... i trochę mi przeszła nim lewa ręka... – wykrzyczała, śmiejąc się głośno. – Ale list trzymałam w prawej – dodała z poważną miną, jednak ze śmiejącymi się ciągle oczami.

Najpierw Felcia, a za nią pozostałe kobiety zaniosły się śmiechem.

Gdy się nieco uspokoiły i zaczęły spokojniej oddychać, Felicja nakryła prawą ręką obie dłonie Anny, lewą dłonie Kaśki i głęboko nabrała powietrza, jakby chciała coś powiedzieć. Nie było jej jednak to dane, bo ubiegła ją Anna.

– Ciągle się zastanawiam nad jedną sprawą – wyszeptała i naparła plecami na oparcie wiklinowego fotela, który zachrzęścił.

Felcia, Kaśka i Marysia spojrzały na nią z zaciekawieniem.

– Bo chodzi o to, że przyjechałyśmy tutaj niby na

tydzień... – zawiesiła głos. – Samochód się popsuł – okej! To znaczy nie okej, ale musiałyśmy przeczekać jego naprawę. Najpierw dowiedziałam się, czego mogłam się dowiedzieć o sobie tutaj w Parchowie: od pana Feliksa, od ciebie, Felciu, z ksiąg parafialnych, w gminie – okej. Potem trochę poleniuchowałyśmy – okej! Pojechałyście do Poznania po rzeczy Elizki – okej, ale ja tutaj zostałam i to już chyba nie było okej?!

– O czym ty mówisz, Aniu! To było jak najbardziej okej! – krzyknęła Felcia, a Kaśka kiwnęła dla potwierdzenia głową. – Przeżywasz jak stonka wykopki – zaśmiała się. – Kóń mô wikszi łep, niech sã jiscy* – dodała i machnęła ręką.

– No to okej! – uśmiechnęła się, mrużąc oczy Anna. – Dzisiaj dowiedziałam się ostatecznie o rodzinie z Ameryki, co potwierdza wszystkie tutejsze ustalenia i to też jest okej! – zamyśliła się i spojrzała w kierunku doliny. – Tylko, że nasz dom stoi tam – wskazała ręką w kierunku horyzontu – więc siedzenie nadal tutaj, angażowanie się Bóg wie w co, to już chyba nie jest okej, co?

– Mamo. Akurat to, o czym ja myślę, myśląc, że ty o tym myślisz, jest jak najbardziej okej! – pokazała wszystkie zęby w uśmiechu Kaśka.

– No! To jest jak najbardziej okiej! – zgodziła się z Kaśką Felcia. – Zresztą większego okieja trudno sobie nawet wyobrazić. To jest ważniejszy okiej niż wszystkie razem wzięte... – zawiesiła głos, wpatrując się w Annę – ...łącznie z tym, że jesteś Basią, córką Zalewskich!

Marysia cały czas kiwała głową, że zgadza się zarówno z Kaśką, jak i Felcią.

---

* Koń ma duży łeb, niech się martwi – powiedzenie w języku kaszubskim.

– Oczywiście, że Felcia ma we wszystkim rację! – wrzasnęła Kaśka. – Chociaż ciągle czekam, jak coś więcej opowiesz, co myślisz zrobić w sprawie znajomości z Ryszardem... – zmrużyła po kociemu oczy.

– Jak to, co myśli zrobić? Czyś ty ślepa?... – fuknęła Felcia.

– A co wy tak wszystkie przeciwko mnie? – Anna wyprostowała się raptownie w fotelu.

– Aniu! – rzekła Felcia podniosłym tonem. – Wasz poznański dom stoi tam, gdzie stoi, i stać będzie dalej. Poczeka na was! Możecie być u mnie choćby przez całe lato. Jak już kiedyś powiedziałam, mój dom jest waszym domem! – mówiła wolno i z namaszczeniem. – Jesteśmy przecież rodziną, a ty oprócz tego jesteś moim prezentem imieninowym! – uśmiechnęła się triumfalnie. – A ja ze swoich prezentów tak łatwo nie rezygnuję. – Wzięła się pod pachy i potoczyła wzrokiem wokół, zadowolona ze swoich przemyśleń. – Moim zdaniem, nie macie się dokąd i po co spieszyć! Wszystko trzeba pozałatwiać do końca... – powtórnie spojrzała na Annę. – Z Ryszardem też! Co ja mówię! Teraz przede wszystkim i najbardziej z nim! I dopiero wtedy będzie wszystko okiej! A wrócicie do Poznania, jak wszystko już załatwisz, jak się Parchowem wszystkie zmęczycie, znudzicie... A teraz zostajecie! To jest rozkaz!

Anna, zaskoczona ostatnimi słowami Felci, kiwała głową, a wtórowała jej Kaśka. Żadna z nich nie miała ochoty jej się przeciwstawiać, tym bardziej, że było im tu dobrze i tak naprawdę wcale nie zamierzały wracać do Poznania. Anna myślała gorączkowo, co by tu powiedzieć, ale udało jej się tylko zatrzepotać rzęsami. Próbowała schłodzić dłońmi płonące policzki, ale te ciągle były gorące. Czuła wzruszenie po słowach Felci. Wiedziała, że ma rację. W tym momencie dzięki jej słowom kochała cały świat. Kręciło jej się w głowie.

– I pomyśleć, że przez tyle lat dzieliło nas od siebie tylko kilka godzin drogi – odezwała się po kilku chwilach Felcia, tym razem ciszej i dziwnie zdławionym głosem.

Annę zamurowało. Felcia powiedziała dokładnie to, co już parę razy miała w myślach i prawie na języku. Wpatrywała się w jej wilgotne oczy, czując, że jej samej także się szklą. Kaśka i Marysia siedziały jak zahipnotyzowane, otworzywszy ze zdziwienia usta i tylko spoglądały raz na jedną, raz na drugą.

– Masz rację, Felciu... – odezwała się Anna cicho. – Dzieliło nas kilka godzin do szczęścia... – Obie spontanicznie poderwały się i mocno się do siebie przytuliły.

Kaśce przypatrującej się tej scenie zrobiło się cieplej pod sercem. Wydawało jej się, że ich uścisk trwa już wieczność. Spoglądała raz na nie, raz na śmiejące się oczy Marysi. Anna i Felcia wreszcie oderwały się od siebie i opadły na krzesła.

– Dziewczynki, proszę was tylko o jedno – Felcia czuła potrzebę, żeby coś jeszcze dopowiedzieć. – Podchodźcie do wszystkiego, co się jeszcze tego lata wam przydarzy, ze spokojem, pamiętając, że przecież to tylko wakacje! – ostatnią frazę wypowiedziała, przesadnie modulując głos i wzbudzając tym rozbawienie Anny, Kaśki i Marysi.

– Kaśka...! Daj telefon, przecież Eliza czeka! – zawołała nagle, przytomniejąc Anna.

*

Nieco ponad sto kilometrów dalej, na najdalej wysuniętym na wschód przyczółku Kaszub – na Helu, stojąca w oknie Eliza wpatrywała się w rozgwieżdżone niebo, co i raz zerkając na ciągle ciemną i cichą komórkę. Oczekując na jej sygnał, rozpamiętywała zdarzenia z trzech tygodni poprzedzających przyjazd do Helu.

Przecież gdybym nie postanowiła ruszyć się z Sołacza w świat, to pewnie stałabym się taką samą Glorią, jak tamte dwie... Jasne, że gdyby nie babcia i te listy z biurka, byłoby trudniej, ale i tak ostatecznie postawiłabym na swoim. Dobrze się stało, że wszystkie trzy przyjechałyśmy tutaj... Kurczę! Ta Marysia coś słabo nogami rusza... Czy jak biegnie, to jej tyłeczek też się tak kręci? Świetna kobitka! Ale co, jeszcze tam nie dotarła? Przecież to tylko pięćset metrów, a minęła już ponad godzina! – Zerknęła ponownie na telefon, ciągle cichy i ciemny.

Dostałam się na studia, jestem w Helu. Marzenia się spełniają, a życie jednak jest cudowne! Babci też się wszystko spełniło. Jest nawet ziemianką! Dobre! No i ta kochana Felcia... Gdyby nie ona, pewnie by babcia i mama tyle tam nie siedziały. Ciekawa jestem, jak długo jeszcze tam pozostaną. Marysia mówiła, że my tam pasujemy, że powinnyśmy zostać...

– Chciałabym, chciała, chciałabym, chciała – zanuciła uśmiechniętą buzią.

Babcia dowiedziała się nawet, że ma brata, no a ja kuzyna. A w bonusie jeszcze czekoladowe kuzyneczki poznam! Już widzę tę imprę gdzieś na Manhattanie albo w Brooklynie. Łaał! Babcia ma jeszcze teraz na dodatek Ryszarda Lwie Serce... Dobre! Tak powinna go nazywać! Chyba się w nim zakochała... To ci babcia! I co to dalej będzie? Zerknęła ponownie na telefon. No, dzwońcie już!

A Kasiula? To ci dopiero cicha woda! W Poznaniu ma Piotra, myślała, że ja nic nie wiem. Ha, ha! Umiecie się maskować, ale ja wszystko wiem! W Erinie Adam i jej majtające nóżki. Istne miodzio! Gdyby mi ktoś to opowiedział, nie uwierzyłabym. Ale fajna jest. Nie wiedziałam, że mam taką kochaną mamę. Potem Kartuzy i Krzysiek. Szkoda, że on jest żonaty. Ale będzie miała za to u niego pracę. Pasują do siebie, tylko że co z tego... A teraz Marysia wygadała się, że zaiskrzyło pomiędzy nią a Maciejem. No, no, no! Kasiula, cicha woda. Oj, żeby jej się wszystko ułożyło...

A może ten mój telefon zdechł? Nacisnęła klawisz, ekran zaświecił na zielono. No nie, zasięg jest, wolty są... o co więc chodzi?

A ja z kolei mam Igora... Kartuziaka z zasadami. Szkoda, że Zuza i Jolka daleko. Podobało mi się, jak patrzyły na nas zazdrośnie. Ale udał mi się! A jak całuje?... Taki ci kartuziak... Dostał amby na moim punkcie, widzę to, i ja też lubię z nim być. A te łydki ma takie milusie... No i mądry, i poważny...

Uśmiech szczęścia nie schodził z jej buzi. Telefon nagle podskoczył i zaczął sunąć po parapecie. Rozległa się melodia z *Mostu na rzece Kwai*, ekran zaświecił na zielono. Czarne literki pokazały napis MAMA. Nacisnęła klawisz. „Śpisz córeczko? Jeśli nie – dryndnij. Dziękujemy za list. My też mamy ciekawe wieści! Kochamy Cię".

– Ja też was kocham... – szepnęła, zatrzęsła jej się broda i poczuła wilgoć pod powiekami.

KONIEC TOMU PIERWSZEGO

Spis treści